有色金属资源循环利用

Recycling of Non-Ferrous Metals Resources

邱定蕃　徐传华　编著

北　京
冶金工业出版社
2006

内 容 简 介

本书系统介绍了有色金属资源循环利用的实用技术。全书共9章。书中首先阐述了对资源循环的认识和国内外概况，重点介绍常用有色金属铜、铝、铅、锌及贵金属循环利用的工艺和装备，包括各种二次资源，如废旧汽车、各类电池、家电、催化剂、包装材料等以及这些资源的收集、解析、分类、分离、处理和回收利用。书中还介绍了大量国外资源循环利用企业的生产及研究状况，国外有关资源循环的法律、规定、组织形式和管理方法，以便推动和保障循环经济的建立和发展。

本书可供从事有色金属循环利用的工程技术、研究、生产和经营管理人员使用，也可作为冶金相关专业大专院校师生的教材。

图书在版编目(CIP)数据

有色金属资源循环利用/邱定蕃等编著. —北京：冶金工业出版社，2006.12

ISBN 7-5024-4155-7

Ⅰ.有…　Ⅱ.邱…　Ⅲ.有色金属－废物综合利用　Ⅳ.X758

中国版本图书馆 CIP 数据核字（2006）第146719号

出 版 人　曹胜利（北京沙滩嵩祝院北巷39号，邮编100009）
责任编辑　李　梅(电话：010-64027928)　美术编辑　李　心
责任校对　杨　力　李文彦　责任印制　牛晓波
北京兴华印刷厂印刷；冶金工业出版社发行；各地新华书店经销
2006年12月第1版；2006年12月第1次印刷
169mm×239mm；22.25印张；2插页；439千字；341页；1－3000册
65.00元

冶金工业出版社发行部　电话：(010)64044283　传真：(010)64027893
冶金书店　地址：北京东四西大街46号(100711)　电话：(010)65289081
(本社图书如有印装质量问题，本社发行部负责退换)

序

《有色金属资源循环利用》这本书，是由北京矿冶研究总院的邱定蕃(教授级高工、中国工程院院士)和徐传华(教授级高工)两位同志撰写的新著作。两位作者长期从事有色金属提取与分离研究工作,在本领域的研究、开发和生产实践方面,取得了重要的创新成果,对有色稀有金属科技的发展有重要的贡献。他们较早就敏锐地认识到实行金属资源循环回收和利用对克服资源、环境制约的重要意义。一个时期以来,作者密切关注这一课题并且开展了调查和研究工作,积累了大量的资料,科学研究工作也有许多进展。

由于经济规模的发展和人民生活水平的提高,人们对金属材料和制品的需求量日益增大。近百年来,我国各种有色金属的总消费量增长了数百倍,甚至上千倍。从20世纪末开始,更是急剧增加,仅近10年来,我国有色金属的产量和消费量就连续翻了两番。在有色金属生产和使用大发展的同时,带来了前所未有的资源和环境问题。

在这本书中,作者明确指出,资源短缺和环境污染早已成为中国有色金属工业发展的主要障碍,只有使有色金属资源真正实现循环利用,才有可能从根本上解决资源短缺和环境污染问题,从而实现有色金属工业的可持续发展。由于一些用量大的有色金属,如铝、铜、铅、锌、镍及贵金属的化学性质稳定,这就为有色金属的高度循环利用提供了基础。同时,有色金属多数价格较高,这使有色金属循环利用不仅具有重大的社会效益,也有较高的经济效益。

《有色金属资源循环利用》是一本内容丰富的学术论著,作者阐述了对资源循环的认识和相关学术理论,重点介绍常用有色金属铜、铝、铅、锌及贵金属循环利用的工艺和装备,包括各种二次资源,如废旧汽车、各类电池、家电、催化剂、包装材料等以及这些资源的收集、解析、分类、分离、处理和回收利用。书中还介绍了大量国外资源循环利用企业的生产及研究状况。此外,作者收集、整理了大量国外有关资源循环的法律、规定、组织形式和管理方法，这对于推动和保障循环经济的建立和发展是至关重要的参考材料。书中的许多资料来自于作者参加的国际学术会议，也包括与国外学者、企业家学术交流和共同研究的成果。这本书不仅对从事有色金属循环利用的学者和工程技术人员有用，书中提到的原理和方法对于从事其他行业资源循环利用的人员也有启发和借鉴作用，同时对有关开展循环利用的部门进行监督和具体实施以及企业的经营、生产组织管理等也有很好的参考价值。

相信这本书的出版，对于进一步发展我国的循环经济及相关科学技术，实现国民经济的可持续发展和建设和谐社会，将产生很好的作用。

王淀佐

2006 年 6 月于北京

前　言

2002年我们曾通过中国工程院向有关部门提出“关于加快建立资源循环型社会的建议”,并萌发了撰写一本关于有色金属资源循环利用的专著。2004年我们向中国工程院申报的“有色金属资源循环利用”研究课题得到了批准和资助。因此,这本书的出版首先要感谢中国工程院的支持。

长期以来,人们在进行提取冶金的科研活动时,最先考虑的是如何提高金属的回收率、分离效果、产品纯度和降低成本。大约在20世纪70年代末,我们开始注意到有色冶金过程中的环境污染问题。因为那时我们已经知道了“伦敦烟雾事件”、“日本富山骨痛病”、“日本熊本水俣病”等因二氧化硫和重金属镉、汞造成的严重环境污染问题。但是随后的有色金属工业快速发展,将人们的注意力集中在如何扩大生产规模、增加金属产量上,其他问题均退居次要位置。到20世纪80年代中期,我们从自己的科研工作中深刻地体会到,环境污染问题已经成为有色金属工业发展的主要障碍。“环境污染”逐渐被人们所重视,但人们大多只是讨论如何治理污染。随着中国有色金属产量迅速增加,我们的资源面临严重短缺。在20世纪90年代初,曾经是中国优势的铅锌资源,几年之后就开始大量进口,更不用说本来就短缺的铜、铝资源了。当21世纪来临时,我们不得不面对这样一个问题:如何保证中国有色金属工业的可持续发展? 我们在学习、调研、交流和思考之后,得出了一个结论:只有建立资源循环型社会,才有可能从根本上解决资源和环境问题,这才是中国有色金属工业可持续发展之路。从那时起,我们曾发表过一些文章或在一些会议上论述这一观点,期望能引起社会各界的注意。

人类不应该也不可能只是不断地向地球索取资源,将开发出来的资源在使用一次之后,将它们的产物堆遍地球,污染环境。正如自然界存在的许多平衡一样,资源循环也是维持人类与自然和谐共处的一个法则。因此,建立资源循环利用系统,对许多矿物资源来说,都是一种必然的趋势。不管各种金属工业的情况有多大差别，但逐渐建立起资源循环系统都是必然的。如果我们能够有意识地加快循环系统的建立，使一个资源循环型的社会尽快到来，才有可能使社会发展的两大问题——资源短缺和环境污染得以解决。

有色金属矿石在经过破碎、分解、金属回收之后，除了少部分组分目前还难以循环利用之外，其他组分仍是资源。大多数金属，特别是那些化学性质不特别活泼的金属，例如铁、铜、铝、铅、贵金属等，均可以循环利用。所幸的是，这些又恰好是社会经济发展需求量大的金属，这是自然界对人类的恩赐。

我们在与国内同行进行学术交流时了解了他们对资源循环利用的认识，有些人认为中国还处于发展初期，各种金属的社会积存量不多，因此，二次资源不可能起重要作用，还是应全力开采矿石。还有些人同意资源循环非常重要，但认为这是管理部门的事，只要他们制定了法律，有一套行之有效的方法将二次资源收集起来，所有的问题都迎刃而解了。他们认为这一领域没有什么科学技术问题，二次资源都可用传统的、现行的工艺设备处理。

其实，就有色金属而言，目前中国需求量的20%以上来自资源循环，一些发达国家有色金属需求量50%以上来自循环利用。资源循环已经在有色金属工业中担当非常重要的角色。可以预料，这一比例将随着社会经济发展、文明进步而继续提高。关于资源循环利用中的科学技术问题，对从事这一领域的科技工作者来说，认识可能会很深刻。我们可以很容易地举出矿石与二次资源的许多不同之处，因而它们的处理方法必然不尽相同。对硫化矿来说，它们是金属(M)与硫(S)、氧(O)的结合，冶金工程师考虑的是如何使金属与硫、金属与氧的分离；而对二次资源来说，它们的成分可能是金属(M)、合金(M-M)、氧化物、硫化物、各种有机聚合物等，它们的分离有时更困难。对许多从事基础理论研究的人来说，他们需要研究各种金属二次资源的基本物理化学性质，还要研究处理这些物料过程中的热力学和动力学，这在现有的手册和资料中是难以查到的。而对许多从事应用研究的人来说，问题就更多了。例如，与处理矿石相比，二次资源的破碎、磨碎、物理或化学分选等预处理过程大不相同，通常更复杂；由于二次资源成分复杂，分离、提取和提纯金属较为困难；处理二次资源时，大多在城市或城市周边，环境保护的标准更高;处理二次资源的工艺技术要求较大的弹性,才可能适应不同种类的物料;要使从二次资源中提取的金属性能不下降,材料科学家需要尝试各种方法;此外,二次资源的处理需要较为完整的产业链和多学科的结合。这就是为什么国家自然科学基金委员会于2005年11月在江苏常州市举办了“有色金属资源循环科学前沿与关键问题”的“双清论坛”,请国内有关专家、学者对此问题进行研究、讨论和交流。应该说,国家自然科学基金委员会对此问题是有深刻认识的。

当然,我们在强调资源循环利用过程中存在大量的科学技术问题的同时,必须更加强调政府和有关管理部门在促进资源循环型社会建立过程中的关键作用,这也是本书中收集了许多发达国家和地区的法律、规定和管理办法的原因。

还有一些问题也值得从事这一领域的同行们探讨。许多文章、报告和会议中大量使用“再生金属”、“废旧金属”、“再生金属产量与金属总产量之比(再生金属/金属产量)”等名词,这当然是几十年来已经形成的概念,人们很容易理解它们的含义。但是,如果将从二次资源中产出的产品全部归为“再生金属”,例如,金属氧化物、盐类、各种合金等,就不很贴切了。将二次铜资源中提取的铜经电解精炼产出的铜称为“再生铜”,似无不妥。但用二次资源作为原料而得到的铜化合物也称为“再生铜”,就名不符实了。更何况,当你与国外同行交流时,如果直译“再生铜”为“regenerated copper”,有可能他们难以理解。如果用“recycling of copper”或者“secondary copper”,他们一听就明白,而且不会产生误解。我们认为,“再生金属”并非不能用,但要注意在一些场合它可能不确切。因此,在本书中,我们常常用“金属循环利用”,以避免歧义;“废旧金属”之类的名称由于与我们强调的它们都是资源这一思想不符,我们更多地称之为“二次资源”,也即是英语中的“secondary resource”,可能更好一些;至于“再生金属产量与金属总产量之比”的概念,往往含糊不清,这里的再生金属不知道是否包含了除再生精炼金属之外的金属制品。更重要的是,金属总产量不一定是消费量,例如,中国铜消费量与铜产量之间有巨大缺口,如果按“再生金属产量与金属总产量之比”的概念,其比值不低。这一概念不能反映金属循环利用对社会需求的贡献和我们与国外先进水平的差距。因此,我们在本书中一般采用“金属循环量与金属需求(或消费)量之比”这一概念。这些,仅是我们的粗浅体会,欢迎同行指正。

我们希望这本书能为从事资源循环领域，特别是有色金属循环利用的科技人员、企业家、管理部门领导和工作人员以及大专院校师生提供一些信息、资料和国内外情况，也许能为大家的工作提供一些方便，这就是我们编著本书的初衷。

作者要特别感谢王淀佐院士、李东英院士、张国成院士、戴永年院士、陈景院士、何季麟院士。在我们选题和写作过程中，他们的支持和帮助给了我们极大的鼓舞。同时，我们也衷心感谢王恭敏教授、潘家柱教授、钮因健教授、符斌教授和吴义千教授对我们写作的帮助。此外，徐志峰博士也协助我们做了不少工作，在此一并表示谢意。

由于作者水平所限，书中不足之处，敬请读者批评指正。

作 者

2006 年 6 月

目　录

1 资源循环、资源循环利用与资源循环型社会

1.1 资源在可持续发展中的地位

可持续发展(sustainable development)问题,是21世纪世界面对的最大的中心问题之一,它直接关系到人类文明的延续,并成为直接参与国家最高决策的不可或缺的基本要素。

可持续发展的概念提出之后,各国政府和广大社会公众都很快地接受了这一概念。在可持续发展过程中,人口、资源、环境是起决定作用的三个基本因素。探讨它们在可持续发展过程中的影响和相互作用,对形成可持续发展战略具有十分重要的意义。早在1980年3月5日,联合国大会就向世界呼吁:“必须研究自然的、社会的、生态的、经济的以及利用自然资源过程中的基本关系,确保全球的发展”[1]。

资源是可持续发展的基础,没有资源就谈不上发展。一般来说,资源应包括水资源、土地资源和矿产资源等。本书着重探讨矿产资源对可持续发展的影响。由于资源的开发利用与环境密切相关,特别是资源的循环利用是解决环境污染的最有效途径,因此本书又不可避免地涉及环境问题。矿产资源的开发过程中需要用水和排水,需要占用土地和破坏土地。因此,矿产开发又与水资源和土地资源的保护或破坏密切相关。

中国资源的总量和品种在世界上居于前列,但按人均计算则处于非常落后的位置。在水资源方面,根据1997年人口统计,全国人均水资源量为2220 m^3。按联合国可持续发展委员会等7个有关组织1997年对全世界153个国家和地区所做的统计,我国人均水资源量排在第121位。人均水资源量少于1700 m^3 的国家为用水紧张国家;人均水资源量少于1000 m^3 的国家为缺水国家;人均水资源量少于500 m^3 的国家为严重缺水国家。长江以北地区人口占全国44.3%,耕地面积占59.2%,GDP占42.8%,人均水资源为747 m^3,预计到21世纪中叶,我国人均水资源量将接近1700 m^3[2]。中国土地资源总量多,但人均耕地少,高质量耕地少,可开发后备资源少。人均耕地仅为1.59亩,相当世界人均耕地3.75亩的43%,不及俄罗斯的1/8、美国的1/6、加拿大的1/15,甚至只有印度的1/2。中国有151种矿产资源探明了储量,其中20多种矿产探明的储量居世界前列,是资源大国。但

按人均计算，中国人均矿产资源不及世界平均水平的1/2。此外，矿产资源中贫矿多，高品位矿少。据统计，我国铁、锰、铜、磷贫矿所占比例分别为全国总储量的97%、94%、65%、93%，这是矿种探明储量的平均品位，有的远不及国外平均水平的一半。中国矿产资源中伴生复杂矿多，单一矿少[3]，这就使矿物加工、金属分离和提取费用增高。

中国资源短缺的状况是客观存在的，未来经济社会发展同资源的矛盾会越来越突出，某些资源的短缺甚至有可能危及国家安全。中国不应该也不可能成为资源浪费型的社会。西方一些发达国家或资源相对丰富的国家，也越来越认识到资源节约和资源循环是唯一可行的可持续发展道路。人类不可能无限制地向自然索取，地球也不可能无限制地容忍我们随意丢弃废物。正如自然界存在的许多平衡一样，资源循环也是维持人类与自然和谐共处的一个法则，早一天认识并遵从这个规律，社会就可能持续发展；晚一天行动，就要付出更大的代价。

1.2 资源开发与环境

全球环境和气候的变化在很大程度上是人类经济活动的产物，这种变化反过来会对全球的经济与发展产生强烈的影响。急剧的工业化和资源的过度开发(如矿业开采与冶炼)是产生这种变化的极其重要的因素。如果人类不能有节制地开发自然资源并建立起资源循环系统，人类就无法可持续发展下去，并将不可避免地走向末日。

中国自然环境先天脆弱，历史上长期开采，再加上现代规模巨大、作用强烈的人类活动，中国的生态环境质量本底不高，极易遭受破坏[4]。因此，在中国实行有节制地自然资源开发并尽快建立资源循环系统就更加紧迫。

环境污染包括气、液、固三态。根据20世纪80年代的统计，全世界每年排出的二氧化硫达到1.5×10^8 t。中国1997年二氧化硫的排出量为1.408×10^7 t，1999年为1.114×10^7 t，其中90%来自煤的燃烧。有色金属冶炼经过艰苦的努力，1997年硫的利用率达到77.2%，每年仍有几十万吨二氧化硫排入大气。此外，矿石中的一些有害元素，如铅、汞、镉等也随气体排出。我国江河湖库水域普遍受到不同程度的污染。据“中国2000年水环境预测与对策研究”报道，2000年，中国污水总量为7.9×10^{10} t，工业废水为6.121×10^{10} t。每年都有数以万吨计的酚、氰、砷、汞、铬、铅、镉和石油类有害物质进入江河湖海。我国的矿物资源主要靠自给，矿石品位低，采矿矿石量和剥离废石量大。据1988年不完全统计，仅煤炭、冶金、电力、化工行业一年产生5.6×10^8 t固体废物。截至1988年，全国积存的固体废物已达66×10^8 t，占地面积为5.3×10^8 m^2，其中农田3.53×10^7 m^2。国家环保局组织的“中国2000年固体废物环境影响预测及对策研究”课题指出，2000年工业固体废物年产生量达9.8×10^8 t，其中危险性废物约9.451×10^4 t；固体废物堆

积量达 111.5×10^8 t,占地面积 8.6×10^8 m^2,其中农田 6.67×10^7 m^2。堆放废物不仅占有大量土地,而且通过风吹雨淋,会使周围土地毒化、酸化、碱化,污染面积可超过所占面积的数倍,更危险的是还会导致水体的污染[5]。

面对如此严重的环境污染,如果仍然不加节制地开采自然资源,后果将是灾难性的。

大部分自然资源总是有限的。以有色金属为例,中国的稀土、钨、锡、钼、锑为优势资源,但由于多年开采,有些已经出现资源危机。而用量大的铝、铜矿,中国的自然条件不好。中国的铝土矿以一水型铝土矿为主,占总储量的 97.9%,这种矿石加工难度大,耗能高[6]。中国铜矿储量严重不足,贫矿多,混合矿多,外部条件差。因此,大量矿物的开发与自然资源的缺乏存在明显的矛盾。

有一些矿产资源在使用后是无法再生的,如石油,目前尚不可能利用它燃烧后的产物。但有相当大的一部分矿产资源应该进行循环使用。人类不应该也不可能只是不断地向地球索取资源,而将开发出来的资源在使用一次之后,将它们的产物堆遍地球,污染环境。因此,建立资源循环利用系统,对许多矿物资源来说,都是一种必然的趋势。不管各种金属工业的情况有多大差别,但逐渐建立起资源循环系统都是必然的。如果我们能够有意识地加快循环系统的建立,一个资源循环型的社会尽快到来,有可能使人类两大问题——资源短缺和环境污染得以解决。

1.3 资源和资源循环

资源是一个范围很宽的词。于光远先生主编的《经济大词典·工业经济卷》中这样解释"资源"(resources)这个词:通常指自然界存在的天然物质财富。按恢复更新的能力,可分为不可恢复的(如各种矿石、石油等),可恢复的(如土壤、陆地和海洋中的自然植物和有益动物),取之不尽的(如水能和太阳辐射能)。在现代管理科学中,还包括人力资源。有人还把时间也列入资源的范畴,并认为时间是最稀有的资源。在电子计算机系统中所需要的硬件和软件的总称……[7]。

本书所探讨的资源当然是指自然界存在的天然物质财富。随着社会的进步,"资源"这个词的概念一定会发生变化。上述定义中将矿石列为不可恢复的资源,这只是指它的形状或组成。我们认为,从资源循环(resources circulation)的概念来说,将矿石列为不可恢复的资源就不很准确了。矿石在经过破碎、分解、金属回收之后,除了少部分组分目前还难以循环利用之外,其他组分仍是资源。大多数金属,特别是那些化学性质不特别活泼的金属,例如铁、铜、铝、铅、贵金属等,均可以循环利用。所幸的是,这些又恰好是社会经济发展需求量大的金属。这是自然界对人类的恩赐。矿石在提取金属之后剩余的尾矿或炉渣等,大多是钙、镁、硅、铝、铁的化合物,许多这类物质,都可以作为化工、建材等工业的原料。随着科学技术的进步,将会有越来越多的这类物质,经过加工处理之后,成为价廉物美的产品。

自然界存在许许多多大大小小的循环。人类生存需要氧气而排出二氧化碳，森林和其他植物需要二氧化碳而在一定时间里排出氧气。人类饲养牲畜(如猪)为了吃肉,人类排出粪便可作为农作物(如谷物)的肥料,谷物又可作为牲畜的饲料,这也是一种平衡。自然界中的动物还存在许多食物链,食物链中的某一环节被破坏了,就有可能使一些物种消亡。这些循环已经是人们所公认的了。那么,人类在大量使用自然矿石资源(如各种金属或非金属矿物),又大量产生各种“废物”(包括气、液、固体废料),如果我们不能逐步建立起一个循环系统,其结果只能如同自然界一些平衡被破坏一样,人类本身将遭受灭顶之灾。

所谓资源循环是指人类在利用自然资源(如矿石)的过程中所产生的产物(不能认为是废物),可以而且应该作为资源加以利用。如此不断循环,以最大限度地减少自然资源的损失和对环境的破坏[8]。过去我们常常将一些资源被利用之后的一些产物称之为“废物”。其实这是一个错误的概念、错误的导向。它应该是另一种资源,如果暂时还不能利用,那只说明科技和经济还没有发展到更高的阶段,正如100年之前人类只能处理高品位金属矿,而今天却在大量利用品位低得多的矿石。迟早那些被称之为“废物”的资源都将逐步得到利用。因此,将“变废为宝”改为“资源循环”更符合自然界的规律。其实,关于物质根本不能消灭,也不能重新创造,宇宙中物质的量始终保持不变的思想,早在公元前5世纪就为希腊哲学家们提出,并为十七八世纪的许多唯物论的哲学家所采纳。俄国化学家罗蒙诺索夫在1756年进行了一次著名的实验。他将铅、铁、铜等金属放在密封容器中煅烧,发现煅烧前后重量没有变化,从而得出结论:参与化学反应的物质总量在反应前后都是相同的,即质量守恒定律。这为哲学上物质不灭原理提供了坚实的自然科学基础[9]。

从化学的观点来看,自然资源被利用之后的产物是一种或几种物质,一种或几种资源。因此,随着工业化的进程,资源循环学就应运而生了。所谓资源循环学,就是研究如何利用自然资源被利用之后的各种产物,并建立起循环系统的科学。

1.4 资源循环利用

资源循环利用(resources recycling)是把全社会已经使用过的物品、边角料、废弃物作为一种资源,经过技术处理重新服务于人类。基于对资源循环这一法则的认识,人们应有意识地去遵循这一法则,有意识地不去破坏这一平衡。

人类社会在很长的时间里,并没有真正意识到资源循环是人类必须遵循的一个法则。在大规模工业化之前,人们似乎从自然界可以任意索取自然资源,也可以随意向自然界丢弃废物。的确,自然界的自净化过程,使人类在很长的时间里,没有感到生态环境的恶化。随着工业社会的到来,自然资源的快速消耗,大量的废弃物随意的排向地球,资源短缺和环境污染成为人类社会可持续发展的主要障碍。一个严峻的问题摆在我们面前:传统的社会生产生活模式(资源—产品—废弃物)

是不可能持续下去了。我们只有尽可能少地向自然界索取资源,而将绝大多数的"废弃物"作为二次资源来开发利用,才有可能使人类社会得以持续发展。研究这些"废弃物"如何重新服务于人类,就是资源循环利用的根本任务。因此,我们说资源循环是我们要遵循的自然法则,而资源循环利用则是我们在认识到资源循环这一自然法则之后,研究如何进行循环利用资源的具体方法,包括法律的制定、政策措施、管理协调和科学研究等。对科技工作者来说,就是研究资源循环利用过程中的科学问题、工艺及设备、新产品开发以及工程化问题。

1.5 建立资源循环社会

1.5.1 资源循环型社会

所谓资源循环型社会,是指社会经济发展所需要的资源,大部分和绝大部分是由资源循环利用来供给的,从而最低限度地从地球索取自然资源。其结果是极大地缓解了资源短缺和环境污染所带来的问题,这是人类社会得以可持续发展的最有效途径,也是建立人类与自然和谐共处社会的必由之路。

资源循环型社会的建立是一个长期而艰难的过程,需要我们全方位和持之以恒的努力。当我们意识到资源循环是我们人类社会可持续发展的一个法则时,我们就应该尽早地、全力以赴为建立资源循环型社会创造一切必要的条件。资源循环型社会早一天到来,我们就能早一天生活在蓝天、白云、空气清新和水域洁净的环境中。

图 1-1 是一个理想化的资源循环型社会示意图。

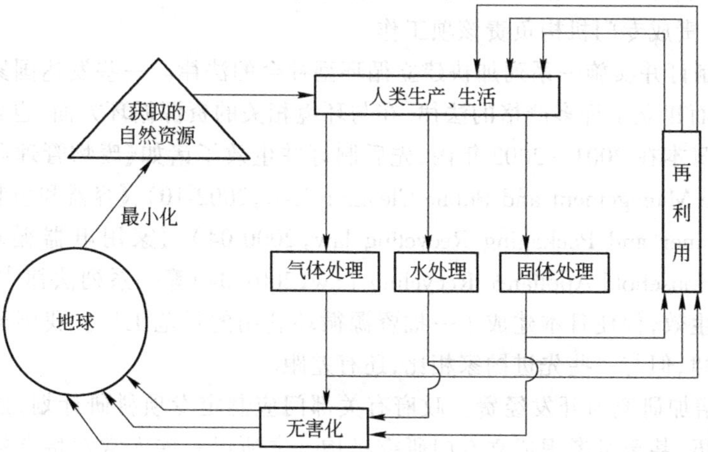

图 1-1 资源循环

为了建立资源循环型社会,有三点是非常重要的:

(1) 人类必须充分认识在人类活动中开发利用资源所产生的产物不是废物,它们是资源或潜在的资源。人类需要逐步开发利用这些资源,以实现向地球索取资源的最小化。

(2) 人类在生产和生活过程中,"3R"是非常重要的,即尽量减少使用自然资源(reduce),尽量实现资源的再利用(reuse)和尽量实现资源的循环利用(recycling)[10]。

(3) 实现资源循环不仅仅是图 1-1 所指的"固、液、气处理"、"再利用"和"无害化"等部位的任务,更是"人类生产和生活活动"部位的任务。例如,器件制造商们应采用容易再生利用的材料而不是难以分离再生的复杂材料;当需要采用高强度性能的金属材料时,应尽量在晶粒细化方面做工作,而尽量不要在复杂成分的配方上下工夫,这才符合生态环境材料的要求。只有全社会都将"资源循环"放在非常重要的位置,资源循环型社会才可能建立。

1.5.2 建立资源循环型社会

一个向自然界索取资源最少、环境污染最轻的可持续发展的资源循环型社会是我们为之奋斗的目标。但是,实现这样的循环是一个系统工程,它决不仅仅是靠科学家、工程师和学者就能解决的。以下几点是建立资源循环型社会的必要条件:

(1) 政府部门高度重视。这是实现资源循环型社会最为重要的条件。从计划经济到市场经济,政府的功能有很大的转变。许多不该管的事,如今政府不管了。但恰恰像资源、环境这样的关系全社会的大事,政府应该管起来。任何一个企业或部门,不可能建成资源循环型社会。政府要统筹安排,制订规划、计划,制订法律,增加投入,责成专门机构负责该项工作。

(2) 制订并实施一系列加快建立循环型社会的法律。一些发达国家不仅在环境保护方面建立了许多严格的法律,在与环境相关的资源循环方面,也建立了许多法律。如日本在 2001~2002 年内,先后制订并生效了诸如《废物管理和公共清洁法》(Waste Management and Public Cleaning Law,2002-10)、《容器和包装循环利用法》(Container and Packaging Recycling law,2000-04)、《家用电器循环利用法》(Electric Household Appliance Recycling Law,2001-04)等一系列法律[11]。正是这些法律的生效,促使日本建成了一批资源循环利用的示范工厂。我国虽然也制订了一些法律,但与一些先进国家相比,还有差距。

(3) 增加研究与开发经费。政府有关部门应制定专项科研计划,建立一支专门研究队伍,甚至可考虑成立专门研究机构。之所以一些人常常将自然资源在使用之后的产物归为"废物",亦是因为目前这些"废物"尚未找到合适的用途或难以经济地再利用。必须研究适合各种"废物"利用的工艺技术,科研必须先行。国际上通行的方法是政府对资源循环的研发予以有力支持,我国应该效仿一些先进国家的做法。

(4) 教育是建立资源循环型社会的基础。必须从小学生的教育开始,不断强化社会对资源循环的认识。只有全社会认识到资源循环是关乎每个人的事情,使社会成员有一种责任感,再加上法律的约束,才有可能建成资源循环型社会。例如,日本对垃圾的分类管理就很值得我们学习。

人类社会的发展,特别是近代社会的进步,都经历过从着力于提高产品产量的短缺经济到重视提高产品质量的过剩经济。在这个发展过程中,人们逐渐认识到开发自然资源和资源短缺、生态环境恶化的矛盾。只有建立一个人类与自然和谐共处的资源循环型社会,才有可能持续向前发展。对于有 5000 年历史、资源不甚丰富、近几十年过度开采和环境污染比较严重的中国来说,建立资源循环型社会尤为重要。

1.6 循环经济

1.6.1 循环经济概念

经济学家在研究 21 世纪世界经济发展时提出了许多新的经济模型,循环经济(circular economy)是其中的一种。循环经济是物质闭环流动型(closing materials cycle)经济的简称[12]。循环经济是按照自然生态系统物质循环和能量流动规律重构经济系统,使得经济系统和谐地纳入到自然生态系统的物质循环过程中,建立起一种新的经济形态[13]。曲格平先生把传统经济与循环经济进行了比较,他指出:传统经济是由"资源—产品—污染排放"所构成的物质单向流动的经济。在这种经济中,人们以越来越高的强度把地球上的物质和能源开采出来,在生产加工和消费过程中又把污染和废物大量排放到环境中去。循环经济是一个"资源—产品—再生资源"的物质反复循环利用经济系统,使得从整个经济系统以及生产和消费的过程中基本上不产生或者只产生很少的废弃物,从而根本上消解长期以来环境与发展之间的尖锐冲突[14]。

"循环经济"的概念是美国经济学家 K. 多尔丁首先提出的。他认为,在人、自然资源和科学技术这样一个系统内,分析资源投入、企业生产、产品消费和废弃物处理的全过程,把传统的依赖资源消耗线性的经济增长,转变为依靠生态型的资源循环来发展经济。

1.6.2 循环经济原则

"3R 原则"是循环经济活动的行为准则。所谓 "3R 原则", 即减量化(reduce)原则、再使用(reuse)原则和再循环(recycle)原则。

减量化(reduce)原则是要求用尽可能少的原料和能源来完成既定的生产目标和消费目的。这就能在源头上减少资源和能源的消耗,大大改善环境污染状况。例如,我们使产品小型化和轻型化;使包装简单实用而不是豪华浪费;使生产和消费的过程中,废弃物排放量最少。

再使用(reuse)原则要求生产的产品和包装物能够被反复使用。生产者在产品设计和生产中,应摒弃一次性使用而追求利润的思维,尽可能使产品经久耐用和反复使用。

再循环(recycle)原则要求产品在完成使用功能后能重新变成可以利用的资源,同时也要求生产过程中所产生的边角料、中间物料和其他一些物料也能返回到生产过程中或是另外加以利用。

1.6.3　生命周期评价[15]

生命周期评价(LCA,life cycle assessment)理论是循环经济的一种微观技术思路,它要求从整个过程,即从开采、加工、运输、使用、再循环、最终处置 6 个环节对系统的资源、能源消耗和环境污染状况进行分析,从而得到过程全系统的物流情况和环境影响,由此评估系统的生态经济效益优劣。它是一种从原料—产品—废弃物整个生命周期中资源消耗和环境负荷的衡量方法。LCA 的思想最早出现在 20 世纪 60 年代末,最初集中在对能源和资源消耗的关注,随着也进入了环境领域。现在,LCA 已进入了各行业及领域,世界许多国家和国际组织将 LCA 作为制定标志或标准的方法。生命周期评价由以下四个相互关联的要素组成:

(1) 目标定义和范围。确定评价的目的,并按照评价目的来界定研究的范围。

(2) 清单分析。列出一份与研究系统相关的投入—产出清单,对生命周期各阶段的所有投入和产出,即对产品从“摇篮”到“坟墓”的整个生命周期中消耗的原材料、能源及固体废弃物、大气污染物、水体污染物等,根据物质平衡和能量平衡定律进行正确的调查。

(3) 影响分析。即对清单分析中所识别的环境负荷的潜在影响进行定性或定量的分析、表征和评价。

(4) 结果评价。即系统的评估在产品、工艺或活动的整个生命周期内削减能源消耗、原材料使用以及环境释放的需求与机会。

这种分析包括定量或定性的改进措施,如改变产品结构、重新选择原材料、改变制造工艺和消费方式以及废弃物管理等。

1.6.4　循环经济特征

传统经济是依靠高强度的开采和消费资源以及严重破坏生态环境来维持经济的增长。所谓“三高一低”,即高开采、高消耗、高排放、低利用,是这种经济增长模式的特征。而循环经济则是强调资源重复利用和循环利用,对生态环境的影响很小。所谓"三低一高",即低开采、低消耗、低排放、高利用,则是这种经济增长模式的特征。

循环经济的建立是个庞大的系统工程,它涉及从企业到社会结构的变化、人们消费观念的变化、法规制度的变化、国民经济核算体系的变化和与之相适应的科学技术的进步。

1.7 节约型社会

节约型社会是指在生产、流通、消费等领域,尽可能节约资源和减少资源消耗,并获得最大的经济和社会收益的社会形态。要建成节约型社会,必须采取法律、行政、经济和科技等综合性措施,提高资源利用效率,减少环境污染。人们所追求的是一个资源消耗少、生态环境好和经济健康发展的社会。

中国是一个人口众多、人均资源相对贫乏的国家。我们在工业化的过程中,还需要大量的资源来支撑国民经济的发展。因此,资源紧缺的状况将长期存在。改革开放以来,中国的经济得到了高速的发展,但我们依靠的是资源高消耗和粗放式经营的经济发展之路。我们消耗了大量的自然资源,产出了大量的废弃物,造成了比较严重的环境污染问题。这种以资源消耗高和环境污染严重为代价的经济发展方式是不可能持续的。随着我国经济的快速发展,资源对经济发展的制约作用日益突出,要实现我国经济的可持续发展,就必须树立和落实科学发展观,充分考虑我国资源和环境的承载能力,建设节约型社会是我们的唯一选择。

根据中国的实际情况,中国不应建成一个浪费型的社会。我们要将节约资源和提高资源利用效率提升到基本国策的高度来认识,将"控制人口,节约资源,保护环境"作为我们的基本国策,以此为依据建立综合反映社会经济发展、资源利用和环境保护等体现科学发展观的指标体系,建成一个可持续发展的节约型社会。

1.8 资源循环是建设循环经济和建成节约型社会的核心

建设循环经济和建成节约型社会是密切相关的。它们的共同特征都是资源的高效利用和循环利用。循环经济的"3R 原则"是对资源高效利用的一个完整表达。它们不能相互分割、互相对立。不管是减量化原则或是再利用原则,都是为了减少资源的消耗。但是,应该说资源循环是在更大的范围、更深的层次和更高的效率来提高资源的利用率。因为,不管是产品的减量化或是再利用,当产品不能使用之后,如果不能实现资源循环,而是当作废弃物丢弃,日积月累,资源的高效利用和环境的明显改善都是不可能的。而资源循环的核心,是在本质上将绝大多数的所谓废弃物作为一种资源,经过技术处理之后,重新服务于人类社会。这就使得资源循环在大大节约资源的同时,也明显地改善了环境污染的状况。因此,我们在赋予资源循环如此重任的同时，也理所当然地对资源循环给以更多的关注。

资源循环利用是一个非常复杂的过程。许多产品都不是由一两种资源生产的，而是含有多种成分。因此，要实现资源循环利用，需要多学科的合作。我们不可能在回收废家用电器时，仅回收有色金属，而不回收塑料、玻璃、橡胶和钢铁。从资源循环的理念出发，我们要求生产者在制造产品时，尽可能考虑在产品报废之后，能方便地、经济地进行资源循环利用。例如，制造家用电器所用的塑料，应尽量用相同的成分和牌号；金属器件成分尽量简单。这样，我们就能很容易进行资源循环利用。

除了一些特殊和少量的材料之外，材料学家的研究方向应注重在材料成分简单化的前提下，尽量提高和改善材料的性能。例如，使晶粒细化的方法来提高材料的强度，这就符合生态材料的理念。如果一味向材料中添加各种各样的元素，将材料的成分搞得很复杂，就材料本身来说，似乎性能得到了改善，但在产品报废之后，很难进行资源循环利用，这就不符合科学发展观。

我们之所以强调资源循环是建设循环经济和建成节约型社会的核心，是因为我们相信，资源循环是保证人与自然和谐共处的法则。资源循环利用是任何其他工艺和装备难以替代的一种最有效的方法。对我们的国家来说，建设资源循环型社会，是我们实现可持续发展的唯一选择。在这里，我们想引用一段美国著名的海洋学家蕾切尔·卡逊(Rachel Carson)所著的《寂静的春天》中那一个“明天的寓言”。我们被她那种远见卓识所感动。《寂静的春天》1962 年在美国问世时，是一本很有争议的书。在那以前，我们在文献中很难找到“环境保护”这个词。1992 年，一个杰出的美国人组织推选《寂静的春天》为近 50 年来最具有影响的书。她给我们带来了“人类与自然环境的相互融合”这样一个基本观念。卡逊在“明天的寓言”中是这样描写的：从前，在美国中部有一个城镇。春天，繁花像白色的云朵点缀在绿色的原野上；秋天，透过松林的屏风，橡树、枫树和白桦闪射出火焰般的彩色光辉，狐狸在小山上叫着，小鹿静悄悄地穿过了笼罩着秋天晨雾的原野……有一天，情况发生了变化。一个奇怪的阴影遮盖了这个地区，一些不祥的预兆降落到村落里，神秘莫测的疾病使人以及成群的小鸡、牛羊病倒和死亡。到处是死神的幽灵，城里的医生也越来越为他们病人中出现的新病感到困惑莫解。一种奇怪的寂静笼罩了这个地方。这是一个没有声息的春天……[16]。卡逊笔下的小镇虽然是虚设的，但她的警告和科学预见，终于使我们认识到，人必须与自然和谐共处这一真理。

2　资源、能源和环境对有色金属工业发展的影响

改革开放以来，中国的有色金属工业发展得很快。自2002年以来，10种有色金属的产量一直处于世界的首位。产量的迅速上升，使得业已存在的资源短缺和环境污染问题与有色金属工业快速发展之间的矛盾突显出来。

中国的工业化仍处在初期阶段，在今后相当长的一段时间内，国民经济对有色金属的需求量仍将持续上升。如果我们按照传统的有色金属工业发展模式，继续扩大采、选、冶的规模，中国的有色金属资源、所需的能源和生态环境都难以支撑。

2.1　自然矿石资源不足与金属需求增长的矛盾

中国是一个资源大国。在已经发现的171种矿产中，探明储量的矿产有157种。稀土、钨、锡、钼以及一些非金属矿储量位居世界前列。但是，中国主要矿产资源的人均占有量，则远低于世界平均水平。人均资源的消费量也低于世界平均水平。与发达国家相比，则差距更大。

众所周知，中国有色金属矿的特点是：

(1) 贫矿多，富矿少。例如，铜矿的平均品位仅为0.87%，品位大于1%的铜矿储量仅占铜储量的1/3。

(2) 共生矿多，单一矿少。80%的金属和非金属矿藏中都有伴生元素。特别是有色金属矿，单一的金属矿床少。

(3) 中、小型矿床多，大型、超大型矿床少。在中国已经发现的矿藏中，大型、超大型矿床不多。例如，目前已开采的300多个铜矿区累计每年铜产量仅为50～60万t。

(4) 小有色金属资源多，大有色金属(铜、铝、铅、锌)资源少。

中国钨、锡、钼、稀土、锑等用量不大的有色金属储量较为丰富，但需求量大的铜、铝、铅、锌等有色金属资源的保证程度不高。这种状况，就使得我们在生产有色金属时，必须付出更大的代价。由于品位低、共生矿多、规模小，单位金属产量的原材料消耗、能耗和成本普遍较高。用量较大的有色金属由于储量不足，还必需依赖进口。

在近年来中国统计的10种有色金属产量中，铜、铝、铅、锌的产量约占总产量

的95%，分析这4种金属的资源和需求之间的矛盾，就可以大体了解中国有色金属工业的状况。表2-1～表2-3是中国有色金属资源的大体状况。

表2-1　中国10种常用有色金属矿产资源储量概况[17]（截至1998年底保有储量）

矿种	矿区数/个	储量				备注
		矿石或金属	总量/万t	其中A+B+C/万t	A+B+C占总量的百分比/%	
铝土矿	312	矿石	226584.9	69589.4	30.0	
铜矿	915	Cu	6307.24	2674.79	42.4	
铅矿	736	Pb	3510.98	1132.18	32.8	
锌矿	778	Zn	9244.87	3370.60	36.5	
镍矿	83	Ni	771.04	364.20	47.2	
锡矿	297	Sn	385.30	193.24	50.2	
锑矿	115	Sb	269.66	97.30	36.1	
汞矿	103	Hg	8.09	2.01	24.8	
镁矿	38	矿石	22920.2	11773.70	51.4	白云岩
钛矿	42	TiO_2	35195.85	19871.41	56.5	钛磁铁矿
	75	矿物量	3968.61	2243.71	56.5	钛铁矿砂矿
	8	TiO_2	750.86	242.44	32.3	金红石矿
	27	矿物量	276.34	75.68	27.4	金红石砂矿

注：国土资源部制定了新的“固体矿产资源/储量分类”国家标准。1999年6月8日由国家质量监督局批准，于1999年对原储量分类分级标准进行了套改工作，1999年12月1日实施。表2-2为套改后数据。

表2-2　主要金属矿产可采储量[18]

种　类	探明资源储量/万t	储　量/万t	可采储量百分比/%
铁(矿石)	5787200	1183600	20.47
锰(矿石)	68825.7	12984.6	18.86
铜(金属)	6752.17	1847.08	28.10
铝(矿石)	250254.9	53900.0	21.54
铅(金属)	3796.68	820.69	21.62
锌(金属)	9781.39	2518.43	25.75
镍(金属)	814.61	257.95	31.67
钨(WO_3)	578.65	144.94	25.04
锡(金属)	482.13	80.95	16.79
金(金属)	0.453945	0.143465	31.60
稀土(氧化物)	8915.25	2072.82	23.25

表 2-3 中国主要有色金属矿产保有储量(A+B+C,1998 年)与国外储量基础(1998 年)对比[17]

矿 产	中国储量(A+B+C)/万 t	世界储量基础/万 t	中国矿产储量在世界的位次
铝土矿(矿石)	70000	3400000	7
铜矿(Cu)	2674.8	65000	7
铅矿(Pb)	1132.2	14000	4
锌矿(Zn)	3370.6	44000	4
镍矿(Ni)	364.2	14000	8
锡矿(Sn)	193.2	1200	2
锑矿(Sb)	97.3	320	1
汞矿(Hg)	2.0	24	3
钛铁矿(TiO_2)	11012.6	44000	1
金红石(TiO_2)	313.5	17000	5
钴矿(Co)	7.3	950	10 位后
铋矿(Bi)	24.4	26	1
金矿(Au)	0.12192	7.2000	6
银矿(Ag)	2.7636	42.0000	6
铂族金属矿(Pt 族)	0.00233	7.7500	5 位后
稀土金属矿(REO)	2834.0	11000	1
钨矿(WO_3)	225.6	320	1
钼矿(WO_3)	330.3	1200	2
钒矿(V_2O_5)	859.6	2700	2
钽矿(Ta_2O_5)	3.6	2.4	1
铌矿(Nb_2O_5)	100.2	420	2
锂矿(Li_2O)	119.0	940	3

注:国土资源部 1999 年套改后,铝土矿、铜、铅、锌的基础储量在世界的排位顺序分别为 8、6、3、3。其他有色金属排位顺序也只略有变化。

中国有色金属矿石资源并非先天优越,特别是在有色金属工业中举足轻重的四大金属,资源状况不容乐观。按照国土资源部 1999 年套改后对矿产资源的分类,将资源储量划分为储量、基础储量和资源量三级。而 10 种有色金属的储量或基础储量占资源总量的比例一般都不超过 50%。铜、铝、铅、锌 4 种量大的有色金属的基础储量分别占其资源储量的 49.11%、21.12%、34.73%和 37.52%。可见,在资源储量中大部分是资源量。

表 2-3 的数据清楚地表明,中国量大的有色金属资源如铜、铝、铅、锌在世界的

排位与中国这 4 种金属的产量或消费量并不相称。储量或基础储量难以支撑产量或消费量的增长。而一些小金属，如钨、锡、锑、钼、钛和稀土等，中国的资源丰富。这种资源状况，就更加突显实现资源循环在中国的必要性和可能性。中国铜、铝、铅、锌的资源不丰富，而它们的产量又占了 10 种常用有色金属总产量的约 95%，这就说明，在中国不进行资源循环是难以为继；另一方面，铜、铝、铅、锌的化学性质相对比较稳定，这就为它们的循环利用创造了条件。锌循环利用虽然困难一些，但随着人们对资源循环认识的提高和科学技术的进步，铜、铝、铅、锌的循环利用水平必将明显提高。中国如果解决好占总产量 95% 的大金属循环利用问题，有色金属工业从整体上来说就可能实现可持续发展。一些用量少的金属，由于使用相对分散，循环利用存在一定的困难。幸运的是，这些金属在中国有较为丰富的资源，大体可以满足国民经济发展的需求。因此，当我们在论述中国资源的一些不足时，也应该增加如下新观点：中国短缺的有色金属资源是较为容易进行循环利用的金属，如铜、铝、铅、锌等，而大多数难以进行循环利用的有色金属，中国的资源较为丰富。这比那些情况正好相反的国家来说，我们有一个明显的优势：当我们实现了资源循环之后，中国的有色金属资源可以保证中国经济的快速发展。

中国属于快速工业化国家，金属消费量增加一直伴随着工业化进程。王安建和王高尚等人对矿产资源与国家经济发展的关系做了很好的研究，并取得了一些很有规律的结果。这些研究成果对我们判断重要有色金属对国民经济的影响很有帮助。图 2-1 和图 2-2 是他们的研究结果[19]。

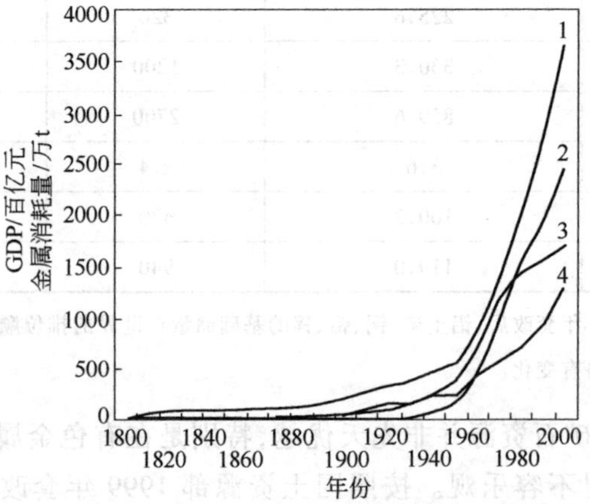

图 2-1　全球 GDP(盖凯美元)增长与重要矿产资源消费的关系

(盖凯美元(GK $)是一种多指标购买力评价方法。这种方法企图实现统一价格基础上的 GDP 计算和国际对比。它是由 R.S.Geary 于 1958 年首创，S.H.Khamis 1970 年及以后加以发展的一种方法)

1—GDP；2—铝；3—粗钢(5000 万 t)；4—铜

全球200年来GDP的增长与矿产资源消费的增长一直呈现正相关性。随着全球GDP的增长,重要矿产资源包括铜、铝的消费量也快速增加。特别是20世纪50年代之后,全球GDP快速增长,如图2-1所示,铜铝的消耗也增加得很快。

工业化国家都是在GDP增长到一定水平之后,铜和铝的消费量才开始下降。虽然各个国家情况有所不同,但这种趋势是很明显的。中国目前仍处于工业化的初期阶段,随着GDP的上升,铜、铝的消费量还要快速增加。中国距离资源消费的最高点还有相当长的一段时间。

对中国铜铝消费需求量的预测,有许多不同的版本。在不同的时间、不同的单位和不同的学者之间,结果有所不同,具体数字有所差别。王安建和王高尚等人对中国铜、铝消费需求趋势的预测表明,到2020年,中国铜、铝的消费量将分别达到600~700万t和1400~1600万t。即使这样,中国人年均铜铝的消费量仍然处于很低的水平。但就绝对值来说,中国的资源储量仍然是难以支撑的。除非我们的地质工作有重大的突破,资源储量有明显上升,否则有色金属资源短缺的状况将长期存在。

图2-2是王安建等人对矿产资源循环利用与经济发展之间的关系研究结果。它表明,随着经济的发展,到一定的阶段以后,一次矿产资源的投入量将逐渐降低。而二次资源的回收量将逐渐增加,并取代一次资源的重要地位。

图2-2只说明了二次资源随着经济的发展将逐渐增加这样的一种趋势,这只是一种定性的描述。图中的转折点何时出现,以及它在什么情况下前后移动,则是我们关心的问题。如果我们不是积极地、尽快地建立起资源循环型社会,这个转折点将向后移动,自然资源和环境将付出更大的代价。反之,我们是可以让转折点往前移动,加快资源的循环利用,使二次资源尽快地在经济发展中担当主角。

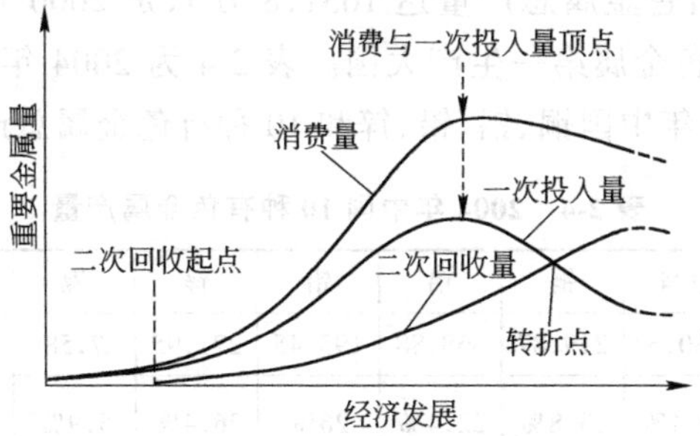

图2-2 重要矿产资源回收再利用模式图

随着有色金属工业规模扩大和产量增加,国内有色金属矿产原料的自给率不断下降,这就从另外的角度说明中国有色金属矿产资源难以满足今后的需求。

图2-3为1995~2004年间铜、铝、铅、锌产量的变化。图2-4为1993~2002年间铜、铝、铅、锌国内矿产原料自给率变化。中国铜矿原料只能满足铜产量的约1/3,形势严峻。过去认为中国铅、锌矿产资源比较丰富,近年来铅、锌矿的自给率

下降非常明显，而铝矿资源由于矿物性质而处于不利的竞争地位。

毫无疑问，增加地质勘探的投入，积极开发和利用国外资源，是解决有色金属资源短缺的必要措施。但是，资源循环是一条最根本、最有效解决资源问题的途径。随着中国有色金属消费量的快速增加，有色金属的社会积存量也随之增加，资源循环将在有色金属工业中扮演越来越重要的角色。

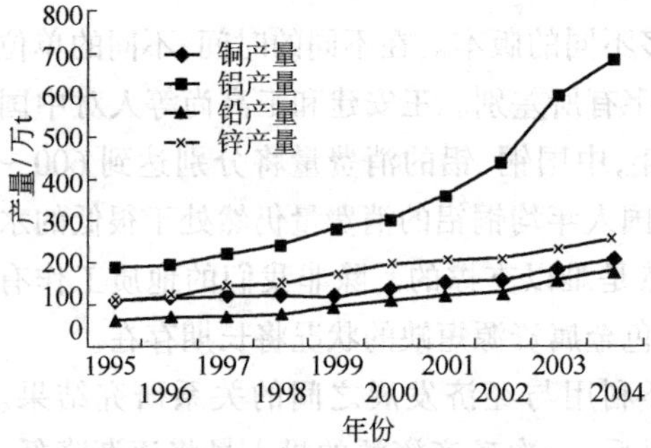

图 2-3　1995～2004 年中国铜、铝、铅、锌产量[20]

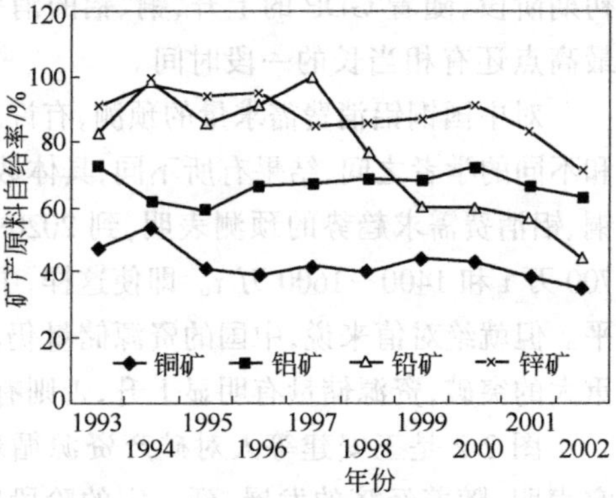

图 2-4　1993～2002 年铜、铝、铅、锌矿产原料自给率的变化

2.2 生态环境恶化与生产规模扩大的矛盾

最近 20 年，中国有色金属工业快速发展，已经成为世界有色金属工业大国。2005 年，中国 10 种有色金属总产量达 1631.8 万 t，是 2000 年的 2.08 倍，继续超过美国，成为世界有色金属第一生产大国。表 2-4 为 2004 年中国 10 种有色金属产量，表 2-5 为 2005 年中国铜、铝、铅、锌和 10 种有色金属总产量。

表 2-4　2004 年中国 10 种有色金属产量

	总量	铜	铝	铅	锌	镍	锡	锑	镁
产量/万 t	1430.62	219.87	668.88	193.45	271.95	7.58	11.53	12.53	44.24
占世界总产量百分比/%	18.4%	13.8%	22.4%	26%	26.4%	5.9%	34%	81%	60%
位次	1	2	1	1	1	5	1	1	1

注：资料来源于 2005 年《中国有色金属工业年鉴》。

表 2-5　2005 年中国铜、铝、铅和锌有色金属产量

	10 种有色金属总产量	铜	铝	铅	锌
产量/万 t	1631.8	258.3	780.6	237.9	271.1

注：资料来源于 2006 年《中国有色金属工业快报》。

随着中国工业化的进程,国民经济发展对有色金属的需求量增加,特别是中国有色金属工业体制的改革,各地新建企业扩大,现有产能的积极性增高,可以预计今后一段时间内有色金属的产量仍将快速增加。图 2-5 为中国 1995～2004 年间 10 种有色金属产量变化。

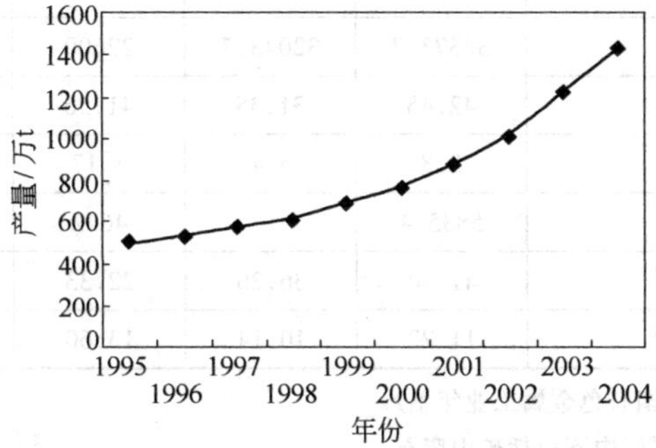

图 2-5 1995～2004 年中国 10 种有色金属产量变化

中国有色金属工业的发展大大地突破了人们的预期和原先所制订的规划。2001 年出版的《21 世纪中国有色金属工业可持续发展战略》一书提出,到 2005 年有色金属的总量调控目标为 800 万 t,其中铜 170 万 t,铝 350 万 t,铅 90 万 t,锌 170 万 t,锡、锑各 6 万 t,钨 1.2 万 t,稀土氧化物 6 万 t[17]。这个目标已经提前到 2001 年实现。这些年的实际情况表明,有色金属产量的增加往往超出人们的预料。

有色金属的多样性和价格波动,特别是有色金属工业管理体制的变化刺激了发展有色金属工业的积极性,但同时也削弱了协调发展的可能性。在今后几年内,有色金属产能将大大增加。

中国有色金属产量的增加主要是靠采、选、冶企业的扩张规模。虽然十多年来,中国有色金属工业的环境保护和治理有了很大的进步,但随着生产规模的扩大,排放污染物的总量继续上升则是不容置疑的。如果还要将污染控制在目前的水平,环境治理的压力将是相当大的,随着社会对环境的要求逐渐提高,人们对健康的关注更加重视,目前有色金属工业的污染物排放量势必受到更为严格的限制。

表 2-6、表 2-7 的数据反映了中国有色金属工业污染和治理的状态。尽管中国有色金属工业环境治理有了很大进步,但 2004 年仍有 2.77 亿 t 废水、约 9000 万 t 固体废物(此数不包括矿山剥离废石)和 40 多万吨 SO_2 排出。除非有色金属工业金属污染物排放量今后大幅度下降,否则,随着有色金属产量增加,“三废”排放量增加难以避免。

表 2-6 有色金属工业"三废"排放量

项目	年份				
	2000	2001	2002	2003	2004
10 种有色金属产量/万 t	783.81	883.71	1012.00	1228.00	1430.62
固体废物产生量/万 t	8802	8965.2	13761	9923	9266
废水排放量/万 t	32373.7	32043.7	22600	22500	27700
二氧化硫排放量/万 t	42.45	31.35	41.56	37.79	40.05
粉尘排放量/万 t	5.8	5.4	5.17	5.4	4.88
氟化物排放量/t	5835.4	—	4602	4470	3480
单位废水排放量/$t \cdot t^{-1}$	41.30	36.26	22.33	18.32	19.36
单位固体废物量/$t \cdot t^{-1}$	11.22	10.14	13.60	8.08	6.48

注:1. 资料来源于《中国有色金属工业年鉴》。
2. "固体废物产生量"中不包括矿山废石。

表 2-7 主要"三废"的治理率

项目	主要"三废"的治理率/%				
	1997 年	2001 年	2002 年	2003 年	2004 年
废水复用率	72.85	83	84.96	82	84.83
废水排放达标率	70.46	81.23	84.23	80.59①	91.27
SO_2 利用率	77.52	83.8②	80.20	82	92.81②
固体废物利用率	7.96	12	6.77	11	10.22

注:资料来源于《中国有色金属工业年鉴》。
① 14 个大型企业统计。② 19 个重冶企业统计。

与其他工业污染物相比,有色金属工业污染物有以下一些特点:

(1) 废水中含有害元素和重金属,有些毒性大,有些元素虽然毒性不大,但仍然是社会十分关注的目标。每年有色金属工业废水外排汞、镉、六价铬、铅、砷、COD 等有毒物数量相当惊人。这种状况不可能长期允许存在,更何况随着产量增加,情况会更加严重。

(2) 有色金属工业废气中成分复杂,治理难度大。有色金属工业企业排放的废气成分非常复杂。采、选工业废气含工业粉尘,有色金属冶炼废气含硫、氟、氯,有色加工废气含酸、碱和油雾。在高温烟气中,有的还含有汞、镉、铅、砷等,治理困难。有色金属工业企业排放的 SO_2 总量与电力工业排放的 SO_2 总量相比虽然要小得多(1997 年有色金属工业企业排放的 SO_2 为 46.35 万 t,占全国总量的 2.5%;而 1996 年全国电力工业排出 SO_2 732 万 t,占全国总量的 53.6%),但是,有色金属工业排放的 SO_2 一般来说浓度高,SO_2 含量小于 3% 的烟气往往放空,不加处理。大型企业在 5~10 km 范围内和中小型企业在 1~2 km 范围内的人、畜、植被及土壤都会受到污染和影响[21]。

(3) 固体废物量大,利用率很低。一般来说,有色金属在原矿中含量较低。生产1 t有色金属可产生上百吨甚至几百吨固体废物。目前,这种固体废物利用率低,对环境有一定污染。表2-8为1993～2010年有色金属工业固体废物产生量、堆存量预测[17]。

预计到2010年,有色金属工业历年堆存的固体废物将接近20亿t,占用大量土地,污染环境。表2-8表明,目前有色工业产出的固体废物利用率很低,约为8%。要利用这些固体废物,还需要做大量的工作。实际上,表2-8的数据只代表了铝工业产出固体废物的状况,并未包含许多其他有色金属工业产出的固体废物。例如,从矿石中生产1 t铜,需要产出几百吨废石、表外矿和围岩。许多有色金属选厂的尾矿坝造成的危害也没有得到反映。

表2-8 1993～2010年有色金属工业固体废物产生量和堆存量

项　目	年　份				
	1993	1997	2000	2005	2010
固体废物产生量/万t	5966	7702	8172	8308	8853
赤泥尾矿/万t	5305	6970			
冶炼渣/万t	324	406	475	385	406
固体废物利用率/%	8.9	8.0	8.0	9.4	10.0
年堆存量/万t	4871	6436	7518	7560	7967
占地面积/万m^2	5891	7490	8068	8093	8539
历年累计堆存量/万t	134682	158852	173931	181898	166370

注:表2-8中的固体废物利用率与表2-7中略有不同,前者部分为预测值。

(4) "三废"排放在城市所占比例大,企业将面临强大社会压力。许多有色金属工业企业地处城市,由于城市人口密集,环境污染的影响比人烟稀少的地方要严重得多。

图2-6表明,有色金属工业每年产生和排放的污染物,大约有70%～80%降落或堆存在城市中。1997年,地处城市的11个有色金属企业二氧化硫排放不达标的占82%。这一情况表明,中国有色金属工业的环境治理还需要做大量艰苦的工作。

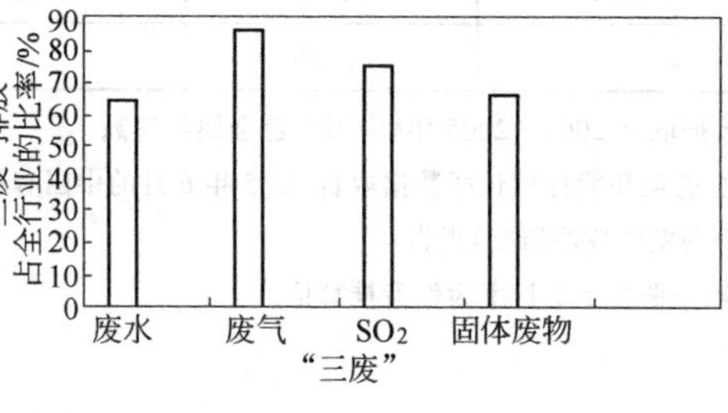

图2-6 1997年地处城市的31个有色企业"三废"排放占全行业的比率

2.3　有限能源与能耗剧增的矛盾

有色金属是耗能高的工业,随着有色金属产量增加,有色工业的能耗也在不断上升。中国有色金属工业在近几年能源结构有所变化。焦炭、燃油等用量变化不大,但煤炭涨幅较大。电力迅速增加与近年来耗电量大的铝工业迅速发展有关。

表 2-9 反映了 1997 年和 2004 年有色工业能耗的变化。

表 2-9　1997 年和 2004 年有色工业能耗的变化

年 份	电力/kW·h	煤炭/万 t	焦炭/万 t	燃料油/万 t	柴油/万 t	汽油/万 t	天然气/万 m^3	其他折合标煤/万 t
1997	487.0×10^8	1163.6	160.1	53.2	15.9	7.53	10315	23.5
2004	1223.4×10^8	1909.0	158.6	56.95	35.31	4.02	15157	

注:2004 年度数据来自 2005 年《中国有色金属工业年鉴》,1997 年度数据来自 1998 年《中国有色金属工业年鉴》。

按 2003 年每吨金属耗能 4.75 t 标煤推算,2004 年中国有色金属工业耗能约为 6795 万 t 标煤。

我们统计和研究 2000 年到 2004 年有色金属产量和能耗的数据(表 2-10),发现了一个有趣的现象,即 5 年间有色金属能耗的平均增长速度与同期平均金属产量增长的速度几乎相同。这种状况不能不引起我们的忧虑。中国有色金属工业如果按照这种模式发展,恐怕难以持续下去。有色金属工业的发展不应该也不可能建立在能耗快速增加的基础上,必须寻求新的节能途径。

表 2-10　2000～2004 年中国有色金属产量和能耗

年 份	有色金属产量/万 t	产量增长率/%	总能耗(标煤)/万 t	年能耗增长率/%
2000	783.81	12.83	3638	8.02
2001	883.71	12.75	4062	11.65
2002	1012.00	14.52	4804	18.27
2003	1228.00	21.34	5838	21.50
2004	1430.62	16.50	6795	16.39
平均年增长率/%		15.59		15.17

注:1. 有色金属产量数据取自 2001～2005 年《中国有色金属年鉴》;

2. 2000～2003 年总能耗和能耗增长率数据取自 2005 年 6 月的中国有色金属协会《有色金属工业资源、能源、环境协调发展战略研究》报告;

3. 2004 年的总能耗和平均年增长率为作者推算值。

3 有色金属资源循环和回收

3.1 概论

从人类社会的第一次工业革命开始，特别是在整个20世纪，在那些最早实现工业化而成了当今世界的发达国家，建设过程中为了自身的利益，加速了对地球上资源的开发，同时产生的大量废弃物严重地损害了地球的自然生态环境。从另一个层次上说，随着人类物质生活的不断提高，世界人口的膨胀，人类生存空间的扩大，使得地球上的其他生物（动、植物）的生存空间不断缩小，造成了地球上的成千上万种动、植物的灭绝，地球的生态平衡遭到严重破坏。地球的资源是有限的，而人的需求和欲望是无限的，如果人的需求和欲望不加以节制和改变，人类就可能会毁灭这个赖以生存的地球。Tomohiko Sakao[22]等人用图3-1来说明地球、人类和生物之间的关系。由图3-1可见，人类空间已突破了地球极限。

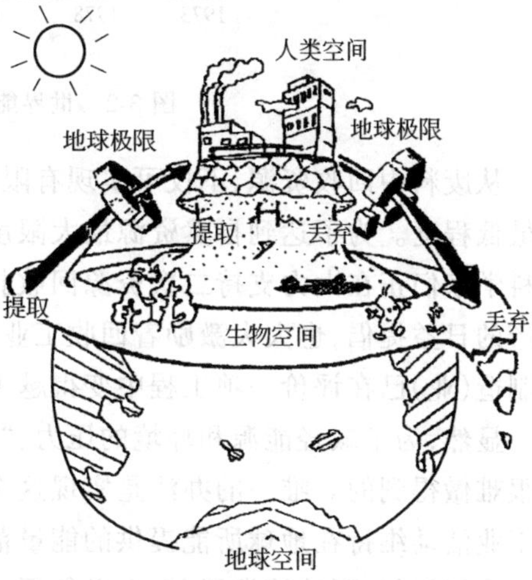

图3-1 人类、生物和地球空间的关系

在这种严峻形势下，资源回收和环境保护已成了当今世界面临的焦点问题之一，问题的严重性由局部地区、国家，已扩展为全球所关注。不仅严重性在不断加剧，而且焦点问题也在不断变化，“污染控制”已成为现在我们这个星球上人们每天都不能忽视的问题。很快人们就认识到“保护环境”和“资源节约”是污染控制的最佳解决方式。

在整个20世纪，自然资源的过度消耗已引起了煤、油、天然气和金属矿产资源等的迅速耗竭。因此，近十几年来人们提出了“可持续发展”的理念，为了保持人类未来的经济活动，提高资源利用效率已成为全世界实现可持续发展的新方向。

以能源为例，20世纪70年代初出现的石油危机给世界经济造成了一定影响，至少对发达国家在七八十年代掀起的以节能和环保为目标的企业现代化改造起了很大促进作用。图 3-2 是以 EJ(10^{18} J)为单位,以年份为函数表示世界能源消耗情况[23]。如该图所示,在 20 年中发达国家(OECD 成员国)的能源消耗基本保持在一个较平缓线性范围,但消费仍约占世界的一半;前苏联及东欧国家随着经济的下滑稍有下降,发展中国家稍有上升。

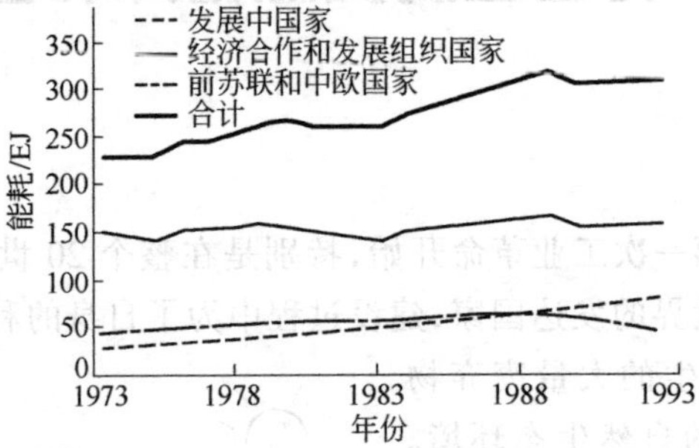

图 3-2　世界能源消耗示意图

从废料中回收资源,不仅可实现有限资源的持久使用,而且也可使环境影响降至最低程度。为了达到自然资源最大限度地可循环利用,全球许多国家和地区以及科学家们正在大力支持二次资源回收技术的研究,建立相关的回收工业。清洁生产的日益提倡,也大大激励着回收工业的高速发展。可持续发展、零排放以及逆向制造(业)已在评价一项工程中变得越来越流行。

显然,为了减轻能源和环境的压力,“零排放”的目标在工程热力学和实际来看是很难做得到的。唯一的办法是实现这个星球上的真正可持续性发展,因此必须使工业活动维持在地球所能提供的能量范围以内。

我们提倡“可持续发展”概念必须要有充分的科学基础,工程师和科学家们应首先分析资源和物质的可供性,预测未来资源的开发利用对地球环境以及对全球经济活力的影响,以保证这个星球上人类生存的可持续性。

在产品的设计、生产中,人们常常重视的是它们的生产成本和市场价格,从产品制造者的利益出发大量生产,并更大量地消耗着资源。生产者忽视的往往是这种资源消耗和产品生产对环境带来的影响,以及产品生命终结时的可回收性。即便是可回收的产品,废品的回收和分类也是较为复杂和高强度劳动的工作。

不同物质种类世界资源的(年)消耗综合于表 3-1。能源年耗量为最大项,为 83 Gt,其次是食物,矿物和木材位于(20～30 Gt)之间。最大的矿物消耗项是石灰石,主要用于水泥制品的生产,铁矿石占第 2 位。石灰石和铁矿石是在较纯的状态下开采出来的,而绝大部分有色金属矿却不是这样,其矿石品位低,如铜矿品位仅为 0.5%～1%。结果,开采的铜矿石量是铜生产量的 200 倍以上。如果全世界的铜产量达 1 亿 t,则相应的采矿量就在 200 亿 t 以上,这就要超过石灰石和铁矿石的开采总量。此外，通常铜矿还含有硫、砷、铅、汞和镉等对环境有潜在危害的矿物，以进口精矿为主的国家，应考虑到这一点。

作为人类生存，各种因素的容许极限的认可用图 3-3 来说明。

表 3-1 世界重要资源消耗[23]

种类	数量/亿 t	数据时间	参照数
能源	834.5		1.7 t/(人·a)
煤	351.0	1993 年	
油	347.7	1992 年	密度 0.9 $g\cdot cm^{-3}$
天然气	135.8	1993 年	
食物	273.8	1994 年	
谷物	193	1994 年	280 kg/(人·a)
肉类	19.4	1994 年	28 kg/(人·a)
乳类	45.9	1994 年	921 kg/(人·a)
鱼类	10.1	1994 年	
木材	306.4		
矿物	约 200		400 kg/(人·a)
石灰石	119.1	1983 年	
铁矿	75.8	1994 年	
铜矿(金属量) 开采的铜矿	0.934 180.0	1994 年	平均品位 0.5%
铝土矿	11.1		
纤维	22.1	1994 年	40 kg/(人·a)
植物油	5.1	1987 年	
天然胶	1.5	1994 年	

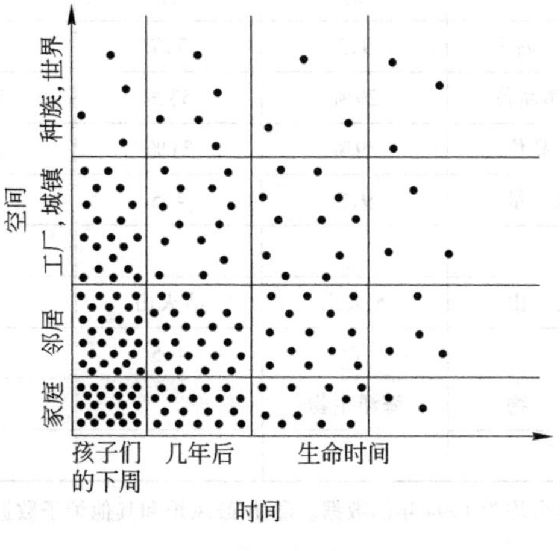

图 3-3 人类对时间和空间的敏感性和认可示意图

黑点表明人类对那些将长期或无论在地球的何处都会受到影响的那些问题的敏感性。例如,如果某些产品或生产工艺现在乃至下一代,人们对它的影响没有认识清楚,就容易忽视它们的危害。人们对有些物质了解甚少,通常,消费者并不清楚那些物质是存在于一定的产品中,许多人对物质的源头、它们在地球上的丰度以及产品的生产对环境的影响并不了解。因此,许多人就可能认为可无限地向地球索取。

金属回收的两个要点为:一是要重视资源的保护;二是要使有害元素减量化。例如,世界铜的生产主要是从亲硫族矿物中提取的,生产过程是很复杂的,从铜冶炼的物料平衡来看,年产 900 万 t 铜综合消耗如下:废弃的矿物 20 Gt;硫 9 Mt;铁氧化物 9 Mt;还有少量其他金属,大量电力和燃料。相反,金属的二次资源回收就大大减少了各种的消耗,对环境、对地球上资源的保护大有益处。当然,金属的二次资源的回收(特别是收集和分类工序)也需消耗大量的人力。

表 3-2 综合了全球 SO_2 排放的情况。在收集的资料中,有很大的不确定性,例如,从海洋生物中每年大约要释放出 3000 万 t 硫,火山每年大约放出 700 万 t 硫,矿物燃料和有色金属工业每年分别放出约 9000 万 t 和 1500 万 t 硫。总之,金属工业大致占硫的总释放量的 1/10。

表 3-2　世界的(年)硫放散①

领　域	项　目	物质 1/Mt	物质 2/Mt	物质 3/Mt	合计/Mt
矿物燃料		油	煤	天然气	
	产　量	3477	3510	1358	
	硫品位	1.5%	0.8%②	1%	
	硫　量	52	28	13	93
有色冶炼		铜	锌	铅	
	矿　石③	9.3	7.7	2.6	
	金属品位	29%	53%	57%	
	硫品位	29%	31%	20%	
	硫　量	9.3	4.5	0.9	15
自然资源					
	火　山	死火山	活火山		
		2	4.5		6.5
	生　物	海洋生物			30
总　计					144.5

① 表中除注明的外,其余均为 1994 年的数据。② 用鼓风炉和其他炉子数据估算。③ 金属量,1990 年。

通常从原生和二次资源中提取金属的方法两者有很大差异。首先,两种资源的性质有很大差别。在原生资源中金属往往是与氧、硫或其他化合物相结合,而在精炼产品中金属往往是以元素或更多是以合金状态存在。以合金状态存在的金属,单金属的解离、提取要比原生资源中与氧、硫或其他化合物相结合的金属的解离难得多。所以,以合金形式存在的二次资源,往往是重熔或调整某些成分后再熔炼成新合金,否则单纯从二次资源中回收纯金属不仅会比从原生资源中提取更困难,而且还会造成资源的重大浪费。

目前,二次资源的分选也要比原生资源的选矿难得多,无论是分选技术还是设备方面,近几年虽有了很大进步,但仍远没有原生资源选矿技术成熟和完善。

二次资源的化学处理通常是在大城市进行,因为二次资源大多来自大城市而非乡村(见文后彩图 1),这样环境的要求就要比在边远地区处理原生矿严格得多。但是,二次资源中的金属浓度却要比原生资源高得多。例如,在某些电子废料中的金含量每吨最高可达约 10 oz(284 g),而在美国许多金矿中所处理的矿石每吨含金仅 0.05oz(1.42 g),这就意味着处理电子废料的黄金厂的规模仅为原生矿处理厂的 1/2000。

从二次资源中回收金属还有一个较为严重的问题,即对许多二次资源较精确的金属含量往往只能从设备制造商的信息中获得。例如,对某种电子废料,可能从制造商获得有关信息,但这类电子废料的数量毕竟是有限的。而实际上,绝大多数二次资源加工者设计的处理工艺必须处理大量的、多种多样的电子废料。

目前,从二次资源中回收铁和铝是采用火法,但其他金属的回收可采用火法,也可采用湿法。出于公众的压力,在美国采用湿法处理工艺的趋势已超过火法,也许其中一个因素是人们对有害物通过烟囱排放要比通过废水排放更敏感。但无论如何,排放物都必须达到美国环保局所规定的标准。例如,美国饮用水对金属含量的标准如表 3-3 所示。

表 3-3 美国公众健康管理局饮用水标准[24]

项 目	标准/%	项 目	标准/%
砷	0.05×10^{-4}	铅	0.05×10^{-4}
钡	1×10^{-4}	锰	0.05×10^{-4}
镉	0.01×10^{-4}	氮化物	45×10^{-4}
氯化物	250×10^{-4}	硒	0.01×10^{-4}
铬	0.05×10^{-4}	银	0.05×10^{-4}
铜	1×10^{-4}	硫酸盐	250×10^{-4}
氰化物	0.2×10^{-4}	锌	5×10^{-4}
铁	0.3×10^{-4}		

很少有金属加工企业排放物能达到饮用水的排放标准，所以，美国环保部门针对矿业（冶）废水的排放又制定了一套排放标准，如表 3-4 所示。

表 3-4 矿业（冶）行业污染物排放极限[24]

项目	日最大量/%	30 天平均量/%
铜	0.3×10^{-4}	0.15×10^{-4}
锌	1.0×10^{-4}	0.5×10^{-4}
铅	0.6×10^{-4}	0.3×10^{-4}
汞	0.002×10^{-4}	0.001×10^{-4}
镉	0.1×10^{-4}	0.05×10^{-4}
溶解铁	2.0×10^{-4}	1.0×10^{-4}
铝	2.0×10^{-4}	1.0×10^{-4}
COD	—	500×10^{-4}

3.2 一些国家、地区资源和有色金属资源回收循环利用概况

近年来，世界各国对有色金属的循环利用越来越重视，发达国家在经济和立法上对资源回收均加以鼓励，金属二次资源的回收利用取得了较大的进展。

在一些发达国家，二次资源已成为有色金属生产的主要原料，有色金属循环利用工业已成为一个独立产业。例如，2003 年世界生产循环铝 807.69 万 t[25]，为精铝总产量 2798.48 万 t 的 27%。其中美国生产循环铝 293 万 t，为精铝 270.45 万 t 的 108%；德国循环铝为精铝的 103%，日本循环铝（126.14 万 t）是精铝（0.65 万 t）的 194 倍；世界循环铅占据“半壁江山”，美国是世界最大的循环铅生产国，2003 年循环铅产量 80.39 万 t，占精铅总产量 138.02 万 t 的 58%以上，德国为 62%、法国 98%、意大利 93%、日本 64%；据国际锌协会（IZA）的估计[26]，目前西方世界每年消费的锌锭、氧化锌、锌粉和锌尘总计在 650 万 t 以上，其中 200 万 t 来自二次锌资源。

贵金属的回收受到很大重视，以黄金为例，世界历史上生产的约 12.5 万 t 黄金中，有 15%（约 1.9 万 t）难以统计，其余 10.6 万 t 黄金中，有 3.4 万 t 属国库库存，7.2 万 t 为私人所保存，这两项是很难进入废料市场回收领域的。只有各种工业应用的黄金（约为总量的 10%）将随着设备的报废进入回收市场。1999 年美国生产黄金 340 t，价值 31 亿美元，其中约 150 t 黄金是从废旧含金物资中回收生产的[24]。

金属循环利用的生产技术和装备以传统方法为主，也有一些如奥斯墨特法（Ausmelt）、康托普法（Contop）、波立顿（Boliden）卡尔多炉和艾萨法（Isasmelt）等既适合生产原生金属、又适合金属循环利用的现代新工艺。即便是传统技术，随着十

几年来计算机和自动控制技术的迅速发展，发达国家基本都已完成了对这些传统技术和装备的现代化改造，加上完善的环保措施，“三废”的排放一般都能达到或超过国家和地方政府规定的标准，主要技术经济指标良好。

3.2.1 中国

3.2.1.1 中国有色金属工业概况

2004 年中国有色金属总产量约 1430.62 万 t[27]，消费量 1357.63 万 t，生产和消费都占世界第一。表 3-5 是 2004 年中国铜、铝、铅和锌的生产和消费情况。

表 3-5 2004 年有色金属及铜、铝、铅和锌金属的生产和消费

有色金属	总产量/万 t	占全球产量的百分比/%	居世界位次	总消费量/万 t
	1430.62	18.37	1	1357.63
铜	219.87	13.82	2	321.03
铝	668.88	22.42	1	618.09
铅	193.45	26.21	1	139.98
锌	271.95	26.35	1	255.12

注：资料来源于 2005 年《中国有色金属工业年鉴》。

从 20 世纪 70 年代开始，中国就对传统的有色冶金工业生产技术进行改造。首先从工艺落后、环境问题较大的硫化铜镍矿冶炼着手，第 1 套引进的铜精矿闪速熔炼炉 70 年代末在江西铜业公司的贵溪冶炼厂建成投产，以后陆续又应用了一批世界水平的先进技术。如在金川有色金属公司的铜镍精矿熔炼、铜陵金隆公司的铜精矿熔炼采用了闪速炉，在大冶采用了诺兰达法，在云南铜业公司采用了艾萨熔炼技术，在云南锡业公司采用了奥斯墨特法等；在氧化铝生产方面成功开发了选矿拜耳法、石灰拜耳法、富矿强化烧结法、降膜蒸发、管道化溶出、砂状氧化铝生产等新工艺、新技术。国内 85% 的电解铝是由大型预焙铝电解技术产出的，我国自主开发的 200 kA、280 kA、300 kA 以及 350 kA 等大型铝电解槽获得了广泛应用，使铝电解的能耗有较大幅度下降。2003 年我国铝锭平均综合交流电单耗创历史最好水平，达 15030 kW·h/t，比 1978 年 17146 kW·h/t 下降 2116 kW·h/t。

一些大型、先进的加工技术和设备不断开发应用，如山东丛林集团首次成功开发了世界万吨级油压双驱动挤压机，可用于生产大截面铝型材和大直径管材，辽宁忠望集团正在开发更大能力的挤压机(125MN)；采用先进技术的多机架(1+4)铝板带热连轧生产线以及采用国际先进技术的江西铜业公司铜箔厂和引进日本三菱公司技术的珠海铜箔厂。

近 15 年来，在国民经济增长中，主要有色金属的消费增长速度超过国家 GDP 增长的速度。预计今后 20 年中，我国经济发展对有色金属的需求仍将处于增长阶

段,有色金属工业的规模在现有基础上还会进一步扩大。铜大约在2020年前后达到峰值,铝大约在2020年之后达到峰值,之后增长将明显趋缓。

3.2.1.2　中国有色金属工业存在的主要问题

中国有色金属工业存在的主要问题如下:

(1) 主要金属矿产资源严重短缺。铜、铝、铅和锌4种金属的产量约占10种常用有色金属总产量的95%,生产原料主要是:1) 来自国内矿山的开采;2) 二次资源的回收和循环利用;3) 从国外进口。2002年我国铜产量的60%以上[28]、铝40%以上、铅20%和锌15%以上的生产原料是靠进口解决的,这种对外原料的依存程度短期内不会改变,并在总量上逐年扩大。

近20年来,随着我国经济建设的高速增长,主要矿产资源的供需矛盾日益突出。为了查清我国矿产资源的现状,国家相关主管部门组织了几次重大、多层次的调研工作。原国家发展计划委员会分别于1992年和1999年组织了第2轮和第3轮国内矿产资源调查和论证工作。按第2轮论证结果,我国探明的主要金属矿产资源可利用度较差。

在现有金属矿产资源的可采储量中,世界人均占有铜和铝分别为56.7 kg和4166.7 kg[29],而我国占有量仅分别为13.3 kg和285.4 kg,分别相当于世界平均水平的23.5%和6.8%;世界人均占有铅和锌分别为10.7 kg和36.7 kg,而我国占有量仅分别为5.5 kg和16.7 kg,分别相当于世界平均水平的一半。

(2) 矿产资源利用效率低。我国有色金属矿产资源的特点是小、杂、贫,形成了大、中、小企业并举的开发格局。铜、铝、铅、锌大中型骨干企业矿产资源利用率在75%左右,而占企业总数约90%的小企业、个体企业,资源利用率仅为50%左右。与此同时,受利益驱动,矿产资源非法开采、滥采乱挖、采富弃贫、采易弃难,浪费惊人,资源损失严重。我国优势资源如钨、锡、锑等,因滥采乱挖,导致资源储量急剧下降。

(3) 单位产品能耗高,能源消费总量增长过快。2003年矿产金属单位产品吨金属综合能耗铜为4.373 t标准煤、铝为9.171 t标准煤、铅为1.610 t标准煤、锌为2.489 t标准煤。2003年10种常用有色金属产量1228万t,能源消费总量为5838万t标准煤,2004年中国有色金属工业耗能约为6960万t标准煤。能源费用成为有色金属生产成本的主要部分,联合企业的能源费用占生产成本的30%以上,电解铝企业占40%以上。

(4) "三废"资源化率甚低。我国有色金属矿产资源贫矿多、品位低,生产过程中单位金属消耗矿石多、能耗大、水耗高,且"三废"排放也多,造成严重环境压力。

2003年废水复用率达82%,外排水3亿多吨,与国外差距较大;SO_2排放量达37.8万t,利用率为82%左右,比发达国家平均水平低15%。2004年仍有2.77亿t废水和40多万吨SO_2排出。我国有色金属行业年产生尾矿、赤泥、炉渣等固体废弃物1亿多吨,历年堆存近20亿t。由于尾矿等固体废物的矿物和岩石组分复杂,含硫较高,综合利用难度大。加之综合利用研究开发资金投入少,致使技术发展滞后,2003年仅利用了1077万t,仅占当年固体废物量的11.7%。"三废"资源综合利用产品产值只有1亿元,"三废"资源化率低。

3.2.1.3 中国有色金属循环利用工业概况

有色金属循环利用无需矿山建设,与原生金属生产相比,金属的分离与提取工艺投资较少;金属循环利用的生产能耗要比原生金属低得多(表3-6),二次资源一般不含硫、砷、等,金属循环利用产生的固体废料很少。

表3-6 从矿石生产金属和从二次资源生产金属的能量消耗比较[30]

金属	耗能/$GJ \cdot t^{-1}$			能量节省比例/%
	从矿石生产原生金属	从废品生产金属	节省能量	
镁	372	10	362	97.3
铝	353	13	340	96.3
镍	150	16	134	89.3
铜	116	19	97	83.6
锌	68	19	49	72.1
钢	33	14	19	57.6
铅	28	10	18	64.3

A 有色金属循环利用情况

1949年,我国有色金属总产量仅为1.33万t。1949~1956年,我国铜的生产主要是靠铜循环利用。国民经济恢复时期,有色金属被列为国家重点发展领域之一,包括废杂有色金属被列为战略物质,由国家物质局储备、统一调拨。20世纪80年代末至90年代初,全国有色金属循环利用工业蓬勃发展。1950~1995年,共回收废旧有色金属487万t[31],从含金、银、铂族金属废旧元件中回收黄金4800 kg,白银711 t,铂族金属1990 kg。1996年有色金属循环利用总量达78.14万t,占当年国内10种常用有色金属总产量的14.9%,直接利用的不少于50万t。1998年有色金属循环利用产量突破100万t,2000年猛增到150万t,占当年10种常用有色金属总量的20%。但改革开放前,有色金属循环利用发展缓慢。此后,国家出台了一系列鼓励和扶持二次资源综合利用的政策,中国1999年先后批准了原"国家经济贸易委员会"两次颁发的《淘汰落后生产能力、工艺和产品的目录》,在2002年颁发了《中华人民共和国清洁生产促进法》,2003年制定了《废电池污染防治技术政策》等,现正在制定中华人民共和国《循环经济法》,并将实行"循环经济"定为我国的基本国策之一。这些措施对促进和规范二次资源产业的发展极为重要,而且还将要完善一些相关的法规、政策和条例。

现在全国已有各类回收企业5000～6000家，回收网点约15万个，从业人数达1500～1800万人，其中约有1000万人从事个体回收，承担了二次资源市场约80%的回收量，使各种二次资源得到了充分回收。目前国内除每年从二次资源中回收了大量的铝、铜、铅外，还从国外进口大量二次铜铝金属原料。有色金属的回收点遍布全国各省、市、自治区。20世纪80年代中期以来回收和生产的格局发生了重大变化。回收、冶炼、加工和经营形成了以长江三角洲、珠江三角洲和环渤海地区的3个有色金属二次资源集中利用区域，以江苏、浙江、广东、河北等几个省和市（上海、天津和北京）最为集中。目前，在江苏的苏南地区，浙江的永康、台州，广东的南海，河北的清苑、安新已成为我国新兴的有色金属循环利用地区和城镇。浙江的永康、山东临沂、河南长葛、湖南汨罗等形成了我国的一批专业废杂有色金属集散市场。

B 有色金属循环利用生产技术和装备水平概况

总体上，中国有色金属循环利用生产技术和装备与世界先进水平相比还有较大差距。目前，国内外铜、铝和铅循环利用的主要生产设备都为反射炉、回转炉、电炉，少数采用鼓风炉，属于传统技术装备。在中国，如前所说拆解是以人为主，机械为辅（见文后彩图2），仅个别外资企业采用了大型机械。熔炼以反射炉为主，特别是铝，主要是单室反射炉。大型铝循环利用企业采用转炉处理铝灰，但还有许多企业采用落后的坩埚炉。大部分反射炉是烧油，少量烧煤。铜合金熔炼基本采用电炉。春兴集团采用竖炉熔炼铅效果较好，河南豫光用国内自行开发的"氧气底吹"法生产铅。铜、铝材加工设备较落后，少数企业采用的是国有企业淘汰下来的设备。大部分企业除在财务和经营统计中采用了计算机外，在生产上尚未实现计算机控制和自动化。至于小冶炼，特别是在农村的小冶炼都是采用坩埚炉、冲天炉及地坑炉等落后设备。此外，在环保、能耗及金属回收率方面与国外先进水平有明显差距。大型企业铜回收率低于95%，小型企业在80%以下；大型企业铝回收率在90%左右，小型企业在70%以下；铅的情况和铝类似。

3.2.2 中国台湾

3.2.2.1 中国台湾的回收工业

1980年，中国台湾建立了工业部门的污染防治协商机构，以尽量减少由于经济的高速增长引起不断增加的环境污染事件的发生。最初的设想是进行废料的末端处理，结果与愿望相反，实际产出的废料越来越多。

中国台湾在1989年建立了"工业废料信息交流中心"，以便于交流可再利用或可回收的工业废料信息。1989年出现了"工业废料减量化"和"污染防治"的理念，以及随后又出现了"减量化、再利用和再循环的'3R'原则"，促使生产者重新设计他们的制造工艺并使工业废料的产生最小量化。1995年开始的"清洁生产"促进活动,为环境保护和经济不断发展提供了有力支持。清洁生产准则不仅可使生产者获得好的环境效益,也能使生产者获得好的经济效益。1999 年随着环境条例的修正,工业废料回收利用成了人们关注的中心。

3.2.2.2 废料量及分类

目前,中国台湾每年约产生 4833.9 万 t 废料[32],其中包括约 770.8 万 t 家庭废料、1445.7 万 t 制造业废料、763.5 万 t 废金属、641.3 万 t 废纸、557 万 t 建筑废料、635 万 t 农业废料、9.9 万 t 医药(疗)废料和其他(城市废水处理厂产生的废料、教育机构和其他废料等)10.7 万 t。在所有废料中,每年 1445.7 万 t 的制造业废料占第 1 位,占总废料量的 30%。统计的各种废料的数量和分配比例如图 3-4 所示。

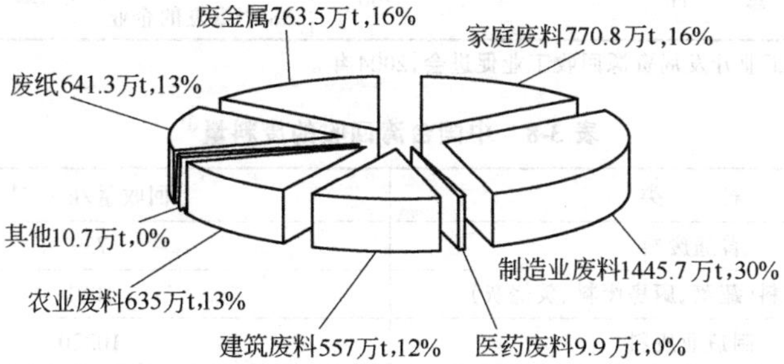

图 3-4 中国台湾的年废料量

(资料来源:(中国台湾)环保局废料管理中心,2004 年;
由于废纸和废金属来自各部门,故在各部门废料中不包括这两项)

建筑废料大部分是无害废料。有害废料大多来自化学工业、电气和电子制造业。

3.2.2.3 回收渠道及再利用量

中国台湾环境保护法规定,只有下述机构才能进行废物的再利用:

(1) 已公布的回收机构。

(2) 获准的回收机构。

(3) 公共和私人的废物清理和处置机构。

(4) 联合的回收机构。

(5) 可回收利用的废物处理厂,包括废料运输公司。

表 3-7 列出了目前中国台湾总共从事废物回收的 760 家企业,其中有 513 家是工业废料的专业回收企业。扣除重复的部分,实际的企业数是 475 家。

回收或再利用的废料约为 2724 万 t,其中 1032 万 t 是从制造业中回收的,占制造业产出废料的约 70%。表 3-8 列出了一些高回收率的废料量。

表 3-7　各回收行业的企业数[①]

种　类		企业数	备　注
工业废料	公布的回收企业	382	地方当局认可的回收利用机构
	获准的回收企业	81	获准的工业废料回收利用机构
	公共和私人废物清理、处置机构	43	废金属、废化学品、废塑料和固体渣回收再利用及处理机构
	联合废物清理和处置机构	7	产出相同废料企业形成的机构。目前在5个行业有7个联合废物清理和处置机构
普通废料	回收利用处理厂	77	回收的废料处理加工厂
	运输公司	170	回收的废料清理和运输企业
总　计		760	部分企业含两个以上的种类，因此应扣除38个重复的企业

① 资料来源：工业开发局资源回收工业促进会，2004 年。

表 3-8　中国台湾回收的废料量[①]

种　类	回收量/kt·a^{-1}
普通废料	739
其他普通废料（蔬菜、厨房废料、焚烧灰）	1001
制造业废料	10320
农业废料	5245
废　纸	2369
废金属	7566
合计	27240

① 资料来源：中国台湾工业开发局资源回收工业促进会，2004 年。

3.2.2.4　回收系统的激励政策

2002 年 7 月中国台湾颁布了《资源回收和再利用条例》，并在当月生效。这以前，工业废料的回收和再利用是按《废弃物处置条例》执行。两个条例之间的区别在于，《废弃物处置条例》仅是由管理部门公布的指定机构专门负责回收和再利用的部分普通废料，企业负责回收和处理其余的废料。相反，《资源回收和再利用条例》则允许企业可处理一切能回收或再利用的所有废料。

A　工业废料

a　法规和管理条例

按照 2000 年环保局（EPA）修正的《废弃物处置条例》，将废料回收权从 EPA 转交给了工业管理部门。制造行业的管理部门是工业开发局（IDB）。然后，IDB 分析回收工作的一些不利因素，对制造业废料的特性和相关的国际废料回收准则进行了研究，制定了战略计划并采取了相应措施。宣布了两个新条例，即《工业废料再利用管理条例》和《工业废料再利用分类和管理条例》，目的在于促进回收工作。2003 年 11 月,IDB 颁布了《可再利用的资源再利用管理条例》和《资源回收和再利用条例》。《中国台湾工业报告》2004 年统计分析表明,由 IDB 公布的管理办法中的 55 项废料,每年的废料回收量将达 946 万 t,预计的年回收价值达 10 亿美元。

b 组织管理系统措施

在《废弃物处置条例》修订后,原来制造业废料回收许可的管理权从 EPA 转给了 IDB。IDB 于 2002 年 6 月成立了“工业废料回收审批办公室”,对工业废料回收利用采用的工艺进行管理和控制。为了有利于工业废料的回收,该控制办公室又制定了一系列管理细则,如《工艺审批的标准程序》、《(条例)使用指南》等。2004 年废料回收利用废料达 34 万 t,年价值约 4000 万美元。此外,IDB 还追踪了具有回收许可的 257 家工厂,为他们提供咨询服务,保证废料的有效回收和再利用。这种服务除在促使企业充分满足环境和安全条例外,还促进了企业生产技术的改善,提高了企业的竞争能力。通过这种援助,使回收企业能改进他们的回收方式,建立完善的管理模式。

c 收入

经过回收工业和 IDB 联合运作了几年后,目前工业废料回收利用的年直接收入约为 10.4 亿美元。考虑这种直接收入,以及年用于环境保护方面的费用减少了约 8.4 亿美元,通过回收利用年资源消耗减少了约 2.6 亿美元。因此,年总的工业废料回收收入是 21.4 亿美元,利润 110 万美元。

B 普通废料

a 法规和管理条例

《废弃物处置条例》经过 5 次重大修改。1988 年第 3 次修改中纳入了资源回收的条款。这些条款解释了回收利用的废料的特性和相关企业的责任。

这次修改中增加了一些条款。处理的废料包括用过的商品、包装物和容器,制造商、进口商和销售商有责任回收、清理和处理(置)下列物品:

(1) 不易清理和处理(置)的废料;

(2) 含有不易分解化合物的废料;

(3) 含有害物质的废料。

1997 年《废弃物处置条例》进行了第 4 次修改,在此次修改中普通废料的回收系统法律框架已经确定。条例说明“责任企业”是由权力部门指定的,EPA 是受权登记的“责任机构”。还有制造商和进口商应按照他们的生产或进口的商品量支付“回收、清理和处理(置)费”,这些费用将用作“资源回收管理基金”(废物回收基金),这种基金用于真正的回收补助、回收企业的亏损补贴和废物清理补贴。

因此,EPA 更进一步颁发了相关的法规和条例,如《资源回收管理基金信托投资收入和支出的安全管理及使用条例》、《资源回收费率审查委员会组织条例》等。

2001 年对“废弃物处置条例”进行了第 5 次修改，重点放在回收过程的管理方面。

b 管理系统措施

中国台湾普通废料的回收政策可分为 4 个阶段。

第 1 阶段，1988 年以前普通废料的回收主要是由自由市场力推动。第 2 阶段是随着 1988 年《废弃物处置条例》的修改，奠定了中国台湾强制生产者负责制的体制。在第 2 阶段，回收责任仅是针对商品制造商、进口商和管理者指定的部分销售商。由一些生产者设立了几个回收管理基金(会)，以应付每种指定商品的回收和再利用问题。此时，EPA 的责任是监督和检查已有的回收系统。1997 年修改《废弃物处置条例》，开始了第 3 阶段。回收系统将其基金(会)转入了由 EPA 所创立的资源回收管理基金(会)。后来回收系统是由基金(会)，而不是由生产者来管理。第 4 阶段起始于 1998 年 7 月，当时 EPA 将这些基金管理责任集中于 EPA 下的一个职能机构，即回收基金管理委员会。

为了回收家庭产生的普通废料，EPA 还采取了一些措施。EPA 鼓励对已公布的清单中列项的废品回收和再利用，强制生产者、进口商，按商品量缴纳废品回收费，将收集的资金按回收的废品种类补贴给相应的回收和再利用企业。为鼓励和建立废品回收、清理和处理系统，1998 年 7 月 EPA 组建了“回收基金管理委员会”，这些废品包括废容器(纸箱、金属容器、玻璃瓶、塑料容器等)、报废汽车(各类汽车、摩托车)、废轮胎、废润滑剂、废蓄电池、废杀虫剂(农药)容器、废家电(电视机、电冰箱、洗衣机和空调器)、废 IT 设备(各种计算机等)。

c 收入

迄今为止，为再利用目的估计已回收、拆解和分类(选)的废料量约为 74 万 t。2004 年 EPA 又开始鼓励回收厨房废料，用做肥料和其他工业原料，并提高了公众的参与意识。目前每年回收的普通废料约为 17 万 t，价值达 4.3 亿美元。

3.2.3 美国

3.2.3.1 物质消耗情况

无可置疑，美国是世界上最发达的工业国。结果，美国消耗的物质占世界物质总产量的 1/3 以上。由于工业的迅速增长，各种物质的需求，特别是那些用于高技术的物质需求也在迅速增长。1999 年美国国内生产总量约 92600 亿美元，其中约 4220 亿美元是由矿物原料的加工工业所创造的[24]。

图 3-5 表示 20 世纪后期，1960～1995 年期间选定的几种美国物质消耗的变化。从图中可以看出，其中原生金属的消耗量在不断下降，而循环金属的消耗量在不断上升。

应当指出，现在美国仍然是世界矿物资源第二大储量拥有者，仅次于俄罗斯。

正如表 3-9 所表明的，各种金属的矿物产量和已证实的储量，与世界其他地方相比，美国的一些主要金属矿产的储量还是比较丰富的。从表 3-9 中还可看出，各种金属的矿石储量与现在的年产量之比将影响到(该金属矿的)未来服务年限。该表也说明，除少数几种金属，许多金属资源很快就将短缺。

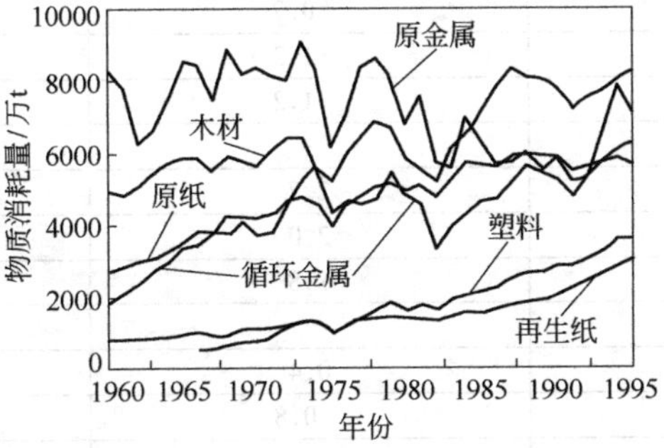

图 3-5 1960～1995 年期间美国的某些物质消耗量

表 3-9 1999 年世界和美国金属储量和矿山产量

矿 物	矿山产量/t		矿石储量/t		预测开采年限/a	
	美 国	世 界	美 国	世 界	美 国	世 界
铝土矿	—	1.23×10^{8}	2×10^{7}	2.5×10^{10}	—	203
铁	5.7×10^{7}	9.92×10^{8}	6.4×10^{10}	1.4×10^{11}	112	141
铜	1.7×10^{6}	1.3×10^{7}	4.5×10^{7}	3.4×10^{8}	27	27
金	340	5.6×10^{3}	4.9×10^{4}	—	16	—
铅	5.2×10^{5}	3.1×10^{6}	6.5×10^{6}	6.4×10^{7}	13	21
镍	—	1.2×10^{6}	4.3×10^{4}	4.6×10^{7}	—	40
钴	—	2.8×10^{4}		4.5×10^{6}		160
铂族	13.4	275	730	7.1×10^{4}	54	26
银	1.9×10^{3}	1.6×10^{4}	3.3×10^{4}	2.8×10^{5}	18	18
钨	—	3.1×10^{4}	1.4×10^{5}	2×10^{6}	—	64
钛	—	4×10^{6}	1.3×10^{7}	3.7×10^{8}	—	92
锌	5.1×10^{5}	7.64×10^{6}	2.5×10^{7}	1.9×10^{8}	31	25

表 3-10 是美国一些物资在 1971～1985 年间和 1995～2000 年间的年消费增长率。基础金属、农业矿物和非金属建筑材料消费增长是适度的，有的甚至是负增长。另外，一些所谓的高级材料却增长迅速。不难理解，这是因为现代电子和高技术产业的发展，导致了这些材料的消耗迅速增长。

表 3-10　美国一些物资消费年增长率

基础金属	1971～1985 年	1995～2000 年
铝	2.3	3.8
铜	0.7	4.3
铁矿	−3.6	−1.2
钢铁	−0.7	1.4
铅	−1.2	2.3
锌	−1.2	2.3
农业矿产		
磷酸岩	2.7	0.9
钾盐(岩)	2.0	−1.5
硫	1.8	−1.4
非金属材料		
水泥	0.4	4.4
沙石	−0.8	0.4
高级材料		
钴	1.1	5.6
镓	8.7	12.0
锗	4.9	1.0
塑料	6.2	
铂		1.1
钯		11.5
铑		10.2

3.2.3.2　金属回收

A　铝

近几年美国铝的生产情况列于表 3-11。从 2001 年起,美国铝循环量就超过了原生精铝,2003 年美国铝循环量超过了原生铝的 1.083 倍以上,占铝总消费量(566.71 万 t) 的 51.7%。

表 3-11　美国铝的产量

年　份	2000	2001	2002	2003
原生精铝产量/万 t	366.84	263.70	270.51	270.45
循环铝产量/万 t	345.00	298.20	298.00	293.00

注:1. 2000～2002 年数据取自 2003 年《中国有色金属工业年鉴》。

2. 2003 年数据取自 2004 年《中国有色金属工业年鉴》。

大约废铝原料的一半来自废饮料罐。1999 年每磅(1lb = 0.45 kg)饮料罐的收购价为 35～44 美分,而每磅精炼循环铝的价格约为 65.5 美分。

B　铜

近几年美国铜的生产情况列于表 3-12。2003 年美国精铜总产量是 132 万 t,其中再生精铜总量是 5.3 万 t,原生精铜总量则应为 (132 − 5.3 =)126.70 万 t,铜循环量为(109.9 + 5.3 =)115.2 万 t,为原生精铜总量的 0.9 倍以上,铜循环量占铜总消费量(230.00 万 t)的 50%以上。1999 年再生铜(精铜)的生产成本每磅为 5.3～14.9 美分,而原生铜为 78 美分。

表 3-12 美国铜的生产状况

年 份	2000	2001	2002	2003
精铜产量/万 t	180.29	180.20	150.20	132.00
再生精铜产量/万 t	22.1	1.72	6.9	5.3
废铜直接利用量/万 t	109.1	103.9	109.9	109.9

注:1. 2000～2002 年数据取自 2003 年《中国有色金属工业年鉴》。
2. 2003 年数据取自 2004 年《中国有色金属工业年鉴》。

C 金

1999 年美国生产黄金 490t,价值 31 亿美元。其中约 150t 黄金是从含金废料中生产的(见表 3-13)。

表 3-13 1995～1999 年美国黄金的生产

年 份	1995	1996	1997	1998	1999
从矿石生产的黄金/t	317	326	362	366	340
从含金废料生产的黄金/t	—	—	100	163	150

D 铅

近十年来美国铅的生产和消费都比较稳定。与其他有色金属的生产不同,美国铅的生产主要从二次资源中回收。2003 年美国精铅总消费量为 149.40 万 t,循环铅占精铅总消费量的 53.8%。

铅的二次资源主要是蓄电池。在美国约 70%的铅消费于运输行业,包括蓄电池、油罐、焊料、密封料以及轴承合金;约 20%的铅消费于电器(气)和电子工业,以及通信、军火、电视玻璃等方面的应用;其余 10%消费在砝码、陶瓷、结晶玻璃、(铅)管和容器等方面。表 3-14 是近几年美国铅的生产情况。

表 3-14 美国铅的生产与消费情况

年 份	2001	2002	2003
精铅总量/万 t	131.50	130.50	138.02
循环铅量/万 t	73.40	75.40	80.39

注:资料来源于 2004 年《中国有色金属工业年鉴》。

E 锌

世界约有 30%的锌是来自锌的二次资源。1999 年,美国从原生和二次原料中共生产了 91 万 t 锌,价值 4.2 亿美元。其中 13.5 万 t 锌是从二次原料中生产的,约占总锌产量的 36.5%(见表 3-15),锌的二次原料主要有黄铜、废锌、含锌烟尘、镀锌渣和(镀)锌板。

表 3-15　1995～1999 年美国锌的生产量

年　份	1995	1996	1997	1998	1999
原生量/万 t	61.4	60.0	60.5	72.2	77.5
再生量/万 t	13.1	14.0	14.0	13.4	13.5

3.2.4　日本

日本由于缺乏自然资源，是较早大力推行资源循环利用的国家之一，为了保护环境和预防资源枯竭，鼓励资源循环利用成了日本的基本国策。

3.2.4.1　日本有色金属的循环利用

日本于 2000 年和 2001 年制定和颁布了一系列有关资源循环利用的法律，现在已形成了一套鼓励资源循环利用的法律体系，该法律体系的构成如图 3-6 所示。

《促进建设循环社会基本法》规定了减量、再利用、原材料回收和热的回收，以及这方面的一些重要事项。该法还对扩大的生产者责任(EPRS)作了概念上的说明，即生产者应在整个产品的生产、使用和使用后对环境的影响负责；《废物管理法》制定了严格的条例以减少废物量和废物的适当处理，以及鼓励建立工业废物处理设施；《资源有效利用促进法》要求各单位要通过减量化、再利用和再循环(即"3R"原则)提高资源综合利用效率；《家电循环利用法》规定要建立空调机、带阴极射线管的电视机、电冰箱和洗衣机的循环利用体系；《建筑材料回收利用法》指出了建筑材料回收利用的方向。除这些法规外，还颁布了《容器和包装材料回收法》、《绿色采购法》和《食品回收法》[33]。

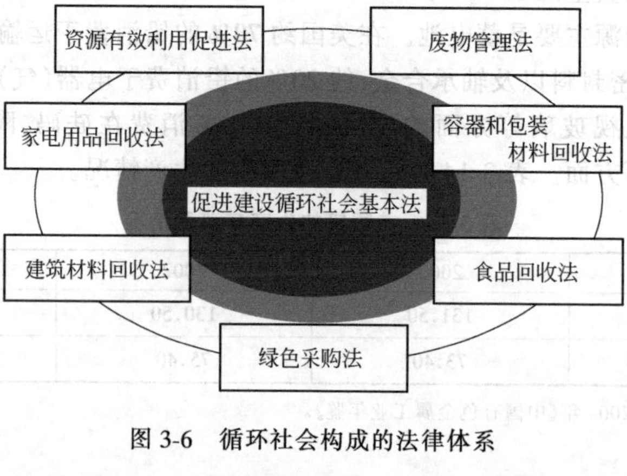

图 3-6　循环社会构成的法律体系

金属广泛应用于上述法律所涉及的许多生产领域，包括产品的生产、使用、再利用和用后的处理。

图 3-7 表示 1997 年日本铜的物流状况。日本的铜产量约占世界的 9%，生产原料全部靠进口铜矿。铜加工成电线、铜材以及用于动力设备、通讯电缆、电气用

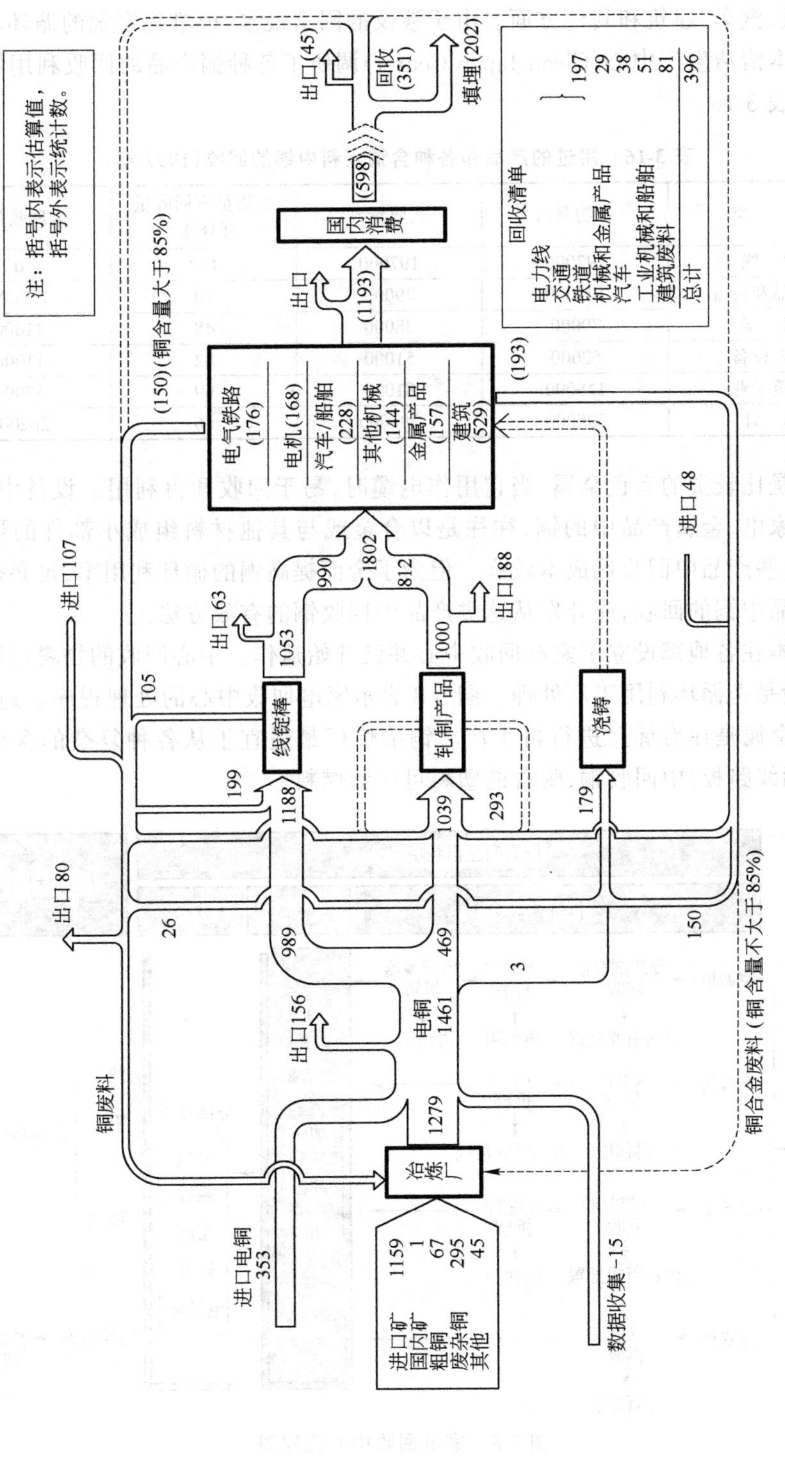

图 3-7 日本铜的物流（单位：kt，1997 年）

品、机械、汽车、建筑和其他方面。由于涉及的因素很多,很难确定铜的循环利用比例。日本清洁生产中心(Clean Japan Center)调研了各种铜产品的回收利用情况并综合于表 3-16。

表 3-16 用过的产品和各种含铜废料中铜的回收(1997 年)

种 类	废物量/t	回收量/t	废物量占回收量的百分比/%	未回收量/t
铜 线	197000	197000	100	0
日用品和设备	141000	29000	20	112000
汽 车	79000	38000	48	41000
工业设备	62000	51000	82	11000
建筑工业	118000	81000	69	37000
总 计	598000	396000	66	202000

铜是比较贵的有色金属,当它用作电缆时,易于回收和再利用。设备中的铜,如日用家电、金属产品中的铜,往往是以合金或与其他材料组成小部件的形式应用,从这些产品中回收铜成本较高。但为了全面提高铜的循环利用率,也必须重视这类产品中铜的回收,应开发从这类产品中回收铜的有效方法。

日本在各地都设立了家电回收中心并已开始运作。中心回收的物料可以再利用,一般是送循环利用工厂处理。图 3-8 表示家电回收中心的处理程序。通常,家电中的金属是在冶炼厂进行再生产。铜冶炼厂最适宜于从各种复杂的含铜废料(如印刷线路板)中回收铜,附着的塑料可作为燃料。

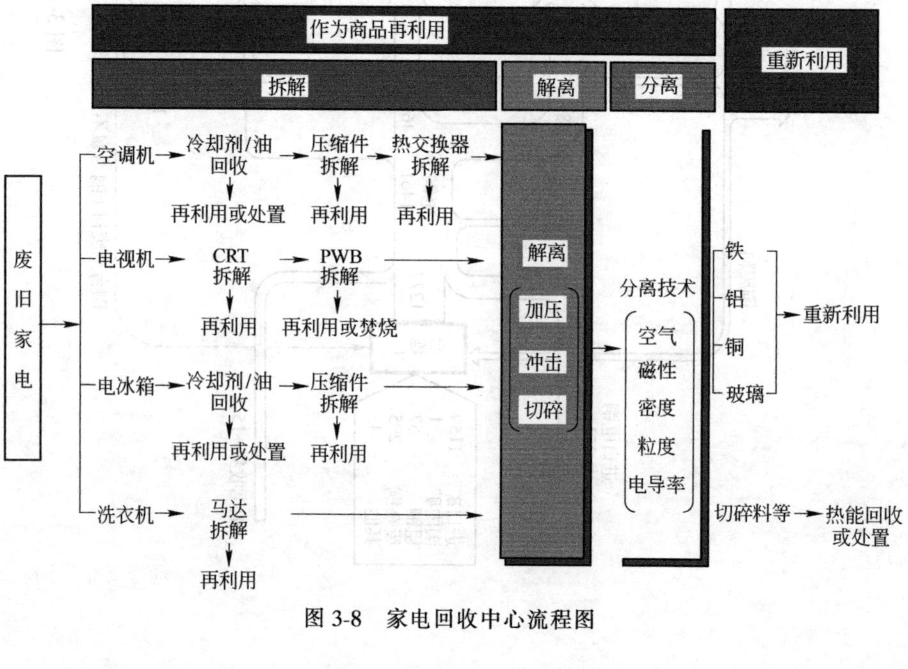

图 3-8 家电回收中心流程图

从拆解的废料中回收有用材料经中间处理过程后，为了方便以后的处理，大多数废旧汽车和家电需进行切碎。这种切碎过程产出碎料，碎料中含有各种物料。在日本每年要产出上百万吨这种碎料。

图 3-9 表示日本锌的物流。锌主要是用于钢铁产品防腐，如镀锌钢板和钢结构材料、压铸合金、无机化学等。由于应用分散，加上锌的价值不很高，通常认为锌的回收很困难，所以不被人们重视，锌的回收比例很低(表 3-17)。但从保护锌资源来看，应当重视锌的回收利用。钢铁工业中电弧炉烟尘是重要的回收锌的资源。

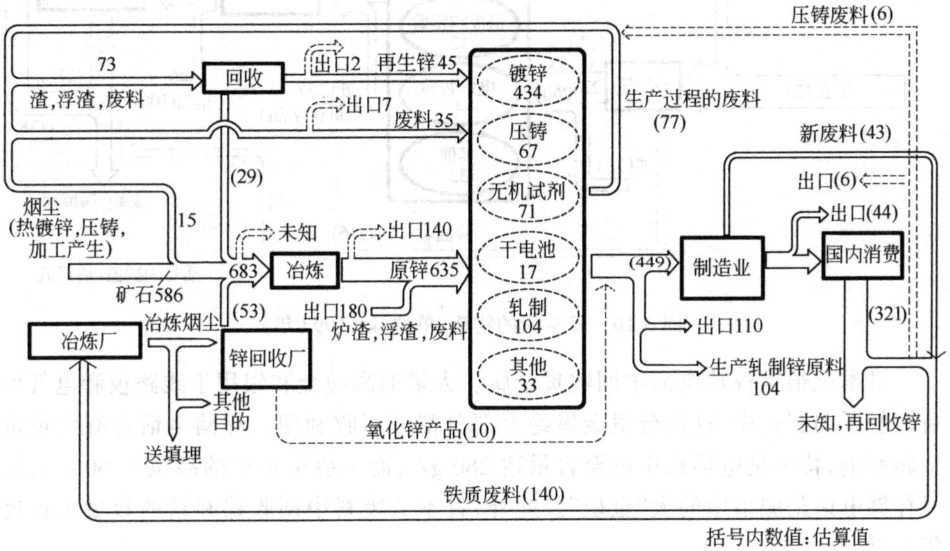

图 3-9 日本锌的物流(单位：kt，1997 年)

表 3-17 从用过的产品和含锌废料中锌的回收(1997 年)

种 类	废料/kt	回收量/kt	回收率/%
镀锌板	188	63	34
压铸合金	69	10	14
无机化学	32	0	0
干电池	15	0	0
其 他	60	0	0
总 计	364	73	20

图 3-10 表示日本铅的物流。铅仍然广泛应用于车用蓄电池的生产，对射线的防护也是不可缺少的。由于铅具有毒性，许多应用领域正在采用铅的替代品。表 3-18 是各种应用领域铅的回收情况。日本铅酸蓄电池中铅的回收率很高，地下电缆铅护套的回收率基本是 100%。但在其他许多应用领域及含铅废料中铅回收率却很低。由于从废料中除去铅常会引起严重问题，铅在废料中保持稳定也是时常采用的做法。

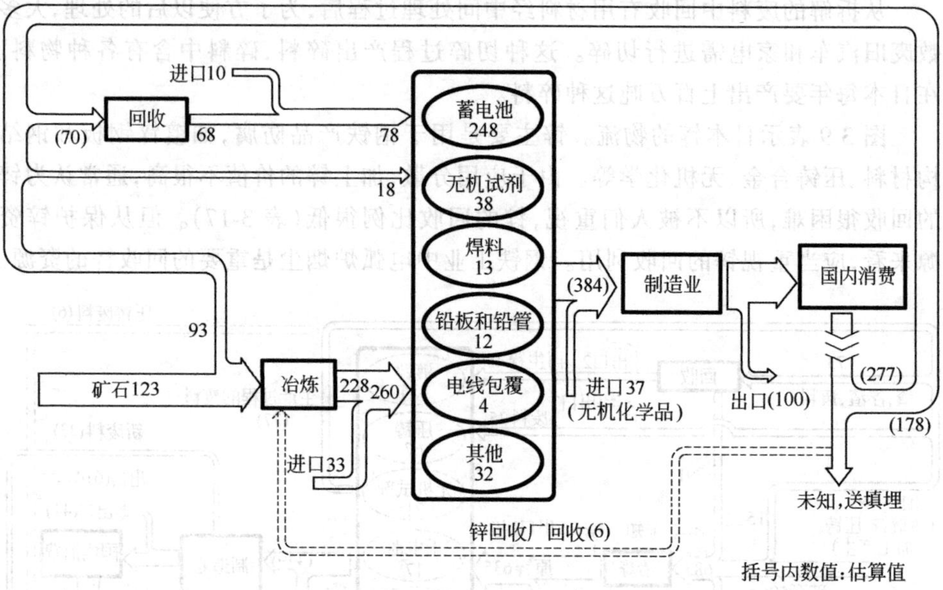

图 3-10　日本铅的物流(单位:kt,1997 年)

日本也很重视从废品中回收贵金属。大量的高纯金和银用于线路板和电气设备接触子的制造中,这部分贵金属绝大部分都可回收利用。存储电话含有大量贵金属和铜,特别是电话机中的金含量达 280 g/t,而一般金精矿的品位才 60 g/t,所以存储电话是城市中的大"金矿"。此外,日本从废料中回收镍和钴的数量也在逐年上升。

表 3-18　从用过的产品和含铅废料中铅的回收(1997 年)

种　类		废料/kt	回收量/kt	回收率/%
蓄电池		160	153	95
地下电缆铅护套		25	25	100
焊 料		17	0	0
无机试剂		36	0	0
铅板和铅管		10	0	0
其他	汽油罐等	29	0	0
	从 EAF 中回收		6	
总　计		277	184	66

3.2.4.2　未来前景

要提高金属的循环利用比例,要做的工作还很多,主要包括:

(1) 提高各种用过产品的收集率;

(2) 开发简单易行的拆解技术;

(3) 开发分离、提纯和金属再制造技术;

(4) 废料循环利用的节能技术;

(5) 开发有毒物的替换材料。

3.2.5　韩国

3.2.5.1　法律体系和有关回收政策

在过去的 20 年中,韩国的废物产生量以 8%[34]的年增长率在迅速上升。根据这种状况,已制定或实施的法律体系和有关回收政策如图 3-11 所示。

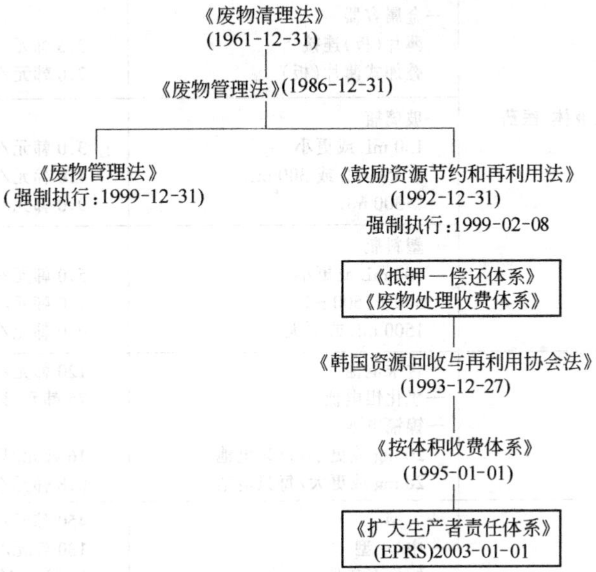

图 3-11　韩国资源循环法律系统程序

1961 年的《废物清理法》集中在人粪尿和其他脏物的处理,该法被 1986 年的《废物管理法》所取代,后者强调废物的减量化和回收利用。1992 年,制定了废物处理的《抵押—偿还(金)体系》和《废物处理收费体系》,并颁发了《资源节约和再利用促进法》。

A　抵押—偿还(金)体系

建立抵押—偿还(金)体系有两个目的:采取污染者付款原则减少废物量,鼓励可再利用的物品修复再用。要求生产者和进口商对可循环利用的商品进行商品总量现金抵押,待修复或回收利用处理后视情况再偿还给他们。

该体系于 1992 年 1 月在部分商品范围生效。原来包括一些典型的物品共 17 类,如食品包装物品、杀虫剂、丁烷制品、有毒物品等,但很快发现对其中的部分物品不适宜。因此,1993年6月对物品清单进行了修正,将抵押体系中的部分物品转移到了付费体系,物品清单减少到仅包括纸箱、金属容器、玻璃瓶、(蓄)电池、轮胎、油脂、电视机、洗衣机和电冰箱。后来在抵押—偿还体系清单中又增加了塑料瓶、医药包装物和空调机,总共包括11类,其中有5类部分物品可修复再用,表3-19表示属于交付抵押金的物品及抵押金额。

表3-19　交付抵押(金)的物品和抵押金额(2001年)

A. 食品、饮料、液体、医药	—纸箱 250 mL或更小 >250 mL	 0.8韩元/个(箱) 1.5韩元/个(箱)
	—金属容器 薄片(板)连接 叠加式薄片(板)	 2.5韩元/个 7.0韩元/个
	—玻璃瓶 150 mL或更小 >150 mL或300 mL >300 mL	 3.0韩元/个(瓶) 4.0韩元/个(瓶) 9.0韩元/个(瓶)
	—塑料瓶 500 mL或更小 500～1500 mL 1500 mL或更大	 5.0韩元/个(瓶) 7.0韩元/个(瓶) 9.0韩元/个(瓶)
B. 电池	—含汞电池 —氧化银电池 —镍镉电池 20 mg或更小/每只电池 20 mg或更大/每只电池	120韩元/只(电池) 75韩元/只(电池) 16韩元/只(电池) 0.8韩元/只
C. 轮胎	—大型 —中、小型 —摩托车轮胎	450韩元/个(轮胎) 130韩元/个(轮胎) 50韩元/个(轮胎)
D. 油脂类	—油脂类	25韩元/L
E. 家电	—电视机 —洗衣机 —空调机 —电冰箱	75韩元/kg 100韩元/kg 100韩元/kg 140韩元/kg
F. 荧光灯	—荧光灯	88韩元/组件

B　废物处理付费体系

制定付费体系是为了限制那些难以收集、处理和循环利用物品或器皿的使用以及通常难以管理和处置的物品。对于生产这类产品的公司要强制收取废物处置费。

强制收费的公司包括9个领域15类产品。这些类别如表3-20所示,包括杀虫剂容器、或有毒物质等。但是,公司为出口目的生产或进口这类产品原料等,将免除这种付费。

表 3-20 收费物品和收费额(2001 年)

1. 杀虫剂 丁烷气制品和有毒物质	A. 杀虫剂容器 500 mL 或更小 >500 mL B. 有毒物质 500 mL 或更小 >500 mL	 7 韩元/个 16 韩元/个 6 韩元/个 11 韩元/个
2. 化妆品	A. 玻璃瓶 30 mL 或更小 100 mL 或更小 >100 mL B. 塑料容器 仅一种标准	 1 韩元/个(瓶) 3 韩元/个(瓶) 4.5 韩元/个(瓶) 0.7 韩元/个(瓶)
3. 糖果类	A. 3 种或更少材料制的包装物 B. 4 种或更多材料制的包装物	6 韩元/件 12 韩元/件
4. 电池	锂电池	2 韩元/个
5. 防冻剂	防冻剂	30 韩元/L
6. 口香糖	口香糖	0.27%销售额
7. 一次性手巾	一次性手巾	1.2 韩元/L
8. 合成树脂	聚乙烯 丙二醇酯 聚苯乙烯 氯乙烯树脂 ABC 树脂 AS 树脂 丙烯树脂和丙烯共聚物 乙烯基醋酸树脂 聚酯树脂 聚氯乙烯树脂 聚碳酸酯 进口废塑料	0.7%销售额
	聚醋酸酯	0.35%销售额
9. 香烟和雪茄	香烟和雪茄	4.0 韩元/(20 只)

从 1993 年 7 月起对部分产品强制付费。对属于前述抵押(金)体系的一些额外产品,增加到了上述的 1994 年 1 月的付费清单中。总之,付费体系所影响到的产品,无论是进口还是韩国产的,包括糖果类产品、防冻剂、丁烷制品、荧光灯、口香糖、一次性手巾、杀虫剂、有毒物质容器、化妆品、(蓄)电池等。1994 年 4 月人造树脂也增加到了清单中。

C 韩国资源回收和再利用协会(Korean Resources Recovery & Reutilization Corporation,简称 KORECO)

1980 年 9 月 11 日由韩国政府组建了 KORECO,其宗旨是通过废物减量化和循环利用促进环境保护。起初,主要使命是收集农村塑料膜和空农药瓶。到 1996 年 4 月,KORECO 已有 82 个基本单位,以及 10 个破碎的废塑料中间分类厂,4 个农村来的 HDPE(高密度聚乙烯)回收利用加工厂。KORECO 有许多热心成员,从技术开发和资金上支持韩国的循环利用产业。最初 KORECO 制定了管理条例,到 1993 年 12 月 27 日颁布了独立的 KORECO 章程。

D 家庭废料体积量收费体系

该体系 1995 年 1 月 1 日起在韩国强制执行,但不适用于烧过的煤块、可循环的废料以及家庭用品,如报废的冰箱。为了减少家庭和小物品废料量,鼓励循环利用,特制定了该体系。到 1995 年 4 月,99%的家庭废料是按官方的指示装入塑料袋里丢弃。该体系导致家庭废料减少了 37%,回收量上升到 40%。

E 扩大生产者责任体系(extended producer responsibility system,简称 EPRS)

在执行 1992 年的生产者"抵押—偿还(金)体系"中,日用家电、轮胎、油脂、电池、纸品以及金属容器的生产者要向政府缴纳一定的抵押金,当他们召回和回收他们的报废产品时,则可得到一定的偿还(金),偿还量与他们回收的报废产品量成正比。但是,该体系在激励循环利用方面是不足的,因为该体系直接对生产者强调的回收利用责任力度不够。

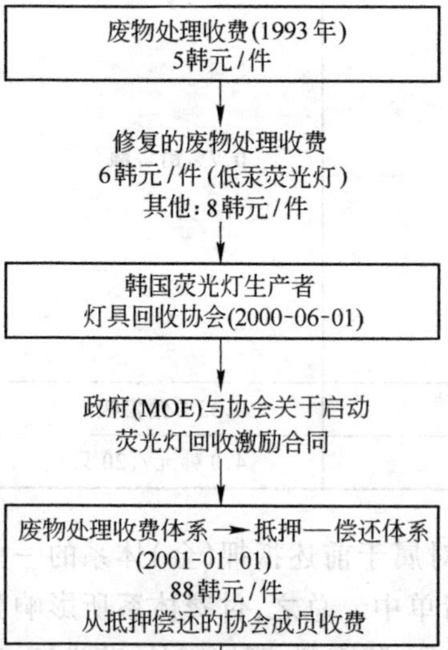

图 3-12 荧光灯回收法律体系演化进程

为了进一步鼓励循环利用,政府 2003 年 1 月 1 日起强制执行"扩大生产者责任体系"(EPRS),该体系对产生高废料的产品和包装材料的生产者和进口商强调了废物循环利用义务。

政府考虑到可回收资源和其他回收条件,指定了每种商品和包装材料的生产者应当回收的废物数量,生产者必须完成他们的回收利用目标。

按照该体系,生产者必须回收家庭用品,如电视机、电冰箱、洗衣机以及轮胎、油脂、荧光灯(F.L.)、包装材料(如罐、玻璃瓶、塑料瓶等)。可回收物料清单还将进一步扩大。从 2001 年起开始回收废荧光灯。图 3-12 为荧光灯回收法规体系的演化进程。

如果生产者在他们的产品设计中,对产品的全部生命周期中给予更多一些环境友好方面的考虑,那么可回收利用的资源来源就会更多,EPRS 的意义将更为深远。

3.2.5.2 废物的产生

A 废物的产生

如图 3-13 所示,固体废物可分为工业固体废物和家庭固体废物(生活垃圾)。但是,法律指明的废物可分为一般和特殊废物,这取决于废物的性质和是否有危害性。不用说,特殊废物或有毒废物,在收集运输、贮存和处理方面要受到更为严格的控制。

在过去 20 年中,韩国的废物产生量迅速增长,年增长率平均达 8%。2000 年产生的废物量大致是 234100 t/d。如表 3-21 所示,家庭固体废物为 46400 t/d,工业固体废物为 187900.3 t/d。

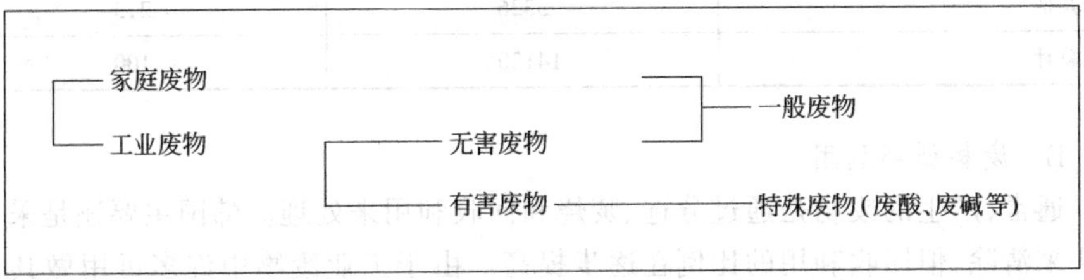

图 3-13 废物分级

表 3-21 韩国废物种类和数量

年　份		1993	1994	1995	1996	1997	1998	1999	2000
废物量总计/$kt \cdot d^{-1}$		141.4	147.1	148.1	180.8	194.7	188.6	219.4	234.1
家庭废物/$kt \cdot d^{-1}$		62.9	58.2	47.8	49.9	47.9	44.6	45.6	46.4
工业废物/$kt \cdot d^{-1}$	小计	78.5	88.9	100.3	130.9	146.8	144.0	173.8	187.9
	普通	56.0	85.2	95.8	125.4	141.3	138.7	166.1	180.2
	特殊	23.4	3.7	4.5	5.5	6.1	5.3	7.7	7.6

工业产生的废物主要是由炉渣、建筑废料、淤泥等组成,不可燃废物比例很高(见表 3-22)。工业废物量在逐年上升。

表 3-22 工业废物成分

废　物	1997 年	
	数量/$t \cdot d^{-1}$	比例/%
炉渣	40179	28.4
焚烧渣和烟尘	11889	8.4

续表 3-22

废　物	1997 年	
	数量/$t\cdot d^{-1}$	比例/%
金属和玻璃	5075	3.6
建筑废料	42300	29.9
废纸、木材	4160	2.9
淤泥	19703	13.9
废石灰、石膏	5482	3.0
废人造高聚合物	4275	4.2
废沙	2957	2.1
废动、植物遗体	1595	1.1
废动、植物油	344	0.2
其他	3326	2.3
总计	141305	100

B　废物循环利用

通常，产生的废物是通过分选、焚烧和回收利用来处理。韩国主要还是采用焚烧法来清除，但回收利用的比例在逐步提高。由于工业废物中许多可用做其他产品的生产原料，所以韩国的工业废物的回收利用率已达 74%。但是，家庭废物在收集、分类和循环利用体系方面还存在种种问题，所以 2000 年的回收和再利用率仅为 41%。2000 年通过加工法处理的废物如图 3-14 所示。

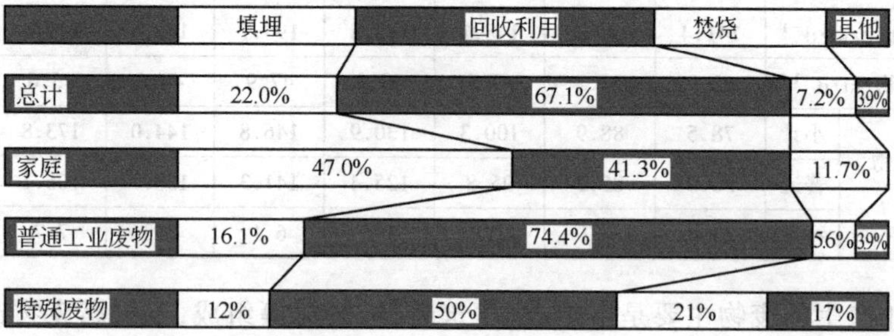

图 3-14　废物处理方式

3.2.5.3　工业废物循环利用

A　浦项制铁(POSCO)废物的回收利用

随着 1999 年 Kwangyang 厂第 5 号高炉的建成，可以预料每年浦项制铁集团(POSCO)的 Pohang 和 Kwangyang 两厂中大约将产出 1600 万 t 废物。经过努力，浦项制铁的废料回收利用率从 20 世纪 80 年代初的 40%，提高到了 1999 年的

94%。表 3-23 表示 1999 年的废物回收利用情况。其中大部分加工成内部可再利用的资源，部分外销。

例如，高炉渣可用做水泥工业添加料和筑路材料；转炉渣在回收铁后作高炉渣类似的应用；绝大部分含亚铁的烟尘和淤泥返回烧结。2000 年浦项制铁的高炉渣利用情况如图 3-15 所示。

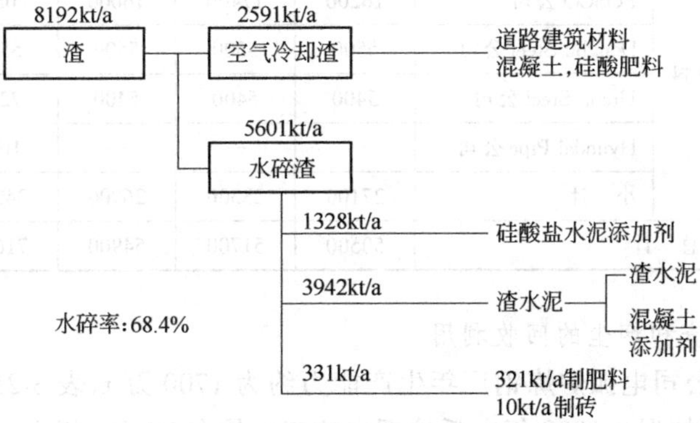

图 3-15　POSCO 电弧炉渣回收利用(2000 年)

在冷轧中，为除去材料表面上的氧化铁需进行盐酸洗涤。产生的废盐酸在反应器中加热使氯化氢挥发，通过水喷淋再生成盐酸，铁氧化物可外销作(磁性)铁氧体或颜料原料，如表 3-24 所示。

表 3-23　1999 年浦项制铁的废物回收利用

项目		产生量/t	回收利用/t			回收利率/%		填埋量/t	焚烧量/t
			内部用	外　销	总　计	1998 年	1999 年		
高炉渣	水碎	4572022	—	4572023	4572023	100	100.0	—	—
	气冷	3422182	17211	3404970	3422181	100	100.0	—	—
钢　渣		4266210	1173214	2879352	4052566	85	95.0	213643	—
烟　尘		1163587	936609	141797	1078406	98	92.7	85182	—
淤　泥		1148247	401102	224339	625441	48	54.5	470610	52194
废　油		648027	—	648027	648027	100	100.0	—	—
铁氧化物		50664	3127	47536	50663	100	100.0	—	—
铁　鳞		473879	468322	5557	473879	100	100.0	—	—
废　砖		208180	15127	31102	46229	15	22.1	162582	—
其　他		179983	110944	36402	137346	88	76.3	11073	31526
总　计		16133611	3125656	11981105	11981105	89	93.6	943090	83756

表 3-24　韩国氧化铁粉的供应

年　份		1995	1996	1997	1998	1999
软(磁)铁氧体用量 /t·a^{-1}	POSCO 公司	23400	23400	28000	37400	37400
	Dongbu Steel 公司	—	—	—	—	7800
	小　计	23400	23400	28000	37400	45200
硬(磁)铁氧体和颜料用量/t·a^{-1}	POSCO 公司	16200	17400	16000	20500	16000
	Dongbu Steel 公司	5500	5500	5500	5500	3000
	Union Steel 公司	5400	5400	5400	7200	7200
	Hyundai Pipe 公司	—	—	—	1000	10000
	小　计	27100	28300	26900	34200	36200
总　计		50500	51700	54900	71600	81400

B　电弧炉渣和烟尘的回收利用

韩国 12 家公司电弧炉炼钢厂年生产能力约为 1700 万 t,表 3-25 为电弧炉烟尘和炉渣的处理情况。1999 年电弧炉烟尘的产生量在 30 万 t 以上。

表 3-25　电弧炉烟尘和炉渣的处理

年　份	1997	1998	1999
1. 电弧炉钢产量/kt·a^{-1}	18330	16080	17073
2. 炉渣产量及比例/kt(%)	2336(12.7)	2090(13.0)	2230(13.1)
3. 烟尘产量及比例/kt(%)	204(1.7)	273(1.7)	327(1.9)
4. 炉渣处理	1999 年渣回收利用量(比例) —粗铁:89000 t(4%) —筑路渣块:1048000 t(47%) —填埋覆盖料:914 t(41%) —制砖:156000 t(7%) —其他:23000 t(1%)		
5. 烟尘处理	1999 年烟尘回收利用量(比例) —回收:131000 t(40%) —填埋:196000 t(60%)		

从电弧炉烟尘中回收锌、铅以及其他重金属已成为环境保护和资源回收的重要课题。目前,特别注重从电弧炉烟尘中回收锌。不幸的是,2002 年前韩国还没有这样的回收锌的工厂。

C　飘尘

韩国的飘尘主要来自发电厂,回收情况参见表 3-26。1998 年的回收率为 32.2%。粒度很细的飘尘大多含有少量未燃烧的烟煤灰,用做水泥添加料。

表 3-26 1998 年电厂飘尘的回收利用

煤种类	电 厂	煤耗/t	飘尘量/t	飘尘率/%	回收利用量/t	回收率/%	回收利用领域
无烟煤	Seochoen	995346	348402	35.0	11690	3.4	作建筑、水泥料
	Yeongdong	733413	261788	35.7	2742	1.0	铸 造
	Yeongul	386104	180612	46.8	189129	104.7	水泥料
	Gunsan	140119	52886	37.7	12209	23.1	混凝土添加剂
	Donghae	272319	126968	46.6	81613	64.3	混凝土添加剂
	总 计	2527301	970656	38.4	297383	30.6	混凝土添加剂
烟 煤	Boryung	7391221	771680	10.4	494121	64.0	混凝土添加剂
	Samcheonpo	8395288	685097	8.2	232223	33.9	混凝土添加剂
	Yeosu	1039600	79488	7.6	—	0	混凝土添加剂
	Taean	4600280	560348	12.2	149249	26.6	混凝土添加剂
	Hadong	4253094	595676	14.0	4932	0.8	混凝土添加剂
	总 计	25679483	2692289	10.5	880525	32.7	
总 计		28206784	3662945	13.0	1177908	32.2	
1996 年，总计		21461439	2921869	13.6	640202	21.9	
1997 年，总计		25011741	3197904	12.8	868677	27.2	

D 废旧汽车

过去 30 年中，韩国的汽车工业发展迅速，仅 2000 年就生产了 311.4 万辆汽车，登记注册号已超过 1200 万辆。但是，汽车增长过快也带来交通拥挤和环境污染问题。

随着汽车量的迅速增长，废旧汽车量也在一年一年上升。例如，报废汽车从 1987 年的 100000 辆迅速上升到了 2000 年的 455592 辆。表 3-27 为注册的汽车数、ELV(生命终结的)报废汽车数、ELV 废弃汽车数和拆解数。表 3-28 为汽车出口的趋向。

表 3-27 韩国报废汽车数

年 份	注册数/辆	报废车数/辆	废弃车数/辆	拆解车数/辆
1989	2660212	101158	3331	57
1990	3394803	171221	6476	57
1991	4247816	217983	19814	62
1992	5308942	252769	27553	70
1993	6274008	308252	34534	86
1994	7404347	352582	31728	104
1995	8468901	406055	32740	141

续表 3-27

年　份	注册数/辆	报废车数/辆	废弃车数/辆	拆解车数/辆
1996	9553092	489178	40293	160
1997	10413427	585641	50755	185
1998	10469599	562168	59538	227
1999	11164319	456191	69000	259
2000	12059861	455592	62000	277

韩国 ELV 报废汽车的处理是按《机动车辆管理条例》来进行。该条例规定了汽车的拥有者应直接对报废汽车负责。汽车的拥有者，只有从地区汽车拆解处获得证明，证明他的汽车按《条例》得到了适当的处理之后，他的汽车注册号才能被注销。在韩国报废汽车的收回率接近 100%。

韩国废旧汽车的处理过程与其他国家类似，首先排尽液体(汽油或其他燃料)，可回收的部分分别收集起来。将发动机和变速箱拆出，作为原材料回收利用。虽然在韩国已有 277 家废旧汽车的处理公司，但只有一家具有现代化拆解系统，包括切碎机。从汽车中金属的回收率是很高的(大于 90%)，而塑料和玻璃由于分离和回收技术还比较差，只能做到大部分回收。随着废旧汽车的迅速增长，韩国急需开发报废汽车自动处理技术。

表 3-28　用过的汽车出口趋向

年　份	客车/辆	公共汽车/辆	卡车/辆	总计/辆
1987	5	3	8	16
1988	57	32	2	91
1989	223	126	7	356
1990	251	142	8	401
1991	343	140	13	496
1992	1989	1121	67	3177
1993	8596	2350	202	11148
1994	5574	7178	3881	16633
1995	6256	6056	9045	21357
1996	2789	2751	3569	9109
1997	11997	7670	16065	35732
1998	48418	13361	26058	87834
1999	51251	13313	17130	81512
2000	50037	19989	18629	88655

4 铜的循环利用

4.1 铜的循环利用概况

人类对铜的开采历史已有4000年以上，消耗的铜估计在3.15亿t以上（该数大致与目前世界陆地铜的探明总储量相当）[35]，其中大部分铜仍在流通（循环）中。目前，世界每年生产和消费的铜（约1500万t）主要仍来自矿石，而循环铜（约500万t）的比例约为三分之一。这说明铜（或含铜）产品使用寿命长，但铜在消费中造成分散，使之再生回收困难，部分甚至无法回收（如埋入地下和锈蚀损失、化工产品分散使用等）。

金属回收对环境有益，通过回收减少了人类生存环境中的金属量，此外，还具有节省能源、减轻污染、减少废料量以及其他益处。回收也保证了自然金属资源的延续。图4-1表明了1970～1990年西方国家直接利用的铜废料（循环铜）占铜的总消费比例[36]。欧洲和美国是循环铜的主要用户。除这些国家的铜废料消费外，他们还为其他OECD（经济合作和发展组织）国家代加工一些铜废料。代加工再生铜的费用从1984年的约1亿美元提高到了1993年的3.5亿美元。此外，在1953～1993年间，西方发达国家消费的精铜中平均约有40％来自铜废料。在美国，精铜消费中40％以上来自循环铜，其中约1/3来自旧的产品，2/3来自制造业废料。1994年有170万t铜来自废料，该数占美国铜的总消费量的41％。其中，11％的再生铜是由铜冶炼厂产出，3％是由铜精炼厂产出，其余是铜合金生产中的直接利用。因此，在世界铜市场中循环铜占有很重要的地位。

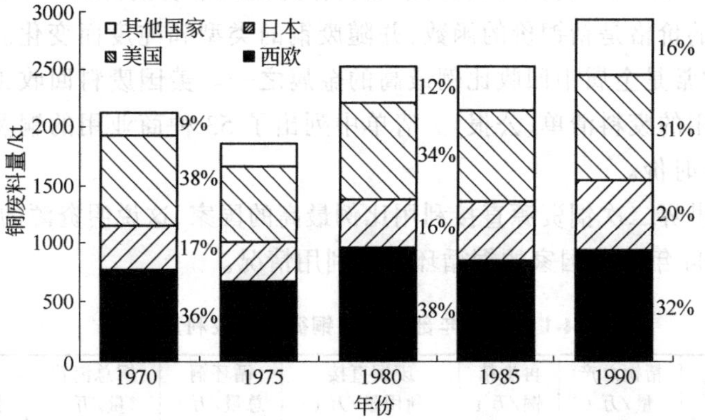

图4-1　1970～1990年西欧、日本、美国和其他国家直接应用的铜废料量（不包括东欧、俄罗斯和中国）

约有 94% 的铜是以金属态产出，这部分铜是可以回收的。难以回收的部分是以化学品或粉状产品产出，主要用于一些消耗性领域的应用，诸如用于农业和水处理药剂、油漆、涂料等。图 4-2 的消费曲线表明了 1950 年以来原生和循环铜的消费情况。绝大部分铜是以铜丝、电缆以及铜管和其他耐用消费品形式应用，其使用寿命达 30 年以上，使铜的循环周期长。从经济上(例如市场价格)考虑有时也可能不利于这类铜回收，如埋入地下的电缆，即使超过服务期，一般也不会挖出来回收，除非经济上有利。

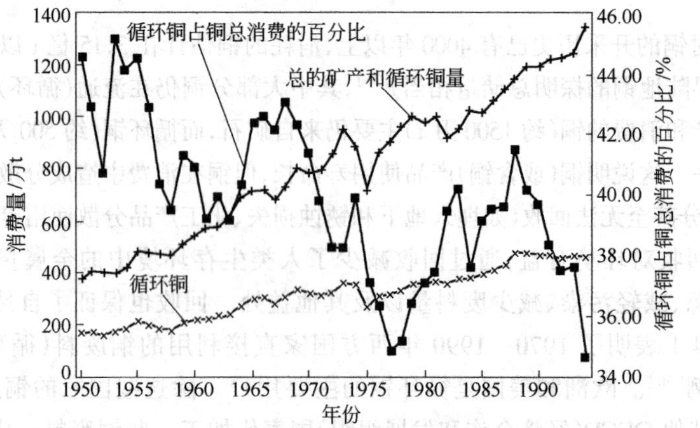

图 4-2　1950～1994 年世界矿产和循环铜的消费

图 4-2 还表明，每年循环铜占铜消费的百分比变动性很大，这是因为废料回收和加工是一种商业性活动，对市场价格很敏感，常常还要受废料供应商的限制，他们总期望有一个较好的价格。但不管怎样，世界循环铜总是占铜总消费量的 30% 以上：在 1953 年曾高达约 45%，1967 年约 43%，1988 年在 41% 以上，1994 年下降到不足 35%。图 4-3 表明了回收的铜废料作为美国市场铜价的一个函数的变动关系。铜废料的价格是精铜价的函数，并随废铜的类型和纯度而变化。由于它的价格较高，铜常常是金属中回收比例最高的金属之一。美国废料回收工业协会每年都出版贸易用的废料清单(公报)。清单中列出了 53 种商业用的铜及铜合金废料类别，并附有时价。

美国是世界二次铜资源直接利用比例最高的国家，这说明资源的利用效率高。表 4-1 为 2004 年部分国家的铜循环回收利用情况。

表 4-1　2004 年部分国家铜循环回收利用情况①

位序②	国　家	精铜总产量/万 t	再生精铜/万 t	废铜直接利用量/万 t	循环铜总量/万 t	铜总消费量/万 t	循环铜总量/铜总消费量/%
1	日　本	138.01	19.6	108.2	127.8	127.86	99.95

续表 4-1

位序[②]	国 家	精铜总产量/万 t	再生精铜/万 t	废铜直接利用量/万 t	循环铜总量/万 t	铜总消费量/万 t	循环铜总量/铜总消费量/%
2	美 国	131.00	5.1	109.9	115.0	242.00	47.52
3	德 国	66.00	37.0	23.4	60.4	110.76	54.53
4	意大利	3.36	3.4	48.2	51.6	71.84	71.83
5	比利时	40.23	14.0	1.1	15.1	25.01	60.38
6	俄罗斯	88.50	15.0		15.0	55.76	26.90
7	英 国			12.0	12.0	24.34	49.30
8	奥地利	7.42	7.4	2.0	9.4	3.40	276.47
9	巴 西	20.80	2.0	6.6	8.6	34.02	25.28
10	瑞 典	23.56	6.1		6.1	18.87	32.33
	中 国	219.87	62.00	54.00	116[③]	320.03	36.25

① 资料来源于 2005 年《中国有色金属工业年鉴》。

② 按循环铜量排序(不包括中国)。

③ 中国有色金属工业协会数据。

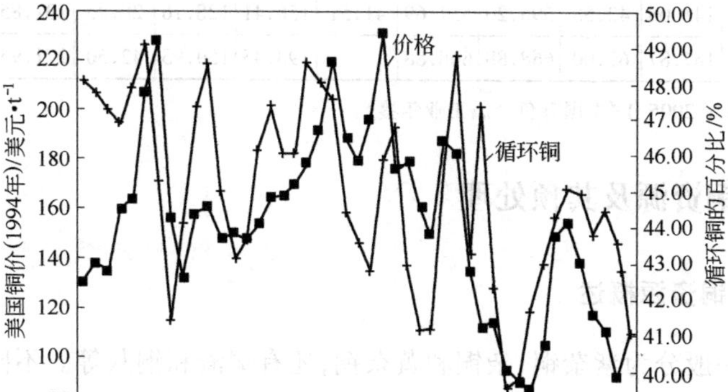

图 4-3 美国循环的铜量和铜价之间的关系

从表 4-1 中可看出,中国铜循环的总产量已进入世界前列,次于美国,和日本相差无几。表 4-2 为中国历年来有代表性的年份铜、铝、铅、锌循环和金属产量的统计。应当指出的是,表 4-2 中所列的 4 种“杂产”金属意为再生金属,但“杂产”数并不包括直接回收利用的再生金属原料。以铜为例,2004 年我国进口加国内收集的废杂铜总金属量约 120 万 t,表中 62.00 万 t 仅为进入精铜中的再生铜。

表 4-2 中国历年有代表性的原生和再生金属产量统计

年份	产量/万 t											
	铜			铝			铅			锌		
	总计	矿产	杂产	总计	矿产	杂产	总计	矿产	杂产	总计	矿产	杂产
1949	0.29	0.19	0.10	—	—	—	0.26	0.21	0.05	0.02	0.01	0.01
1952	2.95	0.47	2.48	—	—	—	0.89	0.79	0.10	0.84	0.83	0.01
1956	7.03	1.85	5.18	2.16	2.15	0.01	5.24	4.04	1.20	2.97	2.80	0.17
1992	65.90	40.19	23.95	109.60	109.06	0.58	36.60	31.77	4.83	71.90	69.87	2.02
1993	73.03	45.49	24.54	125.45	124.19	1.25	41.19	36.77	4.43	85.69	84.01	1.69
1994	73.61	46.89	26.72	149.84	146.22	3.62	46.79	40.80	5.99	101.71	97.64	4.07
1995	107.97	61.23	46.74	186.97	167.61	19.36	60.79	43.25	17.53	107.67	98.08	9.59
1996	111.91	69.16	42.75	190.07	177.09	12.98	70.62	56.26	14.36	118.48	111.20	7.28
1997	117.94	80.09	37.85	217.86	203.50	14.35	70.75	58.38	12.37	143.44	137.20	6.24
1998	121.13	87.05	34.08	243.53	233.57	9.96	75.69	66.45	9.23	148.63	147.13	1.50
1999	117.42	83.61	33.81	280.89	259.84	21.04	91.84	82.10	9.74	170.32	168.46	1.86
2000	137.11	102.34	34.77	298.92	279.41	19.52	109.99	99.79	10.20	195.70	188.72	6.97
2001	152.33	121.58	30.75	357.58	337.14	20.44	119.54	98.39	21.15	203.76	196.79	6.97
2002	163.26	125.22	38.03	451.11	432.13	18.98	132.47	107.25	25.22	215.51	213.43	2.08
2003	183.63	141.05	42.58	596.20	554.69	41.51	156.41	128.16	28.25	231.85	228.62	3.23
2004	219.87	157.87	62.00	668.88	668.88		193.45	150.95	42.50	271.95	267.47	4.48

注:资料来源于 2005 年《中国有色金属工业年鉴》。

4.2 二次铜资源及其预处理

4.2.1 二次铜资源概述

废杂铜一般分为紫杂铜、杂铜和黄杂铜,还有铜渣和铜灰等。不同种类的含铜废料,回收利用的方法也不同。目前国内回收利用废杂铜的方法主要分为两种利用类型:

第一类是将高质量的废杂铜直接冶炼成紫精铜或铜合金后供用户使用,称作直接利用;

第二类是将废杂铜冶炼成阳极铜,经电解精炼成电解铜后供用户使用,称为间接利用。第二类方法比较复杂,通常采用一、二、三段法冶炼[37]。

我国的金属二次资源分类和标准化工作较差,这给资源的收集(购)、分类和加工带来很大困难,同样对金属的回收利用率、加工消(能)耗和环境方面带来很大负面影响。

能直接加工成原级产品的废料通常又称为新废料，如铜及合金冶炼中产生各种含金属废料和碎屑，轧材生产中的废品、切头、锯末、氧化皮，铸造中的浇口、浮渣、溅渣、冒口，电缆生产中的线头、乱线团，机械加工边料，这些废料一般都直接返回加工厂熔炼炉，在企业内消化，很少进入流通市场；只能加工成次级（其他）产品的废料称为旧废料，主要为报废的设备和部件、用过的物品等，主要来源是工业、交通、建筑和农业部门固定资产的报废，以及军事装备、机器和设备、构件的大修和设备维修及日用废品等。旧废料量大且杂，回收利用难度也大些。在回收的旧废料中，也有少量纯铜或合金废料，如果能分拣出来可直接送铜线锭或合金厂处理，以提高废杂铜的直接利用率。表 4-3 是铜废料的构成情况。

表 4-3 含铜废料构成[38]

循环铜资源形成来源	废料的种类及其所占的比例/%		铜在废料中所占的比例/%		
			铜	黄铜	青铜
(1) 轧材生产	(1) 炉渣	1.7	4.8	—	—
(2)铜基合金的生产	(2) 炉渣	2.8	8.2	—	—
(3) 电缆电线的生产	(3) 电导体的切头	8.0	23.3	—	—
(4) 轧材的金属加工	(4) 边料和变形废料块	13.6	7.4	24.9	2.7
(5) 异性铸件的金属加工	(5) 变形合金的切屑	17.7	16.6	26.2	4.2
	铸造合金废料块	0.5	—	0.3	1.5
	铸造合金屑	14.4	0.5	8.6	45.0
(6) 折旧废件	(6) 铸造合金制品废件	14.7	0.5	11.3	41.6
	变形合金制品废件	17.4	12.2	28.7	5.0
	废电缆	9.2	26.5	—	—
总　计		100.0	100.0	100.0	100.0

除废纯铜外，回收的铜二次资源大都为多金属成分，对其处理应该力求综合回收其中的全部有价成分。目前，含铜废料的约 40% 是用于生产铸造合金，20% 生产变形合金，3% 制取化合物，34% 加工成粗铜，质量太低不能利用的小于 3%。

我国铜资源较贫乏，但现已发展为世界第一大铜消费国。解决资源短缺和消费激增的矛盾则是大量进口铜原料。20 世纪 90 年代以来，我国废杂铜的进口量迅速增长。1992 年仅为 2.17 万 t，1994 年就达 49.14 万 t，2003 年达 80.00 万 t。表 4-4 是近几年我国废杂铜的进口情况。此外，我国目前每年还有 40 万 t 以上的自产废杂铜。在我国长江三角洲、环渤海地区和珠江三角洲，已形成 3 个重点铜拆解、加工和消费区。这些地区的精铜产量不足铜总产量的 40%，但他们的铜循环量却占全国铜循环量的 75%。全国 79.43% 的铜加工企业分布在这 3 个地区，特别是江、浙、沪 3 省市所占份额突出。仅浙江省 1998～2000 年间，铜加工材产量就达 124.16 万 t。2000 年浙江省 2 家年产铜材 5 万 t 以上的大型铜加工企业和 29 家 0.5～5 万 t 的中小型铜加工企业,所利用的废杂铜分别占总铜用量的 21.80% 和 52.78%。1995 年全国各铜精炼厂处理的废杂铜为 50 万 t[39~43]。

表 4-4　我国废杂铜进口情况

年　　份	1997	1998	1999	2000	2001	2002	2003
净进口(实物量)/万 t	78.59	94.48	169.02	249.09	332.01	308.01	316.18
铜量/万 t	19.65	23.62	42.26	62.27	83.00	77.00	80.00

注:净进口(实物量)是海关统计数,铜量是按含铜 25%折算。

废杂铜的回收和再利用是铜循环利用的核心。这里,以铜的循环为例来说明有色金属循环的形式和路径。图 4-4 为铜物资循环示意图[44],主要组分包括:

(1) 原料。原生铜生产中的矿石。

(2) 原生铜的生产—加工。

(3) 工程材料。熔炼/精炼的最终产品,主要有铜品加工或制造用的铜锭、棒材等。

(4) 制造。商品铜产品生产。

(5) 废弃物品。用过后的废弃物品。

(6) 废物。废弃的物品送堆置场,通常是填埋场。

由于铜的价值高以及环保因素,废铜的循环比例越来越高。

4.2.1.1　内部废料(home-scrap)

图 4-4 中箭头(1)表示循环铜的 1 类废料(见下述 4.2.2 节中二次铜资源的品级及标准),通常称为内部废料或循环(run-around)废料,这些铜是原生铜生产者不会外销的,包括残次品(off-specification)阳极、阴极、铜棒、铜杆等,阳极残极也是这类废料。

箭头所示的这些废料通常在企业内部处理,一般是将它们返回前一工序处理,残次品阳极、阴极和阳极残极返回转炉或精炼炉(阳极炉),然后再电解。废铜棒、铜杆返回再熔、再浇铸。

内部废料量通常生产者是不向外报道的,故无统计数据。但企业总是要尽量减少这类返料,以降低生产成本。

4.2.1.2　新废料(new scrap)

图 4-4 中箭头(2)、(2a)和(2′)表示新废料、现场产生的废料(prompt industrial scrap)和行业内部产生的废料(internal arising scrap),这是铜加工过程产生的废料。这类废铜与内部废料的主要差别在于,这类废铜可能是由铜合金化或铜的涂敷、包覆过程中产生的。新废料的品种数与铜产品品种数是一样多,因为没有哪个铜品制造厂成品率是100%。

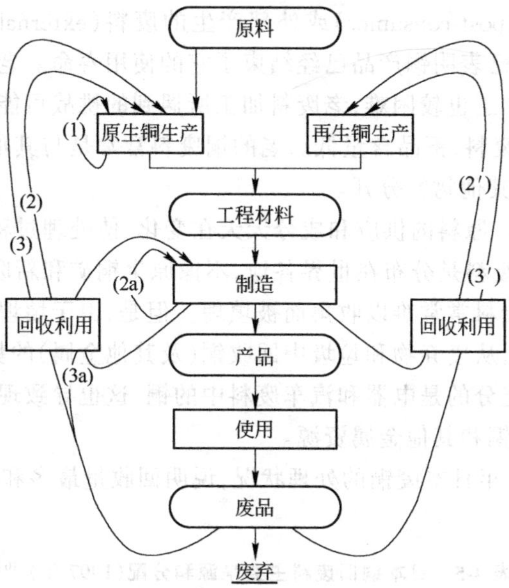

图 4-4 铜物资循环示意图

箭头:1—内部(home)循环(run-around)废料;

2,2a,2′—新(new)、现场产生(prompt industrial)和行业内部产生(internal arising)的废料;

3,3a,3′—老 (old)、废弃(obsolete)、用过的 (post-consumer) 或外部产生(external arising)废料

新废料的处理办法取决于它的化学成分和混杂的其他物料的状况,最简单的办法是内部循环(2a)。对于铸造厂的浇口和冒口,内部循环是最常用的处理办法,最简单的方法是将它们再熔和再浇铸。这种直接回收利用的优点是:

(1) 如果送到其他冶炼厂处理,所含的合金如锌或锡可能会损失;

(2) 就地处理,节省了合金添加剂生产成本低。

对于废铜管和剥离了包皮的废电缆也是采用类似的办法处理。

事实上,箭头(2a)的处理方式是新废料回收利用最普通的做法,美国的铜新废料 90% [45]是这么处理的。

对于含有涂敷、包覆物的新废料,涂敷或包覆物难以除去,或者铜品制造厂不能直接利用这些新废料(例如电缆制造厂没有自己的熔炼设施),就可采用箭头(2)和(2′)表示的方式。

图 4-4 所表示的铜循环(原料)工业起着原生铜生产中采矿和选矿过程的作用。在许多情况下是很容易从废料中除去涂敷、包覆物的,以适宜于铜品制造厂再利用。如果需要提纯或精炼,提纯了的废料就可送到原生或二次铜原料冶炼/精炼厂处理。但是,在这些冶炼/精炼厂产出的是电铜,就会损失合金元素。

4.2.1.3 老废料(old scrap)

最后一类铜废料(图 4-4 中箭头(3)、(3a)、(3′))是所谓的老的(old)、废弃的

(obsolete)、用过的(post-consumer)或外部产生的废料(external arising scrap)。从铜产品得到的废料已表明铜产品已经结束了它的使用寿命。老废料是可循环铜的主要来源,但它的加工也较困难,老废料加工所遇到的挑战可能是:

(1) 相对于新废料,铜品含量低。老的铜废料常常是与其他物料混在一起,处理前必须将废铜和其他物料分开。

(2) 难预料性。原料的供应和成分天天在变化,使处理过程复杂化。

(3) 地点。老废料是分布在世界各地,不像原生铜矿和新废料那样分布集中。

结果,有的老废料常常难以收集而被填埋。但是,由于填埋场地不断在缩小和填埋成本不断上升,从废弃物和垃圾中回收铜(及其他金属)的势头也在迅速上升。在过去,利用最不充分的是电器和汽车废料中的铜,这也导致现在许多研究转向了从这些废料中回收铜和其他金属资源。

表 4-5 是 1997 年日本废铜的处理状况,说明回收量最多和处理最有效的是铜的废电缆、电线。

表 4-5 日本铜旧废料主要来源和分配(1997 年)[46]

废 料 来 源	分配量/万 t	收集量/万 t	填埋量/万 t	循环率/%
电力、电讯	19.7	19.7	0	100
电器、电机	14.2	2.9	11.3	20
汽车、车辆	7.9	3.8	4.1	48
机械、车船	6.2	5.1	1.1	82
建筑物	11.8	8.1	3.7	69
总 计	59.8	39.6	20.2	66

4.2.2 二次铜资源的品级及标准[44]

美国废料回收研究所(ISRI)制定了 45 种铜废料标准。最重要的铜废料种类如下:

(1) 1 类废料。这种废料最低的铜含量是 99%,直径或厚度至少是 1.6 mm。1 类废料包括电缆、“重”废料(如铜夹、铜屑、汇流排)和铜米等。

(2) 2 类废料。这种废料最低的铜含量是 96%,包括电线电缆、“重”废料、铜米、电机绕线等。

(3) 轻铜(light copper)。这种废料最低的铜含量是 92%,基本组成是纯铜,但掺杂了油漆或其他涂敷物(绝缘物等)或严重氧化了的(铜加热管、锅等),有时含少量铜合金。

(4) 精炼厂黄铜。包括混杂不同成分的铜合金废料,最低的铜含量是 61.3%。

(5) 含铜废料。包括各种含铜量低的炉渣、淤泥、沉渣等。

此外，铜的循环常常包括各种含铜废料的处理，“循环”的定义在工业国家还是一个有争论的问题，因为被称为废弃物(waste)的物料销售和运输环境条例要比废品(scrap)严格得多。事实上，许多国家关于废弃物和废品在称谓上不很严格，但处理(经济)效果是有差别的。废弃物通常是：

(1) 含铜量很低；

(2) 经济价值很低；

(3) 所含的单位铜量(每千克)加工成本高。

4.2.3 二次铜资源的预处理

对不同原料，主要有如下一些处理方法：

(1) 分选。最简单的办法是先进行形态分选，手选是很普遍的；机械分选包括筛分、电磁分选(除去磁性物质)等；还有重介质分选、冶金分选(除去非金属物质)等。

(2) 废件与废料的解体。报废的设备及部件常采用解体方式，解体往往是采用破坏手段，如切割、破碎、研磨，打包和压块等。废电缆、蓄电池、电动机一般也经解体处理。

(3) 其他方法还包括浮选法、化学法以及焚烧等方式。

4.2.3.1 电缆和电线的处理

电缆和电线的处理方法如下：

(1) 常规处理法。废旧电缆和电线是最常见的老废料，现在已有成熟的预处理技术。这类废料可分为三种类型：

1) 地上电缆。主要指高压电缆，含铜品位很高(绝缘物很少)，很易回收和循环利用；

2) 地面电线。这类电线有不同的绝缘物，直径差别也较大。通常较细的电线单位加工成本要高于上述的电缆，这种电线常常还混有其他废料，需进行额外的分离过程，如汽车的电气配线以及其他设备的配线；

3) 地下或水下电缆。这类电缆结构较复杂，常常有铅护套、沥青、油脂、胶粘剂等。这意味着从这类废料中回收铜的工艺会较复杂，而且又不能发生安全和环境问题。

用切碎(破碎)法从废电缆和电线中回收铜起源于第二次世界大战时期，现在已成为主要的预处理工艺。图 4-5 为一种典型的电缆(线)破碎流程。在进入第 1 台破碎机之前，将电缆(线)切成 90 mm 以下的长度，这一点对于特别长的电缆来说很重要。第 1 台破碎(剪碎)机典型的是将第一组刀片安装在机器的旋转轴上，该轴上的刀与第 2 组刀反方向剪切。转速约为 120 r/min。经过筛分，筛上产品返回到给料端。该工序的主要任务是减小尺寸而不是铜和包皮分离。产品长度为 10～100 mm，取决于物料类型。

粗碎的另一个作用是为了用磁选法除去混在电缆中的铁。

然后将粗碎过的物料送入第2个破碎机处理。第2个破碎机操作与第1个类似,但转速更高(400 r/min),刀片也更多(5组),刀距更小(小到0.05 mm)。该破碎机将电缆破碎到6 mm长度以下,此时绝大部分铜已与绝缘物分离。再经筛分,筛上产品返回粗碎。

废旧电缆电线处理的最后单元作业是铜和绝缘物(塑料或橡胶)的分离。这是采用传统的方法,即利用它们密度的不同,采用重选法分离。图4-5中还示出了重选设备,通常产出3种产品:

1) 纯的塑料;

2) 能达到1类或2类废铜品位的碎铜料;

3) 中间产品返回第2个破碎机再处理。

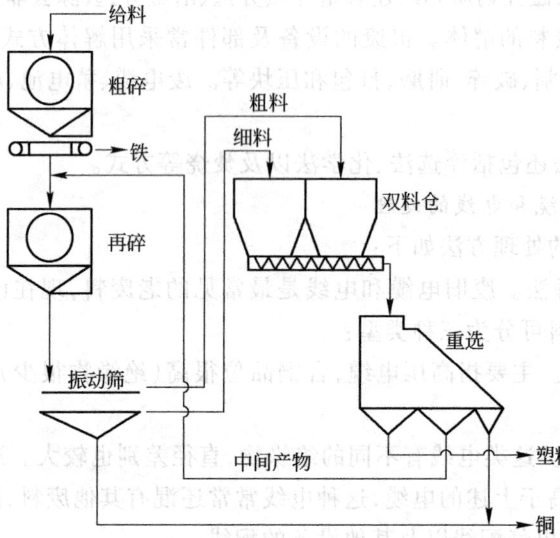

图4-5　典型的电缆(线)破碎流程

这种重选设备通常是用气动摇床(air-table),铜回收率可达80%～90%。现在有人建议再采用重介质选矿从塑料中扫选出铜。

地下电缆由于结构较复杂、包皮易燃性以及有铝或铅,处理起来就复杂些。对于较粗的电缆,采用人工将电缆切开取出铜线。较细的电缆就可用前述的切碎法分离。为减少着火的危险,也有人建议采用低温(冷冻)法分离。破碎之后可用涡流(eddy-current)分离器使铜和铝及铅分离。

(2) 其他处理方法。其中包括:

1) 包铅皮和沥青的电缆拆解。对包有铅皮和沥青的电缆,应先在炉中熔化沥青(200℃),然后再熔化铅(250℃)。炉子设有沥青和铅的放出口,从炉中取出废电缆冷却后送去机械解体。对于橡胶包皮的废电缆,先在炉中 400℃下保温,再冷却到 200℃时用水激冷,然后放置室外,橡胶包皮会自动破裂,再送去机械解体。

2) 热解法。将废电缆加入高压釜中,对低(熔点)绝缘层,高压釜内温度为 260～300℃;对沥青绝缘层,高压釜温度为 300～450℃;对聚乙烯等聚合物,高压釜温度为 370～480℃;高压釜内压力 140～280 kPa。然后再用机械法分离出金属,同时热解法可产出副产品油、焦油、氯化氢。

3) 化学法。将废电缆放入钢筐,浸入 300℃的碱性氢氧化物熔体中,使绝缘层溶解。对聚合物绝缘层,可用二氯乙烷、四氢呋喃或环甲酮等浸出。但化学溶剂大多有毒和腐蚀性,且污水处理复杂,难以推广。

4) 静电分选法。将废电缆切碎至粒度 0.4 mm 以下,用静电分选机处理。利用电晕原理使金属和非金属的包覆层分离。

5) 低温处理法。低温法对于处理在低温下易变脆的物质很有效,但对在低温下仍有良好延展性物质却效果不佳。图 4-6 是低温处理法的原则流程[47]。

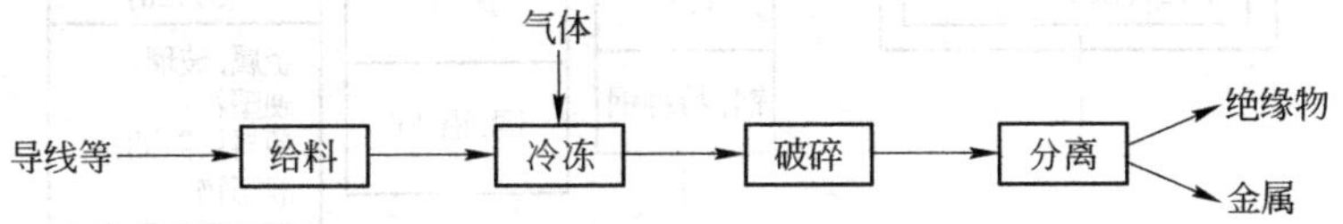

图 4-6 低温处理法原则流程

4.2.3.2 报废汽车铜的回收

如图 4-7 所示,废旧汽车铜的回收来源主要有 3 种。

第 1 种是散热器,这种部件是在汽车切碎前就整装拆出。传统上散热器是用铅－锡焊料焊接组装的,要产出纯铜就需要将散热器整装熔炼和精炼。但是新的散热器是用其他焊料或铜焊料焊接的,这就可直接回收利用散热器/加热器而不需要再精炼,利用这种回收方式铜的回收率几乎可达 100%。

图 4-7 中第 2 种铜原料是在(1)汽车切碎后和(2)磁选分离出铁和钢之后余下的"有色金属废料"流。所含的金属主要是铝、铜和锌,铜主要来自汽车电路系统的电线。

有几种方式分离铜和其他金属,如手选、气动摇床或重介质选矿。由于铝和锌容易被氧化,也可将这种 Al-Cu-Zn 混合物出售给铜冶炼厂而无需将铜与其他金属彻底分离,但这么做铝和锌有价金属就几乎全部损失,生产成本将大大上升。

图 4-7 中最后一种可能的铜来源是除去了金属最后的"碎屑",这种"碎屑"主要是由控制板、方向盘、坐垫和地毯、其他织物绒毛的含粉尘和有机物碎料。这种"碎屑"含铜不到 3%以及有一定的燃烧值,在日本的小名滨冶炼厂是加入精炼反射炉中处理。如果汽车拆解厂距冶炼厂很远,由于运输和处理成本高,绝大多数这种"碎屑"就地填埋了。

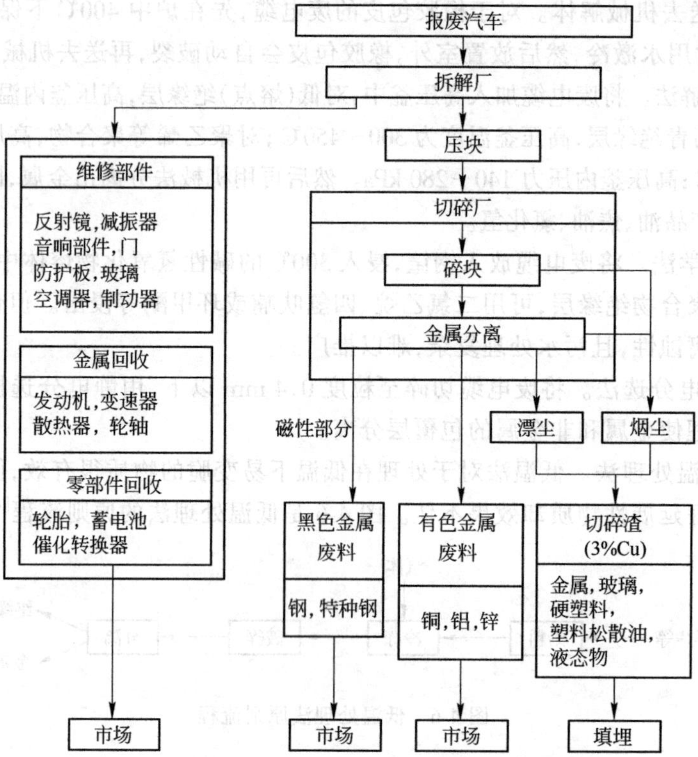

图 4-7 废旧汽车铜的回收

4.2.3.3 电子废料

从电子废料中回收的铜在再生铜的份额中正在迅速增长,同时人们也在努力进行从电子废料中回收铜和其他有价物的工艺研究。

电子废料可看成是由"电子硬件的制造和用过的电子产品废弃物而形成的废料",因此,这也包括新废料和老废料。

尽管电子废料的组成种类很多,但基本可分成3类:塑料(约30%)、难熔氧化物(约30%)和金属(约40%)。金属中约一半是铜,此外还有可观的金和银。

铜的熔炼/精炼过程能很好地回收金和银,这是最理想的电子废料处理方式。但熔炼法处理电子废料时一个可能存在的问题是塑料不完全燃烧,并产生挥发的有机化合物。但在高温氧熔炼下就可克服这个问题。更为严重的问题是电子废料的金属含量在不断降低,例如1991年电子废料中金的含量平均约0.1%,而到2000年已降为约0.01%,这无疑对电子废料的回收利用不利。

结果导致人们开发了一种"选矿"方法,它类似废旧汽车的处理办法:一是先解体回收大部分物料;再将余下的物料切碎;三是从塑料和陶瓷物料中将金属分离出来。开发的"选矿"方法有重选、旋流选矿和电选。

已研制了几种从切碎的废料中回收金属的方法,如重选、涡流选矿和静电选矿,但这些方法仍还处于初级阶段。

4.3 二次铜资源的冶炼工艺和设备

4.3.1 概述

如前所述,二次铜资源的处理方法主要分为两类。新废料多采用直接利用法,即将废料直接熔炼成铜合金或紫精铜;旧废料多采用间接利用法,即将废料经火法熔炼成粗铜,然后再电解精炼成电铜。间接利用法较复杂,按废料所需回收的组分采用一段法、两段法和三段法3种流程。主要工艺设备有鼓风炉(竖炉)、转炉、反射炉和电炉等。

4.3.1.1 直接利用

通常原料是废纯铜或铜合金,按原料性质直接利用有如下处理方法:

(1) 废纯铜生产铜线锭。主要原料为铜线锭加工废料、铜杆剥皮废屑,拉线过程产生的废线等。冶炼过程与原生铜的生产类似,包括熔化、氧化、还原和浇铸等工序。我国原上海冶炼厂反射炉熔炼工艺吨铜能耗为207 kg标煤(29.27 MJ),铜回收率为99.75%。

(2) 铜合金生产。铜加工厂的相应铜合金废料甚至可不经精炼和成分调整就可直接熔炼成原级产品;回收的纯铜或合金废料则往往需经精炼和成分调整后才能产出相应的合金。

(3) 废纯铜生产铜箔。废纯铜或铜线经高温和酸洗除去油污后,在氧化条件下用硫酸溶解制取电解液,再用辊筒式不锈钢或钛阴极产出铜箔。

(4) 铜灰生产硫酸铜。铜加工厂产出的含铜60%~70%的铜粉和氧化铜皮等,在700~800℃高温下去油渍并氧化,再用硫酸浸出得硫酸盐化工产品。

4.3.1.2 间接利用

按原料性质间接利用可分别采用下列方法处理[37]:

(1) 一段法。将分类后的紫杂铜和黄杂铜用反射炉处理成阳极铜,原料中的锌、铅、锡应尽量回收。一段法只适宜处理杂质少而成分不复杂的废杂铜。一段法流程短、设备简单,投资少,建厂快,适宜中小厂应用。

(2) 二段法。适宜于成分更复杂废料。如含锌高的黄铜废料可采用鼓风炉—反射炉工艺,含锡和铅高的青铜废料可采用转炉—反射炉工艺,这样有利于回收锌、铅和锡等有价成分。

(3) 三段法。难分类、混杂的废杂铜,吹炼渣,精炼渣等原料适宜于用三段法处理。先用鼓风炉熔炼成黑铜,二段用转炉吹炼成粗铜,再用反射炉精炼成阳极铜。二、三段法适合于大型铜厂。

4.3.2　湿法冶金

湿法冶金工艺和设备简单，环境条件好，投资省，见效快，伴生成分综合回收好。局限性是处理量小，只适合一些单一碎铜料，故适于中、小厂应用。湿法冶金主要有两种工艺：氨浸法、(合金)杂铜直接电解法等。

北京矿冶研究总院曾对北京冶炼厂(铜炉渣浮选生产)的二次精矿进行过矿浆电解法回收铜的研究[48]。这种二次精矿为铜熔化、铸造、加工等过程的炉渣、炉灰和工业垃圾的选矿产品，一般含铜 10%～15%、锌 5%～7%，试验样品粒度 80% 以上小于 0.074 mm(－200 目)。试验使用的浸出—电解槽如图 4-8 所示。

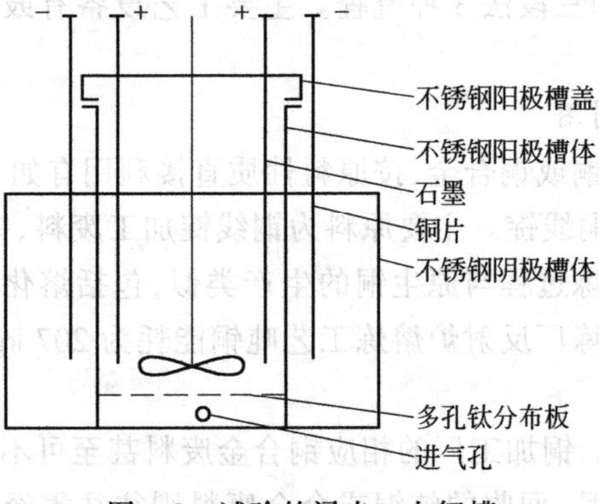

图 4-8　试验的浸出—电解槽

矿浆电解(或浸出—电解)法基本含义是将浸出和电解结合在一起，主要过程电化学反应如下：

浸出反应　$2Cu + 2H_2SO_4 + O_2 = 2CuSO_4 + 2H_2O$　(4-1)

通入直流电时，阴极　$2Cu^{2+} + 4e = 2Cu^0$　(4-2)

阳极　$2H_2O = O_2 + 4H^+ + 4e$　(4-3)

阳极产生的 H^+ 和 O_2 正好供给浸出反应。因此，从理论上说，铜的浸出不需外加酸，但过程中其他金属(锌、钙、镁等)的溶解消耗的部分酸需予以补充。

进行了浸出—电解阴极铜和电解铜粉的试验研究，以电解铜粉为例，主要的工艺条件见表 4-6。

表 4-6　浸出—电解工艺条件

项　目	区　域	工艺条件
浸出—电解温度/℃	阳极区 阴极区	72±1 70±1
浸出—电解时间/h		4
浸出—电解 pH 值	阳极区 阴极区	2.0～3.0 2.0～2.2

续表 4-6

项　目	区　域	工艺条件
电流密度/$A \cdot m^{-2}$	阳　极 阴　极	200～230 1600～1800
槽电压/V		2.6～3.2
异极距/mm		35～40
电解液循环速度/$L \cdot h^{-1}$		3～10
刮铜粉频率		1 次/10 min
废电解液除硅条件 温度/℃ 反应时间/h pH 值		 80 1 3.0

产出电铜的试验工艺条件与产出铜粉的试验相近。

浸出的锌可用溶剂萃取进行铜－锌分离，锌最终可以电锌或化工产品产出。除硅是在阳极矿浆过滤后的溶液中进行的，100 g 矿浆可得(干)中和渣 14～16 g，渣含铜少于 1%。试验结果列于表 4-7。

表 4-7　试验结果

项　目	指　标
$CaCO_3$ 消耗/$t \cdot t^{-1}$(矿)	0.050～0.060
硫酸消耗/$t \cdot t^{-1}$(矿)	0.38～0.42
电耗/$kW \cdot h \cdot t^{-1}$(铜粉)	3600
浸出渣含铜/%	0.5～0.6
浸出渣含锌/%	0.2～0.3
铜回收率/%	94.8
锌回收率/%	96.2

工艺主要技术经济指标：

金属总回收率	Cu　93%～96%
	Zn　94%～97%
电铜纯度	达到国标一号铜标准
铜粉纯度	99.5%，杂质含量达到国标一号铜标准
硫酸锌中	$w(Zn)/w(Cu) > 1000$
硫酸消耗	0.4～0.6 t/t(矿)
$CaCO_3$ 消耗	0.05～0.1 t/t(矿)
直流电耗	电铜　1800～2400 kW·h/t(Cu)
	铜粉　3400～3800 kW·h/t(Cu)

4.3.3 铜废料火法熔炼

大部分废铜只需重熔和浇铸,无须化学冶金处理。但有一部分铜废料需精炼处理才能再用,这些废料包括:

(1) 与其他金属混合的废料;

(2) 包覆有其他金属或有机物;

(3) 严重氧化了的废料;

(4) 混合的合金废料。

无论如何,必须在熔炼中除去铜二次原料中的杂质并铸成适当的锭块,然后再加工。处理这些废料有两种方式:

(1) 在专门的铜二次原料冶炼厂处理;

(2) 在原生铜冶炼厂与原生铜原料一起处理。

图 4-9 是铜二次原料冶炼厂处理低品位铜废料的原则流程。处理的铜废料包括:

(1) 从废旧汽车马达、开关和继电器等拆卸的铜和铁不能分离的物料;

(2) 粗铅脱铜浮渣;

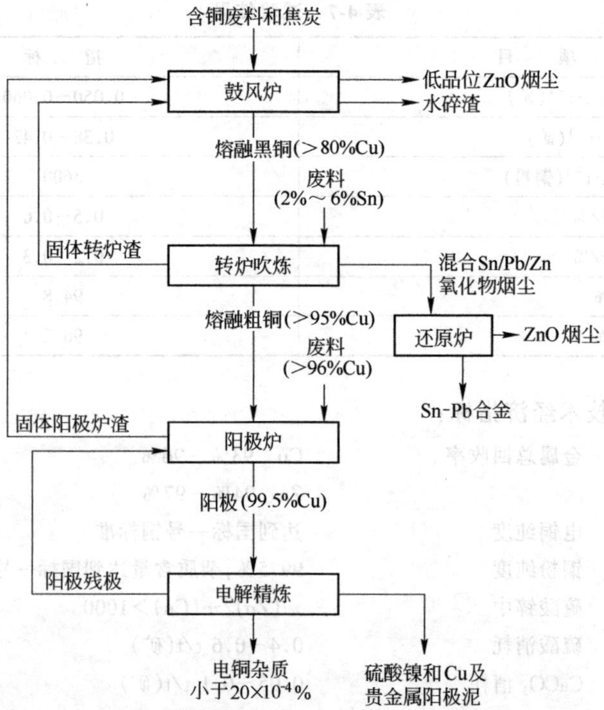

图 4-9 二次铜原料冶炼厂处理低品位铜废料的原则流程

(3) 铜熔炼和铜合金厂来的烟尘；

(4) 铜电镀产生的(泥)渣。

鼓风炉的原料品位低并经高度氧化，需通过冶炼还原。其主要杂质是铅和锡(来自废青铜料、焊料、脱铜浮渣)、锌(废黄铜)、铁(汽车废料)和镍(蒙乃尔及其他合金)。这些金属往往以金属混合物或氧化物存在。冶炼过程应用冶金焦，发生的燃烧反应主要是：

$$C_{焦炭} + 1/2O_2 \longrightarrow CO + 热 \tag{4-4}$$

CO 将各种金属氧化物还原成金属或低价氧化物：

$$CO + Cu_2O \longrightarrow CO_2 + 2Cu^0(l) \tag{4-5}$$

$$CO + ZnO \longrightarrow CO_2 + Zn^0(g) \tag{4-6}$$

$$CO + PbO \longrightarrow CO_2 + Pb^0(g,l) \tag{4-7}$$

$$CO + NiO \longrightarrow CO_2 + Ni^0(l) \tag{4-8}$$

$$CO + SnO_2 \longrightarrow CO_2 + SnO\ (g,l) \tag{4-9}$$

$$CO + SnO \longrightarrow CO_2 + Sn^0(l) \tag{4-10}$$

废料中的金属铁也有还原作用：

$$Fe + Cu_2O \longrightarrow FeO + Cu^0 \tag{4-11}$$

这些反应的结果是鼓风炉产生 3 种产品：

(1) 黑铜。典型成分为：Cu74%～80%、Sn6%～8%、Pb5%～6%、Zn1%～3%、Ni1%～3%和 Fe 5%～8%；

(2) 炉渣。主要成分为 FeO、CaO 和 SiO_2，其中含 Cu(包括 Cu_2O 形式的 Cu) 0.6%～1%、Sn(包括 SnO 形式的 Sn)0.5%～0.8%、Zn(包括 ZnO 形式的 Zn) 3.5%～4.5%和少量 PbO 和 NiO；

(3) 烟气主要成分为 CO 、CO_2 和 N_2 以及挥发的金属和金属氧化物。

烟尘的成分为：Cu1%～2%、Sn1%～3%、Pb20%～30%和 Zn30%～45%，需进一步处理以回收金属。

现在鼓风炉冶炼已有两方面改进：

(1) 采用 23%～24%(体积分数)的富氧鼓风；

(2) 炉料中配入适量的废铁。

富氧可减少鼓风量和节能，铁可减少 CO(或焦炭)消耗。尽管如此，鼓风炉仍要消耗大量昂贵的冶金焦，使生产经济效益下降，过去几十年来世界已关闭了许多鼓风炉，现在仅有几家鼓风炉在操作。

代替鼓风炉处理低品位铜废料的有顶吹回转炉(TBRC)，TBRC 的给料和产出类似于鼓风炉，主要优点是：

(1) 采用工业氧－油燃烧器，无需焦炭。

(2) 反应容器旋转,使反应加速而提高了产生能力。

TBRC 工艺能耗比鼓风炉低 70%,烟尘量小 50%,现已在美国、欧洲和南非等许多国家应用。

4.3.4 黑铜吹炼

图 4-9 黑铜中的杂质可分成两类:一类是比铜易氧化的杂质,如 Fe、Pb、Zn、Sn 等;另一类是比铜难氧化的杂质,如 Ni、Ag、Au 和铂族金属。这些杂质的脱出与原生铜的生产过程类似。

黑铜精炼的第 1 步是氧化,一般是在卧式转炉中进行。通过侧风眼往黑铜熔体中鼓风,Fe、Pb、Sn 和 Zn 以及部分 Ni 和 Cu 氧化。铜合金废料(如上述的"轻铜"(light copper)和"精黄铜"(refinery brass))也可加入转炉吹炼,绝大部分"杂质"也被氧化。视转炉吹炼的原料成分,氧化吹炼产生的炉渣可能含 Cu30%～40%、Sn8%～15%、Pb3%～5%、Zn3%～5%、Ni2%～4%,将这种炉渣返回到鼓风炉或 TBRC 炉以回收 Cu 和 Ni。

转炉烟气经冷却、收尘,得到的烟尘可能含 PbO、SnO 和若干 ZnO,通常将这种烟尘还原熔炼以回收铅锡焊料。

黑铜氧化吹炼时可放出少量热,但这些热量不能满足吹炼作业的需要,吹炼过程还必须外加燃料燃烧以补充热量。

4.3.5 火法精炼和电解精炼

转炉的主产品是液体粗铜,含铜 95%～97%。这种粗铜一般是采用反射炉或回转炉精炼,同样也需控制性氧化精炼,然后再浇铸成阳极。电解的残极也加入此工序熔炼,再铸成阳极。操作过程与原生铜生产中类似。

再生铜的生产企业通常都愿意处理 1 类和 2 类铜废料,此时就可省去熔炼—吹炼过程,直接进行火法精炼后铸成阳极电解。

如果加入火法精炼炉处理的仅仅是 1 类废铜,就不需要进行电解精炼。精炼产品可直接铸成后续加工用的紫铜锭或棒。

不过,粗铜通常可能还含有少量的镍和锡,这是因为在转炉吹炼中这些杂质的除去很难彻底,此外还可能含有金、银和铂族金属,这取决于原料的成分。这些"杂质"的回收对企业的经济效益来说很重要,因此,精炼炉的产品总是铸成阳极电解精炼。再生铜阳极中的杂质通常总是比原生铜阳极高,所以再生铜的电解车间一般也比原生铜企业大,但电解作业和原生铜没有什么差别。

电解车间的主产品是电铜,镍是从电解液净化和阳极泥处理中以硫酸镍回收。阳极泥含有价成分的回收包括:

(1) 铜。以硫酸铜的方式回收并返回电解车间;

(2) 金、银和铂族金属。与原生铜企业处理阳极泥的方式类似,或外销。

4.3.6 在原生铜冶炼厂中处理二次铜原料

4.3.6.1 原生铜熔炼炉中二次铜原料的熔炼

在原生铜转炉吹炼作业中加入高品位铜二次原料是常见的处理方式,这正好利用原生铜吹炼中硫和铁氧化放热来熔化废铜。也可将高品位铜二次原料加入精炼(阳极)炉处理,但此时必须外加更多的燃料。

低品位铜二次原料一般不太适于在原生铜冶炼厂的转炉和阳极炉中处理,因为这种铜废料冶炼中要吸收大量热。通常块(粒)度较大时,也不适于在一些铜精矿熔炼炉(如闪速炉)中处理。但有几种原生铜冶炼工艺适于处理这种铜二次原料,如 Isasmelt 炉、Noranda 炉、反射炉、顶吹回转炉等。

电炉也适合处理低品位铜二次原料,因为电炉产生的烟气量少。

4.3.6.2 用转炉和阳极炉处理二次铜原料

加入原生铜冶炼厂转炉中处理的铜二次原料质量要求与铜二次原料冶炼厂类似,低合金废料,1、2 类废铜,压块的切屑,工厂返料,含塑料不太高的低品位废料等都可以。转炉作业一般是放热反应,因而可处理部分冷料和废料以吸收多余的热量。

阳极炉处理的原料主要限于高品位铜二次原料,如废铜丝、线,不合格阳极、残极等。

4.3.7 循环铜生产成本[44]

铜二次原料的品位变化范围很大(一般从 5%～99.5%),处理过程的生产成本也相差较大。对于高品位的铜二次原料,加工成本约在 0.1 美元/kg;对低品位的铜废料,加工成本约在 0.5 美元/kg;中等品位则在两者之间。与之相比,原生铜生产(从品位为 0.75%的硫化铜矿露采到精铜)的直接加工成本都在 1.1 美元/kg 以上。

4.4 铜循环利用的生产实例

4.4.1 铜循环利用生产实践概要

4.4.1.1 中国

改革开放前,中国铜循环利用的生产规模较小,生产工艺也单一。当时处理铜二次原料的企业有上海冶炼厂、常州冶炼厂、株洲冶炼厂、天津铜厂、邢台冶炼厂等,基本是采用:鼓风炉熔炼成黑铜→转炉吹炼成粗铜→阳极炉精炼成阳极→电解精炼成电铜。近十几年来发生了巨大变化,有的老企业关门停产,有的成了现代化企业。现在,铜循环利用的生产主要分为两大块:一块大型国有企业,如江西铜业公司、铜陵有色金属公司、大冶有色金属公司、云南铜业公司等,他们都分别采用了闪速炉熔炼、诺兰达法和 Isasmelt 炼铜法。闪速炉熔炼工艺中铜二次原料主要是加入转炉和精炼炉中处理,诺兰达和 Isasmelt 炉则可直接处理。国内的原生铜冶炼企业(如江铜、铜陵等)每年总计约处理 30 万 t(金属量)以上的铜二次原料。近十几年来,在广东、浙江、上海和江苏新发展的一大批民营铜企业已成了铜循环利用的主体,他们铜的循环利用约占全国总利用量的 2/3(约 80 万 t)以上,其中如浙江宁波的金田铜业(集团)股份有限公司、浙江诸暨的海量集团有限公司已成了国内数一数二的铜冶炼—加工企业,天津大通和上海大昌铜业有限公司也是较大型的铜企业。此外,在东南沿海各省市还有一大批经国家环保总局批准的指定进口二次有色金属原料拆解和冶炼加工企业。

4.4.1.2 国外

目前国外铜的循环利用规模只有美国和日本与中国接近,但他们有一个相同的特点,即他们的直接利用率高,间接利用(生产成再生铜)率低(参见表 4-1)。除美国和日本外,意大利再生精铜产量 2.9 万 t,直接利用却达 48.2 万 t,说明这些国家资源利用效率都很高。在生产技术上也比我国先进,除有前述的闪速炉熔炼、诺兰达法和艾萨法(见文后彩图 3)外,还有三菱熔炼—吹炼法、布利登、康托普法等现代工艺。废旧电线电缆是采用大型切碎机破碎—重选分离—烘干联合机械自动化处理,劳动生产率高。

4.4.2 中国二次铜资源的预处理概况

我国二次有色金属进口加工行业经过十几年的发展,面貌已有重大变化。废杂金属实物进口量从最初的几十万吨增加到目前的 1000 万 t 以上。初期那种“村村点火、户户冒烟”的景象已有了很大改观。在沿海广东的南海、清远,福建漳州、泉州,浙江台州、宁波,天津,大连等地形成的一批进口废杂金属拆解中心,不仅规模大,环境状况也大大改善,消除了早期一家一户就地拆解、焚烧和随意丢弃垃圾的混乱局面。目前,采用人工与机械拆解相结合,很适合现在中国的国情。它的特点是金属回收率高(一般都能达 98%以上),人工分离较细致,环境状况也良好,通常拆解场地都有废水处理设施,少量需经焚烧才能分离出金属的物料用有烟气处理设施的炉子焚烧,拆解下的塑料、橡胶等作二次原料出售,少量无法回收的废料——多为有机物,送火电厂作燃料,拆解场基本不产生垃圾。如广东南海的汇美鸿发金属有限公司就是一个国家定点的进口废杂有色金属拆解加工厂。

目前拆解加工的主要范围是各种废旧铜、铝电缆、报废电机、汽车切块以及其他报废设备中的铜、铝及合金零部件。拆解方式是以人工为主加机械拆解,凡能用机械拆解的废旧铜、铝电缆(线),用国产的拆解机将金属和包皮(橡胶或塑料)分离。书后附图中有我国浙江台州市路桥能富拆解机械有限公司生产的电缆剥线机和铜米机照片。直径较小的电线不能用拆解机拆解，则用破碎机经破碎－解离后，再用重选法（大多采用摇床或在沉淀池中用水冲洗）使金属和包皮分离，回收的铜、铝碎料，烘干后包装外销。废旧机械中的铜、铝及合金完全靠人手工拆解和分拣出金属或合金；电机的拆解则复杂些，因为电机中的绕线与大量有机黏结剂粘在一起，需经焚烧炉将黏结剂焚烧后才能分离出金属。现在国家已不允许各拆解厂独自焚烧，为防止环境污染，在拆解厂集中的地区建有公用焚烧炉，焚烧炉有较完善的烟气处理设施。

中国的拆解企业，以人工为主，机械为辅，正体现了中国的优势。主要优点是：(1)解决了上百万农村富余劳动力的就业问题，劳动成本低；(2)人的智慧及技巧往往是任何（包括人工智能）机械所达不到的，不同金属或合金的分离效果最好；(3)金属回收率高；(4)环境和资源综合利用好。除金属外，其他物资也几乎都得到回收，拆下来的橡胶或塑料则分别销售给相应的物资再生行业回收利用。由于拆解是物理过程，无化学反应，加上物资回收率高，环境卫生搞得好，无重大环境问题。

4.4.3 生产实例

4.4.3.1 宁波金田铜业（集团）股份有限公司

该公司1986年创建，现在是一家以循环铜冶炼—加工为主的国内大型有色金属企业之一。现占地面积69万 m^2，总资产18亿元，职工5200人[49]。公司下设冶炼、铜棒、铜管、铜线、板带、阀门、电工材料、磁业、贸易、进出口共9家生产型（分）公司、3家经营型公司。主要产品有阴极铜、铜合金、无氧铜线、各类铜丝、漆包线、各类铜棒、铜管、铜线、板带以及不同规格的铜阀门、管接件、水表、不锈钢材料、钕铁硼永磁材料等。拥有先进的生产设备和检测仪器，通过了ISO9001国际质量体系认证，标准阴极铜是浙江省在上海期货交易所注册的产品。

2003年该公司利用各种循环铜原料约15万t；2004年利用各种循环铜原料二十余万吨，产品销售量达25.65万t；2005年预计利用各种循环铜原料三十余万吨，产品销售量超过35万t。

公司处理的主要原料包括一、二号紫杂铜，黄杂铜以及各种低品位废铜料。入库的循环铜原料进行两次分拣，按不同的原料品质和种类分别进行冶炼—加工，从而大大提高了循环铜资源的利用水平。

一、二号紫杂铜经反射炉熔炼→铸成线锭→加工成各种线材；次一些杂铜用反射炉熔炼、精炼→铸成阳极→电解精炼→电铜；各种铜合金废料经电炉熔炼→生产各种棒、管、板带材等；有两个漆包线车间，产能约为1.5万t/a。

公司十分重视环境保护，投入了大量资金。目前，投资2000万元新建的污水处理厂已投入使用，生产过程废水经过水处理，基本实现了全部循环利用；采用布袋收尘取代了原来的湿法除尘，提高了收尘效率，并从布袋收尘中回收了氧化锌，弥补了部分环保开支。现在，单位产品的烟尘排放已从原来的1.25 kg/t(产品)降至1.12 kg/t(产品)；通过对反射炉熔炼的余热回收等节能措施，使总能耗下降5%，单位产品能耗从485.9 kW·h/t降至461.8 kW·h/t。

4.4.3.2　沃尔费汉普顿金属有限公司(Wolverhampton Metal Ltd.)废电线、电缆的处理

英国沃尔费汉普顿金属有限公司采用机械分离电线、电缆包皮和导体，也是当前国外使用最普遍的方法，即滚筒式破碎分离法，切碎机原理如图4-10所示[50]。

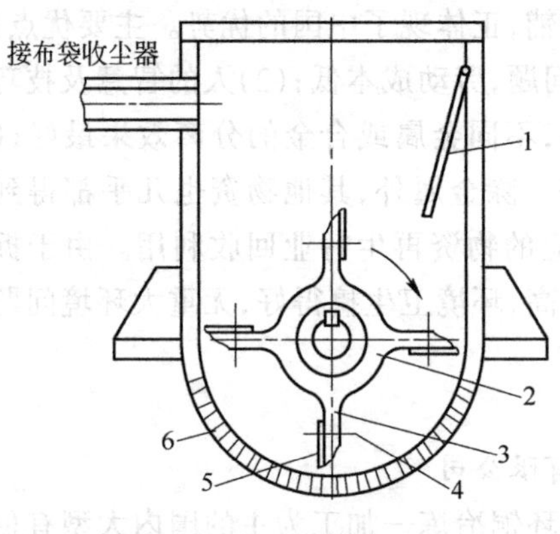

图4-10　转鼓切碎机

1—给料；2—转鼓；3—刀架；4—螺栓；5—刀片；6—底板

电线、电缆首先剪切为长度不超过300 mm的小段，然后人工输入转鼓切碎机。在转鼓切碎机内电缆被切碎脱皮，碎屑从转鼓刀片底部直径5 mm的筛孔漏出。转鼓转速为3000 r/min，转鼓直径为762 mm，转鼓刀片与底部筛板的间隙为1.5 mm，转鼓切碎机的处理能力为1 t/h，电机功率为30 kW 。从筛孔漏出的碎屑用皮带送至料仓，再通过振动给料机送至摇床分离出铜屑、混合物和塑料(或橡胶)三部分。铜屑送铜冶炼处理或生产出硫酸铜；混合物返回转鼓切碎机处理；塑料(或橡胶)出售。每吨废电线、电缆可产出450～550 kg铜屑，450～550 kg塑料(或橡胶)。每星期可处理约60 t物料。该工艺的特点是：

(1) 可综合回收物料中的金属和包皮；

(2) 产出的金属屑纯度很高，不含包皮，冶炼烟气易于净化；

(3) 工艺简单，机械化、自动化程度较高；

(4) 缺点是过程电耗高，刀片磨损快。

4.4.3.3　三菱金属公司(Mitsubishi Metal Corp.)熔炼—吹炼法处理铜废料

日本三菱金属公司采用的熔炼—吹炼炼铜工艺处理的铜废料范围很大，图4-11是直岛冶炼厂铜废料的处理流程。

小颗粒废料与铜精矿一起由旋转喷枪加入熔炼炉，大块料通过炉顶和炉墙溜槽加入熔炼炉和吹炉。三菱吹炼过程大量放热，可允许处理较多铜废料。最大块的废料是残极和阳极模，加入阳极炉处理。

日本的小坂冶炼厂在闪速炉中处理细粒铜废料，但加入量不能太多。事实上，电子废料由于含有大量塑料，用熔炼炉处理比转炉好，理由如下：

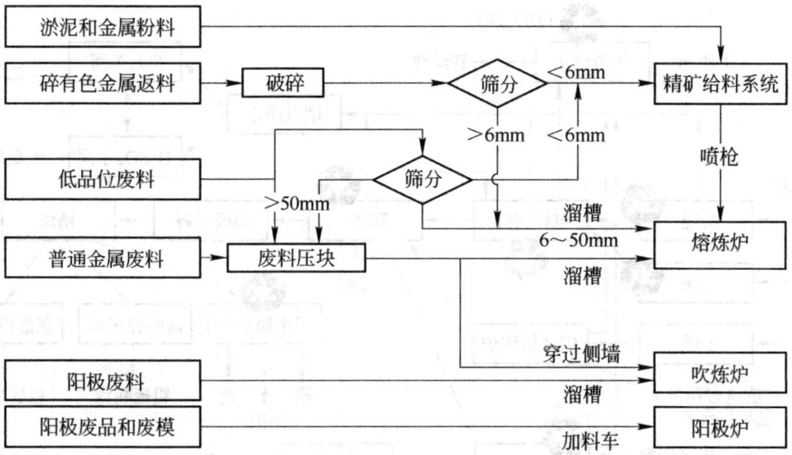

图 4-11 直岛冶炼厂三菱熔炼法处理铜废料

(1) 塑料有热值,可为熔炼提供热。

(2) 当间断燃烧时,塑料往往会产生烟和其他颗粒物,它们会由转炉口冒出,有害环境卫生。而在密封的闪速炉内燃烧时,它们容易在收尘系统中捕集。

在熔炼炉中处理非塑料包覆的铜废料数量是有限的,因为这类废料熔炼纯粹是吸热过程,因此,这类废料大部分是由转炉处理。

4.4.3.4 布利登公司隆斯卡尔冶炼厂(Bolden's Rönnskär Smelter)

瑞典布利登公司隆斯卡尔冶炼厂是一个有悠久历史的炼铅厂,并以开创了“卡尔多炉熔炼法”而著称世界。原建厂宗旨是为处理当地的矿石,现在已将金属二次资源的回收利用纳入生产流程(图 4-12 中的再生回收符号表明流程中的各切入点)。从回收的物料中生产的金属比例列于表 4-8[51]。

表 4-8 从二次资源中生产的金属比例

金 属	目前产量/$t \cdot a^{-1}$	从二次资源回收的金属比例/%
铜	125000	30
锌块	37000	90
金	9	50
银	285	45
钯	2	大于 50
硫酸镍	2000	大于 90
硒	30	小于 50
铅	41000	小于 1

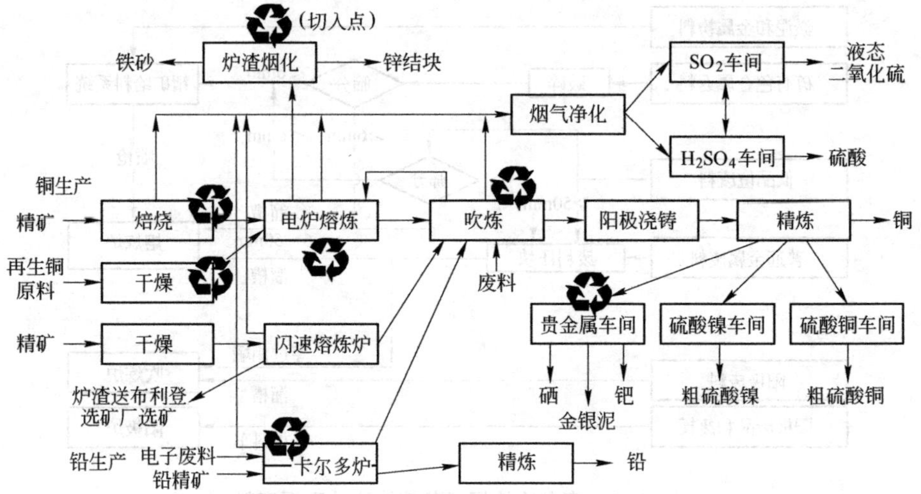

图 4-12　隆斯卡尔冶炼厂现在的工艺流程

此外,生产用的辅助原料部分也是二次资源(见表 4-9)。

表 4-9　其他回收物料的应用

物　料	应　用	二次资源料
硅　石	炉渣烟化	(废)玻璃、陶瓷
油	加热/还原	废　油
油	加热/还原	废塑料
硫化物	金属沉淀	纸浆废液

隆斯卡尔冶炼厂实行现代原料政策的结果,使企业效益明显改善,生产能力不断提高,环境污染得以控制。

(1) 经济效益。经济效益对任何企业可持续发展都是决定性因素。该厂在原料价格不断上升的情况下,控制生产成本,经济效益明显提高(图 4-13)。

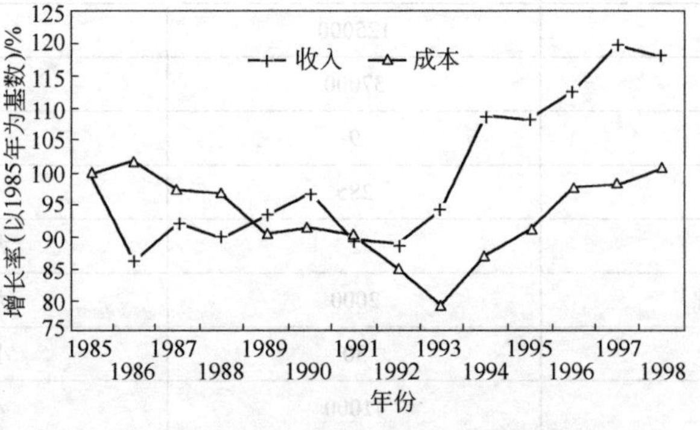

图 4-13　近 10 几年来冶炼厂的经济指标

(2) 生产力。提高生产力也是工厂不断追求的目标。通过工艺调整,在 2000 年 8 月完成了企业大规模技术改造和扩建后,使工厂的面貌发生了质的飞跃,生产力不断提高(图 4-14),能源的利用也在不断改善(图 4-15)。

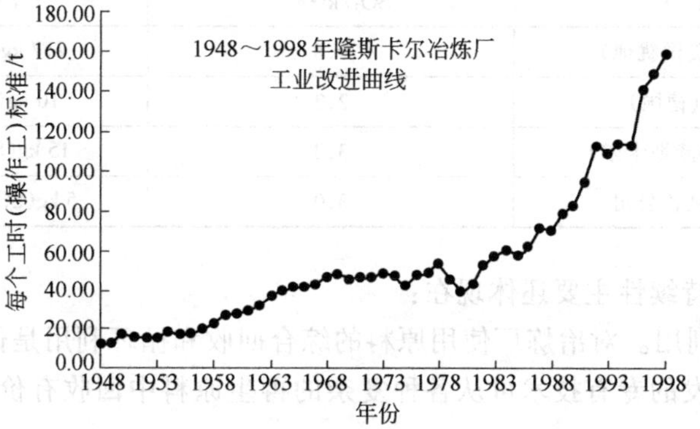

图 4-14 工厂产能提高

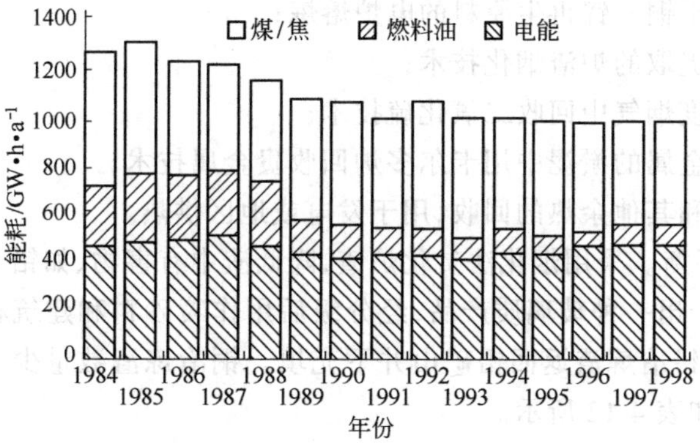

图 4-15 工厂能耗变化

(3) 污染控制。工厂严格按环境许可控制排放物(表 4-10)。

表 4-10 重金属排放情况

排放物/t	Cu	Pb	Zn	Cd	As	Hg
1998 年	0.96	0.86	5.1	0.10	0.98	0.05
1999 年	1.0	0.8	1.9	0.03	0.55	0.05
1998 年前的限度值	2	2	8	0.4	20	0.1
1999 年后的限度值	2	2	4	0.1	1	0.07

表 4-10 为该冶炼厂 20 世纪末的有毒重金属排放情况,表 4-11 为该厂 SO_2 排

放情况以及与世界几个著名冶炼厂的比较[52]。从表4-10看出该厂重金属排放全部低于瑞典允许的限度值。

表4-11 SO_2排放情况

冶 炼 厂	$SO_2/kt \cdot a^{-1}$	单位排放量
肯尼科特(美国犹他)	0.8	2.7 kg(SO_2)/t(Cu)
NA汉堡(德国)	2.2	10 kg(SO_2)/t(Cu)
布利登(瑞典隆斯卡尔)	3.3	15 kg(SO_2)/t(金属)
芬兰奥托昆普公司	3.0	5 kg(SO_2)/t(Cu+Ni)

该厂的可持续性主要还体现在：

(1) 回收利用。对冶炼厂使用原料的综合回收和循环利用是体现可持续性的核心。该厂开发的专有技术可从各种复杂的再生原料中回收有价金属，采用的技术包括：

1) 用于电子废料处理的卡尔多炉技术；

2) 焙砂和干铜－锌再生原料的电炉熔炼；

3) 用于锌提取的炉渣烟化技术；

4) 从低浓度烟气中回收二氧化硫技术；

5) 从含贵金属的淤泥中用卡尔多炉回收贵金属技术；

6) 从烟气和其他余热的回收，用于发电或地区供热。

(2) 废料平衡。采用烟化法贫化炉渣，降低渣中有害物、如铅和砷的含量。贫化的炉渣水碎产出一种玻璃质产品，经分级后用作喷砂料和建筑材料。按当地管理部门要求，将铅冶炼渣返回铅矿山井下充填。铜冶炼渣数量少。按环境报告记录的废物处置如表4-12所示。

表4-12 废物处置(1998年)

废物种类	来 源	数量$/t \cdot a^{-1}$	处 置
炉 渣	铅冶炼	18200	井下充填
烟 尘	烟气净化(含铅、汞等)	8700	就地处理
淤 泥	烟气净化	1500	就地处理

4.4.3.5 新泽西美国金属精炼公司 Carteret 厂的生产变革

A 背景

美国金属精炼公司于1903年从 Delamar 精炼厂开始运作[53]，此后在提取和物理冶金方面进行了许多改革。工厂的生产范围很广，不同时期进厂的再生原料变化也很大。工厂曾先后生产过各种焊料、白金属、铋、再生铝、镍盐、特种铜盐、电解和雾化铜粉、硒和硒化合物、碲和碲化合物、贵金属(金、银、铂、钯、铱、钌、铑)以及半导体级的锗。进厂的原料可能是任何含铜的废料：

(1) 裸露线或去绝缘层的导线；

(2) 电动机或开关；

(3) 首饰；

(4) 各种电子废料(包括线路板、底盘、检波器、电容器等)；

(5) 黄铜建筑装饰或家具；

(6) 废黄铜锭或铜合金；

(7) 回收作废的硬币；

(8) 电信器材；

(9) 黄铜或铜管；

(10) 散热器等。

通常,对铜二次原料冶炼精炼厂的描述包括设备和冶炼(熔炼)工艺、转炉、阳极浇铸、电解精炼、阴极熔化和浇铸等。为了能达到更充分了解铜循环利用生产的复杂性和多变性,下面介绍了该厂建成以来大致的历史变革,其中有一部分单元作业和工艺仍还存在冶炼厂中,一部分由于工艺和原料的变化而不存在了。

这些单元作业和工艺包括：

(1) 散热器的熔析；

(2) 印度硬币的处理、电缆的处理；

(3) 鼓风炉、转炉烟尘的处理；

(4) 鼓风炉、电弧炉、转炉作业；

(5) 高锑原料的处理；

(6) 硒和碲产品；

(7) 可溶阳极电解；

(8) 金、银和铂族金属回收；

(9) 转炉渣的控制还原。

B 散热器的熔析

约在20世纪50年代初,汽车散热器是将铜组件焊接在一起制成的,从而使散热器含有大量的锡和铅有价物。典型的散热器设计中是采用蜂窝或管式两种结构方式。尽管废散热器可直接加入鼓风炉或转炉处理,这就将使锡和铅以氧化物、硫酸盐或氯化物进入冶炼或转炉烟尘中。相反,如果在炉子中用过热蒸汽使焊料熔化,即将散热器进行"熔析"处理,从而就可使锡和铅得到回收。这是很容易做到的,因为含锡61.9%的锡－铅二元共晶体的熔点是183℃。系统遇到的最高温度也只是327℃(铅的熔点),这用蒸汽是不难实现的。将焊料从散热器中除去之后,余下的铜组件先用铲(抓)斗从炉中取出,再用运输机送走。熔析操作的特点是很少或没有有毒的飘尘和挥发物产生,再将这种焊料进行处理以除去某些杂质(如砷等)，添加金属锡或铅进行合金成分调整，再铸成锭轧制线材。这是一种提高二次原料综合利用程度、提高经济效益的有利做法，可产出直接可销售的焊料、铅和铅－锡合金。

散热器的取样是独有的。将所有的散热器储存起来，先不进行取样分析。然后利用一种单独的所谓散热器检测器来完成此项工作。散热器是人工从车体中拆出的，然后再到达冶炼厂，这样做的可靠性是能判断散热器的类型，是蜂窝状还是管式的，以及废散热器来自哪种汽车的车种。除这些信息外，还有散热器的水箱数、铁质导管数等都要记录下来。直到车体全部解体，散热器的数量和类型以及它们的水箱和铁质导管，都用做总体分析参数。这种独有的操作，通过外观的无负荷作业，完成了样品分析。但是，由于散热器生产工艺的变化，这种熔析操作已被取消了。

C　印度硬币的处理

20 世纪 60 年代初，公司的废金属资源采购者提出并随后在“印度硬币”的处理投标中中标。“印度硬币”名词来源于印度政府将回收的硬币熔化铸成锭后再外销而得名(偶尔运来的是废硬币，为了保险，收到的绝大部分是熔化的锭，但这种锭未经任何精炼或多尔炉处理)。硬币的成分大致是 50% 的银和 40% 的铜，其余为镍和锌。得到了这种原料，就存在着开发处理这种原料的特定加工工艺问题。因为原料是多元素合金，这种物料采用贵金属火法精炼用的多尔炉处理是不合适的，因为高的铜含量会大大延长多尔炉的作业周期。如果将这种物料加入阳极炉中处理，会由于阳极中的银含量过高将会导致银随铜在阴极上的析出而导致银的损失，以及大量增加了电解液中的锌含量。还有，如果将这种物料加入进厂的原料中一起处理也是不能接受的。

最终选择的方法是火法冶金—物理冶金—湿法冶金联合法，使得硬币中含的所有有价金属都能回收。首先将原料在氧化条件下熔化，使锌烟化用布袋收尘回收。脱锌后的熔融合金用空气雾化产出金属粉末。这种金属粉末在空气中焙烧，焙烧温度应选择为在焙烧中使银氧化物不稳定的温度，即使最初生成的银氧化物在焙烧温度下分解成元素银，在有过量的氧化铜存在时铜则转化成氧化铜和氧化亚铜混合物。这样得到的焙砂骤冷，防止银重新氧化，然后用稀硫酸浸出，铜和镍很容易溶解，将浸出液过滤，滤液主要含硫酸铜和少量硫酸镍。浸出渣实际上是无铜的，将它加入到多尔炉的多尔合金精炼过程。采用逆流浸出法完全可防止银以硫酸银进入溶液中，因为焙砂中有氧化亚铜存在，溶解的银被有效地从溶液中置换了出来进入浸出渣中。

D　电缆的处理

随着冶炼铜精矿的反射炉关闭，该厂就完全变成了处理铜二次资源的工厂。

大约从 1960 年开始，工厂大量处理有绝缘包覆的电缆(线)，当时这种原料是用鼓风炉处理。导线的绝缘体大多是PVC、聚氯乙烯、塑料以及特氟隆。熔炼过程中,氯化物和氟化物以无水氯化氢和氟化氢的形式释放出来,它们与烟尘中的金属氧化物反应生成氯化物、氯氧化物和氟化物。

要在冶炼之前除去这些绝缘物有许多方法,包括燃烧法、溶剂法,通过将导线加热使绝缘物软化然后用机械挤压法除去,或采用机械切碎和空气分选联合法将绝缘物颗粒除去。这些方法简介如下:

(1) 用焚烧法将导线的绝缘物烧掉,从经济角度看是很有吸引人的,但即便再倒退50年也会引起很多社会公共问题。研究人员曾专门设计了并应用过一种用来燃烧绝缘物和熔化电线的炉子,燃烧产物经洗涤以除去和回收氯化物和氟化物,但这种装置很难操作和控制,经常出事故。

(2) 用溶剂溶解法将绝缘物除去使导线分离开来,实践中是很难做到的,因为绝缘电缆在到达冶炼厂的时候是各种电缆相互纠缠在一起的混合物,不同的绝缘物成分也不同,很难找到一种适宜的溶解剂。而且,回收的聚合物也没有市场。

(3) 将导线加热使绝缘物软化然后用机械挤压法除去设备由于复杂,且对电缆的粗细较敏感,经初级试验后,该技术就被放弃了。

(4) 最终采用机械破碎以及分选法,这是现在普遍采用的方法。但该方法将导致分离后的铜产品中一般还含有约1%的绝缘物,产出的铜米可直接加入阳极炉或线锭炉中处理。

机械破碎和分选法只适宜于(绝缘物与导线)松散的电缆,对于马达绕组、开关设备、电话废料、电子线路板等就不适用了。这些物料电线的粗细变化范围很大,通常是直接加入采用"热顶"操作的鼓风炉中处理。

"热顶"可形成这么一种情况,鼓风炉的料柱顶部保持在一个较高的温度。通常,鼓风炉料柱顶部是保持在一个还原气氛下的较低温度,以便炉子给料和燃烧产物逆流有利于燃烧产物的热量传给冷的炉料,提高热效率。但是,再生有色金属熔炼中要求保持热炉顶和氧化气氛,以保证挥发性金属氧化物挥发进入产生的冶炼烟气。

除采用热顶外,往往还需在料床上通过采用天然气或油燃烧器外加热,从而进一步提高炉顶的温度,提供足够的热量以保证绝缘物热分解产物在鼓风炉内充分燃烧。值得指出的是,绝缘电线的这种二次燃烧处理方式是该公司首先在1956年就完成了半工业试验。

工厂的生产者有着丰富经验,即便遇到难以预料的技术难题也可找到简单的解决办法。利用热顶经过验证后,在料柱上设立了二次燃烧室,从而可完全保证电线的绝缘物的完全燃烧,以及在烟气中有足够的金属氧化物来中和绝缘物燃烧所产生的氢氯化物、氢氟化物,使工艺作业平稳,满足或超过环境条例要求。

E 鼓风炉、转炉烟尘的处理

从1955~1965年,冶炼厂的烟尘成分变化很大。约在1960年前,在美国金属精炼公司主要的冶炼装置是一台生精矿反射炉，处理古巴来的铜精矿。作为生精矿反射炉的典型操作方式，反射炉烟尘是返回反射炉处理，转炉烟尘是外销给英国的一个炼锡厂以回收铅和锡。后来，公司的领导者注意到了这个问题，意识到转炉烟尘中可回收金属的价值，郑重地与英国的炼锡厂就销售价格问题进行了谈判。英方提出减少这种烟尘的购买量，于是公司领导者决定自己处理这种烟尘。公司开发了一种湿法处理工艺，并建设了一套生产系统。不幸的是这套装置从来也没有满负荷运转过。之后，反射炉因原料断绝也就关闭了。

此后，公司领导者没有寻求其他精矿来源，而是明智地选择了建造有色金属鼓风炉，即所谓的冲天炉，这是工厂主要的冶炼设备，完全转向了处理有色金属二次资源。有色金属二次资源鼓风炉生产系统是在原有的鼓风炉和转炉基础上经过许多改革而建成的。熔炼和吹炼烟尘分别由各自的布袋收尘系统收集，布袋收尘系统的选择是基于工厂自己的生产经验，这种布袋收尘系统优于静电收尘和洗涤。

最终，高氯化物含量的烟尘需要额外处理。研发证明除去氯化物和大部分的氟化物可以通过复式分解来完成，常常是采用碳酸钠溶液浸出、分解，反应如下：

$$MCl_2 + Na_2CO_3 = MCO_3 + 2NaCl \qquad (4\text{-}12)$$

除银外，实际上所有的金属碳酸盐溶解度都比它们的氯化物和氟化物小，所以鼓风炉烟尘可有效地用复式卤化法处理，浸出、分解后的溶液加消石灰除氟后，含氯化钠的溶液送水处理。

尽管反射炉和转炉烟尘中的锡和铅通常能以可接受的价格销售，但锌却做不到。为解决这个问题，开发了一种脱氯烟尘的浸出工艺，这种碱性浸出法可以锌酸钠的形式提取烟尘中的锌，浸出液经净化后用电积法回收锌。该工艺可用于反射炉烟尘、转炉烟尘以及后来安装的电弧炉烟尘的处理。该工艺也可推广应用于钢铁厂含锌烟尘的处理以回收锌。通过开发这种适宜的湿法冶金工艺，使一般钢铁厂烟尘中以难溶的铁酸锌形式存在的锌转化成了易溶的氧化锌，铁则转化成方铁矿，从而实现用湿法回收锌的目的。

美国金属精炼公司开发了这些处理脱氯烟尘的工艺，可获得一种可销售的锡－铅渣和纯的电锌。虽然该公司早已经将这套工艺系统关闭，但他们开发的这些工艺已在许多再生金属冶炼厂得到了应用。

F 鼓风炉、转炉作业

进入冶炼厂的大多数废料是由鼓风炉处理。在鼓风炉中遇到的还原条件使炉料中所含的大多数锡、镍和锑被还原进入黑铜中(一种铁－铜合金)。黑铜中的铁来自杂铜原料。这种黑铜用桶送至转炉吹炼，黑铜中的铁氧化而使转炉加热。锑和其他杂质在吹炼中除去多少，取决于获得的粗铜纯度和铜进入炉渣的损失。为了获得阳极铜所需的纯度，转炉炉料必须进行“深度吹炼”(blown hard)，这将使黑铜中大量铜氧化进入转炉渣。常常产出含量高达40%铜的转炉渣，这种转炉渣再返回鼓风炉熔炼,在鼓风炉中转炉渣中的氧化铜又被还原成金属铜。因此,有相当一部分铜不断在鼓风炉和转炉间循环。

G 电弧炉

除铜外,循环的转炉渣还含有大量的锑、镍、锡和贵金属有价物。转炉渣的循环导致部分镍和锡又被还原进入黑铜,回到转炉。因镍和锡无出口而在环路中积累,这种循环流中的镍和锡的价值是相当可观的。其余的有价金属则进入鼓风炉渣中。

为了回收鼓风炉渣中这些有价金属,安装了一台电炉以处理这种鼓风炉渣。该炉子有约 4 h 的物料停留时间,在氧化条件下操作,渣中的锌可以烟化挥发,以氧化物回收,镍、铜和锡以合金的形式定期从炉内放出回收。除镍、铜和锡外,还有大部分的钴以及实际上全部的金和银都进入合金中。在鼓风炉和炉渣水碎之间嵌入一个电炉的这种改革性设计,导致了对各种有价金属实行"关门"。该工艺具有很大的好处,使转炉渣可直接加入电弧炉中,可消除转炉渣在鼓风炉和转炉中间的循环。

H 高锑原料的处理

再生铜冶炼厂常常会遇到含高锑原料的困扰。对于再生铜熔炼和精炼联合企业,是通过采用不同的熔炼和精炼方式来控制和除去锑。如上所述,转炉吹炼中锑的除去量取决于允许多少铜进入转炉渣。粗铜中的锑是由不同的下游作业来控制。做法可以有:

(1) 阳极炉中苏打粉造渣。通过加苏打粉(碳酸钠)进行氧化和熔剂造渣可除去锑和砷。苏打粉的加入可采用两种方式。或是将苏打粉与空气一起鼓入熔融铜中,或是将苏打粉搅拌进入熔融铜中。然后定期地将含锑和砷的苏打渣从铜熔体中扒出。有时,当锑含量高时这种渣也可以出售。有时苏打粉造渣是作为一种固定的作业形式,有时是随机的,视物料中的锑含量以及阳极和电解对锑的要求而定。

(2) 阳极炉中难熔锑化物的生成。存在转炉铜中的部分锑会转化成一种难熔的物质,在电解过程中不会有什么变化。这种难熔物的形成是由于保持阳极铜中过高的氧含量所致,这种化合物(铜云母,$3Cu_2O\cdot4NiO\cdot Sb_2O_5$)的生成是以一种在阳极铜中小的半透明六方晶系薄层存在。因为这种化合物对电解精炼作业没有影响,它毫无变化地进入阳极泥,不会改变电解液中锑的含量。

(3) 从电解液中沉淀锑。随着时间推移采用了不同技术来降低电解液中的锑含量,如包括将电解液冷却、加氧化砷净化和解析等。

1) 电解液冷却。只是在需急速降低电解液中的锑含量时才采用这种方式。

2) 加氧化砷处理。加氧化砷处理电解液除锑的技术最早是 ASARCO(美国熔炼精炼公司)开发的,在 Carteret 铜精炼厂得到了验证。这是一种较难的而又昂贵的作业。但是,在 Carteret 铜精炼厂的经验证明,电解液中的锑含量可以从 0.7 g/L 降至

0.1 g/L,使电解液中可含有足够数量的五价砷。由于反应剂的成本较高以及存在操作工接触氧化砷粉的危害问题,因而该技术并没有始终在 Carteret 铜精炼厂应用,但现在采用五价砷来控制电解液中的锑和铋的含量已在世界广泛应用。这部分原因在于现今采用电解泥的加压除铜过程中,使电解阳极泥中的五价砷又返回到了电解车间,从而大大降低了氧化砷反应剂的成本以及操作工的危险性。

3) 解析。解析是利用不溶阳极进行废电解液电解。铜电积析出,产出低质量的铜又返回到阳极炉。铜连续贫化电解直到约 10 g/L,溶液就会出现含铜泥的元素砷的沉淀。这种物质可以外销,也可以返回冶炼厂处理。该工艺可能会产生砷化氢(AsH_3),是一种剧毒气体。

4) 电解阳极泥处理时锑的控制。铜电解精炼中,在电解液中的反应可能生成不溶的锑化合物,还有铜云母以及阳极电解的其他不溶物,组成一个不溶相。这种阳极泥经冶炼、精炼回收贵金属。在阳极泥的熔炼初期大部分的锑就进入了一次熔炼渣中,即所谓的硅渣。由于这种硅渣不循环而是外销,所以精炼系统不会出现锑的积累。但是,这种硅渣外销的支付条款是很不令人满意的,特别是对其中的贵金属,所以给公司带来了很大的经济损失。

I　硒和碲产品

阳极铜中的所有硒和碲最终都进入阳极泥。大部分的硒在过程中挥发,通过洗涤回收。少部分进入苏打粉渣中。实际上所有的碲都是从火法精炼过程的苏打和硝酸盐渣中回收的。公司从阳极泥处理过程中产生的渣和烟尘中回收产出工业级的硒和碲氧化物。除上述产品外,公司还开发了通过硝酸盐熔剂熔炼法生成高纯硒、二氧化碲碱性溶液电积生成金属碲以及用湿法冶金合成产出碲化铜。

(1) 硒的硝酸盐熔炼。硒的硝酸盐熔炼是通过利用硝酸钠和硝酸钾的共晶混合物来实现的。这种共晶体的熔点仅比硒的熔点高 50℃,从而保证硒不会大量挥发损失。将工业级的硒加入熔体中,搅拌硝酸盐熔池,此时存在的所有杂质(没有贵金属)都被氧化进入硝酸盐共晶熔体中,这种与熔融硒不相溶的渣用沉淀法使硒和渣分离,硒从熔炼反应器的冷凝器底部放出。该方法产出的硒纯度可以与蒸馏法产出的硒相媲美。此外,该工艺所需的时间仅为蒸馏法达到同样纯度所需时间的十分之一。由于在多尔炉银的精炼时也需加入硝酸盐熔剂,所以从硒的硝酸熔炼产出的渣又返回到多尔炉的银精炼过程,可进一步回收渣中残余的硒。硒的硝酸盐熔炼是该公司 20 世纪 60 年代中期开发的,现已在世界许多炼铜厂用于生产硒。

(2) 碲的电积。历史上,元素碲的生产是用硼砂作熔剂进行二氧化碲的氟或碳还原熔炼制取的。该方法有两个缺点:在还原温度下导致大量碲挥发损失;除昂贵的碲挥发损失外,由于碲的挥发放散又导致操作场地和环境的不安全性。为了消除这些缺点,开发了一种碱性电积法生产金属碲的工艺。该工艺是在室温下操作,电解液成分是氢氧化钠和二氧化碲的水溶液。电积产出的金属碲纯度很高,不会有碲的损失以及环境问题。这套碲的电积装置灵活性很大，视市场需要可产出多种碲产品。

(3) 铜的碲化物湿法合成。碲可以用来改进铜及铜合金的机械易加工性。为获得理想的机械易加工性，碲的浓度需要不到 0.1%。由于在铜的熔化温度时碲的蒸气压就会达到 101325 Pa(1 atm)，以碲－铜合金的形式将碲加入就可避免碲的损失。碲－铜系统相图研究表明，Cu_2Te 合金需要一个比无论是铜还是碲熔点更高的温度。碲化铜的合成如果用上述将二氧化碲用氟或碳还原熔炼做法，同样将出现那些缺点。因此，该公司开发了一种合成碲化铜的湿法冶金工艺，即将铜粉与含碲氧化物的硫酸反应。这是一种激烈的放热反应，反应化学式如下：

$$4Cu + TeO_2 + 2H_2SO_4 = Cu_2Te + 2CuSO_4 + 2H_2O \tag{4-13}$$

尽管是激烈的放热反应，由于反应在水溶液介质中发生，反应放出的热都被水的蒸发所吸收，该工艺避免了碲或碲化合物在工作环境放散，也保证了碲的完全利用。这种新工艺能迅速、安全并完全将碲转化成碲化铜，产出的这种合金作为铜或铜合金熔炼时的碲添加剂不会有碲的损失，也可以单独使用。

J 可溶阳极电解解析

如上所述，解析是用来控制铜电解精炼电解液中铜和杂质的浓度。每天，约抽取 5% 的电解液进行处理。这其中的一半经电积脱铜后又返回电解车间，其余经额外的电积，直到将几乎全部的铜、砷、锑和铋从溶液中除去。这种额外电积，将全部铜和杂质脱出的工艺称之为解析，是特别费能的。铜电解车间约三分之一的能耗是消耗在这种解析上。解析产出的铜质量低，必须返回冶炼厂再处理。

为了减少前述的解析能耗以及综合回收冶炼厂循环回路中的锡、镍和钴，将电弧炉处理的鼓风炉炉渣回收的金属铸成阳极并用来取代解析中的不溶阳极。这种阳极含有 5%～15% Ni、2%～5% Co 和 3%～7% Sn，其余 73%～90% 是 Cu。因此，大量的阳极电流是用在了镍、钴和锡的溶解，因为这些金属(溶解)的电位能耗要比铜高。但是，由于几乎全部的阴极电流都消耗在铜的沉积上，抽取的电解液中的铜量便逐渐被耗竭。由于铜电解的能耗大致是铜电积的五分之一，在阴极大致也会出现同等的能量节省，电解液的这种脱铜方式能耗就可大大节约。这些特殊阳极中的金属有价物，包括贵金属，或在处理富氧化锡的阳极泥时得到回收，或在电解液脱铜之后，利用工厂现有的技术和设备，使镍和钴以结晶硫酸盐回收。有意义的是，除能量节省和有价金属回收带来的巨大好处外，尽管有大量的阳极泥脱落，但产出的阳极铜纯度和物理外观质量都远远高于普通脱铜电解所产出的阳极铜。这是因阳极中的元素锡在电解时的行为所致。首先锡以亚硫酸锡溶解，然后又被阳极和空气氧化成(正)硫酸锡。在热的含硫酸的电解液中又很快被水解以偏锡酸沉淀：

$$Sn(SO_4)_2 + 4H_2O = H_4SnO_4 + 2H_2SO_4 \tag{4-14}$$

偏锡酸沉淀是一种非晶型的胶质沉淀物,实际上它可以吸附和包裹电解液中存在的任何颗粒物,导致阴极的杂质含量(除含百万分之几的锡氧化物外)大大下降,极少量的锡氧化物在以后阴极再熔化时可造渣除去。

鼓风炉炉渣电弧炉处理以及产出的金属电解精炼生产作业的这种革命性的改进,导致电解液解析作业能耗成本大大下降,阳极及所含的其他有价元素很易以金属或盐类回收。

K 金、银和铂族金属回收

美国金属精炼公司生产的贵金属主要来自精炼阳极泥以及含贵金属的废料,如首饰、影像业的含银废料等。含贵金属高的废料可直接加入多尔炉处理。购进的再生铜原料中也可能含有极少量的贵金属,它们随铜的冶炼过程最终进入阳极泥中,还是由多尔炉处理。

多尔炉熔炼和火法精炼产出一种银合金,通常约含1%的铜、1%~3%的其他贵金属。银合金用Thum-Balbach银电解法产出高纯的电银,其他贵金属则进入银电解的阳极泥中。这些阳极泥含有最初铜电解精炼阳极中的全部金和铂族金属。

下面介绍采用经典的技术回收金、铂(和铱)族金属。回收贵金属,金、银、铂、钯、铱、钌、铑的工艺化学是很复杂的,各企业都可能拥有自身的一些独特技术和经验。美国金属精炼公司也有自己的独特之处,经多年的贵金属生产实践之后,该公司在贵金属生产方面已开发和完成了许多贵金属生产的技术革新,其中有一些简介如下:

(1) 取消金的精制。精制(raffination)是用浓硫酸煮沸浸出含金的银精炼阳极泥,用于浸出液初步净化的专用术语。它的基本功能是溶解银精炼产出的金泥中的银和铂族金属。该工艺从15世纪以来就没有根本的变化,它是采用铸铁锅浓硫酸煮沸浸出含金阳极泥,产出令人讨厌的烟雾,银、铂、钯、铱转化成化合物,还需经复杂的处理才能回收这些金属。此外,该工艺在金中还残留有大量的铂、钯。在用Wohlwill电解法精炼金时就需频繁地将含金电解液进行净化。从1960开始,美国金属精炼公司取消了这种“精制”过程,开始采用王水来浸出这种含金的泥。溶解反应在接近室温下进行得很快,然后用二氧化硫就可有效地将溶液中的金与铂、钯分离。该方法大大简化了以后铂族金属的回收工艺,并大大延长了Wohlwill法精炼金电解液的使用周期。

(2) 取消金和铂族金属精炼中王水的应用。王水是金、铂、钯提取用的经典溶剂,但是它也有两个严重缺点:第一,王水的应用导致产生大量有毒的NO_x烟雾,要除去这种烟雾(如用洗涤法)成本高昂而且困难;第二,过程中产生硝酸盐进入含铂、钯的过程溶液中。硝酸盐与铂族金属生成的络合物使得以后铂族金属的分离困难甚至不可能。因而,必须将硝酸盐破坏,为了达到这个目的,需要有强盐酸存在的情况下将溶液长时间煮沸,这是一种既费时又昂贵的过程。于是,美国金属公司中止了王水的应用，开发了用过氧化氢和氯气取代王水的应用。公司迅速而稳妥地完成了这两种反应剂的研究和试验，结果取得圆满成功，大大降低了反应剂费用，环境也大大改善。

(3) 银币的处理。由于银币主要成分是银和铜，将银币锭直接加入 Thum-Balbach 银精炼电解槽精炼当然是最理想，但这么做对料中高的铜含量则需要频繁地往电解液中添加硝酸银以补充银浓度的下降。银的不平衡是由于阳极电流部分消耗在铜的溶解中，而阴极电流全部消耗在银的沉积。因此，100 kg 含 5% Cu 的银锭电解，将导致阴极产出 111.97 kg 的银。多出来的银是从电解液中获得的，并导致电解液中银浓度的下降以及等当量铜浓度的升高。随着电解液中银量的减少，而铜则会迅速积累，就被迫要抽出大量电解液以防止阴极银中铜含量过高。这就进一步使得硝酸银的需求量大大增大。

为了满足电解液对硝酸银添加的需求，将银溶于硝酸中制取硝酸银的费用不断升高。为了解决这个问题，开发了一种工艺，在该工艺中通过分步水解将铜和银分别从电解液中沉积出来。回收的氢氧化银用做氢氧根离子的来源用以从电解液中沉淀铜。事实上，从电解液中脱出银是用于铜的控制。电解液中部分银先转化成氢氧化银，然后氢氧化银又返回电解槽，在电解槽中再又变成硝酸银，同时从电解液中沉淀出当量的铜。采用该技术不仅可使含银银币合金锭能直接精炼，而且可立即得到经济回报。

L 结果

从美国金属公司运营的结果看，铜二次原料冶炼厂要达到经济效益的良好运作，必须尽量从进厂原料中回收所有有价物，单靠电铜的生产是难以获得好的经济效果的。换言之，必须着眼于进厂原料中全部有潜在价值的元素的回收利用。此外，还要看到有许多原生铜冶炼—精炼联合企业都是在不太先进的生产技术条件下运作，他们的效益主要是靠副产金属和盐类的回收。还要指出，铜合金和特种品级铜的生产可大大增加企业的收入。因此，目标不仅仅是在于电铜和铜线锭棒的生产，重要的是各种特种铜合金和特种品级的铜(如 OFHC™——游离氧高导电性铜)的生产。尽管该公司在开发新工艺方面面临着挑战并付出了一些代价，但毕竟是成功了。

4.4.3.6 德国吕嫩北德精炼公司凯撒冶炼厂铜二次原料处理(Secondary Copper Production of Norddeutsche Affinerie AG, Hüttenwerke Kayser in Lünen)

A 冶炼厂的生产

凯撒铜火法冶炼厂主要可分为两部分，即(1)凯撒铜冶炼(KRS)系统，包括：1)熔池熔炼装置和 2)铅/锡合金生产；(2)阳极熔炼装置，包括：1)阳极炉和 2)阳极浇铸设施。

在凯撒铜二次原料冶炼厂产出的阳极经电解精炼产出 A 级电铜。这里只介绍在该厂铜二次原料和产品。从技术和操作上概述一下阳极炉工艺,扼要解释为什么2003年要让固定式阳极炉退出生产。接着是留下的倾斜式阳极炉的技术改造,第1步是使它的生产能力从过去的115000 t/a提高到现今的145000 t/a,在2005年内将完成第2步,使其生产能力提高到170000 t/a[54]。

B　2002年冶炼作业的现代化

直到2001年,冶炼作业(图4-16)可分为3台鼓风炉、2台处理废铜料转炉和2台阳极炉。鼓风炉处理含铜渣,富锡的烟尘在另外的铅/锡合金车间处理成铅/锡合金。鼓风炉产出的黑铜与合金废料一起在废杂铜处理转炉吹炼,富锡的转炉烟尘同样也在铅/锡合金车间处理。

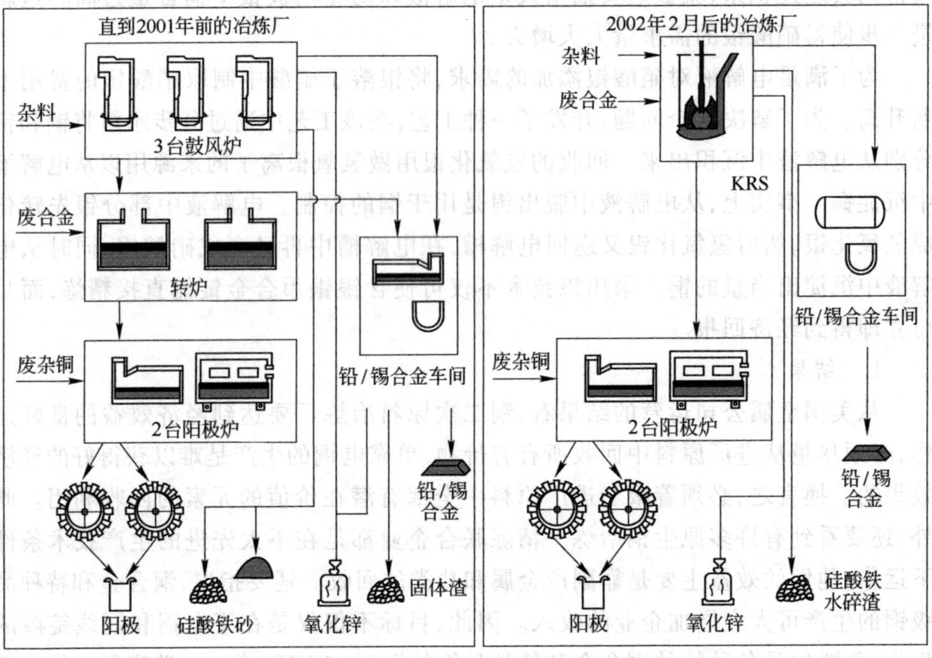

图4-16　2002年前后的冶炼操作流程

鼓风炉冶炼过程还产出一种金属含量低的硅酸铁(水碎或呈块状)渣。此外,在鼓风炉和转炉吹炼过程中回收一种工业级氧化锌。从铅/锡合金冶炼过程中排出的苏打渣暂时堆存。

转炉产出的粗铜与废杂铜一起用阳极炉处理。在该熔炼车间有两台启用并已操作了多年的阳极炉:一台固定式反射炉和一台可倾斜式阳极炉。产出的阳极铜用两台轮盘浇铸机铸成阳极。

当2002年春季KRS系统投产时,老的鼓风炉/反射炉系统完全被一套熔池熔炼装置和铅/锡合金生产系统所取代。

含铜的二次原料用熔池熔炼装置处理，在还原性的熔体中最初产出的是黑铜和含金属铜低的渣。渣放出并水碎成硅酸铁砂后，在第二吹炼阶段将黑铜吹炼成粗铜，当加入合金废料时要同时加热。

铜品位为94%～96%的粗铜以熔融的形态送入阳极炉。在(熔池熔炼)吹炼阶段产出的含铅/锡的渣放出后直接送铅/锡合金炉处理，然后将产出的粗铅/锡合金送铅/锡合金精炼车间精炼。在KRS工艺中还产出一种工业级氧化锌，出售给炼锌企业处理。

C 原料和产品

凯撒冶炼厂处理的再生铜原料分类如下(按2003年数据)：

85000 t	铜废料
25000 t	合金废料和有色金属切碎料
130000 t	杂料(各种烟灰、渣、电子废料、淤泥和铁渣)

合计240000 t。处理的物料还包括24000 t造渣料，如硅石、石灰石和含铁料。产出的产品如下：

180000 t	A级电铜
2500 t	硫酸镍
15000 t	工业级氧化锌
2800 t	铅/锡合金
1700 t	阳极泥
100000 t	硅酸铁砂

D 阳极炉和阳极浇铸

以前“Maerz”型可倾斜式阳极炉的生产能力约为115000 t/a铜阳极。在技术改造的第一阶段，已使其生产能力达到了145000 t/a，在第二阶段将使其生产能力达到170000 t/a。

炉子外面尺寸没有变化，为了增大炉子的容量，内部尺寸做了调整，现在是长11 m、宽5 m和空高3.5 m，耐火材料寿命约为15个月。

炉子通过二次燃料富氧空气燃烧进行加热。烟气经废热锅炉后再送布袋收尘处理；两台轮盘浇铸机(每台16个铸模)浇铸成重约400 kg的阳极，生产能力约为90 t(阳极)/h；倾斜式阳极炉典型的一个作业周期物料的加入和产出比例如下：

物料加入

55%	铜废料
20%	粗铜(KRS金属)
15%	残极
3%	熔剂
7%	合金和杂料

物料产出

85%	阳极
10%	精炼渣
5%	自身的循环料

炉子每批料的总处理量约为 550 t。每批料的处理周期作业时间分配如下：

8 h	加料
2.5 h	物料熔化
4 h	氧化
3 h	出渣和再加料
1.5 h	还原
5 h	阳极浇铸

E 2003 年固定式阳极炉的停产

铜废料的供应突然出现了短缺，阳极炉的铜废料给料减少，导致了缩减阳极炉的想法。经济上的压力迫使企业不得不考虑关停老的、性能差的固定式阳极反射炉。为保证凯撒冶炼厂的电解车间有足够的阳极供应，计划分两步实施：

(1) 必须提高余留的阳极炉的生产能力和操作性能；

(2) (改造期内)凯撒冶炼厂电解车间用的阳极在汉堡冶炼厂浇铸。

F 可倾斜式阳极炉的技术改造

倾斜式阳极炉技术改造的目标是将批料作业周期从原来的 27 h 缩短至 24 h，提高其生产能力和作业性能。为此，对每个作业步骤都仔细进行了研究，使其达到过程的最佳化。

(1) 加料和熔化。在加料和熔化期要增加燃烧器燃料的供应，在燃烧器的氧供给量较高时增加二次燃料，使熔化速度加快。

(2) 氧化。物料熔化后进入氧化期，此时通过喷嘴往熔体中吹入空气，空气中的氧使铜中的杂质元素如铁、铝、锌、锡和铅氧化进入渣中。

为了强化熔体的混合，大大增加氧化吹风的风嘴数。同时，根据需要可以调节氧化吹风量。采用富氧后吹风可加快氧化速度和造渣速度，从而缩短了氧化、造渣时间，也增加了渣量。

一项重大改革是用出渣机取代人工出渣，从而使出渣速度更快、更提前了。

机械出渣与人工比，精炼渣的铜含量从原来的 25% 降到了 15%。在原来人工出渣时，必须要使渣层达到一定的水平，这就需过度地进行吹风氧化，使铜大量以 CuO_2 熔剂的形式进入渣中，而且也大大增加了铜熔体中的氧含量；机械出渣可以在较低温度和不用过吹的条件下从炉中出渣。

(3) 还原。在还原期供给较多的天然气以保持还原速度，通过采用最佳的冷却剂防止熔体过热。往烟气中喷冷水控制烟气中过高的热量，使原来的余热锅炉仍能用。

(4) 阳极浇铸。最佳作业和强化冷却，使阳极浇铸车间的浇铸速度从原来的每小时70块阳极增加到了90块。

近几年，除公司能获得的铜废料大大下降外，而且废料的铜品位也大大下降。现在，每月产出的炉渣量从1300 t提高到了2200 t。

在阳极炉氧化精炼时，铁、锌等杂质的氧化造渣是放热反应，为了控制熔体不过热，适时往炉内加入冷废料，这样做还可以大大降低生产能耗。

凯撒冶炼厂现在处理的原料比较杂，使大量锡、铅、镍等杂质进入工艺过程。进入铜熔体中的杂质主要是依靠阳极精炼炉来脱出，使现在的阳极炉精炼渣成分发生了很大变化。图4-17是改造前(a)和改造后(b)精炼渣成分的变化情况。

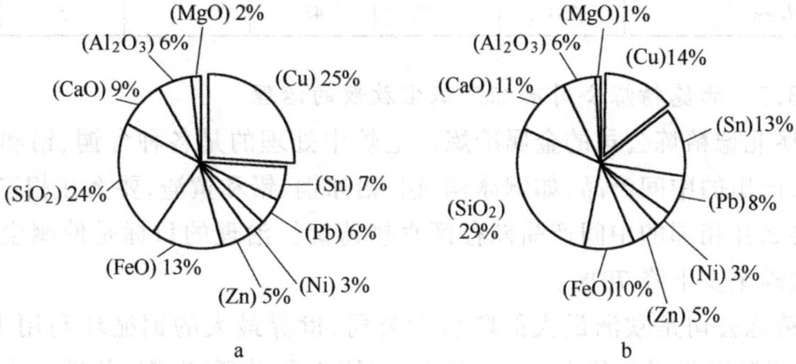

图4-17 改造前(a)和改造后(b)精炼渣成分的变化

进入倾斜式阳极精炼炉的杂质的增加，从而也必须增加造渣的熔剂(硅石和氧化钙)量，从而增加了渣量。此外为保持稳定的阳极质量，必须很好地控制炉内温度。

表4-13表明，在反射阳极炉关闭后，倾斜式炉精炼的物料的锡杂质量是原来的3倍，铅是原来的2.3倍。分配的计算为：

$$L = w(\mathrm{Me})_{渣} / w(\mathrm{Me})_{铜}$$

锡、铅含量的提高有利于造渣。但是，在阳极中的锡、铅含量没有明显上升。镍的含量即使增加到(原来的)1.8倍，阳极的镍含量只是从$4600 \times 10^{-4}\%$增至$5600 \times 10^{-4}\%$。

表4-13 改造前后渣成分、渣量、金属量及其分配

成　分		锡		铅		镍	
精炼渣	渣量 /t·月$^{-1}$	质量分数 /%	金属量 /t·月$^{-1}$	质量分数 /%	金属量 /t·月$^{-1}$	质量分数 /%	金属量 /t·月$^{-1}$
$Sl_{过去}$	1320	6.2	82	5.1	67	2.6	34
$Sl_{现在}$	2160	12.3	266	7.8	167	2.9	62
阳极	阳极金属量 /t·月$^{-1}$	质量分数 /%	金属量 /t·月$^{-1}$	质量分数 /%	金属量 /t·月$^{-1}$	质量分数 /%	金属量 /t·月$^{-1}$

续表 4-13

成　分		锡		铅		镍	
$An_{过去}$	9100	0.08	7.6	0.17	15	0.46	41.7
$An_{现在}$	13300	0.07	9.0	0.16	21	0.56	74.7
总计$_{过去}$			90		83		76
总计$_{现在}$			275		189		137
增大系数			3.1		2.3		1.8
分配		L_{Sn}		L_{Pb}		L_{Ni}	
$L_{过去}$		74		30		6	
$L_{现在}$		181		48		5	

4.4.3.7 北德精炼公司冶炼厂飘尘放散的治理

在汉堡北德精炼公司的金属冶炼厂电炉中处理的是各种含铜、铅和贵金属的二次原料，产出的中间产品，如铜冰铜、铜/铅冰铜、铅和黄渣，要么在相连的卧式转炉吹炼，要么在相邻的中间产品储存区直接铸锭。治理的目标是使飘尘放散物中的铅、镉和砷至少下降 70%。

北德精炼公司是欧洲最大的联合铜公司，世界最大的铜循环利用生产企业。2004 年北德精炼公司总共生产了 522000 t(原生和循环)电铜，并进一步加工成线锭棒、各种型材、冷和热轧板材。此外还生产了 759 t 银、21 t 金，并从原生和循环原料中生产了 17000 t 金属铅及铅合金[55]。

由于生产厂毗邻汉堡市中心，公司始终对其环保问题和环保设施非常关注，并不断将环保工作推向更深层次。因此，该公司已迈入世界烟气清洁排放最好的炼铜企业之一(图 4-18)。这主要是因为在环保设施方面花费了大量投资，仅从 1981 年以来用于环保方面的投资就在 2.4 亿欧元以上，目前每年环保的操作成本约为 6500 万欧元。由于环保的投资和操作成本巨大，对产品的竞争性造成了严重不利局面(图 4-19)。

公司利用各种环保设施，尽量捕集生产过程的烟尘和飘尘放散物，特别关注飘尘的收集。飘尘的放散源主要有：

(1) 加料；

(2) 物料准备(混合、破碎等)；

(3) 熔体物料的浇铸和运输；

(4) 物料储存区装卸料；

(5) 物料在运输地段的撒落等。

公司的各种环保措施成功地降低了飘尘的放散，措施包括：

(1) 粉状物料的运输和储存采用密闭的容器和设施；

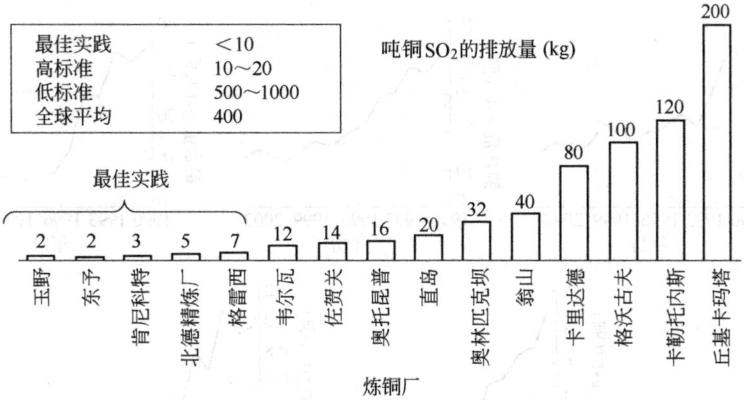

图 4-18 世界著名炼铜厂 SO_2 的分类

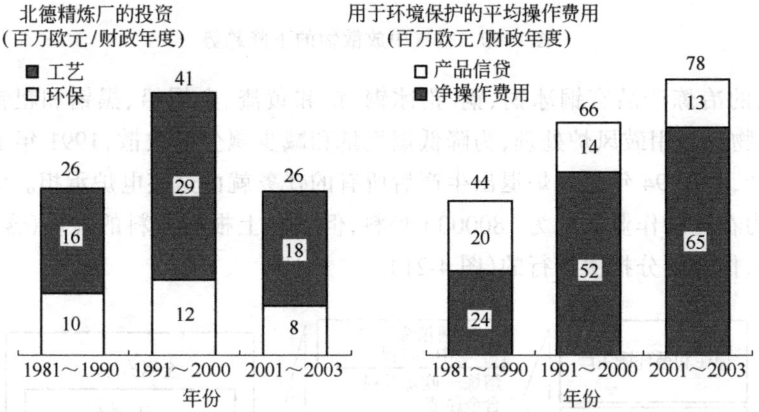

图 4-19 北德精炼公司环保投资和操作费用

(2) 原料一律储存在车间、料仓或料斗里；
(3) 有轮胎洗涤设施；
(4) 操作场地飘散物的捕集和净化；
(5) 两班作业制的清扫/吸尘机；
(6) 路面清洗；
(7) 减少车间的空气进出口；
(8) 飘尘放散点有吸尘装置；
(9) 炉子密封。

通过这些措施使厂区空气中可吸入颗粒物大幅度下降(图 4-20)，而且大大改善了厂区周围的环境空气质量。

公司的铜二次原料冶炼厂原料包括公司自身的各种中间产品和外购的废杂

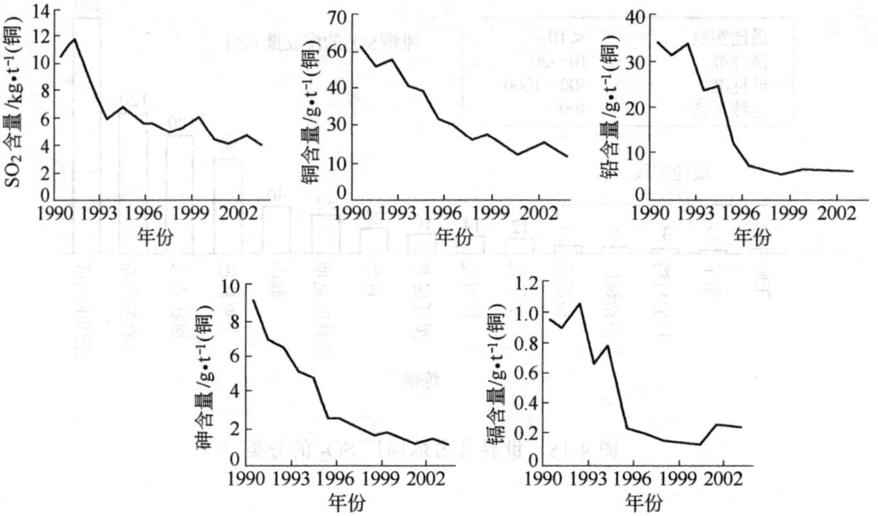

图 4-20　空气中放散物的下降趋势

料，典型的冶炼产品有铜冰铜、铜/铅冰铜、铅和黄渣、金属铅、黑铜和粗铜。1990 年以前，物料是用鼓风炉处理，为降低烟气量和减少飘尘的放散，1991 年 1 台电炉建成投产，在 1994 年鼓风炉退出生产后所有的任务就由这座电炉承担。电炉的年冶炼能力在连续作业下约为 180000 t 炉料，但实际上根据原料的性质（含铜、铅或贵金属），作业是分批次进行的（图 4-21）。

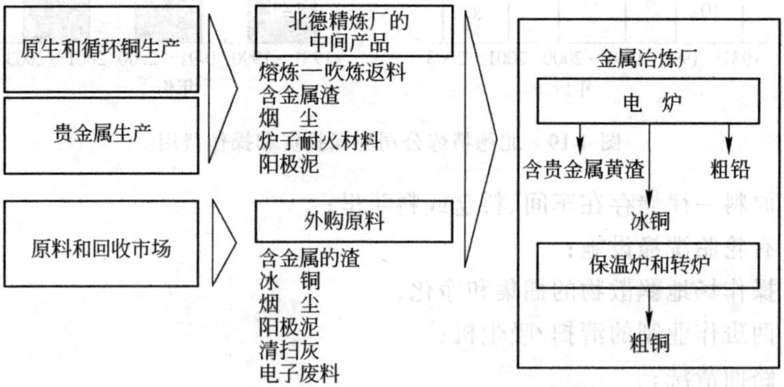

图 4-21　循环金属冶炼厂的作业范围

电炉的冰铜和炉渣排放口以及备料机械（破碎机、制粒机、干燥机等）都有吸风装置。2001 年电炉上部安装了烟罩。这些措施有效地降低了飘尘的放散。

"飘尘治理"工程及目标如下：

转炉车间包括 1 台转炉和 1 台保温炉，现在车间设备都采用了封闭式的除尘系统，原来敞开式的中间产品浇铸储存区也改造成封闭式(图 4-22)。工厂经过改造后，预料至少在今后 15 年内主要有害飘散物将不断降低(图 4-23)。

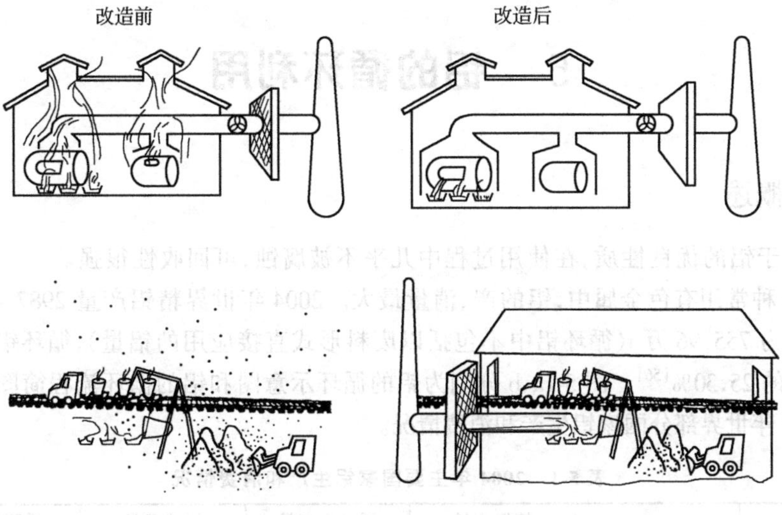

图 4-22　改造前后飘尘放散状况示意

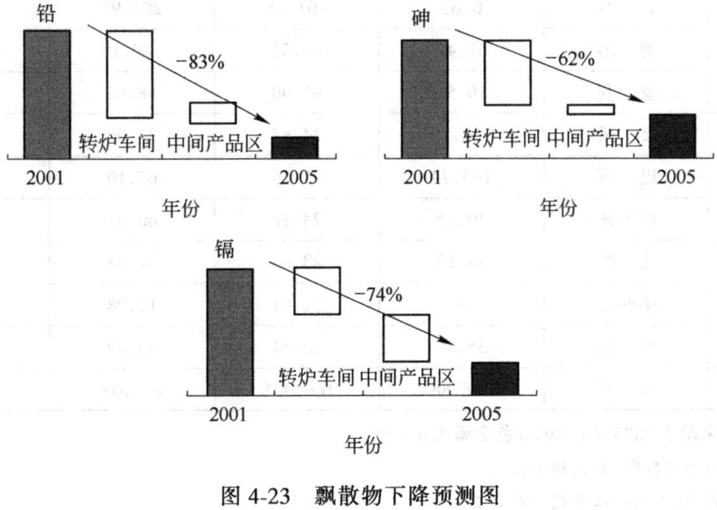

图 4-23　飘散物下降预测图

5 铝的循环利用

5.1 概述

由于铝的优良性质,在使用过程中几乎不被腐蚀,可回收性很强。

10种常用有色金属中,铝的产、消量最大。2004年世界精铝产量2987.45万t,循环铝为755.96万t(循环铝中不包括以废料形式直接应用的铝量),循环铝约占精铝产量的25.30%[56]。图5-1a、b分别为铝的循环示意图和铝的循环流程简图,表5-1是2003年世界部分国家铝生产和消费情况。

表5-1 2004年主要国家铝生产和消费情况

位序①	国　家	精铝产量/万t	循环铝产量/万t	铝消费量/万t	循环铝/铝消费比/%
1	美　国	251.69	297.70	580.00	51.33
2	日　本	0.65	101.48	201.92	50.26
3	德　国	67.47	65.52	180.15	36.37
4	意大利	19.54	61.90	98.66	62.74
5	挪　威	132.17	34.87	24.60	141.75
6	巴　西	145.74	25.35	65.10	38.94
7	西班牙	39.75	24.26	60.31	40.23
8	法　国	45.12	23.64	74.85	31.58
9	墨西哥	—	21.64	12.98	166.72
10	英　国	35.96	20.54	43.89	46.80
	中　国	668.88	166.00②	619.09	26.81

注:资料来源于2005年《中国有色金属工业年鉴》。

① 按循环金属排序(不包括中国)。

② 资料来源:中国有色金属工业协会。

从表5-1看出,一些发达国家如美国、日本、德国、意大利、西班牙、法国、英国等,循环铝的生产都占原生铝的产量一半以上,墨西哥无原生铝的统计数据。目前,中国的循环铝约占原生铝产量的四分之一。

全球消费的铝有近30%是循环铝(严格地讲,常说的"再生铝"全是循环铝,因为铝二次原料不会再生成电解原铝)。发达国家过多地铝消费使北美、日本和欧洲成为

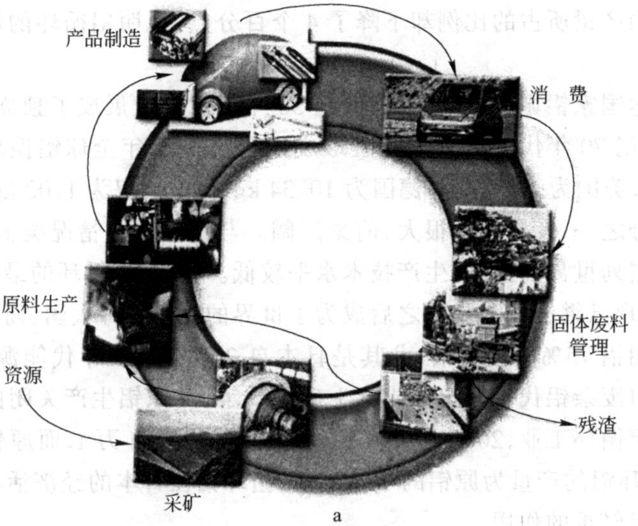

a

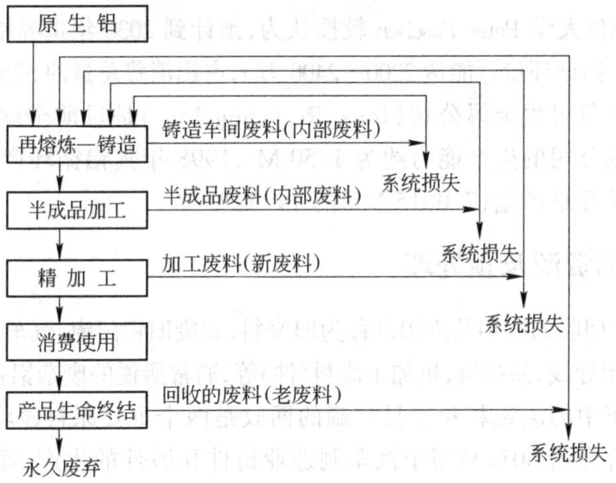

b

图 5-1 铝的循环形象示意图(a)和铝的循环流程简图(b)

铝循环的工业中心;由于中国近十年来铝的消费猛增,现在铝循环量也已名列世界前列。在铝循环生产的地域分布上,主要是在北美洲、西欧和东亚(日本和中国)。

自 1886 年以来到 20 世纪末,全世界共生产了约 6.8 亿 t 金属铝,仍有 4.4 亿 t 在流通、使用中[57]。1996 年,世界的铝循环量就超过了 650 万 t,约为铝总产量的 26%。现在,世界每年约 1200 万 t 循环铝资源被循环加工成合金。1992~2002 年期间,西方世界原生铝的产量从 1489 万 t 增长到 1759 万 t,增长 18.1%[58];而铝循环量从 547 万 t 增长到 786 万 t,增长 43.7%,铝循环量增长速度高于原生铝。同期铝循环量在铝总产量中所占的比例从 26.9%增长到了 30.9%,增长了 4%。

而同期原铝的产量所占的比例却下降了 4 个百分点，说明铝循环的增长势头比原铝强劲。

西方发达国家铝循环工业在 20 世纪 30 年代就已发展成了独立产业，而我国则是在 20 世纪 70 年代才在个别地区形成产业。2001 年全球铝循环量的人均消费为 2 kg[59]，美国为 12.56 kg，德国为 10.34 kg，而中国仅为 1.02 kg，约为世界人均消费的二分之一，发展空间很大，前景广阔。与铜循环的情况类似，现在中国铝循环量也已名列世界前茅，但生产技术水平较低。目前，铝循环的最大用户是汽车制造业，中国现已继美国和日本之后成为了世界的汽车生产大国，而在汽车生产中铝合金部件用铝 75%为循环铝；尤其是日本自 20 世纪 70 年代能源危机后，采取节能及用进口废杂铝代替氧化铝或铝土矿的政策，在原铝生产关闭的“废墟”上建立起强大的铝循环工业，2003 年日本铝循环量为 126.14 万 t，而原铝的产量仅为 0.65 万 t，循环铝的产量为原铝的 194.1 倍，循环铝在日本的经济活动和社会生活中发挥着举足轻重的作用。

奥地利莱奥大学 Peter Paschen 教授认为，预计到 2030 年世界铝消费总量可能达 5000 万 t，其中铝循环量可能达 2200～2400 万 t，占铝消费总量的 52%～56%[58]。

美国伊姆科再生金属公司(Imco Recycling Inc.)是目前全球最大的废铝循环生产企业。该公司的生产能力约为 1.50 Mt，1998 年其铝循环产量达 1.37 Mt，占当年世界铝循环总产量(7.0915 Mt)的 19.32%[60]。

5.2 二次铝资源及预处理

从社会上回收的废铝及废铝件称为旧废料，如废旧铝门窗，汽车、电器、机械报废后的含铝废料、铝导线，易拉罐，机加工废料(件)等，通常所说的废杂铝就指这部分铝。

报废汽车中的废铝料和废易拉罐的回收是两个重要原料领域。目前全世界生产的循环铝合金约 80%是用于汽车制造业铸件和锻件的生产，而据报道目前世界汽车中的铝废料回收率最高的已达 95%。废铝罐的回收也有很大进展，全球平均回收率在 50%以上。2001 年美国的废铝罐回收率为 55%，日本为 83%，欧洲为 45%，瑞士和瑞典最高，分别达 91%和 88%。

废料中的主要杂质是 Si、Fe、Ti 和 Mg，在技术和经济上还没有什么好办法除去这些杂质。这样熔炼前的废料分类就特别重要，如果分不开，常常采用的方法是将这些杂质转入铸造合金。但对于锻造合金，许多企业采用的方法是用纯(原)铝稀释这些杂质，从而增加了原铝的消费量并增大了能耗及生产成本。

5.2.1 世界循环铝原料

世界铝工业的发展方向是强调和改善铝产品的环境效益，从而引出来了几个问题：

未来理论上原生铝和循环铝的平衡是多少？

提高循环铝的潜力在哪里？

提高循环铝的主要机遇何在？

提高循环铝对与铝产品有关的环境负荷影响如何？

为了解答这些问题，美国 Alcoa Inc. 进行了有关研究。

5.2.1.1 世界循环铝原料

Alcoa Inc. 进行全球铝的循环铝原料回收可行性分析是从 1950 年开始，按地区、国家和市场的年产品净运输量(product net shipments)来建立一个计算机模型分析[61]。在 1950 年的时候，世界铝的产量还相当小，所以假定对模型计算影响忽略不计。基于市场和回收因素形成的废料率，模型计算了内部(循环的、半成品)废料和新(边角余料、次品)废料。

循环(老)废料是根据历年中产品净运输量，产品寿命(按产品市场、年)，老废料的收集率(按国家和地区、市场、年)和回收因素来计算。

世界的产品净运输量是根据下述市场的用量来计算：

建筑和结构材料

交通运输—汽车和轻型卡车

交通运输—航空航天

交通运输—其他车辆

包装材料—饮料罐

包装材料—其他(箔)

机械和装备

电器设备—电缆

电器设备—其他

耐用消费品

其他

以上统计涉及的国家和地区包括：美国、西欧、日本、中国、印度、俄罗斯、巴西、澳大利亚、南非及世界其他国家和地区。

(1) 数据来源。模型应用的 1950～2002 年期间的数据来源是多渠道的，原生铝和循环铝的产量主要来自 USGS(美国地调局)和铝业协会。美国的产品净运输量来自铝业协会，其他国家和地区的产品净运输量是来自 IAI(Information Associates Inc.)的全球铝回收协会各国的相关数据。对于未来市场铝的需求的预测，是按照许多已报道数据，选取了一个平均的年增长率 2.3% 系数来进行计算。

(2) 产品寿命、收集、废铝和循环率(量)预测。新、老废料的收集率、产品寿命以及回收率是根据 IAI 的全球铝回收协会的几个成员所报道的相关文献[62～64]的数据进行计算的。老废料的收集率是按市场、国家或地区和年来进行估算的，平均的产品和回收率是按市场进行估算的。其中，1950～1980年间的数值较低，这是因为那时世界的铝总量要比现在低得多。

下列相关的表按市场列出了平均产品寿命（表5-2）、半成品和产品废品率（表5-3）、收集（循环）率（表5-4）和回收率（表5-5）等因素。

表5-2　平均产品寿命

项　目	寿命/a
建筑和结构材料	40
交通运输—汽车和轻型卡车	20
交通运输—航空	40
交通运输—其他车辆	25
包装—饮料罐	0.25
包装—其他材料（箔）	1
机械和设备	20
电气材料—电缆	50
电气材料—其他	20
耐用消费品	12
其　他	12

表5-3　半成品和产品铝利用率

项　目	半成品①	产品②
建筑和结构材料	60%	80%
交通运输—汽车和轻型卡车	60%	75%
交通运输—航空航天	40%	60%
交通运输—其他车辆	60%	75%
包装—饮料罐	60%	75%
包装—其他材料（箔）	70%	85%
机械和设备	60%	85%
电气材料—电缆	70%	90%
电气材料—其他	60%	80%
耐用消费品	60%	80%
其　他	60%	75%③

① 半成品利用率是指装货运输量的百分率，其余作为"内部废料"在车间内循环；

② 产品利用率是指产品提供市场运输量的百分率，其余作为"新废料"在厂内循环；

③ 假定粗略地算产品废料的25%是浮渣和扒渣，按平均50%的回收率计算。

表5-4　按市场加权平均世界的收集（循环）率

项　目	1990年	2000年
建筑和结构材料	69%	70%
交通运输—汽车和轻型卡车	75%	75%
交通运输—航空航天	76%	75%
交通运输—其他车辆	76%	75%
包装—饮料罐	61%	59%
包装—其他材料（箔）	13%	16%
机械和设备	40%	44%
电气材料—电缆	45%	51%
电气材料—其他	30%	33%
耐用消费品	20%	21%
其　他	18%	19%

表5-5　按市场预处理和熔炼加工回收率

项　目	预处理	熔炼加工
建筑和结构材料	90%	96%
交通运输—汽车和轻型卡车	90%	96%
交通运输—航空航天	90%	96%
交通运输—其他车辆	90%	96%
包装—饮料罐	65%①	85%②
包装—其他材料（箔）	50%	30%
机械和设备	90%	96%
电气材料—电缆	90%	96%
电气材料—其他	90%	96%
耐用消费品	90%	96%
其　他	80%	96%

① 假定每年循环4次，每次回收率为90%；

② 假定每年循环4次，每次回收率为96%。

(3) 有效性检查。进行了两方面的“有效性检查”:

1) 按年对模型估算的新、老废料值和公布的新、老废料值作了“有效性检查”比较;

2) 按年对原铝的需求和原铝的产量作了比较。

将模型的估算值和铝业协会统计的数值进行了比较,不包括中国、印度和俄罗斯的数据,但加上从其他渠道收集的这些国家的相关数据,模型的估算值与公布的统计数非常接近。

(4) 废铝模型结果。图 5-2 表示在 2002 年按模型估算的数值得出的世界铝工业的物流情况。

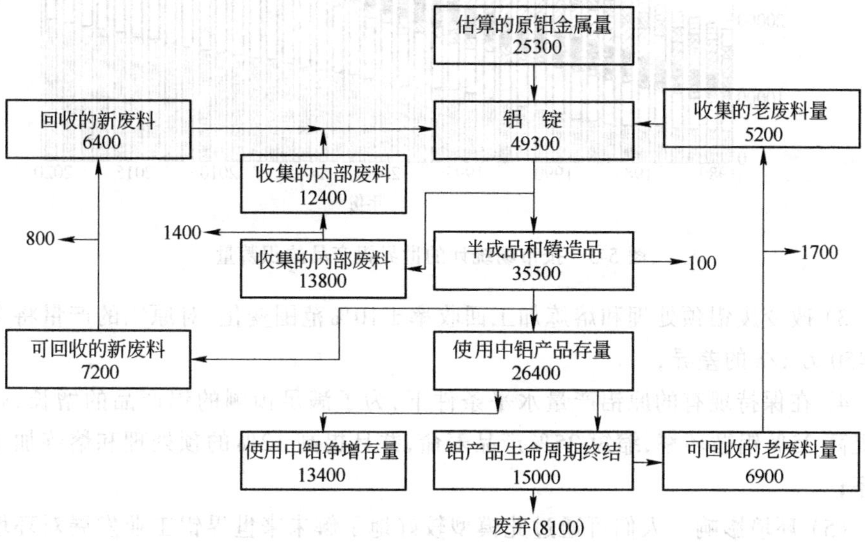

图 5-2 2002 年世界铝工业的物流(单位:kt)

图 5-2 明确地表明这是理论上每年可获得的废铝量,而不是回收量。当废铝的收集率不变的话,估计到 2020 年世界未回收的废铝将增加到 50%以上。

从 1888 年起,世界大约已生产了 69000 万 t 以上的铝,估计大约还有 40000 万 t 铝仍还在“用着”。应用的铝的积蓄量还将继续增长,如图 5-3 所示,这部分积蓄铝将来还可利用和再利用。

模型可用于对相关因素变化的敏感性分析,例如:

1) 改变估算的产品寿命(包装类除外)作 ±20% 范围变化,原铝的产量将会有 120～150 万 t/a 的差异;

2) 改变废铝收集率 ±20% 范围变化,对原铝的产量将会有约 200 万 t/a 的差异;

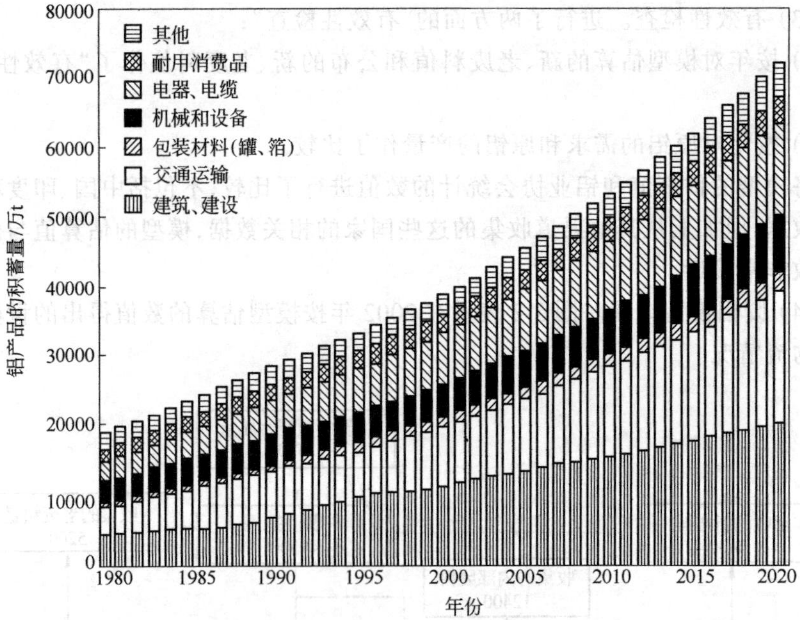

图 5-3　按市场统计的世界铝产品的积蓄量

3) 改变废铝预处理和熔炼加工回收率 ±10% 范围变化,对原铝的产量将会有约 450 万 t/a 的差异;

4) 在保持现有的原铝产量水平条件下,为了满足预测的铝产品的增长,就必须提高 25% 铝循环率,缩短 25% 产品寿命,并且提高 12% 的预处理和熔炼加工回收率;

(5) 环境影响。人们可通过此模型较好地了解未来世界铝工业发展对环境的影响,例如,未来世界铝工业发展对全球温室气体(GHG)放散的影响。基于过去和未来的预测,模拟了铝工业的 GHG 放散强度。

图 5-4 为循环铝与世界总铝产量的比例。图 5-4 说明,世界铝工业中,随着原铝产量和铝的应用市场的不断扩大,铝市场产品寿命终结的废铝也迅速增长,使世界铝工业中的循环铝比例从 1960 年的 15% 提高到了现在的 30% 以上。估算表明,现在老废料(社会循环回铝工业的废铝)加新废铝(企业内部循环的铝)大致与每年世界的原生铝产量相当。

循环铝比例的迅速增大使世界单位铝产品 GHG 的放散强度下降了。例如,据 IAI 的报道,在汽车和轻型卡车中每使用 1 kg 的铝来取代密度较大钢铁的应用,平均每年就可向环境少排放 20 kg 的 CO_2(参见图 5-5)。

5.2.1.2　欧洲和德国铝废料的可回收性分析

在一些发达国家,如美国、日本和德国,都具有庞大的铝加工业以及大量的铝制品出口。汽车行业是用铝大户,未来社会对铝的需求以及废铝的回收与汽车工业的发展有很大关系。此外,废铝收集、分类和冶炼方面的改善与废铝的可获得性也有很大关系。

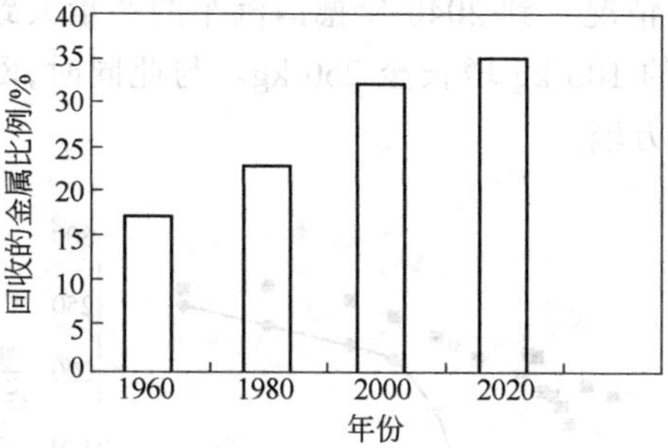

图 5-4 循环铝与世界总铝产量的比例

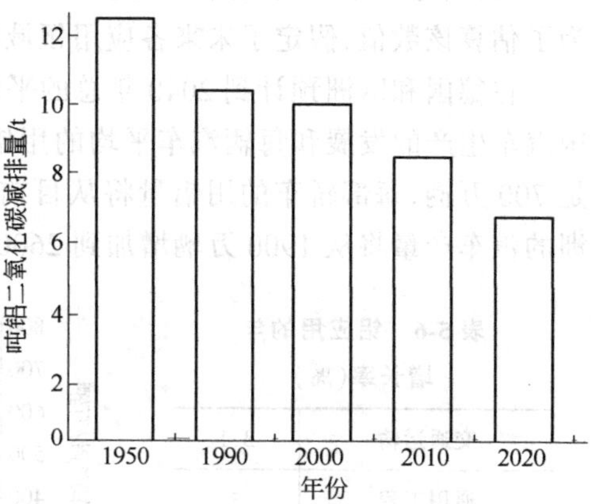

图 5-5 二氧化碳减排情况

A 欧洲和德国铝的应用

图 5-6 表明欧洲和德国铝的消费情况,不同应用领域差别很大。在欧洲,交通运输、建筑和包装是最大的三大应用领域,分别占 30%、20% 和 20%。在德国,交通运输所占比例最大,达 41%,其次是建筑占 18% 和机械工程占 8%,饮料罐和包装工程所占比例不大[65]。

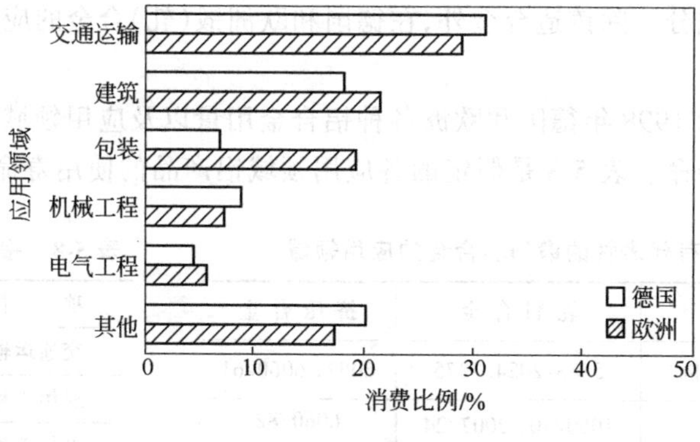

图 5-6 欧洲和德国铝的消费比例

铝材料可分为两类:铸造铝合金和含合金元素高(5%～15%)的铝合金材,通常是硅和铜。相反,锻造合金含合金元素较低(0～5%),通常是锰和镁,这类合金废料如能分离出来,最好是回收处理。但是材料的分开与应用领域和回收方式有关,在各种用途中,除包装材料外,铸造合金和锻造合金常常是混在一起的。

B 废料可回收性参数

对于每个应用领域,未来废铝的循环数量和质量与铝的消费增长率、合金成分、新废料和老废料的比例、收集方式、预处理和冶炼、加工过程的回收率等有关。

(1) 增长率。未来废铝的可获得性最主要的参数是以产品方式应用的铝量。为了估算该数值,假定了未来各应用领域的增长率,说明见表 5-6。

在德国和欧洲预计到 2040 年总的平均铝消费增长率是 2.6%。图 5-7 表示德国汽车生产的发展和每辆汽车平均的用铝情况。到 2040 年德国汽车的产量大致是 700 万辆,每部轿车的用铝量将从目前的 100 kg 增长至 250 kg。与此同时,欧洲的汽车产量将从 1900 万辆增加到 2600 万辆。

表 5-6 铝应用的年增长率(%)

交通运输	3.1
通用工程	3
电气工程	0
建筑和结构材料	2
包 装	1
家用和办公	0
其 他	3

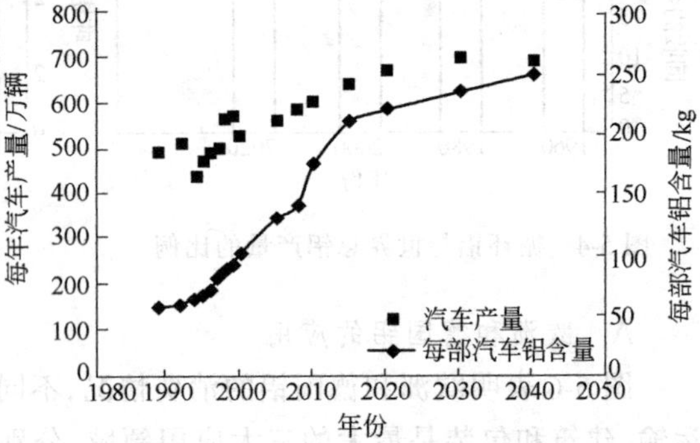

图 5-7 德国汽车生产的发展和每辆轿车的用铝量(包括预计量)

(2) 合金成分。除铸造合金外,在德国和欧洲锻(轧)合金的应用领域如表 5-7 所示。

图 5-8 表示 1998 年德国和欧洲各种铝合金用量以及应用领域。

(3) 产品寿命。表 5-8 是假定的各应用领域铝产品的使用寿命。

表 5-7 有代表性的锻(轧)合金的应用领域

应用领域	轧制合金	挤压合金
交通(车、船、飞机)	5383/2024/7075	6082, 6060/61
通用工程	1050/70, 2007/24 5005, 5754, 7075	6060/82
电气工程	1350/70	1350/70, 6101
建 筑	3004/5, 3103, 5005	6060/82, 5754
包 装	8011	—

表 5-8 铝产品的使用寿命

项 目	使用寿命/a
交通运输	12
通用工程	15
电气工程	20
建筑和结构材料	30
包 装	<1
家用和办公品	10
其 他	10

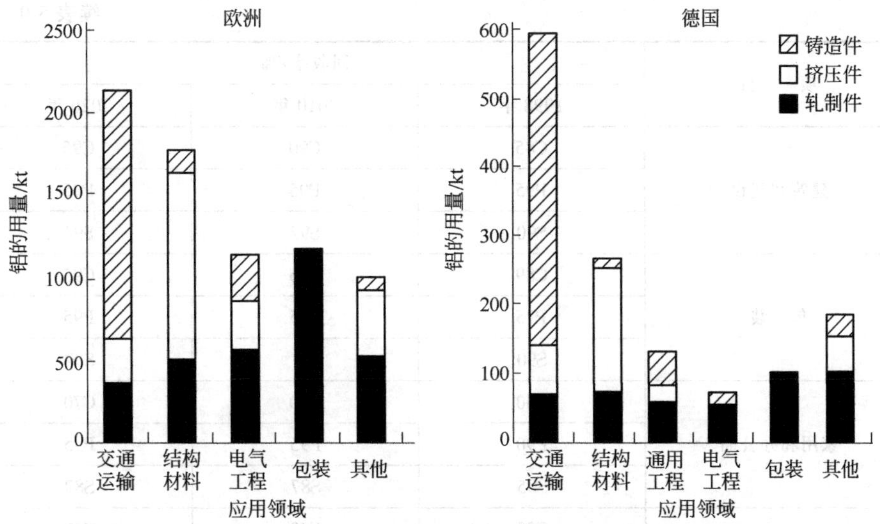

图 5-8 德国和欧洲各种铝合金用量以及应用领域

(4) 产品加工的废料率。假定在铝制品的加工过程中,产生约 40% 的新废料,那么这部分废料是直接返回到熔炼过程炼制成合金,只有 60% 的铝制品最终进入社会循环。

(5) 循环中的金属回收率。表 5-9 表示假定到 2020 年德国各铝应用部门老铝废料回收率的发展。德国注销的汽车有 60% 是出口东欧、中－南欧、中东和非洲地区,只有 40% 的报废汽车在德国国内处理;欧洲情况也基本相同,但包装材料例外,由于包装材料分散,假定回收率为 50%。

表 5-9 德国废铝在 C(收集)、P(预处理)和 S(冶炼)可能达到的回收率

项 目	回收率/%		
	1998 年	2010 年	2020 年
交通运输	C40	C40	C40
	P85	P90	P95
	S85	S87	S89
通用工程	C60	C70	C80
	P95	P95	P95
	S85	S87	S89
电气工程	C75	C80	C85
	P85	P90	P95
	S90	S91	S92

续表 5-9

项　目	回收率/%		
	1998 年	2010 年	2020 年
建筑和建设	C85	C90	C95
	P95	P95	P95
	S90	S92	S94
包　装	C89	C95	C95
	P75	P85	P95
	S90	S91	S92
家用和办公品	C50	C60	C70
	P90	P95	P95
	S85	S87	S89
其　他	C30	C40	C50
	P80	P85	P90
	S85	S87	S89

C　估算的废料量

根据估算，到 2040 年欧洲铝材的需求将增至 2150 万 t，德国将达 420 万 t。于此同时，欧洲收集和加工的废铝将分别从 1998 年的 360 万 t 增至 1320 万 t，而德国则从 70 万 t 增至 260 万 t。表 5-10 表示相应的数据。

表 5-10　估算的欧洲和德国铝的需求量、废料量和循环的铝量

国家或地区	年份	总废料量/t	老废料量/t	循环铝/t	需求量/t
欧　洲	1998	3610430	869500	3194180	7213000
	2010	6005070	1572360	5372870	11665040
	2020	8527700	2712300	7700400	15303670
	2030	11113130	4151100	10014700	18321060
	2040	13226900	5050500	11913650	21516780
德　国	1998	749840	240790	668050	1439600
	2010	1281470	390450	1158730	2449800
	2020	1780720	600380	1628850	3216160
	2030	2238790	864920	2044760	3730450
	2040	2568630	1020060	2345510	4195170

进而可以看出，到 2040 年产品报废后的废铝收集量和加工量，德国和欧洲的

情况差不多,都约在 40%。用于新铸造和锻(轧)制品循环的铝基本就是回收的总铝量。这些数值在欧洲是从 320 万 t 增至 1200 万 t,德国从 70 万 t 增至 230 万 t。这些数值是根据未来铝的生产和需求、铝材的应用领域、产业链的技术进步以及可能的废铝产生量、回收量(率)和循环量等各种综合因素详细分析后得出的。

(1) 不同应用领域的废料量。在欧洲,未来废铝的最大增加量是在交通运输领域,其次是建筑(结构材料)和通用工程(图 5-9)。1998 年,包装材料产生的废料和其他方面应用领域差不多,但在将来差距越来越大,这是由于估计将来包装材料铝的需求增量不会太大。

(2) 德国的情况与欧洲不尽相同(图 5-10)。在德国,主要的废料也产自交通运输,但比例将从 40%增至 53%。在 1998 年建筑(结构材料)和通用工程分别为 19%和 9%,但到 2040 年将分别变化到 17%和 11%。包装废料将从 11%降至 6%,低于欧洲的水平(从 18%降至 9%)。

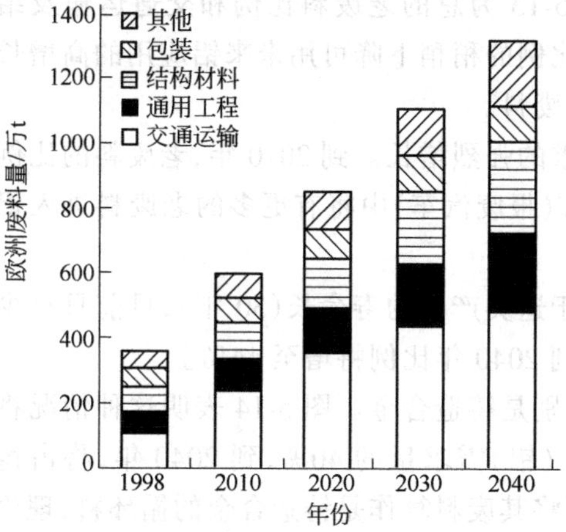

图 5-9 欧洲各应用领域废铝可回收性的发展

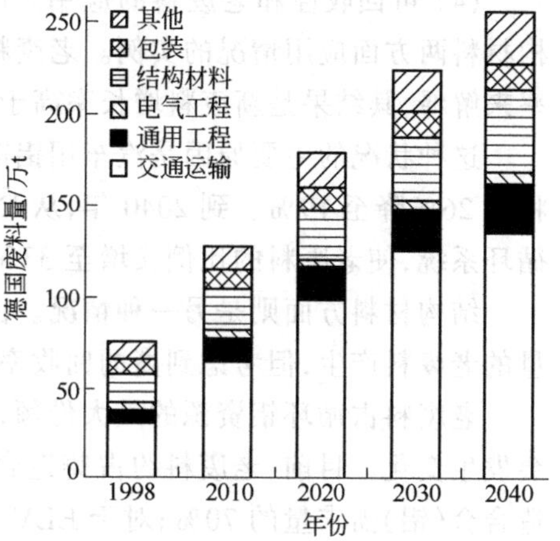

图 5-10 德国各应用领域废铝可回收性的发展

(3) 合金废料比例。在欧洲轧制合金废料占的比例最高(图 5-11),1998 年是 42%,到 2040 年将为 41%,变化不大。在汽车领域应用的合金种类将有较大变化,铸造合金废料的比例将从 33%降至 29%,而挤压合金废料将从 25%增至 30%。建筑(主要是挤压和轧制材)以及包装(箔、带材)废料的比例有较大增加。

图 5-12 是德国的类似图示,但与欧洲有差异,最大的合金废料量是铸造合金废料。到 2040 年,铸造合金废料(41%)失去了它的统治地位,将被轧制合金废料赶上和超过(轧制合金废料现在是 32%),两者都接近 35%。挤压合金废料的比例也有所增加,从 27%增至 30%。应指出,汽车改用更薄的板材和型材,将对未来的废料量有重要影响。与欧洲的情况比较,轧制材及相应的废料在总废料中的比例

要比欧洲低得多,可能是因为将来德国饮料罐废料的增加改变了比例。

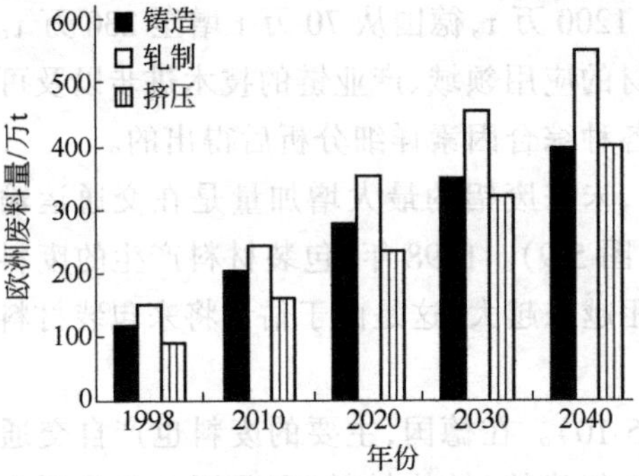

图 5-11　欧洲铸造、轧制和挤压合金废料的发展图

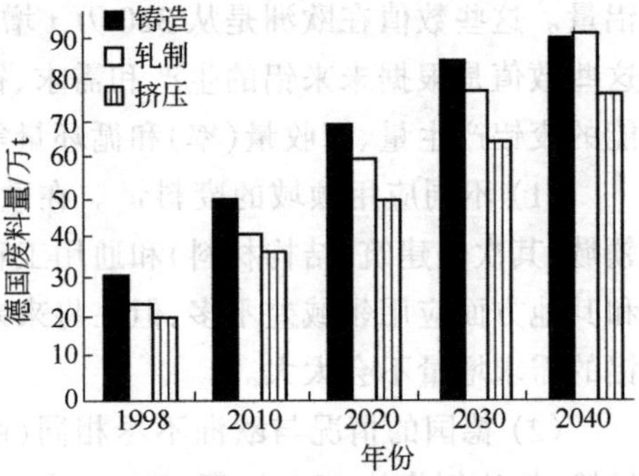

图 5-12　德国铸造、轧制和挤压合金废料的发展

(4) 可回收性和老废料的应用。图 5-13 为总的老废料比例和交通运输及结构材料两方面应用情况的实例。老废料比例的稍稍下降可用未来铝应用的高增长率来解释,其结果是新废料增长率高于老废料。

这种状况的主要原因是汽车用铝需求的强烈增长。到 2010 年,老废料的比例将从 26%降至 19%。到 2040 年,从 ELV(报废汽车)中将有更多的老废料进入铝循环系统,使老废料的比例又增至 33%。

结构材料方面则是另一种情况。由于这类产品的寿命长(30 年),目前只有少量的老废料产生,但考虑到高的回收率,到 2040 年比例将增至 44%。

老废料占循环铝资源的最大份额,特别是铸造合金。图 5-14 表明这种情况将会发生变化。目前,老废料约占铸造合金(铝)需求量的 40%,到 2040 年,将占铸造合金(铝)需求量的 70%;对于 ELV,可将其废料算作是铸造合金的循环料,理论上废料回收率可达汽车金属供应量的 90%。

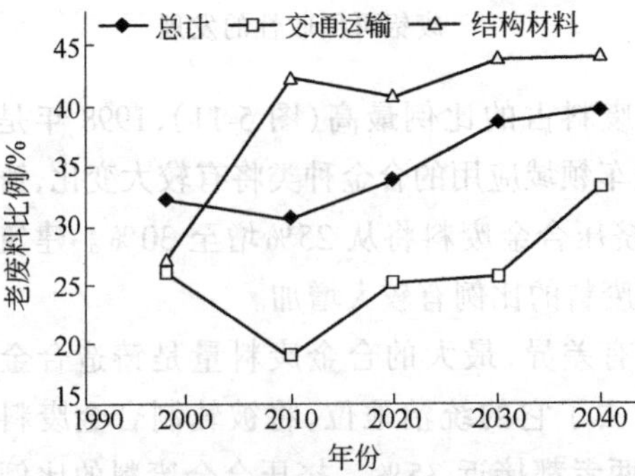

图 5-13　德国总的老废料比例中交通运输和结构材料废料比例的比较

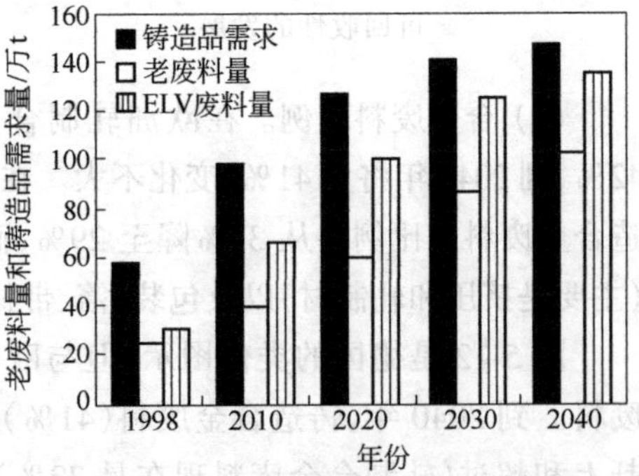

图 5-14　德国铸造合金的需求、老废料可回收性和 ELV 废料的比较

(5) 未来循环的潜力分析。为了预测未来铝的循环潜力,必须考虑到许多因素。图 5-15 是欧洲和德国未来本土消耗的铝可能的循环比例。

在德国,消费的铝约 46%可循环回收,考虑目前铝的进口及合金和半成品的出口情况,实际的铝循环量约为消费量的 37%。在 2010~2030 年间,循环量可能增至 47%~55%。欧洲的情况和德国类似,起点(44%)较低,但 10 年后将和德国接近。

在欧洲,目前金属消费和废铝供应量之间的差距大致是 400 万 t,到 2010 年大致是 600 万 t,2040 年是 900 万 t。在德国,1998 年这个差距大致是 80 万 t,到 2010 年将达 130 万 t,2040 年是 180 万 t。

图 5-16 中各种合金循环潜力大致与总的循环潜力类似,只有铸造合金的循环量在 2010 年之前呈下降趋势,从 48%降至 46%,铸造合金的应用主要是在汽车领域,预计这期间汽车领域的铸造合金的循环率将下降,但在以后将呈上升趋势。

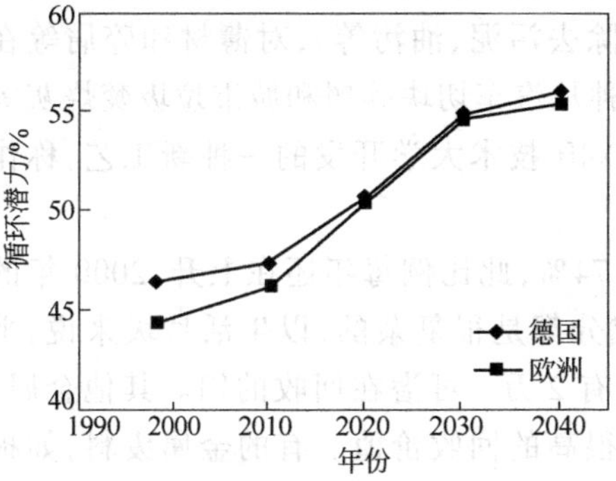

图 5-15 欧洲和德国将来消耗的铝可能的循环比例

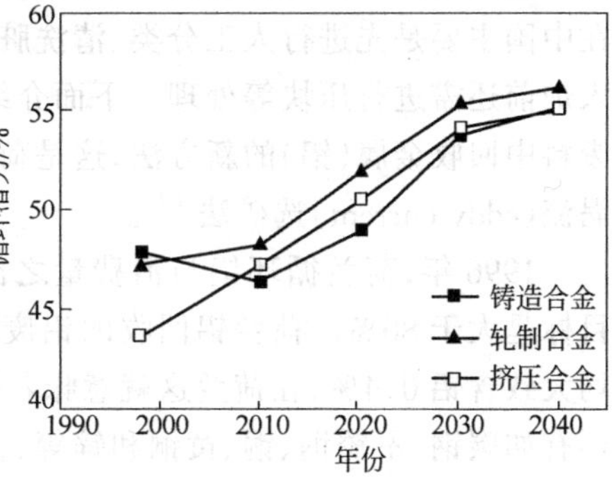

图 5-16 德国铸造、轧制和挤压合金的循环潜力

图 5-17 表明,德国的铸造合金 80%是以循环铝为原料生产的,即包括新、老废料,铝浮渣和其他返料,循环潜力也接近 80%。对于轧制和挤压材,目前的循环潜力大致分别为 26%和 21%,到 2040 年将分别上升至 44%和 41%。

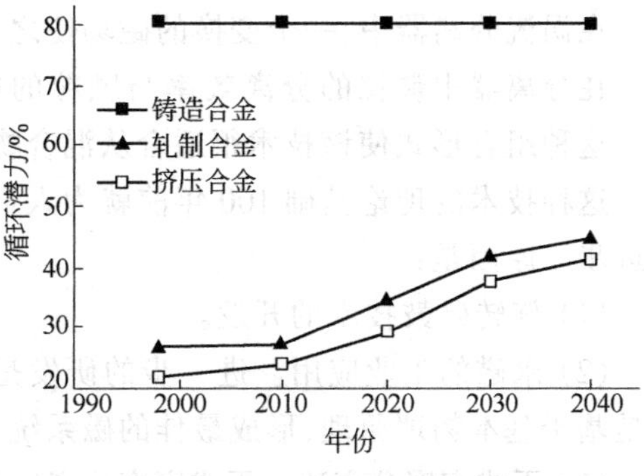

图 5-17 德国不同合金的循环潜力

5.2.1.3 日本废铝的回收

日本是一个资源缺乏的国家,也是世界上第一个订立了“促进建设循环社会基本法”的国家,政府采取了一系列支持发展循环经济的有力措施和政

策,所以资源节约和循环工作做得较早、较好。例如,日本的废易拉罐回收率约为80%,是世界上回收率最高的国家之一。由于资源缺乏和为了环境保护,日本全部关闭了在日本本土的原生铝电解厂,改为原铝的消费完全依靠进口,同时还进口部分二次铝原料。近10年来,年循环铝产量一直保持在115～125万t之间[66],约占铝消费量的30%。利用铝合金的下游产业如铸造业和汽车业,循环铝用量比例过半。2002年用于铸件或压铸件的总用铝约为150万t,其中循环铝约占75%。现在日本有循环铝企业120～130家,月产量多在100～1000 t之间。月产量3000 t以上的企业约十五六家,但其产量却占循环铝总量的70%以上。

5.2.2　废铝原料预处理

废铝原料预处理和铜的情况类似。对于包覆的铝电缆、电线类废铝,采用与铜电缆、电线类似的机械拆解;报废汽车中的铝通常是以铝合金部件的形式应用,在汽车拆解时大多是整件拆解下来;其他如建筑用铝、饮料罐等收集后,许多是混料,在中国主要是先进行人工分类、清洗脏物(除去污泥、油污等),对薄材和碎屑等在入炉前还需进行压块等处理。下面介绍一种从汽车切块碎屑和城市垃圾焚烧灰等废料中回收金属(铝)的新方法,这是荷兰Delft技术大学开发的一种新工艺,称作涡流(eddy current)选矿法[67]。

1996年,荷兰循环铝与消费量之比为74%,此比例每年还在上升,2000年的目标是大于80%。荷兰铝回收的铝废料成分都是很复杂的,以生活垃圾来说,平均大致含铝0.4%,在荷兰这就意味着每年有2万t可潜在回收的铝。其他金属,还有如碳钢、不锈钢、铜、黄铜和锌等,都有很高的回收价值。有的金属废料,如报废的建筑物和汽车,几乎完全可回收。

在(荷)Delft技术大学进行了大量垃圾分离技术的研究工作,许多方法已在VAN和VAGRON垃圾处理厂进行了工业试验,试验方法如下:

在涡流分离器中,一个变换的磁场使之在导体(如有色金属废料)中产生一种力。在分离器中颗粒的分离效率与颗粒的电导率 σ 成正比,而与它的密度 ρ 无关。这种组合形式使该技术很适合从混合物废料中回收铜和铝。

这种技术的理论基础100年前就为人们熟知,但在20世纪80年代才有显著的进步。原因是:

(1) 旋转磁鼓技术的开发。

(2) 永磁的工业应用。进一步的研发是产生新一代有色金属分离器,理论计算是基于基本物理原理,形成最佳的磁系统。

(3) 干式密度分离法。干式密度分离法是基于颗粒在细粒沸腾床中的不同运动状况,沸腾床介质可是砂子、硅酸锆或褐铁矿。介质的典型粒度为100～400 μm,给料粒度范围为10～50 μm,但更小的粒度也可处理。给料粒度应比介质粒度大,以便用筛分法分离。

细料沸腾床可看作是具有一定表观密度的重液介质,在沸腾床中给料粒子或上浮或下沉,例如轻金属(铝)上浮,重金属(铜)则下沉。通过一个分离器将金属分离。为防止沸腾介质黏结,所以必须是干燥床。物料通过沸腾床的时间大约为20 s,因此仅需短时间的外部干燥就行了。金属物料分离后通过一个小的鼓形筛以除去沸腾床介质,这部分介质再返回沸腾床。介质损失很少,可忽略不计。已研制了几种干密度分离器,包括直通式或旋转圆筒式。

(4) 图像分析。图像分析有两种可能的应用方式,即 1) 铸造和锻造合金分离;2)废料通过旋涡电流时的图像分析。

当有色金属物料用切碎机处理时,锻造和铸造合金就会表现出不同的外观,由于其易碎,铸造合金有更为尖锐的边缘,锻造合金则塑性较好,形状变化会使锻造合金粒子变得圆滑。当这些合金的混合体通过摄像镜头时,就可分辨出来并使之分离。

Delft 大学研制了一种磁选机和涡流分离器在线质量分析的传感器装置,该系统可使操作者进行黑色和有色金属产品回收率和品位的最佳化作业,并预测分离作业的效益。涡流分离器的主要优点是:这种新型磁鼓效率很高;铜和铝的分离和回收率都很好;回收的金属纯度较高;沸腾床分离器可使饮料盒与硬铝分离;3～4年可收回投资。

5.3 铝循环利用的生产技术和设备

与铜不同,循环铝的生产工艺和原生铝完全不同,所以循环铝原料通常都不回到原生铝冶炼厂去处理,而是单独建立循环铝生产厂。其次,循环铝的熔炼技术和设备比循环铜要简单些,基本工艺是个熔化过程,而且,几乎循环铝全部以铝合金形式产出。除熔化过程外,需按产品要求适当进行合金成分调配。回收来的废铝一般经过重熔炼或精炼,然后经铸造、压铸、轧制成循环铝产品。

循环铝及合金的生产一般采用火法,熔炼设备有坩埚炉、反射炉、竖炉、回转炉、电炉,选用何种工艺一般由原料性质、当地的能源结构(煤、电、油和气等)以及拥有的技术等来决定。废杂铝宜生产循环铝及合金;废杂灰料可生产硫酸铝、铝粉、碱式氯化铝;优质废铝可生产合金、铝线或铸件,炼制 Al-Si-Fe 复合脱氧剂;废飞机铝合金可直接重熔再生。

火法熔炼必须在熔剂覆盖层下进行,防止铝的氧化,还可起到除杂质的作用。常用的熔剂是氯化钠、氯化钾(1:1),再加 3%～5%的冰晶石。

5.3.1 循环铝及合金熔炼

中国循环铝及合金熔炼的原则流程如图 5-18 所示。

(1) 反射炉熔炼。这是国内外用得最广泛的工艺设备,世界 80%～90%的循

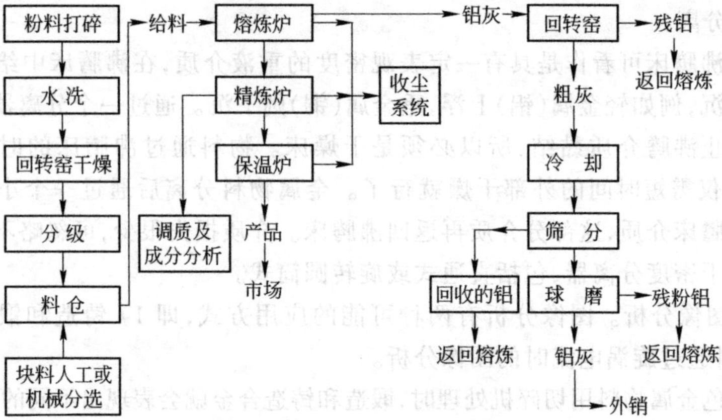

图 5-18　中国循环铝及合金熔炼原则流程

环铝是用反射炉熔炼的。反射炉适应性强，可处理各种铝废料。工业上有一(单)室、二室和三室炉。中国多采用单室，其主要缺点是热效率低(25%～30%)。

(2) 电炉。常用的有熔沟式有芯感应电炉和坩埚感应电炉，适宜处理铝屑，打包废料、饮料罐、铝箔等，多用于合金熔炼，热效率为 65%～70%。

(3) 回转炉。回转炉多用于处理打包的易拉罐和炉渣，以油或天然气加热。炉子和炉料是活动的，效率高。

(4) 竖炉。竖炉后一般再接一个平炉，竖炉熔化，平炉精炼。竖炉的优点是传热好，熔化速度快，能耗低；缺点是物料烧损大，只适宜处理块料。

目前中国生产的绝大多数为循环铝合金，其中大部分是生产车用铝合金，还有小部分生产炼钢用脱氧剂。日、美常用的压铸铝合金有 A380、ADC10 等，国内的主要牌号为 Y112。

熔炼设备主要是火焰反射炉，分单室(中国)或双室(国外)，容量一般为 10～50 t。燃料用油、煤、煤气或天然气，电价便宜时也可用工频电炉。

铝合金一般为多元合金，常含有硅、铜、锰，有的还含钛、铬、稀土等，合金元素的添加一般是将熔点较高或易氧化烧损的元素配制成熔点较低的中间合金使用，从而也使最终产出的成品铝合金成分更均匀。中间合金的种类很多，如 Al-(10%)Mn、Al-(10%)Mg、Al-(50%)Cu、Al-(5%)Ti、Al-(5%)Cr 等等。

车用循环铸造铝合金应用比例在不断增加，但对一些含铁、锌、铅等杂质较高的废铝，只能熔炼成炼钢脱氧剂铝锭。

熔炼过程中，经计算配比的炉料先过秤，分批加入预热炉中。一般是先加大块料，使炉内形成一定量的熔体，此时炉内温度不能过高。如原料中混有铁块，则将熔体中的铁块捞出后再加热升温。然后加薄片、碎料等，并将它们压入熔体中以减少氧化烧损。熔体表面通常会有一定量的渣，需加熔剂精炼以除气除渣。熔体加热到800～850℃时按熔炼的合金品种需要加中间合金块，中间合金块也要埋入熔体中，避免氧化烧损。中间合金块加入的另一作用是使熔体温度适当降低，充分搅拌熔体使成分均匀，取样化验合金成分合格后浇铸成锭。浇注温度一般控制为750℃左右。另外，也可以直接将合金浇铸成产品毛坯。

加入的熔剂量视渣量而定，熔剂成分一般为50% Na_3AlF_6、25% KCl、25% NaCl，有时也加入 $ZnCl_2$。

从混合炉渣中回收的铝一般含铁硅较高，有时当回收的废铝含铁超过1%、含锌超过2%时，这类铝通常用于熔炼成炼钢脱氧剂。

通常，铝渣灰含有一定的金属铝及三氧化二铝，经湿法浸出、过滤、浓缩、蒸发后可产出硫酸铝、氯化铝等化工产品，用于水净化、配制灭火剂、造纸工业用胶以及印染工业的媒染剂等。

5.3.2 循环铝及合金精炼

消费者从市场购买的循环铝制品，无论是金属锭还是合金，都可能在不同程度上含有一些杂质。这是因为循环铝和其他再生有色金属（如铜、铅、锌等）不同，其他二次有色金属原料部分可与原生料一起处理，或金属加工时通过电解或蒸馏法提纯后，产品质量与原生金属相差不多；循环铝的生产则与原生铝相差很远，这无疑使循环铝及其制品的质量受到较大影响。通常，循环铝及其制品生产过程中最容易出现的有害杂质有三种：氢、碱金属和非金属夹杂物。

(1) 氢。如图5-19所示[68]，液态铝可溶解大量氢，主要取决于温度。当铝从液态变为固态时，氢的溶解度几乎降至零。因此，溶解的氢是以气态脱去的，这就会导致固态产品的多孔性。孔径范围可从微米级到某些金属锭中明显的空洞，这种空洞在铸造或热加工的制品中可能会使产品的强度大大降低。这是一个众所周知的问题，人们已进行了许多研究来寻求除去溶解氢的方法。一种典型的脱气方法是浇铸之前脱气，或采用炉内，或在保温包内脱气（间断作业），或采用在线脱气装置（连续作业）。高的金属温度（典型的温度在800℃以上）和液相内的紊流作用对脱气不利。脱气和冷凝固化之间的时间间隔越长，产品氢含量就可能越高。对于以液态状运输的金属，可在装货前脱气，但氢含量会随保温时间延长而上升，此时应严格控制金属的温度，长距离运输时金属的过热也会

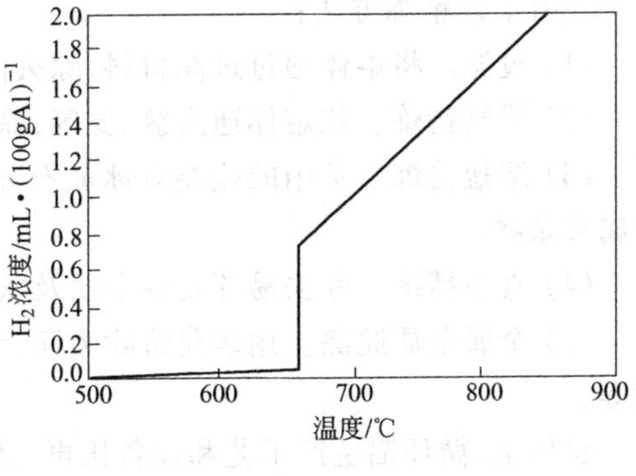

图5-19 氢在纯铝溶液中的溶解度

使金属的氢含量上升。应当指出,固化过程是一种有效的除氢办法,对于锭块需重熔时,用熔剂除氢不是好办法。

(2) 碱金属。熔融的铝可与某些碱金属混合物反应,使铝合金中溶解有碱金属。通常所谓的碱金属是指 Li、Na 和 K,有时还有 Ca。Hall-Heroult 电解将 Al_2O_3 还原成金属铝时 Na 也会同时析出。如不经处理,原生铝含 Na 要远远高于循环铝。有时 Hall-Heroult 电解还采用碳酸锂以提高电流效率,这样做的一个负面影响是会增加铝中的锂含量。无论是原生还是循环铝,杂质 Ca 都是个问题,用适当的盐(类)溶剂或气态溶剂可克服这一问题。碱金属的一般来源包括盐(类)溶剂、熔池耐火材料和(金属浇铸溜槽涂的)白垩。通过三种方式可避免碱金属进入铝中:

1) 从上述源头上避免碱金属进入。

2) 用气态溶剂(特别是含少量氯)处理熔融金属。

3) 用盐(类)溶剂脱除碱金属。

(3) 非金属夹杂物。非金属夹杂物一般是指金属中的固体颗粒或片的非金属物质,它们大多是金属氧化物,如氧化铝、氧化镁和铝－镁尖晶石等。非金属夹杂物引起的主要问题是会降低最终制品的强度,引起裂纹,降低加工性。其他夹杂物还包括石墨颗粒、铝的碳化物或氮化物颗粒、TiB_2 和盐类。从熔融铝中脱除非金属夹杂物的基本办法是基于两者之间的物理性质差异。无论是原生还是循环铝,上述所有杂质的脱除都必须在送用户以前完成。

还有下述精炼方法:

(1) 过滤。将熔体通过过滤材料,除去固体夹杂物。

(2) 通气精炼。往熔体通入氯、氮等,除去氧和氢。

(3) 熔盐精炼。常用的盐类有冰晶石和金属卤化物,以除去熔体中气体和非金属夹杂物。

(4) 真空精炼。除去易挥发性杂质及氢气等。

(5) 金属杂质脱除。用氧化法除去镁、锌、钙等,氮化或氯化法除去钠、锂、镁、钛等。

总体上,循环铝生产工艺和设备比再生铜简单。从设备上说,国外发达国家多采用双室反射炉熔炼,而国内目前是采用单室反射炉。

目前循环铝工业存在的主要问题是:重熔损失大,特别是用有油污的废料、轻量化的废铝罐和铝箔等原料时。重熔时为了防止铝的氧化,通常加入熔盐(NaCl、KCl 等),这不仅增加了生产成本,而且对环境也不利。一般循环铝质量比原铝低。

5.3.3 中国循环铝生产技术与国外先进水平的差距

中国循环铝生产技术与国外先进水平的差距主要表现在[57]:

(1) 欧、美一些发达国家建立了完整的废铝回收体系,按不同质量进行回收、分离和仓储,设立专门的废铝回收站;国内的回收市场则很混乱。

(2) 发达国家政府对循环铝行业建立了严格的环境标准监督机制。如欧洲标准中排放的烟气烟尘含量不得超过 10 mg/m^3,排放的废水中有害物总量必须低于 10×10^{-4}%。循环铝厂必须有完善的环保措施,如废热利用设施、除尘系统、渣和废水处理系统等。

(3) 先进和完善的预处理技术,对提高循环铝的产品质量有很大关系。除按分类打包外,要对含有油污、水、铁等杂物的废铝进行切屑、干燥、净化除杂、分选等处理;而我国的企业预处理不尽完善。

(4) 在生产技术上,国外普遍采用的是高效节能的双(多)室反射炉、侧井反射炉、处理铝灰的倾斜式转炉(热效率达 90%),类似 LARS 技术的除杂、除气净化装置,现代化自动控制的铸造结晶技术,高效燃烧技术等;我国循环铝的生产技术差距还较大,到 2005 年底,我国的循环铝企业采用的是单室反射炉进行再生铝及合金的熔炼,能耗高、金属回收率低。特别是小冶炼的燃烧效率仅为 25%~30%,环境污染严重。中国已是世界铝饮料罐的第一消费大国,废旧铝饮料罐的回收率也可能很高,可回收的铝饮料罐是与其他废铝资源一起混炼,资源利用率低,造成大部分铝饮料罐生产用铝材仍依赖进口;发达国家是将废旧铝饮料罐单独处理成铝饮料罐生产用铝材。

(5) 国外少数企业在循环铝的生产中通过采用了深度净化技术,能产出高强度、大规格、大板锭和直径在 1080 mm 的圆锭,以满足航空航天、军事领域需求的高级铝合金等产品;我国尚无这类产品。

5.4 铝循环利用的生产实例

5.4.1 中国循环铝产业

2004 年,中国的循环铝产量约为 166 万 t,仅次于美国(约为 300 万 t),居世界第二位。

总体讲,中国循环铝的生产技术和装备水平还比较落后。但大、中型熔炼企业的生产技术和装备水平已有了较大改观,环保设施也较齐备,这类企业占中国循环铝总量的三分之二以上。如上海市的新格有色金属有限公司、华德铝业有限公司,永康的万泰铝业有限公司、力士达铝业有限公司,安新县的立中集团有限公司等等。

(1) 上海新格有色金属有限公司是中国最大的循环铝企业,扩建后的生产能力约为 30 万 t/a,产品 85%以上用于出口。有 45 t 级反射炉 6 套,25 t 级反射炉 1 套,10 t 级反射炉 1 套(用来生产特殊牌号的铝合金),5 t 级反射炉 1 套用来生产锌合金,有 10 套回转炉用于处理铝灰,所以冶炼和加工设备都匹配了较完善的环保设施。扩建后该企业已是亚洲最大循环铝生产企业。

新格有色金属有限公司具备较先进的理化检测手段，拥有日本岛津公司 VM-514S 型分光光谱仪 1 台，德国 SpectrolabM-5 型分光光谱仪 1 台，美国 BairdFSQ 型分光光谱仪 1 台，岛津公司 UMH-10 型万能拉伸试验机 1 台，OlympusBH 型金相显微镜 1 台，日本 Flux Nikkin 真空气泡试验机 1 台。

该公司循环铝生产原则流程如图 5-20 所示[69]。

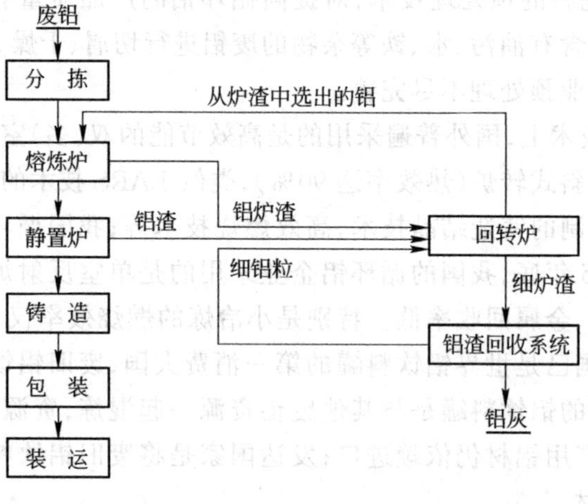

图 5-20　新格有色金属有限公司循环铝生产流程

(2) 永康市力士达铝业股份有限公司[69]下属两个工厂，一个在浙江省永康市，另一个在乌鲁木齐市，除生产循环铝锭外，还生产挤压用的圆锭与铝型材。循环铝锭约有 15% 出口，其余的主要供应易初、轻骑、大长江（广东）摩托车公司的配套铝合金零件厂。乌鲁木齐力士达铝业公司有 10 t 燃油熔炼－静置炉 1 组、5 t 熔炼－静置炉 2 组，生产能力为 2 万 t/a，专门处理从哈萨克斯坦等国家进口的废铝。

该公司 1985 年成立，现在已发展成永康市最大的铝合金锭、部件和铝合金型材企业之一。原料主要靠进口，铝合金锭能力约为 20000 t/a，铝合金型材产能约为 25000 t/a。为了保证产品质量，满足顾客的需求，企业非常重视生产装备技术水平和人员素质的不断提高，先后从国外引进了一些先进的技术装备和生产线，现在已建立了铝棒的保温帽浇铸、铝锭连铸生产线，从中国台湾、日本等地引进了 9 条挤压型材生产线、（型材）自动阳极氧化生产线，有两台 15 t 的熔炼反射炉，一台保温炉，铝棒用的两台 10 t 反射炉，以及最近投产的从美国引进的回转熔炼炉（处理铝灰用）等各种设备在 50 台（套）以上，将来还打算用 1000 多万元（RMB）从德国引进一套双室反射炉（主要是节能和提高熔炼时铝的回收率）。1998 年起建立了局域网络，实现了计算机网络化管理，2001 年通过 ISO9001 认证。现在，该公司的铝灰处理可一直到产出含铝 2% 的铝灰，大大提高了铝灰中铝的回收率。

5.4.2 日本循环铝产业

5.4.2.1 概况

循环铝生产原料中旧废料约占56%，循环铝合金锭占15%，循环铝锭和低品位新废铝锭为21%，其余为从铝灰中回收的铝[70]；主要产品为铸造用的合金锭和压铸合金，约占总产量的75%，循环铝锭占10%，挤压坯占5%。下游产业(用户)主要是压铸件生产业和汽车行业，用量在50%以上，铸造业约占25%，用于生产各种加工铝材的部分不超过15%。这些产品主要是用于汽车配件的生产。图5-21和图5-22分别为日本近期的汽车生产和轿车用铝情况[66,70]。

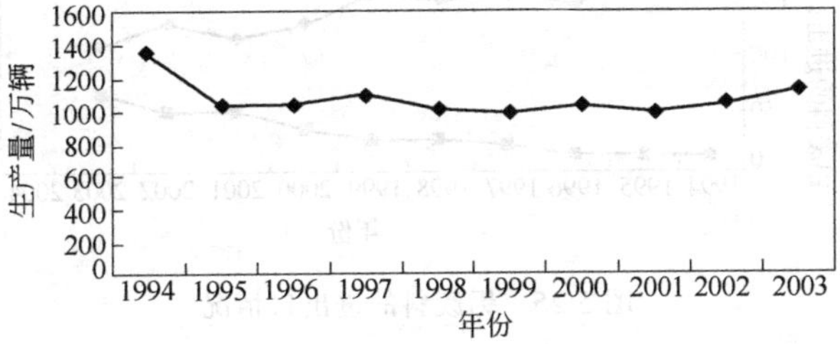

图5-21 日本汽车的生产

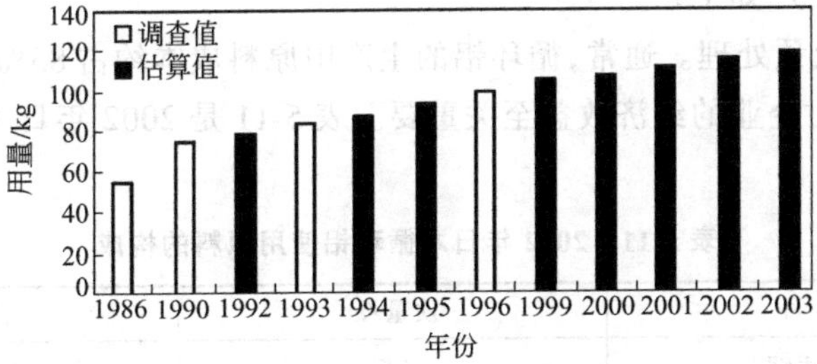

图5-22 每辆轿车铝的用量

5.4.2.2 循环铝原料

图5-23表示日本铝的新废料产生量及废铝回收量，图5-24表示估算的铝废料产生量，图5-25表示铝废料的进出口情况。

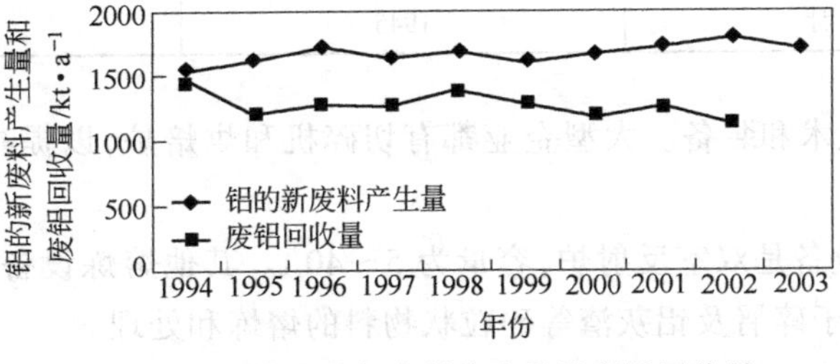

图5-23 日本铝的新废料产生量及废铝回收量

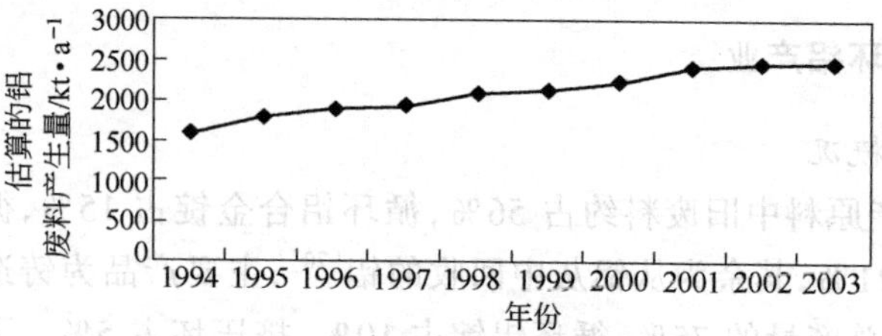

图 5-24　估算的铝废料产生量

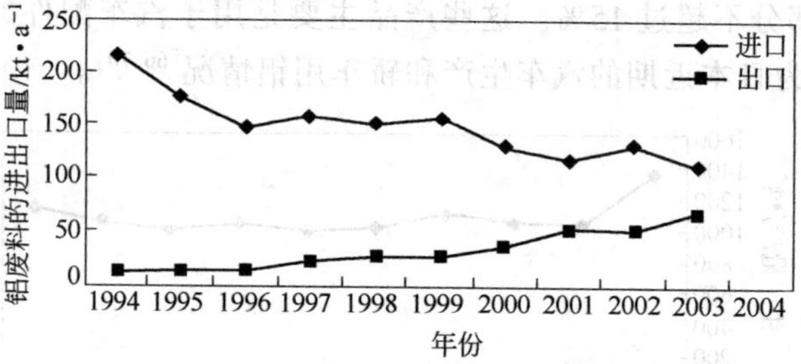

图 5-25　铝废料的进出口情况

5.4.2.3　循环铝的生产

循环铝的生产如下：

(1) 原料及预处理。通常，循环铝的生产中原料成本约占 85%，所以获取到价廉物美的原料对企业的经济效益至关重要。表 5-11 是 2002 年日本循环铝生产原料的构成。

表 5-11　2002 年日本循环铝使用原料的构成

项　　目	质量/kt	比例/%
原铝锭、循环铝锭	407	20.9
再生铝合金锭	273	14.0
废铝及主要含铝废料	1098	56.5
铝灰	155	8.0
含铜的废料	12	0.6
合　　计	1945	100.0

(2) 熔炼技术和装备。大型企业都有切碎机和烘焙炉，以提高入炉原料的品位和保护环境。

主要熔炼设备是双室反射炉，容量为 5～40 t。其他熔炼设备有回转炉、低频感应炉，主要用于碎屑及铝灰渣等碎粒状物料的熔炼和处理。

(3) 环境保护。烘焙炉和熔炼炉都装有布袋收尘、烟气洗涤和二恶英处理。

日本法规规定所有企业都必须装配二恶英处理装置；

对于采用通氯法来脱出铝液中的镁时，烟气必须用洗涤法除去氯化氢。

(4) 生产成本。大企业的平均成本结构大致如下：

1) 原料费为85%～90%(废铝、铝锭、金属硅)。

2) 能源及添加剂成本为3%～5%(燃料、电力、添加剂、母合金等)。

3) 其他为7%～10%(劳务费、设备折旧)。

成本中原料所占比例很高，表明这个行业附加值低；熔炼、废料质量的鉴定等均需熟练工，难以大幅度削减劳务费；为降低原料费，过多使用低级原料，又导致环境污染，增加治污设备又需增加资金；循环铝企业大多数毛利率仅为3%左右，企业投资积极性不高。

5.4.2.4 铝灰及废弃物处置

铝灰是循环铝熔炼过程必然要产出的中间产物，处理得好坏将直接影响到行业的经济效益。刚出炉的铝灰含铝65%～85%，它的产量约占熔融铝的约15%。

(1) 铝灰。从铝灰中回收铝是循环铝行业的重要课题，影响到金属的回收率和生产成本。一个月产量3000 t的循环铝企业，铝灰产量450多吨，铝灰中铝回收率为45%或70%，将相差112 t铝，相当于企业的毛利润。要达到70%的铝回收率，技术上还有困难。含铝大于30%灰渣作为炼钢的辅料正好可有效地利用。现在大部分企业都避免过分回收铝，有意地将含铝约40%的灰渣卖给灰渣处理企业或生产炼钢辅料的企业。日本在处理铝灰渣时多采用搅拌式铝回收装置，把高温的铝灰渣放入半球形的容器，加添加剂搅拌，使铝分离后沉在底部再从底部流出。这种装置构造简单，铝回收率达40%～60%，但操作时会产生大量粉尘，必须安装除尘装置。在回收时维持高温，铝的损失也大。

日本的铝灰处理问题专家南波正敏先生认为，近年来中国开发出了压榨式铝灰渣处理装置，又称铝灰压榨机，它改进了搅拌式铝灰处理法的缺点，可以达到较高的铝回收率，能耗也少，经济上有优势。以铝灰月产量100 t的企业为例，将搅拌法处理铝灰和压榨法进行比较，搅拌法的铝回收率为45%～50%，而压榨法可达55%～60%，甚至有时可达70%。此外，日本正在研究回收铝灰含的液态铝后残铝灰进一步利用的技术，如用来生产某些化工原料、研磨剂，或将剩余的氮化铝分解后用作建筑材料、炼钢脱氧剂等。

(2) 烟尘。熔炼产生的烟尘、粉尘，含有铅、镉、砷、铬等有害重金属，二恶英亦可能超过规定值，需将其列为特别管理型废弃物，处理费用负担颇重。日本对烟尘、粉尘的处理探讨了几种方法。一种方法是用连续式回转焚烧炉，在800℃的高温下处理，已进入工业实用性阶段；另一种方法是将重金属无害化处理剂、界面活性剂、水泥等与之混合，使之成型为建筑材料。这种方法比送到隔断式填埋场填埋成本低，预计今后将得到推广。

(3) 二恶英(dioxins)问题。对二恶英,日本制定的行业排放上限为总计 11.8 g/a,这是一个非常严格、难以达到的标准。现在适用于循环铝炉子的二恶英排放标准(标态)为:现有设备 5 ng/m³, 新增设备 1 ng/m³。部分经营不善的企业难以达到这个标准。

5.4.2.5　今后的可能发展

日本的汽车行业企业界正在考虑将汽车产业迁往国外,由于汽车制造是循环铝的主要用户,如果日本本土的汽车生产今后维持现有水平,今后日本循环铝的产业不会有大的发展。但是,从汽车节能考虑,今后汽车用铝比例还会上升,从而使循环铝的消费还有一定上升空间。

5.4.3　德国宏泰铝业设备公司的循环铝多室熔炼炉技术和设备

5.4.3.1　概论

德国宏泰铝业设备公司属于奥拓容克集团,是专业设计和生产铝熔炼和加工设备的公司,它的技术和设备已在世界许多国家和地区被应用[71]。

现代最新多室熔炼炉作为灵活的设备用于铝工业来熔化各种固态铝,包括被污染的铝和铝锭。废铝来源于不同形式,污染程度各不相同。侧井炉用于工业上已有很长时间,在美国应用很普遍,现在,世界各地都有企业使用。图 5-26 是多室熔炼炉的示意图[72]。

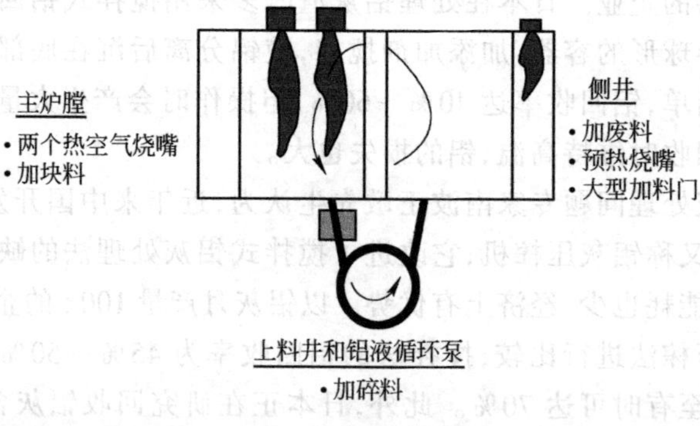

图 5-26　多室炉示意图

传统的侧井炉允许同时熔炼铝锭和各种废铝,这种炉子的发展主要是为了减少熔炼薄型废铝时的金属损失。

铝锭和其他清洁的厚材在炉膛里熔炼。侧井炉安装了烧嘴,为熔炼过程输入热量。废铝在侧井炉中熔化并且潜没于铝液中,不直接接触火焰。

直接火焰加热薄型的清洁废铝可能导致金属损失 25% ~30%或者更多。潜没熔炼可以使损失减少到小于 2%。传统侧井炉的上料可以通过叉车、铲车等完成。炉子有一个相对封闭的侧井,侧井一是为了降低热辐射,提高炉子热效率,二是燃烧废铝中可能存在油污。

炉膛和侧井之间的热交换通过自然对流,炉膛和侧井间的墙是个“幕墙”,一直延伸到铝水里。炉膛和侧井间有连通口,宽度与炉子宽度相等。应当指出的是,没有强制铝液循环的炉子的熔化速度相对较低,强制铝液循环可防止熔池表面过热从而减少金属的损失。从铝的熔炼过程温度分析可看出,温度超过 770℃ 时铝渣形成加速,因此要尽量使铝液温度低于此值。

为了提高这种炉子的熔化速度,用机械式铝液泵使铝液在炉膛和侧井之间循环。视泵的能力大小,每小时铝液循环量可达 30～300 t。循环泵可使炉子的熔化速度提高 25%以上。

铝液循环除提高了熔化速度外,还可降低过程能耗,减少铝渣形成,使熔池中铝液温度均匀,使铝合金更均质化。

侧井炉对污染的铝屑的重熔也起到很重要的作用。污染的铝屑直接加到铝液中熔化往往导致较大的金属损失,而先在侧井中处理则可缓解这个问题。

5.4.3.2 侧井炉的革新

侧井炉的一个重大革新是给炉子添加封闭上料系统,上料时烟尘不外逸,德国 Grevenbroich 的 VAW 厂建于 1991 年,按这种新概念建造了熔炼炉。该炉配备封闭式上料系统,利用炉子产生的废气对炉料进行干燥及预热。该炉利用新系统将侧井烟气输送到主炉膛,含油污的废铝在侧井燃烧产生热量被烟气带入主炉膛,从而节省了熔炼作业燃料。

在这些经验基础上,宏泰公司为比利时 Duffel 的 Corus 铝厂设计并建成了环保熔炼炉。该炉增加了先进的侧井设计,有一套专门的废铝油污焚烧系统,特别开发了废铝油污焚烧烟气循环风扇和一套 PLC 及 SCADA 控制系统。

侧井加了一个延长的干燥斜坡,在斜坡上加废铝;而热的气体从热氧化室下部再返回侧井,在斜坡上对废铝预热和脱除涂层。

废铝通过斜坡由下一批料推进铝水中,自动上料机靠在炉子上完全密封与周围环境隔开,然后通向侧井的门打开,上料机进入侧井,把已经在斜坡上的料推进铝液中,同时将下一批料安置在斜坡上。

所有的焚烧烟气都通过热氧化室,在需要的温度下和时间内进行处理,保证所有的可燃气体充分燃烧,当废铝中含有氯化合物可能产生二恶英有害物时,这样做特别重要。

氧气控制装置调整二次空气加入量,保证烟气里的污染物充分燃烧,同时保持热氧化室出口氧气含量尽量接近于理想比值,保证金属损失最小。因此,此时需要热气体再循环风扇。由于考察市场上的各种风扇均不能满足要求,所以 Thermcon 公司开发了一种专用风扇,并已证明其可靠性高,使用寿命超过 5 年。该环保熔炼炉由于能净化空气,大大改善了环境条件。表 5-12 是收尘前后的效果对比。

表 5-12 环保熔炼炉的典型逸散量(标态)

成　分	收 尘 前	收 尘 后
NO_x	400 mg/m^3	200 mg/m^3
CO	100 mg/m^3	100 mg/m^3
烟尘	40 mg/m^3	1 mg/m^3
HCl	30 mg/m^3	1 mg/m^3
HF	5 mg/m^3	0.1 mg/m^3
二恶英	0.1 ng/m^3	0.01 ng/m^3

5.4.3.3 多室炉的结构

除炉子本身外,还有氧气烧嘴、交流换热器以及布袋收尘器等辅助设施。采用氧气可减少烟气量。以下介绍多室炉的各种结构,如图 5-27 所示,有各种选择可以满足不同生产需要。

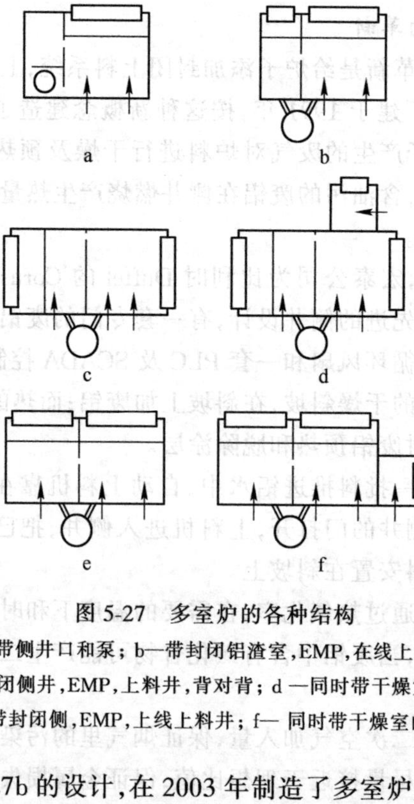

图 5-27 多室炉的各种结构

a—带侧井口和泵; b—带封闭铝渣室,EMP,在线上料井;
c—带封闭侧井,EMP,上料井,背对背; d —同时带干燥室的炉子;
e—带封闭侧,EMP,上线上料井; f— 同时带干燥室的炉子

该公司根据图 5-27b 的设计,在 2003 年制造了多室炉并在法国 Pechiney 公司薄板连铸设备厂投产。

多室炉典型尺寸如表 5-13 所示,不同的设计可以达到不同的熔炼效率和处理量。

表 5-13 多室炉典型尺寸、熔化率及容量

熔化率 /$t \cdot h^{-1}$	主炉膛区 /m^2	侧井 /m^2	侧井门长 /mm	侧井内长 /mm	主炉膛门长 /mm	主炉膛内部长 /mm	炉料 /t	残料 /t
2.5	10	8	3000	2800	3600	2800	18	10
5	20	16	4000	4200	4800	4200	36	20
7.5	30	24	5000	5000	6000	5000	60	30
10	40	32	6000	5600	7200	5600	80	40

5.4.3.4 多室炉控制系统

多室炉控制系统较复杂，专门的 PLC 软件自动控制系统可保证炉子自动控制作业时间、温度、氧气含量等各种参数。开发的 SCADA 视频使操作者和监测者能详细看到设定值和炉子实际数据，同时提供足够的数据存储功能。

5.4.3.5 环境状况

炉子的加料系统是全封闭式的，从而保持了车间作业区的空气清洁，劳动条件大大改善。表 5-14 是环保部门对现场实测的典型数据。

表 5-14 环保现场检测值

排 放 物	法定限度 /$mg \cdot m^{-3}$	实测值 /$mg \cdot m^{-3}$
颗粒物	5	1.5
氯化物	30	2.5
氟化物	5	1.3
NO_x	400	252
CO	60	13
有机物	50	7.4
dioxin/furans	0.1	0.01

宏泰铝业设备公司认为，多室炉的主要优点有：

(1) 废铝的污染物(涂料、油污等)可在炉内燃烧，不仅不污染环境，还可节省部分能源。

(2) 加料过程封闭，加料机与炉门紧密结合，作业现场环境条件好。

(3) 废铝在侧井中的熔化过程是废料在侧井炉的斜坡上被加热，料中的污染物氧化燃烧。当下一批炉料被加料机推上斜坡时，将已被预热的炉料推入侧井的铝水中，在液面下逐渐熔化，所以废铝是被液铝熔化的，而非燃料燃烧加热熔化，从而大大降低了金属的烧损率(约 2%)，提高了金属回收率。

(4) 工艺能耗仅相当于电解铝的约 5%。

(5) 由铝液循环泵使主炉膛中的铝水和侧井炉中的铝水循环，不仅为侧井炉

中的废铝的熔化不断提供了热量，而且铝水的成分更均匀，铝水质量易达到浇铸板坯、挤压坯、压铸铝件等各种用途需要。

5.4.4　废铝在回转炉熔融盐和金属熔池中熔炼过程的模型研究

5.4.4.1　概述

循环是当今铝工业中非常重要的一环，既可以产生明显的经济效益，又能节约资源、改善环境。在欧洲，二次铝资源的回收处理一般是在回转炉中进行，废铝经燃烧天然气加热、熔化，最终在盐渣层覆盖下精炼。盐渣层覆盖在熔池表面，这对于能量和盐的消耗、金属回收率以及环境保护而言都很重要。

近年来，关于金属铝（或废铝）中的热传递研究、废铝熔炼过程的模型研究、过程热及物料平衡计算研究等已有许多报道[73,74]。随着计算技能的增强和更多先进的物理模型的建立，计算流体动力学（computational fluid dynamics，CFD）应用的研究正不断加强。CFD作为一种研究手段，广泛应用于冶金反应器中复杂传输现象的模拟，进而可以改良反应器的设计并优化工业过程的操作。

采用回转炉处理二次铝资源时（如图5-28所示），由于炉体旋转以及盐渣覆盖层和废铝原料的成分都很复杂，因此，炉中状况远比其他炉型（如反射炉）复杂得多，而且基本的物料及能量平衡计算、静态热传递模型以及一维或二维熔炼模型有时无法全面地模拟和优化废铝熔炼过程。

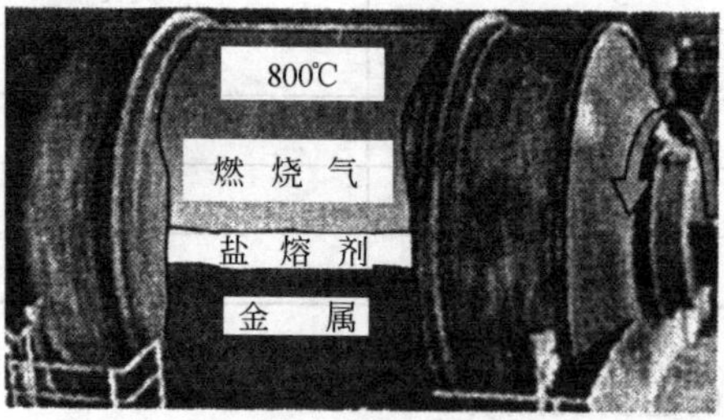

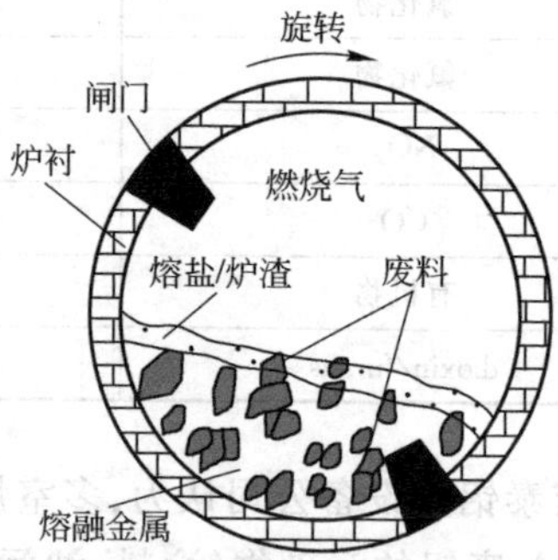

图5-28　旋转熔炼炉及内部构造示意图

对回转炉熔炼废铝的研究，实验室阶段所做的工作包括了以下几方面：

（1）废铝熔炼过程动力学研究。采用热重分析（thermal gravity analysis，TGA）法研究并测定了废铝在熔盐和铝液熔池中的熔炼速率。

（2）盐壳形成及再熔的动力学研究。盐层在废铝熔炼过程中起着非常重要的作用。

（3）铝颗粒熔炼过程及盐壳形成/再熔的数学模型研究。研究了颗粒尺寸、盐层性质、熔炼温度、金属在盐层的滞留时间、颗粒的预热程度等因素对熔炼速率的影响。

(4) 废铝熔炼的子模型和过程模型的研究。将废铝熔炼的试验研究和数值模拟结果应用于子模型和过程模型的建立,以优化废铝熔炼效率、降低能量和盐消耗、减少能量/金属/盐的损失,优化炉的操作并减少其对环境的影响。在熔炼子模型中已考虑了废料的分布性质(如粒径)的影响。

当前研究的焦点是回转炉中液态铝和废铝的行为以及废铝性质(如粒度分布)的影响。

5.4.4.2 回转炉熔炼的过程模型

A 过程模型的结构

基于CFD结构采用CFD软件包ANSYS-CFX5建立了过程模型。应用该程序对浮力作用下的紊流、燃烧和辐射时的热传递以及流体与固体之间的热传递等进行了模拟。

基于前人所建的废铝熔炼模型和热传递理论以及试验观测结果,建立了一个用于废铝熔炼的子模型,该模型借助CEL语言(CFX expression language)和ANSYS-CFX 5[75]提供的FORTRAN界面与CFD结构相结合。该熔炼子模型可提供废料熔炼过程模型的相关信息,如由于相改变所致的热耗、废料/盐区域中的液体及固体量和废铝粒径分布的校正值。此外,CFD模拟还提供了子模型的流体及温度的相关信息,这些都是熔炼过程中的关键因素。

为获得建立过程模型所需的必要信息和数据,进行了工业测试及观测。由此获得了相关的数据资料,如回转炉的工作周期、质量及热流、参与反应的物质性质以及温度测定值等,将这些数据整合并应用于物料及能量平衡模型、熔炼子模型和过程模型的建立。部分数据可用于确定过程模型的边界条件,部分数据还可用于验证模型的模拟结果。

B 几何图形及边界条件

回转炉中进行的熔炼过程可视为由三个子过程组成,即废料加热、废料熔化以及熔体加热。当前研究的重点在于前两个子过程,即废料加热和熔化。图5-29所示为回转炉模型的几何图形及一些边界条件。为简化问题,该模型并未考虑炉衬和烟气沉降室。回转炉炉体长6.9 m,直径3.0 m。由图5-29可见,天然气和氧气在炉腔上部燃烧,而废料则位于炉腔下部并在一盐层保护下熔化和精炼。在熔炼的初始阶段,废料和盐是互相混合的,而且在熔炼过程中,废料/盐区也都被视为一个热导体,即废料和盐的固体混合物。借助熔炼子模型并通过其与CFD模拟所进行的信息交流可以控制废料熔炼过程中的相的变化。

在该模型中,燃烧器被设置在入口处,这样简化处理的目的是为了缩短计算时间。采用CEL确定入口气体的速度、温度及流量,而在出口处设置了气体压力的边界条件。

炉墙体的热边界条件确定为一固定温度。一方面,内墙温度随火焰的位置不

图 5-29 炉子工艺模型的几何图形及边界条件

同而变化,通常在炉体中部的墙温较高;另一方面,由于受炉子旋转的影响以及冷废料带来的冷却效应,温度也会随角度的变化而变化,如炉体底侧的墙温较高。此外,温度还会随着加热阶段的燃烧时间延长而升高。因此,墙体的每个点的温度边界条件的设定均取决于该点所在位置和燃烧时间,即为位置和燃烧时间的函数。该函数是在对实际运行中的回转炉外墙温度的测定、回转炉加热模拟以及对固体废料冷却效应的估算等基础上采用近似方法予以确定的。

该模型未考虑固体废料熔化之后的液流问题,液铝被假定为处于滞流状态。此外,炉体的旋转以及固定在墙体上的桨叶等因素也未完全考虑进模型中,上述因素对废料加热的影响可通过墙体温度的分布来表征,而且通过废料/盐固体区的热导率这一变量可以评估上述因素对热传递的增强作用。

C 模型参数和主要假设

假设废料/盐区中废料与盐充分混合,而且对于固体区中每一个单元而言,混合物料具有均一的热力学性质,如密度、熔点、热容、潜热和热导率等。上述热力学参数可基于混合物中废料/盐的含量及相态加以确定。模型中的有效密度的计算依据是固体废料和盐的密度,而且忽略了废料处理过程中的热膨胀效应并假设密度值不变。该模型设定混合物的熔点为660℃,即金属铝的熔点,由此可见,模型忽略了合金、盐及混染的影响。有效热导率受废料/盐区空隙率的影响。一方面,该区的传热不仅是固体介质之间的有效热传递过程,而且由于热气会经过固体颗粒间的孔隙流动,所以也是对流热传导的过程;另一方面,该区的传热还受固体间导热性的影响。而这些都取决于压缩物料的孔隙率,因此可以将上述两方面的影响合并成一个参数,即孔隙率,用以表征热气对流传热和颗粒导热程度的影响。废料/盐区的孔隙率越小,则热传递越有效而且对流传热作用越小。此外,炉体的回转也将增强废料/盐区的传热过程,其对热导率的影响可以用回转窑的某些参数加以表征。

废料/盐区内的有效热导率(λ_{eff})的计算如下式:

$$\lambda_{eff} = C_{void} C_{rot} \lambda_{mix} \tag{5-1}$$

式中,λ_{mix}为混合物的热导率,按金属和盐所占比例及相态来计算;C_{rot}为旋转系数($C_{rot} > 1$),该值取决于炉体回转速度和回转炉的尺寸,在该模型中 C_{rot} 取值为1.3;C_{void}为综合孔隙系数,该值受回转炉的结构及其操作、气体流动及物料性质等的影响，Y. Wu 等人[74]曾在相关研究中将 C_{void}取值为 5.0，在该模型中 C_{void}也取为 5.0。在废料熔化的实际过程中，C_{rot}和 C_{void}的值会随废料/盐区中液固比而变化，但该模型未对此加以考虑。而且，上述参数取值都仅仅是近似的估计值，其取值的准确率与精确度在将来的研究中还有待于进一步提高。

废料/盐区的传热还将受到液体重力、对流及熔融盐数量的影响。例如，熔体会填补废料/盐区较低部位的孔隙，而熔融盐和金属则由于密度差异而彼此分离。该模型未考虑上述影响。此外，该模型也未对熔体的固结过程进行模拟。在将来的研究中可以给废料/盐区的有效热导率增加一个调整系数，以此表征熔体固结作用的影响。

D　过程模型

a　紊流模型

位于炉腔上部的燃烧气体的流动属紊流，其速度在 0.0～150.0 m/s 范围内变化。天然气燃烧以及燃烧产生的热量向固相的传导都与气流及其紊流性质密切相关。k-ε 模型是一种被广泛使用的模型，其中，k 为紊流动能，其值随速度波动而变化；ε 为紊态涡流耗散速率。

b　燃烧模型

在过程模型及燃烧模型研究中采用了涡流损耗模型，燃烧模型为全结构化燃烧器模型。涡流损耗模型广泛应用于工业火焰的模拟中，该模型是基于这样一个概念而建立的，即相对于流动过程中的传质而言，化学反应的速度更快。当反应物以分子级水平进行混合时，产物会迅速形成。该模型假设反应速率与反应物以分子级水平混合时所需的时间成正比，而混合时间又取决于涡流性质（如紊流动能 k 及其损耗速率 ε），因此，反应速率（rate）与紊流动能 k 及其损耗速率 ε 之间关系见式 5-2。在许多工业燃烧过程中，反应速率比反应物混合速率快，过程受反应控制的理论都是适用的。

$$\text{rate} \propto \frac{\varepsilon}{k} \tag{5-2}$$

c　辐射模型

对于热量传导至废料/盐区以及炉墙而言，辐射的影响很大。通过辐射模型可以求解热辐射传导方程以获得能量方程所需的源项（S）等信息。P1 辐射模型为辐射传导方程的简化形式，该模型假设辐射为各向同性或辐射强度在一给定区域空间内不受方向因素的影响。P1 模型适用于光学厚度（optical thickness）大于 1 的情况，而在回转炉熔炼废铝过程中，光学厚度的估计值为 1.8，因此，对于回转炉熔炼废铝研究，P1 模型是适用的热辐射模型。除 P1 模型外，其他的辐射模型还有非连续传导模型、Monte Carlo 模型等，这些模型在新版本的 ANSYS-CFX 5.6 软件中有所应用。

d　浮力模型

在浮力计算中,密度是压力、温度或其他变量的函数,采用全浮力模型进行浮力计算。浮力的源项为局域密度波动的函数,方程如下:

$$S_{\mathrm{M}}=(\rho_{\mathrm{g}}-\rho_{\mathrm{ref}})g \tag{5-3}$$

式中,S_{M}为由浮力作用所得的动量源项;ρ_{g}为气体混合物的密度;ρ_{ref}为参比密度;g为重力加速度。根据理想气体状态方程可知,气体密度随温度显著变化,因此,浮力的变化与温度关系很大。

e　用户开发的子模型

当部分固体温度升至铝废料的熔点时,熔炼子模型便依据CFD模拟的结果和废料及其附近物料的性质开始计算熔炼速度。该熔炼子模型是依据单一颗粒在熔体中熔化过程的模型进行简化处理得来。对于多粒度分布的颗粒体系,可根据粒径的不同将废料分组,并假设废料/盐区每一单元都具有相同的初始粒径分布。子模型在处理每一组物料时,方法与单个颗粒情况相同,并对废料/盐区的每一单元的熔炼速率进行计算。

由于金属铝的热导率很高,所以颗粒间的温度差异可忽略不计。因此,由环境传递给颗粒的热量可视为完全用于固体金属的熔化。在环境与固体界面建立的热平衡可用下式表示:

$$\frac{\rho_{\mathrm{p}}A\mathrm{d}R}{\mathrm{d}t}\Delta H=-hA(T_{\mathrm{f}}-T_{\mathrm{mp}}) \tag{5-4}$$

式中,ρ_{p}为颗粒的密度;A为颗粒的表面积;T_{mp}为固体的熔点;T_{f}为环境温度,该值由CFD计算得到;ΔH为固体熔化潜热;h为颗粒附近的传热系数,该值取决于颗粒粒径、流体流动条件以及流体性质。而颗粒的粒径变化可由下式计算:

$$\mathrm{d}R=-\frac{h(T_{\mathrm{f}}-T_{\mathrm{mp}})}{\rho_{\mathrm{p}}\Delta H}\mathrm{d}t \tag{5-5}$$

由此可获得废料/盐区各单元内的每组物料的颗粒粒径以及不同时间各单元内熔化颗粒的总量,而且还可以获得由于相变化而导致的各单元的热耗,该热耗值可作为能量源项返回CFD,并影响废料/盐区的温度分布和由燃烧气体或炉墙向废料/盐区进行的热传导。

5.4.5　EMP系统——高效铝液泵循环装置

英国EMP技术公司于20世纪90年代开发的电磁泵循环系统(Electromagnetic Pumping System,EMP系统),由于具有诸多的优点,已在二次铝资源熔炼中获得日益广泛的应用,取得了很好的经济效益。该泵的主要优点如下[76]:

(1) 电磁泵无运动零件,使用寿命长。生产实践证明,泵送4 Mt铝熔体后才需维护检修一次,维修费用大幅度下降。

(2) 合金化作用大为改善。合金元素如硅、铜、锰、铁、钛等都可直接与炉料装入装料井内一起熔化，并在短时间内达均匀化，比常规熔炼合金均化时间快好几倍。

(3) 处理薄废料、碎屑时金属回收率高。这类废料有废铝箔、各类机械加工碎屑，可将这类废料直接加入熔融铝中。

(4) 提高了温度的均匀性。EMP 系统使铝熔体高速循环，流量达到 10 t/min，能确保炉内熔体温度的均匀一致，使其温度梯度减至 40℃以下。

(5) 生产能力大幅度提高。由于熔体高速循环流动，与不流动的静止炉相比，生产效率可提高 25%以上。

(6) 适应性强。EMP 系统几乎对现行的各类废铝熔化炉都适应，如矩形反射炉、圆形炉、倾动炉等。

比利时科鲁斯铝业公司(Corus)在 85 t 的熔炼炉内安装了一套 EMP 系统后，一年仅停炉两次进行维护检修，每年生产 3 万 t 轧制扁锭，产量提高约 20%；挪威海德鲁铝业公司(Hydro Aluminium)霍尔梅斯特兰德(Holmestrand)铝厂 1996 年一台 65 t 的废料熔炼炉上安装了一套 EMP 系统，产量提高了约 20%，金属回收率提高 3%～4%，炉渣量下降约 3%；美国印第安纳州哥伦布市(Columbus)MCA 铝厂使用 EMP 系统的经验表明，产品的化学成分均匀性显著提高，产量上升 25%左右，检修维护次数也大为减少。

5.4.6 美国 Almex 公司循环铝液精炼系统技术(LARS)

5.4.6.1 概述

过去几十年中，Almex 公司在提高各种废铝及合金资源再利用效率和产品质量方面取得了突出成绩。

(1) 保持合金化学成分均质化。对于提高循环铝生产的资源利用率，保持循环铝的产品质量(接近或达到原铝)至关重要。为了达到熔炼炉中合金均质化，Almex 公司应用了液态金属循环装置。废铝的加料顺序也很重要，特别是处理那些含高硅、镁和锌的废铝合金时。应当强调必须重视熔融铝中的铁量，因为铁将影响最终铝产品的机械强度。炉子耐火材料及涂层的成分也很关键，它们有可能成为进入金属中钙和磷的来源。还应指出，在回收厂仓库中应按合金成分不同将物料分开存放。

常常看到工厂按物料的物理形状不同来分别堆放，这不尽合理。从安全和最佳金属回收率来说，原料的堆放还要远离水和油。

(2) 熔炼成本控制。为了控制废铝再熔化的成本，Almex 公司考虑了两种类型的燃烧系统。

1) 用氧化铝小球作热回收介质的蓄热式燃烧器；

2) 用镍铬铁耐热合金管预热燃烧空气的同流换热式燃烧器。

与冷空气燃烧器相比,这两种燃烧系统分别节约熔炼能源费用 30% 和 20%。Almex 公司还承诺,无论是蓄热式燃烧器,还是换热式燃烧器,它们的操作都能满足犹他州的环境条例标准,做到环境污染程度最小。

Almex 公司设计了不同废料的预热及视何种废料在炉内需优先熔化的分步熔炼工艺[77]。为了熔炼碎屑、油污废料、涂漆废料、箔类废料等,该公司推出了一种三室炉设计方案。

三室炉设计方案中,废料是加入一个完全与主燃烧室隔开的炉室铝液中,这就保证了生成的浮渣量最少并达到高的金属回收率。这种形式的炉子设计还保持了浮渣的“铝热效应”作用最低。Almex 炉的设计照样可采用盐类熔剂改善渣的流动性易于撇渣,以及采用氮气进行铝液的连续精炼。

(3) 用循环铝原料生产原铝质量的产品。Almex 公司提供了全部用循环铝原料生产循环铝产品的高质量技术保证,使循环铝产品的质量完全可与原生铝的产品质量相媲美。

5.4.6.2 铝的杂质

熔融铝合金中的杂质,如溶解的氢、杂质夹杂物、碱金属及碱金属盐类,它们对(铝坯料)高速挤压不利。它们还将影响产品的表面粗糙度和力学性能,损坏挤压模具,延误生产。Almex 公司开发的液铝精炼系统(liquid aluminium refining system,称 LARS)就是为了解决这些问题,保持坯料的质量。

坯料的挤压速度与金属的冶金结构完好性有直接关系。该公司拟定的坯料挤压控制参数主要包括:

(1) 溶解和析出的氢;

(2) 夹杂物(包括所有外来或内部的非均质颗粒);

(3) 存在的碱金属及其盐类;

(4) 元素的化学分析(理想或非理想的元素及其含量);

(5) 缩孔和气孔的分布;

(6) 凝固过程是否出现对流;

(7) 表面下离析层厚度;

(8) 均质化完好率;

(9) 坯锭中的机械缺陷(裂纹等);

(10) 采用的结晶设备类型及晶粒大小;

(11) 树枝状晶相的特性(晶格大小);

(12) 均质化后的冷却条件;

(13) 挤压前坯锭的预热速度;

(14) 坯料的预热温度。

5.4.6.3　LARS的作用

LARS是液铝精炼系统英语单词首字的缩写，该技术作为用于从熔融铝及合金中除去氢气、夹杂物、碱金属及其盐类方面已申请了专利，LARS是美国Almex公司的注册商标，文献[78]对于LARS技术及设备已有详细介绍。冶金工程师们设计的LARS是专门用于从循环铝及合金熔体中高效率除杂质的技术，以提供最纯净的金属坯锭。LARS已被许多工厂用来制造硬/软合金，用于生产挤压、锻造、片和板材。在某些工厂当获取了LARS技术的信息后，他们便用LARS取代了自己原来的精炼技术。

表5-15是采用LARS技术前后产出的挤压坯料质量的对比实例。

表5-15　采用LARS技术对挤压坯料质量的影响

挤压坯料缺陷类型	用LARS前缺陷率	用LARS后缺陷率	改善的原因
模具衬造成的废品	废品率7%	2.5%	除去了夹杂物颗粒
氧化镀层处理后的颜色一致性	6.5%	1%	碱金属和碱土金属大大降低
超声检测缺陷率	3.5%	0.25%	气体、夹杂物、碱金属盐大大降低
拉伸和延伸强度下降率	4%	2%	气体、碱金属盐大大降低
抗弯强度下降率	5%	2%	大量缝隙被熔合
气孔率	4%	1%	氢除至低于0.09 mL/(100 gAl)
挤压速度		提高3%～5%	由于坯料纯度较高

采用LARS技术后，从普通铝合金AA6063到航空用材AA7050合金，世界已生产了数十万吨的纯循环铝产品。表5-16表明采用LARS技术杂质的脱出效果。

表5-16　采用LARS技术杂质的脱出效果

项　目	合　金	用LARS前	用LARS后
氢	6063	0.45 mL/100 g	0.07 mL/10 g
氢	7075	0.39 mL/100 g	0.085 mL/100 g
碱金属	6061	0.0009%Na，0.001%Ca，0.0006%Li	均低于0.00015%
夹杂物	6063	20 lbf/in^2 CFF过滤器挡渣芯片	50 lbf/in^2 CFF无冒口装置过滤器
碱金属盐	7050	超声检测废品率为30%	超声检测废品率低于3%

注：1 lbf/in^2 = 6894.76 Pa。

从以上的数据可看出坯锭浇铸前铝熔体的深度净化的重要性，还可说明采用深度净化可避免因铝熔体中的大量杂质而引起的生产过程的种种麻烦。

5.4.6.4　熔铸车间的全质量控制

为了产出优良质量的坯锭，熔铸车间必须控制熔炼、熔体精炼、铸造以及均质化的一些重要的作业参数。根据挤压材的最终用途，在熔铸车间实行严格的质量控制是一项很重要的原则。大多数熔铸车间都能做到较严格的质量管理和成本控制,但有些因素往往容易被人们忽略。为了保持每批坯锭质量的优良和均衡,表5-17列出了一些最重要的控制参数和因素。

表 5-17　一些最重要的控制参数和因素

操　作	参　数	重要性原因
原料分析	(1) 碱性物控制 (2) 原料的形状、类型	关系到铸件最终用途,过分的金属熔体损失及安全性
熔　炼	(1) 加料顺序或次数 (2) 搅拌设备和方式	成分控制,金属熔体的损失,安全性,炉龄和熔体成分
合金化	(1) 材料标准 (2) 炉子热析 (3) 温度最佳化	成本、质量和成分控制
加熔剂及造渣	(1) 熔剂枪操作 (2) 采样分析 (3) 燃烧操作 (4) 保温温度和时间	质量和成本控制
撇　渣	(1) 浮渣收集方法 (2) 撇渣程度 (3) 燃烧器配置 (4) 撇渣安排 (5) 浮渣冷却	熔体损失及成本控制
晶粒细化	(1) 细化剂添加位置 (2) 细化剂种类和加入速度	质量控制
在线脱气	(1) 惰性气体量及流速 (2) 氧和水分加入量 (3) 消费者对氢含量要求	质量控制
过　滤	(1) CFF 预热操作 (2) 流槽清洁度	质量控制
遥控程序设置	(1) 初始冒口接法 (2) 初始浇铸量控制 (3) 流槽升降频率	质量控制
遥控浇铸	(1) 浇铸速度 (2) 冷却水流速 (3) 冷却水质量	冶金质量控制
坯锭检查	(1) 坯锭表面与铸模条件的关系 (2) 超声检查	质量和美观
均质化(退火)	(1) T/C 位置 (2) 冷却控制	冶金质量控制,负荷稳定性控制
挤　压	(1) 预热操作 (2) 保持等温挤压条件	质量与生产率
剪　切	(1) 废品因素 (2) 标记和入库	质量改进反馈意见收集和处置

6 铅的循环利用

6.1 概况

中国循环铅生产起步于20世纪50年代初,但产量长年在几千吨徘徊,直到1990年才达2.82万t。1995年发展较快,当年循环铅产量达17.53万t,占铅总产量的28.8%。但以后几年循环铅的发展缓慢,低于原生铅的发展速度,到1999年和2000年循环铅产量降至仅为10%左右,2001年以后则有所回升。全国循环铅企业数量多,规模小。例如,我国有循环铅厂300余家,产能从几十吨到上千吨,2万t/a以上的企业只有两三家,家庭作坊式有30家以上。循环铅的生产几乎遍布全国各省、市、自治区。江苏、安徽、河北三省在20家以上;山东、湖北、河南、四川、陕西五省在10家以上。全国已形成江苏的邳州、金坛、高邮,河北的保定、徐水、清远,山东的临沂,湖北的襄樊、宜昌,安徽的界首、太和等几个循环铅集散和生产区。循环铅产量的80%以上集中在江苏、山东、安徽、河北、河南、湖北、湖南和上海等[79]。与中国的情况相反,在美国等一些发达国家,基于铅的剧毒性,从环保、技术和经济观点出发,循环铅的生产只允许集中在少数大型企业手中,表6-1是中国和某些国外循环铅生产企业规模的比较。

表6-1 一些国家循环铅生产企业规模比较[80]

国 家	美 国	法 国	英 国	德 国	中 国
企业数/个	13	5	5	2	300
平均产能/万 $t\cdot a^{-1}$	约7.5	约3.5	约4.0	约8.0	约0.075

当前,占中国企业总数95%以上的非国有小型企业中[81],主要采用落后的小反射炉、冲天炉等熔炼工艺,极板和浆料混炼,铅回收率低,一般只有80%~85%,每年约有一万多吨铅在混炼过程中流失,且合金成分损失严重,综合利用程度低。国内一般循环铅企业吨铅能耗为500~600 kg标煤,国外吨铅能耗平均为150~200 kg标煤,中国循环铅生产能耗是国外的3倍以上。此外,小型企业许多没有或无完善的收尘设施,熔炼过程中大量的铅蒸气、含铅烟尘、二氧化硫等有害物排入大气,不仅作业现场劳动条件恶劣,也造成严重的环境污染。假设以全国这些小企业年处理30万t废铅酸蓄电池(金属量)计,仅能产出约24~25.5万t循环铅,但年排放的烟尘就将达2.4万t。烟尘中约含有大量的铅、锑和有害物质砷等。大约

每年有1.8万t铅、锑,1.05万t二氧化硫排入大气。此外,还将耗水168万m^3,产出有害弃渣6万t。这些弃渣中含有铅6000 t、砷600 t、锑2000 t。

针对循环铅行业的严重环境局面,国家出台了《废电池污染防治技术政策》,明确指出废铅酸蓄电池应当进行回收利用,禁止用其他办法处置。其收集、运输、拆解、循环铅企业应当取得危险废物经营许可证后方可进行经营或运行,鼓励集中回收处理废铅酸蓄电池。在废铅酸蓄电池的收集、运输过程中应保持外壳的完整,并采取必要措施防止酸液外流。收集、运输单位应当制订必要的事故应急措施,以保证在发生事故时能有效地减少以致防止对环境的污染。废铅酸蓄电池的回收拆解应当在专门设施内进行,在回收拆解过程中应该将塑料、铅极板、含铅物料、废酸液分别回收、处理,其中的废酸液不得排入下水道或环境中,也不能将带壳的电池和酸液直接进行冶炼。回收冶炼企业的铅回收率应大于95%,回收冶炼企业的规模应大于5000 t/a。此技术政策发布后,新建企业生产规模应大于10000 t/a;循环铅熔炼应采用密闭鼓风炉,防止废气逸出;废水、废气排放应达到国家有关标准;生产过程中产生的粉尘和污泥应得到妥善、安全的处置;逐步淘汰不能满足条件的土法冶炼工艺和小型循环铅企业。

发达国家对循环铅产业早已制订了许多法律文件,特别对环境问题有颇为严格的规定,使该行业的发展纳入了法制轨道,促进了行业和产业的发展。从20世纪60年代以来,世界原生铅的产量逐渐下降,循环铅的产量逐渐上升。相对于其他金属,铅的回收与循环要容易些,因此,世界原生铅和循环铅的生产约各占半壁江山。铅是所有金属生产中循环率最高的。在20世纪八九十年代,世界循环铅的产量就超过了原生铅产量。1998年世界循环铅产量已达到294.6万t,占铅总产量的59.8%,循环铅工业在世界铅工业中占有重要地位[82]。

从1990年到1996年,美国循环铅产量由87.8万t增至95.7万t[83];欧洲从77.1万t增至87.4万t;日本从11.1万t增至14.7万t;1997年,美国的总铅产量为148万t,循环铅产量约为114万t,占总产量的77%,美国循环铅的原料95%来自废铅酸蓄电池的回收铅。近几年来美国循环铅的产量则有所下降。

世界循环铅的生产主要集中在北美洲、欧洲和亚洲,北美洲循环铅产量占世界循环铅总产量的47.3%;循环铅生产主要分布在美国、中国、英国、法国、德国、日本、加拿大、意大利、西班牙等国,说明循环铅产量受汽车工业和汽车保有量的影响较大。表6-2是2004年世界一些国家铅的生产情况,而中国循环铅量仅为铅总消费量的30.35%。

从各国循环铅产量在铅总消费量中所占比例看,可分为三种情况:(1)不生产原生铅的国家,只产出少量循环铅,这类国家有西班牙、爱尔兰、葡萄牙、瑞士、尼日利亚、新西兰等;(2)循环铅与消费之比超过50%的国家有美国、德国、意大利、英国、日本、加拿大、比利时、法国等;(3)循环铅的消费比低于50%的国家主要是发展中国家。

表 6-2 2004 年一些国家铅的生产情况

位次	国家或地区	铅产量/万 t	循环铅量/万 t	铅消费量/万 t	循环铅量/铅消费量/%
1①	美国	142.73	83.17	141.31	58.86
2	中国	193.45	42.49	139.98	30.35
3	德国	38.63	22.66	39.60	57.22
4	日本	28.00	18.55	29.14	63.66
5	英国	37.23	18.05	33.04	54.63
6	意大利	20.14	16.16	27.45	58.87
7	加拿大	24.14	11.04	5.50	200.73
8	法国	10.56	10.56	18.69	56.50
9	西班牙	9.91	9.91	22.61	43.83
10	墨西哥	35.20	9.00	25.63	35.12

注：资料来源于 2005 年《中国有色金属工业年鉴》。

① 按循环铅产量排序。

6.2 二次铅资源及预处理[84~86]

6.2.1 循环铅原料

铅的用途广泛，西方世界近期铅的消费结构大致为：蓄电池 72%、化学品 11%、铅板/锻件 6%、子(炮)弹 2%、合金 2%、电缆护套 2%、其他 5%。从第 3 章图 3-11 中日本铅的物流情况可看出，1997 年日本用于蓄电池生产的铅就已超过了 71%，2000 年已达 76%[87]。表 6-3 的数据说明世界铅的消费中，近几十年来蓄电池的生产用铅在迅速上升。

表 6-3 20 世纪末铅的消费领域所占比例[85]

年代	20 世纪末铅的消费领域所占比例/%						
	蓄电池	化工	军工	电缆护套	焊料等	四乙基铅	其他
20 世纪 70 年代	38	12	16	12	8	11	4
20 世纪 80 年代	48	15	11	8	6	7	4
20 世纪 90 年代	64	14	9	4	3	2	5

应当指出，并非所有的废铅资源都能回收，如处理核废料用的铅容器使用期限上万年，电缆护套约 40 年，铅管约 50 年，这些废铅难以回收。目前，循环铅的主要来源是废铅酸蓄电池。汽车用的蓄电池使用期限为 3～4 年，牵引用的蓄电池为 5～6 年，固定用的蓄电池为 5～15 年，这些蓄电池都有回收的可能性。

车用蓄电池是废铅回收最大的来源，占循环铅原料的 80%以上。车用蓄电池大致分为三类:汽车启动－照明－点火用的蓄电池(SJI);电动汽车用的蓄电池(BPV);作为备用/不间断电源用蓄电池(UPS)。其中,SJI约占70%, BPV和UPS约各占15%。2000年全球汽车产量为5754万辆,必须配相应数量的蓄电池。全球汽车保有量在7亿辆以上,每年约需替换蓄电池2.3亿个,平均每辆汽车蓄电池用铅9～15 kg,由此推算每年车用蓄电池的铅消费量在230万t以上。再考虑到非车用的铅酸蓄电池,则每年蓄电池的铅消费量约在300万t,这是循环铅生产的巨大原料来源。

循环铅的原料比较集中。当前中国循环铅原料85%以上也来自废铅酸蓄电池。过去,中国的汽车工业不发达,所以循环铅的原料基础薄。"七五"以来,国家把汽车工业作为国民经济的支柱产业之一,随着汽车工业的发展,车用蓄电池的产量将迅速增长。2001年我国精铅消费超过74万t,按60%以上的铅消费在蓄电池工业计,且汽车用铅酸蓄电池的使用寿命仅为3～4年,因而今后每年废铅酸蓄电池将有40～50万t铅可用于生产循环铅。2004年以前,据统计我国循环铅产量的最高年份(2003年)也仅为28.25万t,说明废旧蓄电池没有充分回收利用(也可能大多数循环铅的民营企业生产数字统计不上来,或者对蓄电池的回收利用率很低)。次要的循环铅原料有电缆包皮、化工用耐酸衬铅板、铅管、印刷合金、铅锡焊料、轴承合金、含铅碎屑和下脚料、冶炼厂的含铅渣、烟尘和阳极泥等。但通常我们所说的循环铅主要指从废蓄电池回收的铅。

6.2.2　废铅酸蓄电池回收及预处理

发达国家对废铅酸蓄电池的回收利用和管理有一套严格的程序,它是靠法律系统作保证的。通常废铅酸蓄电池的回收利用包括以下的主要步骤:

(1) 收集。通常,先由车主将废蓄电池从汽车上拆下,再送到汽车服务站,在服务站用旧蓄电池换新蓄电池。从服务站将旧蓄电池送旧蓄电池处理站,在这里旧蓄电池被解体,或直接将旧蓄电池送回收厂处理。

(2) 运输。铅是有毒物质,故蓄电池的运输必须按有毒物对待,在运输过程中不能和其他物质一起混合运输,要防止蓄电池的破损和漏酸。

(3) 贮存。蓄电池可贮存在室内外,但通常在室内。无论室内外,蓄电池都必须贮存在无反应、不透水的地面上,防止铅和酸污染环境。

(4) 蓄电池的拆解、破碎和分选。在冶炼之前,必须用一种或几种技术将蓄电池破碎。最普通的方法是先锤碎,锤碎的物料再在破碎机中破碎。现代蓄电池的破碎、分拣及分选过程是将铅分成金属、氧化物和硫酸盐等部分,将有机物分成壳体和隔板部分。有机物中的聚丙烯可回收利用,硫酸中和后弃之,或销售给当地的硫酸市场。高糊(PbO_2、Pb、$PbSO_4$)泵送到装有蓄电池废酸的反应器中,加苛性钠溶液中和,然后压滤,滤液经处理后弃掉,滤饼洗涤除去硫酸盐后用作炼铅原料。

发达国家主要采用机械破碎分选,并进行脱硫等预处理,具有代表性的有两种。意大利 Engitec 公司开发的 CX 破碎分选系统和美国 MA 公司开发的工艺是根据废铅酸蓄电池各组分的密度与粒度的不同将其分开,分为橡胶、塑料、废酸、铅金属、铅膏等几大部分,然后分别回收利用。该技术均有成套设备在世界许多国家运行。在中等发达国家主要采用锯切预处理技术,将废铅酸蓄电池在低速锯床上解体,取出极板,该技术与鼓风炉对物料的要求相对应;在发展中国家,大部分只是进行手工解体,进行去壳倒酸等简单的预处理分解,劳动强度大,污染严重。

中国江苏徐州春兴合金(集团)有限责任公司曾从美国引进了两台(套)MA 废铅酸蓄电池破碎分选系统,后来将这两台破碎分选设备运到用该公司的技术在泰国建立的一个循环铅生产企业,现在在徐州的工厂采用的是他们自己通过对引进的 MA 破碎分选技术设备的消化吸收、自行开发的一套废铅酸蓄电池破碎分选系统,据称在技术性能和使用效果上不比美国的 MA 破碎分选设备差。废铅酸蓄电池回收及处理宗旨是综合利用全部的有价成分。

6.3 二次铅资源的冶炼[84~86]

二次铅资源的冶炼有三种冶炼方法:

(1) 在原生铅冶炼厂处理。蓄电池碎料在原生铅冶炼厂与铅精矿混合处理,生产技术和设备与原生铅冶炼没有多大区别。河南豫光金铅集团有限责任公司是中国的一个典型实例。

(2) 废蓄电池火法冶炼。蓄电池的废料大部分是采用这种处理方式,主要设备有鼓风炉、竖炉、回转炉和反射炉,多数情况是这些设备的两种甚至三种联合应用。鼓风炉还可处理含有硅渣、石灰、焦炭、氧化物、铅精炼浮渣、反射炉炉渣等物料,生产硬铅。图 6-1 为火法熔炼原则流程示意图。

循环铅的新生产技术和设备主要有瑞典的布利登(Boliden)公司的卡尔多炉熔炼法,澳大利亚的奥斯墨特(Ausmelt)和艾萨(Isasmelt)法,这些工艺都有环境条件好、产能高等优点,已有较广泛工业应用。如艾萨法,主体设备是一个立式圆柱体熔炼炉,内衬耐火材料,专门设计的浸没式喷枪将燃料和熔炼粉料以及空气或富氧空气喷入熔池,引起强烈搅拌,产生高速反应。燃料可用天然气、石油或煤。通过调节喷枪中的燃料和氧气的比例,很容易控制炉内的氧化或还原性气氛。现在,用艾萨法建立的循环铅厂有:1991 年不列颠尼亚精炼金属公司(Britannia Refined Metals)在英国的诺斯弗里特建立的年产 3 万 t 铅合金(以铅计)的工厂;1997 年比利时的联合矿业公司在霍波肯建立的一家年处理 20 万 t 铜、铅废料的工厂;2000 年马来西亚的金属回收工业公司(Metal Reclamation Industries)在因达(Indah)岛建立的一个年产 4 万 t 循环铅的循环铅厂。

(3) 固相电解法循环铅的生产。1997 年,中国科学院化工冶金研究所研制成

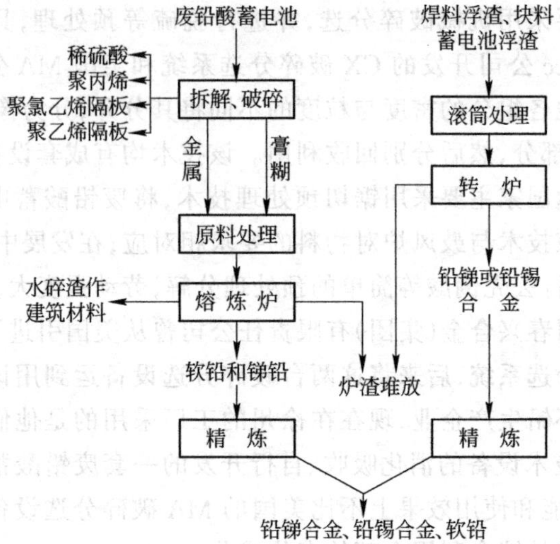

图 6-1　火法熔炼原则流程示意图

功了从废铅酸蓄电池回收铅的固相电解法,并将该技术转让给了马来西亚的一家公司。该公司投资 1000 万马来西亚元,建立了一家产能为 1.2 万 t/a 的循环铅厂,获得了良好的经济和环境效益。该工艺先将废铅酸蓄电池用分离机分成塑料、隔板、板栅和铅泥四部分。塑料可直接出售;隔板无害化焚烧处理;板栅进行低温熔化并调配其成分,制成六元铅合金锭,用于生产新的铅酸蓄电池;铅泥经处理后涂在阴极板上进行电解,从 $PbSO_4$、PbO_2、PbO 等还原出铅,再经熔化、铸锭,供给蓄电池生产厂用。该法生产 1 t 铅耗电 600 kW·h,铅回收率达 95%,电铅纯度大于 99.99%,废水含铅小于 0.5×10^{-4}%,是一种回收铅的清洁生产工艺。

6.4　铅循环利用的生产实例

6.4.1　河南豫光金铅集团有限责任公司

河南豫光金铅集团有限责任公司是亚洲最大的铅冶炼企业,其电铅年产量超过 20 万 t[80]。自 20 世纪 80 年代中后期以来,该公司连续四次进行了大规模技术改造,特别是进行了“铅冶炼烟气(尘)综合治理工程”的改造后,企业规模大幅扩大,技术水平迅速升级,使公司步入可持续发展轨道。目前除铅的生产外,年产硫酸 10 余万吨,白银 300 t,黄金 2 t;“豫光”牌电铅已在伦敦金属交易所注册。随着规模的扩大,对生产原料的需求也迅速增加,除国内原料外,自 2001 年以来,公司开始大量进口铅精矿;与此同时也开始寻求循环铅资源,2004 年月处理废旧铅酸蓄电池约 4000 t(金属量),年产循环铅 3 万余吨。其他企业对发展循环铅也有准备,正在筹建氧气底吹炉,许多大型原生铅企业,如株冶集团、水口山有色金属公司等都在发展循环铅生产。

循环铅的生产与原生铅生产相结合，是河南豫光金铅集团有限责任公司(以下简称豫光公司)在工艺技术和经营管理上的又一大进步，并取得了良好的效果。

铅再生利用的工艺过程见图6-2，图中虚线以上是废铅酸蓄电池的预处理过程。目前预处理工艺是采用自行开发的拆解工艺，即以拆解分级设备为主，辅以人工作业。将电池彻底解剖分离后，分解为塑料、格栅、铅膏、隔板等。该工艺可将塑料完全分离出来并回收利用。格栅与铅膏分别进行处理，铅膏用熔炼法回收铅，格栅采用低温熔铸处理，使铅得到了充分的回收利用。

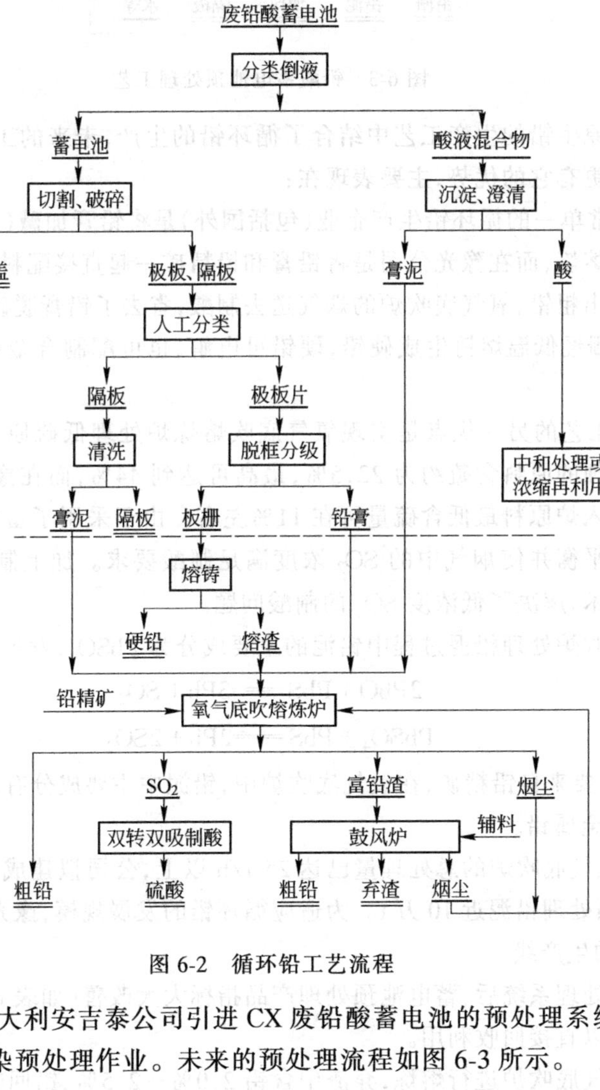

图6-2 循环铅工艺流程

该公司从意大利安吉泰公司引进CX废铅酸蓄电池的预处理系统，实现自动化和全封闭无污染预处理作业。未来的预处理流程如图6-3所示。

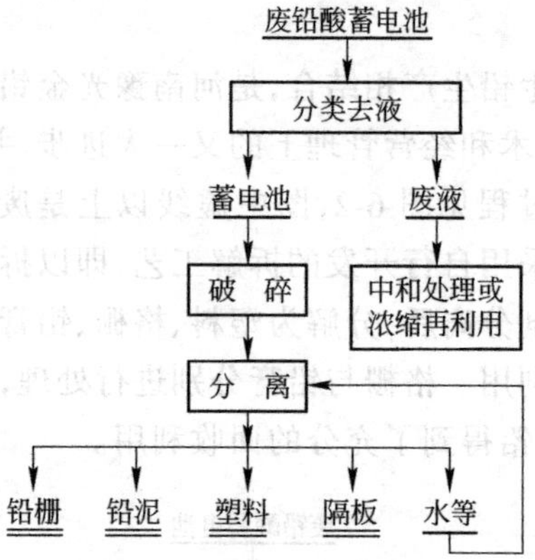

图 6-3　铅酸蓄电池预处理工艺

由于在原生铅的生产工艺中结合了循环铅的生产，未来的工艺较单一的循环铅生产企业更有它的优势，主要表现在：

(1) 通常单一的循环铅生产企业(包括国外)是将铅膏加碱(如碳酸钠)脱硫后再用熔炼炉熔炼，而在豫光公司是将铅膏和铅精矿一起直接配料，加入氧气底吹炉进行熔炼产出粗铅，氧气底吹炉的烟气送去制酸，省去了铅膏脱硫工序；

(2) 板栅经低温熔铸生成硬铅，硬铅可电解，也可配制合金铅，产品形式更灵活；

(3) 该工艺的另一优点是实现氧气底吹熔炼炉处理低硫原料。通常，原生铅生产企业处理的原料含硫约为 22.5%，最高可达到 44%，而在豫光公司的生产中氧气底吹炉入炉原料最低含硫量可在 11%左右。由于采用了富氧技术，照样能达到炉子的热平衡并使烟气中的 SO_2 浓度满足制酸要求。加上制酸所采用的双转双吸制酸技术，解决了低浓度 SO_2 的制酸问题。

氧气底吹炉处理铅泥过程中铅泥的主要成分为 $PbSO_4$，发生的主要反应为：

$$2PbO + PbS = 3Pb + SO_2 \tag{6-1}$$

$$PbSO_4 + PbS = 2Pb + 2SO_2 \tag{6-2}$$

式中，PbS 主要来自铅精矿，在氧气底吹炉中，铅泥中主要成分有利于沉淀反应(方程 6-1)生成金属铅。

目前，氧气底吹炉的总处理量已达 25 t/h 以上，公司拟建成年产 10 万 t 循环铅的企业，须处理铅泥近 10 万 t。为适应循环铅的发展规模，豫光公司拟再建一条 8 万 t 粗铅的生产线。

引进预处理系统后，蓄电池预处理产品指标大大改善(如表 6-4 所示)，其硬橡胶和隔板可以直接回收利用。

采用氧气底吹炉进行熔炼，弃渣中含铅 2.0%～2.5%，铅回收率大于 98%，总硫的回收率在97%以上；环保指标均符合或优于国家标准，污水达标排放，车间粉尘及铅尘含量低于国家规定的标准。工艺的其他优点还有：(1)投资少，不到引进工艺(如奥斯麦特和艾萨法)的50%；(2)综合能耗低，循环铅物料的加入又进一步降低了能耗；(3)环保效果好；(4)金属回收率高；(5)生产成本低。

表6-4 蓄电池预处理产品指标

铅栅和电极	铅 泥	聚 丙 烯
金属含量大于96%	含水小于98%，金属含量大于76%	纯度为98%～99%，铅含量小于 $1000\times10^{-4}\%$

6.4.2 日本铅的生产和二次铅资源的循环利用

6.4.2.1 概述

如前所述，日本对废旧物资的回收和循环利用是立法最早而又立法较全面的国家，特别对于铅及制品，由于毒性强，立法更为严格，甚至将与铅消费有关的一些行业移至国外。日本对废铅酸蓄电池收集—循环体系的管理和控制颇为严格。Tsuyoshi Masuda 等人[87]认为，采用"物品租赁"(material lease)的方式将非常有利于社会中铅的循环利用。进而，他们推荐了一种和废蓄电池收集成本有关的生产者"抵押—偿还体系"。

6.4.2.2 铅的物流

2000年日本铅的物流情况如图6-4所示。该物流图是根据日本金属经济研究所(Metal Economics Research Institute，缩称MERI)的报告绘制的，其中的数据包括大量铅制品(如电视机阴极射线管和蓄电池)、进出口商品中所含的铅、市场流通和社会上的积存铅。

(1) 日本铅的生产和金属铅的进口。日本生产的循环铅占国内生产的原生铅和进口铅的54%，在46%原生铅中由ISP法炼锌厂产出的金属铅占25%，由铅冶炼厂产出的铅仅占21%。

几年前，在日本生产电视的阴极射线管使用的铅占进口铅90%甚至更高，部分铅酸蓄电池的生产也使用了进口铅。预计将来随着电视机的生产转向国外基地，蓄电池生产所需的进口铅将会上升。另外，尽管目前在出口商品(包括电视机和铅酸蓄电池)中含的铅(约75 kt/a)大致与进口的商品中含的铅相当，但预计将来铅的进口仍将超过出口，所以日本应努力增加循环铅的产量。

(2) 铅的消费。在日本，铅的最大用户是铅酸蓄电池的生产，其次是有机和无机化工制品和焊料等。预计由于铅在环保方面受限制，除铅酸蓄电池外，铅在其他方面的应用将会下降，而铅酸蓄电池的应用比例还将会提高。但是，铅酸蓄电池中的阳极和阴极板必须用纯度较高的原生铅来制造，特别是阴极板铅纯度需要达"4N"或更高。因此，在电器设备生产中，铅酸蓄电池的用铅比例约占81%。考虑

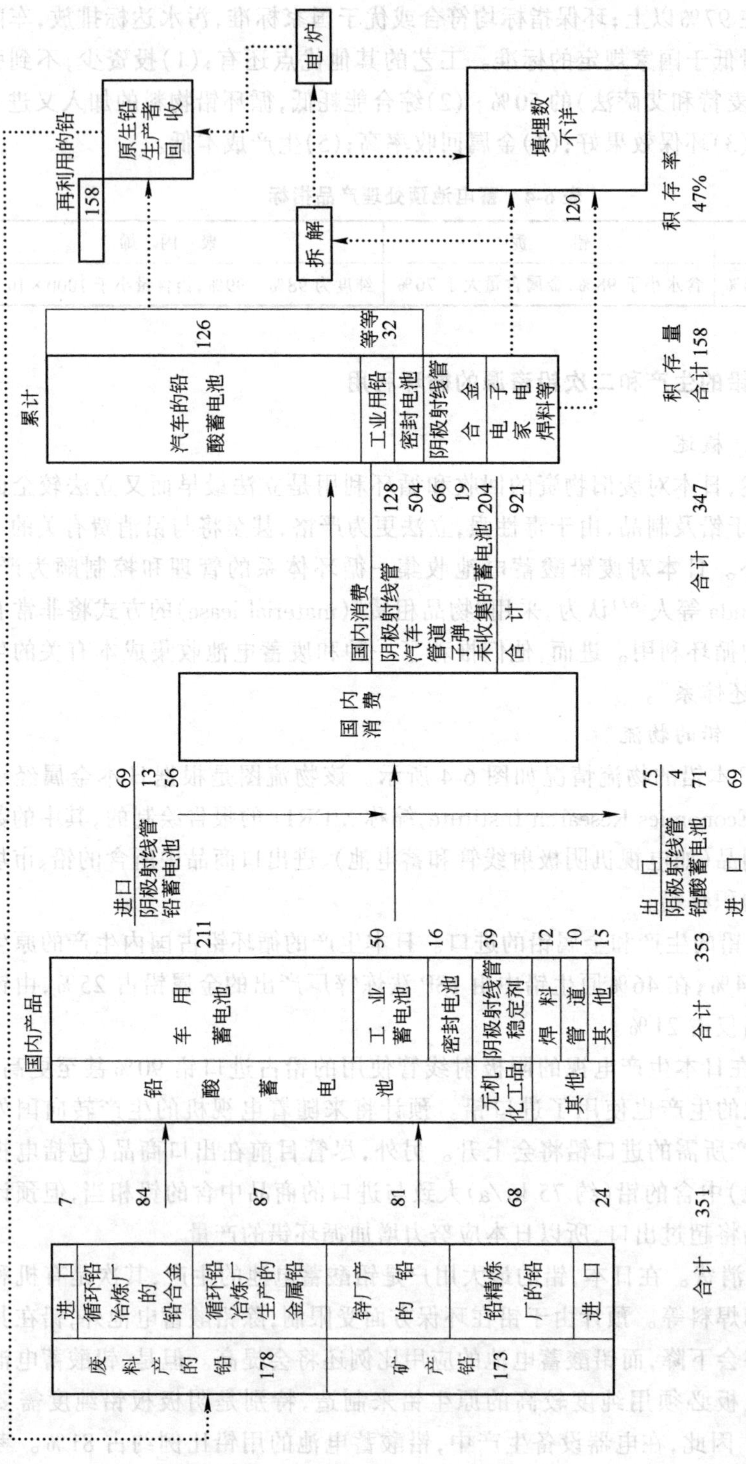

图6-4 2002年日本铅的物流
（图中数字单位：kt/a）

将来无维修蓄电池的发展趋势,铅酸蓄电池高纯废铅的应用走势将会更强。

(3) 二次铅资源的回收问题。2000年日本铅的消费量为34.7万t,收集的铅量为15.8万t,收集的二次铅资源约占消费量的46%。在出口产品和填埋中含的铅是很不明确的,根据日本金属经济研究所的数据,这部分铅估计约达12万t。根据日本电池协会的数据,2000年日本有95%的废铅酸蓄电池得到了回收,未回收的铅量约为8000 t。估计现在的年铅回收量已为20万t左右。

尽管现在车用废铅酸蓄电池的回收率已接近100%,但社会仍然有很大的积存量。蓄电池生产者收集的不仅是车辆的废铅酸蓄电池,而且还有义务收集的工业用蓄电池和小型的密封蓄电池,预计将来的回收率还会进一步提高。

但是,在目前的铅价和回收系统条件下,进一步提高回收率就会引起回收费用的上升,使回收者无利可图。这就有必要重新考虑现有的回收系统存在的问题。

另外,在无机化工制品和焊料中的铅大部分未回收,如上所述,将来这部分铅的应用会逐渐减少。有关铅的回收和循环利用还有下述两方面的问题:

1) 在将来阴极射线管玻璃中含的铅已不可能再利用了,因为日本的制造商已全部将这方面的生产移至国外。日本国内的含铅碎玻璃准备作为阴极射线管玻璃生产原料出口国外。

2) 垃圾焚烧中含的铅主要是由小型的密封铅酸蓄电池和其他蓄电池混入了普通垃圾所致。

6.4.2.3 汽车铅酸蓄电池循环系统的现状

A 回收系统

现在,汽车废铅酸蓄电池的回收率已接近100%,当铅价高时,工业用的其他类蓄电池的回收率也可接近100%。1993～1994年期间铅价低时,废铅酸蓄电池的回收率急剧下降,非法丢弃成了严重的社会问题。在这种情况下,日本的电池协会在政府环境和卫生等部门的支持下,于1994年制定了“铅循环方案”,结果使废铅酸蓄电池的回收率迅速回升到接近100%。图6-5是日本现在的废铅酸蓄电池回收系统方框示意图。

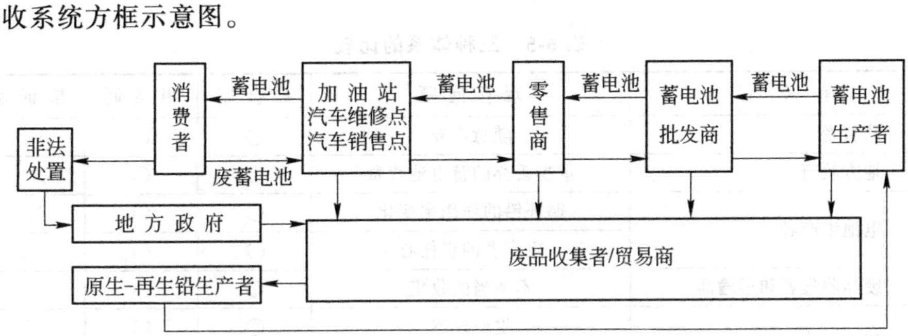

图6-5 日本现在的废铅酸蓄电池回收系统

在原有收集者的基础之上,收集回收系统按图 6-5 所示得到了进一步完善:

(1) 废铅酸蓄电池可在汽车维修点、蓄电池零售商和批发商、加油站等回收。

(2) 鼓励原生铅生产者回收和处理循环铅。

B　目前系统的问题

目前的系统是尽可能利用原有的基础,以回收方案制订时的铅价和蓄电池的制造成本为参考拟定的。目前的系统已面临着许多问题,甚至已到了难以为继的地步,主要表现为:

(1) 循环铅产业的规模。日本有 4 家原生铅冶炼厂和 15 家较大的循环铅冶炼厂。此外还有约 80 家小型循环铅冶炼厂。虽然数量并不占优势的大型循环铅冶炼厂占有日本最大的循环铅市场份额(总计约 16 万 t/a),但由于大量小型企业的存在,大型企业难以体现出它们的优势,循环铅的价格仍维持在较高的水平。

(2) 国际铅价的波动。作为一种国际商品,铅价由伦敦金属交易所(LME)和日本国内的价格所决定,即铅价 = LME 价 × 汇率 + (营销费、关税等)。这意味着日本的铅价是随着国际市场价和汇率的变化而波动的。

日元的强势以及销售给国内汽车维修点有 12% 以上的蓄电池是进口的这一现状,使得日本国产的铅酸蓄电池竞争力下降了。

6.4.2.4　日本新的车辆用铅酸蓄电池循环系统的设想和建议

为了长期有效地回收利用废铅酸蓄电池,不增加环境负担,Tsuyoshi Masuda 等人设想了以下几种社会回收系统:

(1) 押金—偿还体系与收集付费相结合;

(2) 产品租赁制;

(3) 收集票证制。

表 6-5 是三种体系的比较。在租赁制中,运作成本将很高,难以实现;票证制在自由竞争的原则下也不太现实;比较理想的是押金—偿还体系,这样做还有可能使那些被随意丢弃了的废铅酸蓄电池得到回收。

表 6-5　三种体系的比较

有关者	现存问题	押金制	租赁制	票证制
消费者	随意丢弃	○	○	×
地方政府	承担丢弃的蓄电池收费	○	○	×
电池生产者	循环铅的使用率变化	○	○	×
	生产者的责任心	○	○	○
废品收集者和运输商	不适当的收集	○	○	○
循环铅生产者	生产成本	○	○	○
	不适当的处理	○	○	○

注:○为改善,×为恶化。

6.4.3 美国道依能(DOe Run)公司的布依克(Buick)资源回收分部循环铅的生产

从1990年开始,道依能公司计划并实施将布依克原生铅冶炼厂改造为年处理60000 t废铅酸蓄电池的循环铅冶炼厂,但要尽量利用原来的基础设施。1991年7月蓄电池解体系统投产,以后产能不断扩大,到1999年铅年产量已达120000 t[88]。

6.4.3.1 卸货站

投产初期,入厂的废铅酸蓄电池的分类和分离设备效率不高,引起了下游的一些质量问题。1992年在接收站安装了不锈钢分类盘和废杂料打包机,使每批料在进入蓄电池存放库之前就很快完成了上述工作。

6.4.3.2 工业蓄电池的拆解

原来的工业蓄电池解体生产线证明是不适用的,不能承担处理进入布依克的大量蓄电池。1996年安装了一套简化的重型不锈钢处理系统,这条新生产线能每月处理1200 t蓄电池。该生产线包括综合准备区、拆除外壳和凸出部分、取出硫酸、液压传动的辊子运输机、密封的蓄电池的切割和解体系统,拆解后的蓄电池直接送入仓库。

处理废料前要从55 gal(1 gal = 3.8×10^{-3} m^3)的桶中卸出废料,而原来的蓄电池制造厂废料处理线完全不适用,操作现场的空气含铅严重超标,费时且产出的产品大小不适于运输,因此入厂的桶装废料的数量很快就使该处理线无法消化。1992年安装了一套桶切割系统。这套装置是将土星(Saturn)62-40HT 200HP液压切割机与物料处理运输机相连,安装在码垛堆积仓库内,用叉车将2~4个桶放在桶车上,将桶车提起,把这些桶倒入密封的切割机上。切碎的物料用皮带运输机送至电(磁)选机以除去含铅物料中的铁。含铅物料通过直径457.2 mm的螺旋运输机送入密封的、有通风孔的料仓中。将铁质物料收集起来后用卡车送至鼓风炉给料仓作为熔剂。切割系统以424.75 m^3/min风量通风,然后送布袋收尘处理。

为了提高效率,1993年设计了一种重型钢容器,它可以用叉车装卸、打包、密封,可反复使用。容器也设计成适合切割机的装桶卡车倒空废料用。

1995年,在临近码垛堆积仓库旁边又建立了一个有顶盖的929.03 m^2码垛堆积区。

6.4.3.3 蓄电池的破碎、脱硫和结晶贮存仓库

在1999年以前,废蓄电池的破碎主要靠锤碎机。1999年7月,在蓄电池仓库安装了一套不锈钢切割系统。这套№3600E型SSI 200 HP电动切割机用前端装载机的2.29 m^3料斗加料,切割机的功能还包括将每个蓄电池中的酸倒空和在蓄电池处理前很好地码堆;能向脱硫过程提供较均匀的给料;化学添加剂用量稳定,是较好的蓄电池处理设备。

1991年投产以来,蓄电池破碎区处理的物流已扩大。1992年在电极及板栅运

输机的出料端安装了一个旋转筛以便将粗粒(大于 4.8 mm)的电极及板栅和细粒分开,从而提高了回转冶炼炉的效率。

1995 年,在“圣·玛丽亚”金属粉沉淀器的出料端安装了直径为 228.6 mm 的螺旋运输机,以连续地处理这种湿的金属细粉。金属细粉与蓄电池的膏糊混合、脱硫,用压滤机滤出。

1996 年,将电极及板栅运输机(维修强度大的刮板运输机)改为直径 609.6 mm 的不锈钢螺旋运输机。1999 年安装了宽为 457.2 mm 的皮带运输机,以便在仓库内随意改变电极及板栅码堆的位置。各码堆排出的任何液体都收集起来送去集中处理。

1997 年,安装了一个聚丙烯片洗涤槽和 304.8 mm 的可移动式不锈钢螺旋运输机。洗涤槽可进一步脱去聚丙烯片中残留的含铅物料和木屑,并在槽内进行中和后,将聚丙烯片气动送至密封的运输拖车。

1998 年,由于场地原因改变了胶木和分离器脱水筛的位置,现在该筛的排料是送至蓄电池贮仓,同时从工艺中拆除了液动分离器及其附属装置。

1991 年起脱硫区的处理物流和设备稍有简化。1992 年从压滤机作业中取消了水压工序,用新的板式压滤机取代了老的压滤机。这种新板式压滤机结构包含 28 片固定板和 28 片空气鼓泡板,扩大了板的收集袋。

工厂还改造了结晶工序,提高了处理能力,因为结晶工序是整个工艺的瓶颈。1999 年,安装了一套新的 929.03 m^3/min 盐干燥排风机和布袋收尘器,提高了盐干燥系统的处理能力。从 1992 年起布依克厂可产出食品级的硫酸钠。

6.4.3.4　膏糊的贮存和装运

1991 年膏糊的贮存是用一个 631.74 m^2 的厂房。1997 年,安装了辐射式加热器以防止贮料的冻结。该厂房也是反射炉料的混合区,有称量斗的前端装载机将各种物料混合后送反射炉区。

1991 年还安装了膏糊装运系统,它包括料仓、称量给料器、螺旋运输机,将焦粉和各种含铅物料混合。从 1991 年起还试验了不同设计参数的给料器和运输机,以改善装运系统的实用性,方便维修和提高效能。1998 年建成了一个反射炉给料/炉渣综合贮存和运输厂房,原来的装运系统就不用了。

6.4.3.5　反射炉给料系统

该给料系统 1991 年投产,由料容器将物料提升并倒入两个 30 t 的高位料仓中。料仓有 6 个液压驱动的 355.6 mm 直径的螺旋运输机,其底部是活动的,将物料由料仓送入两个称量给料器,这些称量给料器也有 3 个 228.6 mm 液压驱动、底部活动的螺旋运输机。称量给料器再将料卸入 304.8 mm 螺旋运输机,由此将料送至液压驱动的反射炉给料器。从 1991 年起,给料系统的处理能力扩大了,可为反射炉更稳定、更清洁地供料。

1991 年投产的反射炉物理尺寸未变,炉顶是铬－镁砖,到 1996 年拆除了原来所有开口的水套冷却结构,现在是无水冷结构的反射炉。

1992 年反射炉开始采用富氧,安装了 NAMCO 型氧－燃料燃烧器。这种燃烧器可产生约长 2 m、宽 1.5 m 的扁平火焰,使它的能量集中在燃烧器墙附近的料堆上释放。

反射炉渣放入水泥渣斗中,冷却后运走。烟气用压缩/喷水法在冷却塔中骤冷,冷却塔集聚的颗粒物送反射炉渣斗。

6.4.3.6 回转熔炼炉

回转熔炼炉用来处理电极、板栅以及其他的废铅料。原来的斗式裙板给料器和倾斜人字形皮带运输机仍保留。但是,1995 年将炉子加料由原来的振动给料机改成了 228.6 mm 直径的螺旋给料器,并将炉子的排料口进行了改造,冶炼产物(铅和渣)排入带潜流堰的容器中。熔融的铅从堰下流入保温锅,然后送去精炼。

6.4.3.7 鼓风炉

原生铅冶炼用的鼓风炉有 28 个风眼,1524 mm 宽,64008 mm 长,炉膛到水套顶部高 64008 mm,从 1992 年起该鼓风炉就改为循环铅冶炼用。由于原生和循环铅冶炼差别很大,所以循环铅投产后不断对炉子、生产技术和操作条件进行了改变。1994 年将风嘴直径减小,保持一个固定的入炉空气速度。1997 年在 16 个风嘴安装了 Foxboro 自动风嘴控制器,其余风嘴处于"封闭"状态。结果铅产量增大了,成本下降,生产条件得到改善。1999 年起其余风嘴都安装了 Foxboro 自动风嘴控制器。

6.4.3.8 烟尘烧结炉

41806.35 m^2 冶金过程布袋收尘器每天要产出 40～80 t 的烟尘。在 1991 年这种烟尘是用反射炉处理。当反射炉改造后,这种烟尘的运输和贮存就成了问题。1996 年烟尘烧结炉投产,可将氧化铅烟尘熔炼成粗铅。一个直径为 355.6 mm 的螺旋运输机将烟尘从布袋收尘器送至贮存和给料器料仓。再用一个直径为 355.6 mm 的可变节距和速度的螺旋运输机将烟尘从料仓送至一个直径为 228.6 mm 的螺旋运输机,将烟尘加入炉中。这个 228.6 mm 长、152.4 mm 宽、76.2 mm 高的炉子有两个 NAMCO 燃烧器用于加热熔炼烟尘。炉子的烟气仍送布袋收尘。

烟尘烧结炉的应用减少了反射炉处理的烟尘负荷,现在只有当烟尘烧结炉停产检修或在烟尘量特别大时才用反射炉处理布袋烟尘。大块的烧结烟尘用鼓风炉处理。

6.4.3.9 熔析炉

1995 年建了一台 Al-Jon/W-3000 型废电缆回收炉以处理铜电缆的铅护套。剥离下的铅护套需进行熔析、净化。1997 年扩大了电缆剥离作业并建了第二台炉子。循环的铅铸成 1 t 的块锭出售或送公司精炼系统处理。

6.4.3.10 精炼作业

随着从原生铅转变为循环铅冶炼,原来的精炼锅罩和除浮渣设备都不再适用,于是进行了精炼系统的改造。新制了用天车操作的锅罩和电动撇渣器,安装了762 mm 直径的水浴砂(water bath sand)螺旋运输机,由撇渣器和天车将锅中撇出的渣送至浮渣砂螺旋运输机。浮渣在水浴中骤冷后由螺旋运输机取出。骤冷消除了后面的浮渣处理过程产生的烟尘,并使浮渣的粒度适合反射炉处理。1997 年在精炼系统安装了直径为 1117.6 mm 的螺旋,以适合这种湿浮渣的运输。

现在,为满足市场需要还需产出 70 多种铅合金,为此还研究了许多新的化学净化方法,如往铅液中通氯除锡等。

6.4.3.11　铸锭设备

1991 年的铸锭设备可产出 29.48 kg 和 453.59 kg 的块锭,以及 11.34 kg 的(圆)条锭。1993 年安装了新一代 30 t/h 的链环浇铸机,1996 年又引进了圆形的条锭浇铸机,可产出直径 76.2 mm～139.7 mm 的 453.59 kg 的圆锭。现在,29.48 kg 的块锭仍是主要铅锭。

6.4.3.12　工厂的环保与安全

随着循环铅系统的新炉子不断投产,铅产量上升了,而厂区空气中铅含量却下降了,如图 6-6 所示。图 6-7 是与美国环境保护局标准的比较。

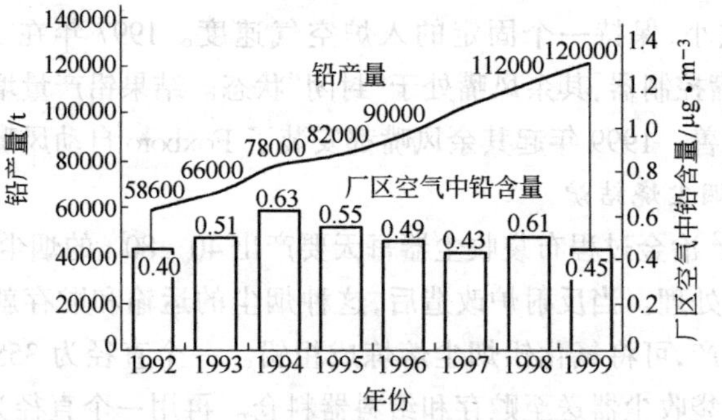

图 6-6　年平均厂区空气中铅含量与铅产量的比较

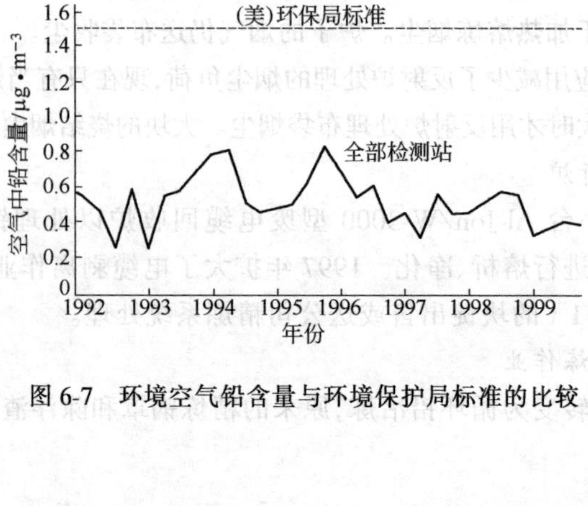

图 6-7　环境空气铅含量与环境保护局标准的比较

1999 年工厂的职工人数是 197 人，工厂的操作工人血液平均铅量从 1992 年的 37.5 μg/L 下降到 1999 年的 24.2 μg/L，工人无需进行药物除铅。布依克工厂达到连续工作 100 万 h 以上无事故。1995 年布依克工厂开始了 ISO 9002 的认证工作，到 1997 年 4 月完成。布依克工厂是美国第一个通过这项认证的循环铅厂。

6.4.4 美国魁梅特柯（Quemetco）有限公司的循环铅冶炼厂

魁梅特柯有限公司在加利福尼亚的工业区经营着一家循环铅冶炼厂，冶炼厂有一个蓄电池贮存区、密封的厂房以及回转炉、反射炉和电弧炉熔炼区。此外，还有废水处理厂、蓄电池破碎车间、精炼厂。图 6-8 是循环铅厂的原则流程[89]。

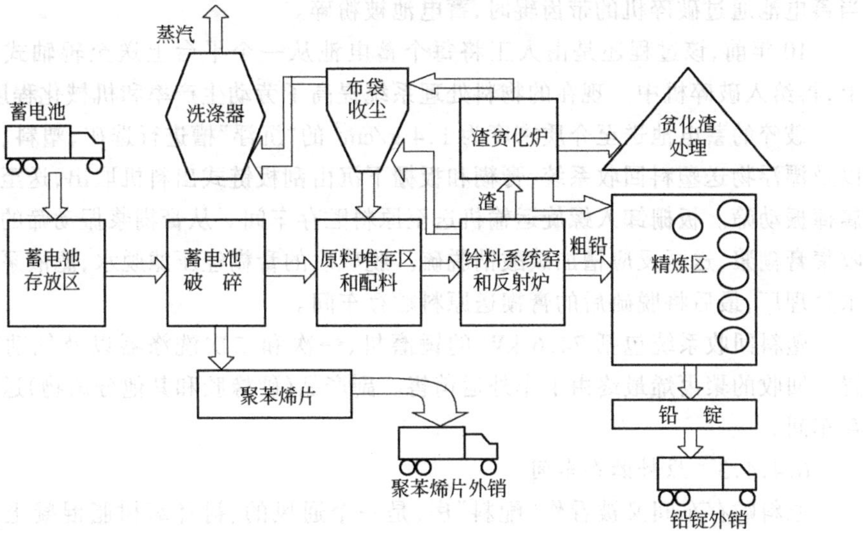

图 6-8 循环铅厂原则流程

6.4.4.1 原料

工厂购进多种原料用于冶炼处理，主要原料是废铅酸蓄电池，约 90% 的废铅酸蓄电池是从外地收购的。各生产厂家的汽车蓄电池成分的变化都有严格的规范，典型的铅酸蓄电池平均成分示于表 6-6。

表 6-6 铅酸蓄电池平均成分

成 分	质量分数/%	质量/kg
铅金属（格栅、框架）	24	4.00
聚丙烯	7	1.2
铅 膏	30	4.90
电解质	29	4.70
隔 板	10	1.5
合 计	100	16.30

其他原料主要为本厂自身所产的废料以及从其他铅厂或铅制品行业购进的原料。进厂原料进行定期取样分析，以保证原料成分在适宜于工艺处理范围之内。

除废铅酸蓄电池外，还从蓄电池生产厂收集不合格的废蓄电池物料，有外壳、框架、氧化铅膏，这些物料通称为“制造厂废料”。那些无需预处理、可直接加入冶炼炉处理的物料送原料贮存车间贮存。

6.4.4.2 蓄电池处理

蓄电池以每小时1700个的速度加入到一个动力为36775 W(50马力)的密封式单辊破碎机中。加料系统包括带刮铲旋转装置的蓄电池搬运车、无级变速振动器、称量式皮带运输机，通过加料系统将蓄电池给入破碎机的倾斜式皮带运输机。当蓄电池通过破碎机的带齿辊时，蓄电池被粉碎。

10年前，该过程还是由人工将每个蓄电池从一个平台上送至辊轴式运输机上，再给入破碎机中。现在的物料处理系统提高了劳动生产率和机械化程度。

破碎的蓄电池送至介质密度为1.4 g/cm^3 的“沉浮”槽进行选矿，塑料、硬橡胶以及漂浮物送塑料回收系统，膏糊和板栅下沉由刮板链式出料机取出，送至楔形金属棒振动筛。板栅卸入螺旋运输机送至原料贮存车间。从膏糊浆振动筛的液流中收集膏糊浆，送至反应槽加碳酸钠脱硫。脱硫后的膏糊经压滤脱水，滤液泵送至废水处理厂，最后将脱硫后的膏糊送原料贮存车间。

塑料回收系统包括74.6 kW的锤磨机、一次和二次洗涤器以及气动输送装置。回收的聚丙烯最终由卡车外运销售。副产品(硬橡胶和其他分离物)送原料贮存车间。

6.4.4.3 原料贮存车间

原料贮存车间又被看作“配料”房，是一个通风的、衬环氧树脂混凝土建筑车间，与铅酸蓄电池回收有关的一些废料，包括炉渣、工厂废料、其他含铅废料以及作为还原剂的焦炭也贮存在这里。该车间有防渗漏层，环保要求完全符合美国环境条例。10年前，原料贮存在外面的露天堆置场。

原料用柴油动力的前端装载机混合，然后送干燥系统。有一个标准程序提供给操作者以保证物料的均匀性。典型的物料配比是85%破碎的蓄电池、5%由脱硫和脱水工序来的含铅淤泥、5%精炼浮渣、5%～10%工厂废料。除这些物料外，所有塑料回收系统的副产品也加入到混合料中，以利用它们的发热值。

6.4.4.4 给料和干燥系统

如前所述，还原剂也贮存在混合车间，用前端装载机将还原剂加入反射炉加料仓。物料由加料仓下的凹形钢带运输机加入到直径1.5 m、长10 m的烧天然气的回转窑进行干燥，使水分降到1%以下。窑的燃烧速度由PLC程控装置根据烟气温度来控制。窑的排料由螺旋输送机将物料送入反射炉。给料系统在负压下操作。给料系统的通风送至气体净化系统，净化系统安装了连续排气监视器(CEM)，监视器的

SO_x 和 NO_x 数据由电子传输系统传送给当地的空气质量控制机构。从该厂排放的气体中典型的 SO_x 和 NO_x 值分别是 1.8 kg/h 和小于 0.7 kg/h。

6.4.4.5 反射炉和电弧炉

工厂的熔炼系统包括一台反射炉以及与之串联的一台电弧炉。炉料给入上述的加料系统,经过熔炼,反射炉产出低锑铅,电弧炉产出高锑铅以及无害的炉渣。

反射炉的炉床面积为 2.2 m×11 m,结构主要是铬镁砖。两个天然气燃烧器分别位于给料螺旋每侧。燃烧反应的氧主要由制氧机提供,还利用少量的空气。反射炉每天为三班作业,每周生产 7 天,反射炉炉衬寿命为 6 个月。

微量金属,如锑、锡和砷在反射炉中被氧化进入炉渣,铅被还原,以杂质含量较低的粗铅回收。粗铅浇铸成 2.1 t 的块锭,每天产量约为 375 t。这种粗铅的锑含量少于 0.2%。

反射炉烟气进入烟气处理系统。从炉内排除的烟气先经过水套进行第一次冷却,经过一个 U 形管,进入第二次空气 - 水喷淋冷却室。然后烟气再经六室高温 Gore-Tex 介质布袋收尘器过滤。由 PLC 程控装置控制入口的温度来控制空气 - 水喷淋速度。收集的烟尘由螺旋运输机返回到反射炉的给料系统。布袋收尘之后是碳酸钠洗涤器,以减少烟气中的二氧化硫含量。洗涤器后的烟气监视器的数据每天都传送给当地的环保部门。反射炉烟囱 SO_x 和 NO_x 的典型排放量分别为 6.4 kg/h 和 3.2 kg/h。洗涤液溢流到一个贮存池,再用泵送到废水处理厂。

熔融的炉渣直接流至一个 2.5MW AC 电弧炉。3 个 36 cm 的电极布置成三角形,以潜埋弧式进行熔炼。炉子内部尺寸为 2.4 m×4.8 m,还原剂和熔剂由螺旋给料器加入。铅和合金金属被还原进入粗铅,粗铅浇铸成 2.1 t 重的锭块,每天从电弧炉流出的约 30 t 无害炉渣流入一个连续的炉渣浇铸机,这种炉渣送堆置场,最终以废料形式填埋。电弧炉粗铅中杂质成分为:Sb 7%~12%、Sn 1.5%~2.5%、As 0.5%~1.5%。

电弧炉车间的所有环境空气都抽走送空气净化系统处理,该系统有专门的烟尘捕集器和碳酸钠洗涤器。收集的烟尘用螺旋运输机送至反射炉给料系统。

6.4.4.6 精炼

精炼包括容量为 90~180 t 的 6 个精炼锅,冶炼产出的粗铅由吊车加至精炼锅。由于该厂无中间保温锅(有保温锅的工厂粗铅可以液态加入精炼锅),所以粗铅在精炼系统还必须再熔化,经化学处理使杂质以浮渣形式除去。浮渣用人工撇出,再返回配料车间。精炼的产品包括纯铅(52%)、锑 - 铅(26%)和铅 - 钙 - 铝合金(22%)。精炼的最终产品铸成重 1.8 t 的块锭或重 30 kg 条锭,后者是由带自动码垛和打捆系统的 Sheppard 浇铸机浇铸的。精炼车间铅的产能在 108000 t/a 以上。精炼锅都有通风烟罩,收集的烟尘返回反射炉配料系统。

6.4.4.7 环境保护和安全

全部工艺废水和雨水都送废水处理厂处理，通过调整溶液的 pH 使重金属沉淀，经双重过滤、分析，废水达到排放标准后才排放。

除上述的烟气布袋收尘和洗涤外，原料贮存和配料、干燥、反射炉、电弧炉和精炼都在负压下操作，共有 9 个布袋收尘系统，每个气体处理能力为 66000～90000 m^3/h，安装的是 EHPA 布袋收尘器。地面全采用防渗漏装置及排放物收集装置，以满足美国国家有害废弃物排放标准(NESHAPS)。

工厂有一批 10 年以上工龄、在安全和环保方面训练有素的工人，以及良好的安全防护设施。95%以上职工血液中的铅含量在 25 μg/100 g 以下。

6.4.5 德国布劳巴赫铅银冶金回收公司(Blei-und Silberhütte Braubach Recycling GmbH,BSB)聚丙烯的回收

德国布劳巴赫公司是一个有悠久历史生产铅和银的具有采、选和冶作业的联合企业。由于地质条件优良，人们在布劳巴赫区两千年以前就开始采矿了。第一个冶炼厂的建立可追溯到 1691 年，当时建立的是布劳巴赫炼银厂。在以后的几个世纪中，生产的重点从银转向了铅。1977 年，成立了布劳巴赫铅银冶金回收公司，现在有一个年产能约为 30000 t 铅及合金的循环铅冶炼厂。冶炼厂采用环境友好工艺处理废铅酸蓄电池、废铅、含铅废料、废铅箔等。该回收公司是德国第一家在环保方面通过 DIN EN ISO 9002 认证的循环铅冶炼厂。图 6-9 是其生产流程示意图[90]。

冶炼厂处理的主要原料是汽车废铅酸蓄电池，原料贮存在防酸的有盖仓库中。为了达到最大程度回收利用废铅酸蓄电池，需回收蓄电池的大多数组分，尽量将所有成分分离，然后逐步回收有价物。首先将酸抽出并收集，再用破碎机将整个蓄电池破碎，然后将各种成分分离，得到金属板栅、铅膏糊、胶木以及各种塑料。用水力分离器进行浮/沉分离处理各种物料。分离出的含铅膏糊部分或先经脱硫，再用短回转炉冶炼，产出粗铅和废渣；或以未脱硫的形式出售给施托尔贝格的贝采留斯冶金公司原生铅冶炼厂处理。通过加苏打或苛性苏打溶液使铅膏糊脱硫，产生碳酸铅或氧化铅，也生成无水硫酸钠，从而减少了冶炼过程 SO_2 的放出量，但也增大了炉渣量。金属板栅用短回转炉冶炼成粗铅。粗铅需火法精炼脱除杂质。按消费者需要，可产出铅或铅合金。精铅或铅合金铸成 50 kg 的锭块。

近二十几年来，在铅酸蓄电池应用的各种塑料中，聚丙烯越来越多。20 世纪 80 年代中期以前，分离过程中回收的有机物约 50%是胶木，一般用填埋法处理。基于越来越多用聚丙烯的趋势，经营者初步意识到了回收利用聚丙烯的重要性，尝试在从废料中回收铅的传统流程中增加一个回收利用聚丙烯的车间。

聚丙烯生产的原料是由破碎区分离出的蓄电池聚丙烯外壳碎片，在破碎工序

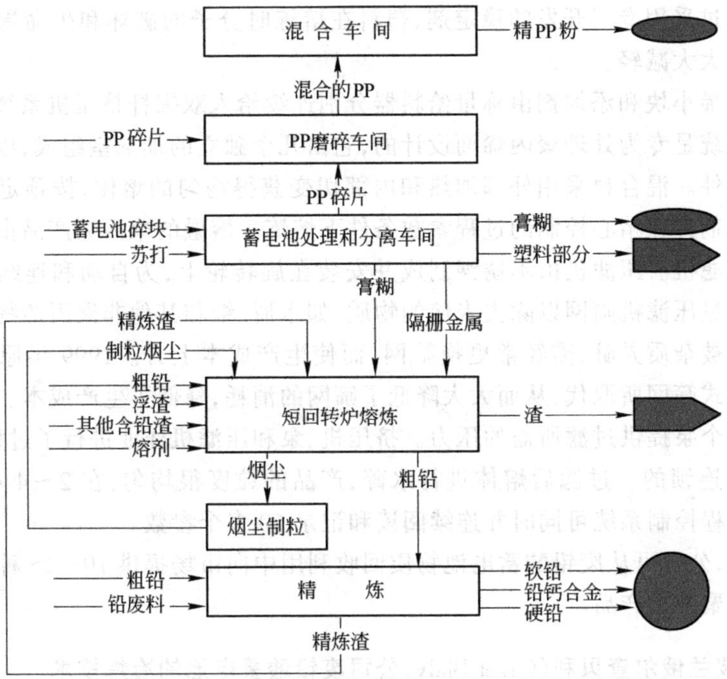

图 6-9 BSB 公司循环铅生产流程
(PP 为聚丙烯)

水洗以除去膏糊和灰尘,被破碎机的刀切成更细和更均匀的小块,再将全部水分烘干。现有的破碎工序也可接收处理从其他经营者来的粗颗粒物料。最终的聚丙烯物料纯度可达 99.5%以上。

聚丙烯回收利用车间是 1987 年建成的,根据破碎工序来的聚丙烯料的质量状况,或加工成较低质量的产品,或采用专门的技术加工成高质量的产品。公司根据经济和生态的分析认为,高价值的产品是有生命力的。现在,回收的聚合物精炼技术不断提高,使公司不仅能经济合理、环境友好地从铅酸蓄电池中回收铅及铅合金,还能生产高质量的聚丙烯产品。公司在市场上销售的产品商标为“SECULENE”。

聚丙烯回收利用车间的主要设备是双螺杆挤压机和过滤机系统、制粒(或水碎)机和干燥器。

与大多数金属物料相比,聚合物的特性是在生产、进一步处理以及整个生命周期中都有可能产生应力集中,从而改变其物理性质。不同地区来的物料具有不同的熔炼性。此外,杂质的存在及数量可能对聚合物有负面影响。例如,对从废铅酸蓄电池回收的聚丙烯,这些杂质可能是聚乙烯氯化物(PVC)、从分离器来的橡胶、少量金属氧化物、余留的少量硫酸以及动物胶等。为了消除这些干扰进行了广泛研究。通过采用专门开发的稳定剂,塑料在熔炼时分子的破坏和生命周期中的老化问题会大大减轻。

聚丙烯小块和添加剂由称量给料器分别连续给入双螺杆挤压机系统。双螺杆挤压机系统是专为处理聚丙烯而设计的,它由几个独立的加热室组成,以达到理想的挤压条件。混合料采用外部加热和内部切变获得均匀的熔体,按预定的产品规范加添加剂并在精心控制的过程参数条件下熔炼。熔融的聚丙烯产品由挤压机挤出进入压滤机。压滤机由不锈钢制成并安装在旋转轮上,为自动和连续作业。熔体强迫通过压滤机筛网以除去未熔的物质,如木屑、纸和其他非聚丙烯物。初期过滤筛经常被杂质弄脏,需经常更换筛网,而使生产成本上升。1999 年原筛网被一种反冲洗式筛网所取代,从而大大降低了筛网的消耗,降低了生产成本。

有一个泵提供过滤所需的压力。挤压机、泵和压滤机作业进行了过程控制,这些设备是连锁的。过滤后熔体进行水碎,产品的粒度很均匀,在 2～4 mm 之间。在线的过程控制系统可同时并连续阅读和记录 60 多个参数。

如今,公司可从废铅酸蓄电池物质回收利用中向市场提供 10～15 种不同规格和品种的聚丙烯产品。

6.4.6 波兰俄尔查贝利(Orzel Bialy)公司废铅酸蓄电池的冶炼技术

波兰很重视废铅酸蓄电池的回收利用,处理技术也比较完善(见文后彩图 4),这里仅介绍俄尔查贝利公司情况。

波兰俄尔查贝利公司是 1858 年成立的[91],原来冶炼的是波兰国内的铅精矿。到 20 世纪 80 年代公司矿山资源逐步枯竭,为了生存,公司不得不转向处理废铅酸蓄电池。为了满足国家的环保要求以及原料的改变,公司对原来的冶炼工艺进行了现代化改造。为了降低 SO_2 和烟尘的排放,将原来的粉煤燃烧改为油－气燃烧,并将布袋收尘的通风系统进行了改造,大大改善了劳动条件。此外,还回收聚丙烯副产品。

6.4.6.1 废铅酸蓄电池的处理工艺

生产主要分为两部分:(1)废铅酸蓄电池的预处理。在这里将废铅酸蓄电池分成含铅物料和有机物料部分,处理能力为 120000 t/a。(2)粗铅冶炼。铅生产能力为 28000 t/a。

(1) 废铅酸蓄电池的预处理。废铅酸蓄电池的预处理从破碎开始,破碎后将电解液收集起来。然后电解液经分离处理(沉淀、吸附和过滤),使铅含量降低到 1 mg/L 以下,用石灰乳中和,最终以石膏堆存。破碎的蓄电池分为大于 3 mm 和小于 3 mm 两部分。用重介质选矿法将大于 3 mm 部分分成金属和有机物,小于 3 mm 部分分成膏糊和中间物(半成品)。有机物部分用水析法选出聚丙烯,加热后再粒化,可作为商品出售。含铅物料的物相组成如下(%):

1）金属部分。

PbSb 合金	53～55
$PbSO_4 + PbO_2$	35～40
其他(含塑料)	5～7

2）膏糊部分。

$PbSO_4$	55～60
PbO_2	32～35
其他(含塑料)	5～10

金属部分的平均水分为5%,膏糊部分在使用前采用风干将水分从25%降至15%～18%。

(2) 冶炼。冶炼过程包括四个主要部分：

1）原料储存和配料系统。

2）三台冶炼炉。

3）炉子通风和除尘系统。

4）粗铅精炼和储存系统。

含铅物料的配料是在容器中进行的,辅料包括焦炭、苏打和废铁。物料运输用天车送至加料台,再用链式给料器加入炉中。

回转－摇动式熔炼炉两端有直径500 mm的孔,一个安置燃烧器,一个排出烟气。主要燃料是热值为36000 kJ/m^{3}的天然气,备用燃料是热值36000 kJ/kg的轻油。炉子中部有一直径为590 mm的孔用来加料和排出液体产品。在熔炼作业中该孔被覆盖。出炉烟气温度为650～1100℃,进入如下组成的除尘系统：

1）烟道。在此烟气通过吸入空气预冷却并将粗颗粒分离。

2）扩大室。

3）空气冷却器旁通管。

4）混合室(三个炉子烟气混合)。

5）布袋收尘。

6）与烟囱相连的排风机。

过程周期一完成,熔体就放入桶中,在此铅与渣分离。粗铅铸成3～3.5 t的锭块,固化的炉渣用天车取出,送到渣坝。过程产品是：

1）含铅96.7%～98.1%和含锑1.6%～2.5%的粗铅。

2）废渣成分为Fe 30%～40%、Pb 1%～8%、Na含量小于13%、Cl含量小于9%,此外还有SiO_2和Al_2O_3。

3）主要以硫酸铅存在的含铅约55%的烟尘,返回熔炼炉。

4）烟气。

现代化改造前,熔炼炉采用的是气－油燃烧器,由人工控制天然气和空气流量。燃烧器天然气的流量是固定的，整个周期中约为 160 m^3/h。

金属部分和膏糊部分分开冶炼，每个周期处理的物料约为 6.5～7 t(含返回的烟尘)，因为两种物料化学成分差别大，故采用的过程参数也不一样。

1) 金属部分。

添加剂/kg·周期$^{-1}$	焦炭 400、苏打 300、废铁 800
过程结束温度/℃	1050～1150
周期时间	3 h 20 min

2) 膏糊部分。

添加剂/kg·周期$^{-1}$	焦炭 450、苏打 400、废铁 1100
过程结束温度/℃	950～1150
周期时间	3 h 40 min

由于加料和出料时间总计约 30 min，故整个周期时间范围在 3 h 50 min～4 h 10 min。进入冷却器前烟气温度为 300～420℃。

6.4.6.2　工艺现代化改造

1998 年开始进行现代化工艺改造，采用了氧－燃料燃烧器，目的在于：

(1) 提高铅产量。

(2) 降低天然气和电耗。

(3) 降低熔剂消耗。

(4) 减少烟气的排放量。

燃烧器设计为分别消耗 160 m^3/h 和 320 m^3/h 的天然气和氧，每个燃烧器都安置了如下设备：

(1) 集成点火电极。

(2) 自动控制系统。

(3) UV 火焰传感器。

新的冶炼工艺能量平衡列于表 6-7。

表 6-7　能量平衡

参　数	金属部分		膏糊部分	
	能量/GJ	百分比/%	能量/GJ	百分比/%
能量收入：				
天然气发热	21.80	100.00	24.02	100.00
能量支出：				
吸热反应	1.86	8.51	4.23	17.60
产品冷却	2.65	12.15	2.19	9.11
烟气中热	11.60	53.23	12.16	50.62
热损失	5.69	26.10	5.44	22.66

两种类型的燃烧器设计规范如表6-8所示。

表6-8 两种燃烧器设计规范

参　数	空气燃烧器	氧燃烧器	液体氧贮槽	蒸发器
效率/$m^3 \cdot h^{-1}$	200	160	—	600
燃烧器功率/kW	2000	1600	—	—
燃料/氧化学当量	1/9.75	1/2.04	—	—
设备类型	天然气/轻油－空气	天然气/轻油－氧	T18S480	L40-30F4.3
鼓风机功率/kW	7.5	—	—	—
液体氧量/kg	—	52400	—	—
最大操作压力/MPa	0.03	0.03/0.04	1.8	1.2
数量/个	3	3	2	4

下面介绍氧－燃料燃烧器冶炼过程参数。

采用氧－燃料燃烧器，天然气的消耗降低了，冶炼烟气量从8000～10000 m^3/周期降至约2500 m^3/周期，烟气的热含量从最初的11.60～12.16 GJ/周期降至约3.34 GJ/周期。为了保持收尘系统适当的温度，在大气冷却器附近向新建的混合室通过旁通管引入烟气，使入口的温度控制在120～150℃之间。氧－燃料燃烧器系统采用了自动控制，保证在周期时间内熔炼过程充分完成。结果，废渣的含铅量也大大下降，渣含铅量从8%～10%降至约3.9%～4.2%。表6-9是改造前、后熔炼炉的月平均参数和指标。

表6-9 改造前和改造后回转－摇动式（熔炼）炉参数及指标

参　数	改造前	改造后
加料量/$t \cdot 周期^{-1}$	6.9	7.7
周期时间/h	3.5	3.0
铅量/$t \cdot 周期^{-1}$	4.54	4.54
吨铅添加剂消耗量/kg		
焦炭	93.9	66.5
苏打	71.3	67.4
废铁	206.3	195.6
吨铅天然气消耗量/m^3	128.6	69.6

6.4.7 德国梅尔登冶金回收公司（Muldenhutten Recycling und Umwelttechnikgzh GmbH）循环铅的生产

6.4.7.1 概述

德国梅尔登公司位于萨克森的弗赖堡附近，是一个有很长历史的循环铅冶炼企业。早在1318年这里就有冶炼厂[92]。现在已发展成有多种有色金属的生产，包括Ag、Pb、As、Zn、Cu、Cd和H_2SO_4。该冶炼厂本来是处理弗赖堡原生矿及进口原料，后因矿山资源枯竭，于1968年转为从废铅酸蓄电池中生产循环铅。从1996年起该公司成了布劳巴赫贝采留斯冶金公司的一部分，贝采留斯冶金公司在德国有两个冶炼厂，即循环铅冶炼厂和QSL法炼铅厂。而贝采留斯冶金公司又是American Quexco集团的子公司，后者在美国和欧洲经营着15个铅冶炼厂。

从1993年起该公司投资4000万马克对冶炼厂进行了现代化改造。现在，该厂在生产工艺和设备以及环保方面是世界最先进的循环铅冶炼厂之一。

6.4.7.2 循环铅的生产

冶炼厂的主要原料是废铅酸蓄电池，此外还有各种含铅渣、废铅和其他冶炼厂来的粗铅。收集来的废铅酸蓄电池堆放在防酸的密封仓库，通常，将蓄电池中的酸倒出收集起来，过滤后送至脱硫工序。蓄电池进行解体和预处理，经过筛分、浮/沉分离和水力分离，得到如下的物料：

(1) 金属板栅和电极。

(2) 铅膏糊($PbSO_4$、PbO)。

(3) 聚丙烯。

(4) 其他分离物(PVC、玻璃纤维和其他)。

(5) 胶木。

为避免冶炼过程中放出SO_2，含硫的铅膏糊用苛性苏打溶液脱硫，将硫酸铅转换成PbO和Na_2SO_4。收集的废酸用苛性苏打溶液中和，经压滤机过滤分离PbO和Na_2SO_4，硫酸钠溶液经净化、结晶和脱水后得到的无水的硫酸钠销售给玻璃和洗涤剂工业。

拆解产出的聚丙烯片送至另一个公司处理。不能利用的塑料部分(胶木及其他分离物)在本厂用焚化炉处理，焚化炉锅炉产出的蒸汽用于结晶器加热。由控制室控制废铅酸蓄电池拆解和预处理的全过程。含铅的物料，如分离过程得到的金属板栅和电极以及铅膏糊，分别在两个短回转炉中间断式作业冶炼。物料与石油焦和添加剂一起，加入按控制程序操作的间断式给料桶(也是一个称量装置)中，再由天车将给料器吊起加入炉中。短回转炉是旋转的并可倾斜，完全密封以避免烟气放散。在收尘之后测量废气中SO_2浓度，完全符合150 mg/m^3的限定值以下。每批料作业完成后，将粗铅和炉渣注入一个铸铁桶中，炉渣冷凝固化后分离出来，送至合适的堆存地。粗铅送去精炼。

精炼采用传统的火法精炼作业(非Harris法)，精炼采用13个100 t的精炼锅按用户的要求产出硬铅、铅钙、软铅和纯铅等约35种各种合金或铅产品。各种合金铸成45 kg的锭或1000 kg的块，浮渣返回冶炼车间处理。

6.4.7.3 焚烧车间

该循环铅冶炼厂的独到之处是设置了焚烧车间。焚烧车间建于1983年,原来只用于焚烧废铅酸蓄电池预处理中产生的塑料部分。由于蓄电池壳体越来越多地采用聚丙烯来制造,这一新技术为生产和销售聚丙烯副产品提供了机会,因而需要焚烧的塑料部分也越来越少(图6-10)。

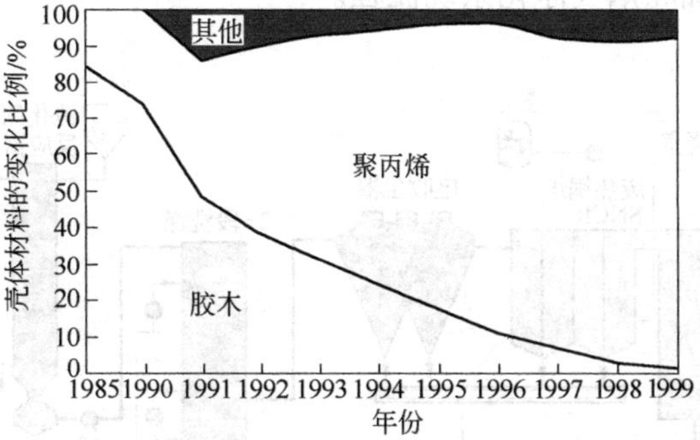

图6-10 蓄电池壳体材料的变化

焚烧物料量的减少意味着供给结晶器的蒸汽就会不足,需要燃烧天然气来补助热量。因此,决定将焚烧车间进行改造,以便还能焚烧其他物料,特别是那些需严格控制的废料。通常,这种改造要进行环境兼容性研究和安全条件分析。

1996~1997年进行的现代化改造主要内容包括:

(1) 确保燃烧气在后燃烧室有1200℃以上的温度和2 s以上的停留时间。

(2) 采用的脱硝步骤是在废热锅炉内的选择性非催化氨还原(SNCR法)。

(3) 废气处理装置的组成如下。

1) 电收尘器。

2) 用酸和碱两段洗涤以除去HCl和SO_2。

3) 带有连续循环沸腾床和布袋收尘器的废气再加热装置,用吸附剂(90%石灰石和10%焦炭)操作以除去残留的重金属Hg、Pb、SO_2和二恶英。

(4) 在收尘器后安装废气连续检测装置,以测定下列数据。

1) 废气量。

2) 废气温度。

3) 废气压力。

4) 烟尘量。

5) 有机碳化物。

6) HCl、HF、SO_2/SO_3、NO/NO_2、O_2、蒸汽和CO。

与改造前的情况相比,改造后满足了空气质量目标要求,放散物的降低量如下。

1）铅约 90%。

2）SO_2 约 75%。

3）二恶英约 95%。

废气处理产生的含铅烟尘与冶炼厂废水净化产生的淤泥一起处理，烟气净化的废水和地表废水一起经净化处理后排入河中。现在焚烧车间产生渣仍是送去堆存。图 6-11 是焚烧和烟气净化系统流程。

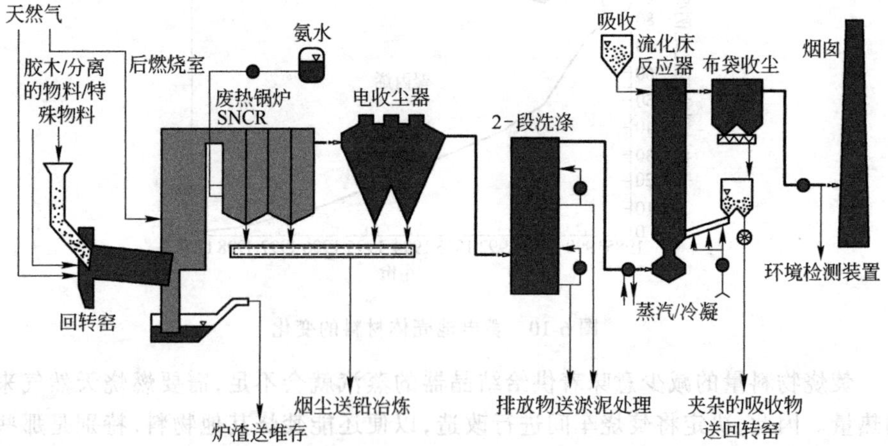

图 6-11　焚烧和烟气净化系统流程

该厂现在有两条紧密相连的生产线：循环铅冶炼－精炼和废料焚烧（如图6-12所示）。该厂每年处理约 50000 t 废铅酸蓄电池和 20000 t 其他废料，产出 45000 t 铅及铅合金，4000 t 硫酸钠，2200 t 聚丙烯以及（目前适当堆存的）冶炼渣和焚烧渣废料。有职员 102 人，外加 10 名学员。

由于弗赖堡地区的环境状况已经很严峻，地方当局对冶炼厂排放的烟气及其他环境条件比国家法规的限定值更为严格（见表 6-10）。

表 6-10　法规限定值与地方容许值的比较

组　分	再生铅冶炼厂		焚烧车间	
	法规大气限定值（30 min 平均）$/mg\cdot m^{-3}$	地方容许值（30 min 平均）$/mg\cdot m^{-3}$	法规大气限定值（30 min 平均）$/mg\cdot m^{-3}$	地方容许值（30 min 平均）$/mg\cdot m^{-3}$
总颗粒	10	5	10	5
Cd/Hg/Tl	0.2		0.05	0.05
As/Co/Ni	1			
Mn/V/Sn Pb/Sb/Cu	5	3	0.05	0.05

续表 6-10

组　分	再生铅冶炼厂		焚 烧 车 间	
	法规大气限定值（30 min 平均）$/mg \cdot m^{-3}$	地方容许值（30 min 平均）$/mg \cdot m^{-3}$	法规大气限定值（30 min 平均）$/mg \cdot m^{-3}$	地方容许值（30 min 平均）$/mg \cdot m^{-3}$
有机物	150	150	10	5
Cl	30	30	10	5
F	5		1	0.5
SO_2+SO_3	800	150	50	50
$NO+NO_2$	500	120	200	200
二恶英/呋喃类			0.1 ng/m^3	0.05 ng/m^3
CO			50	50
碳氢化合物				0.05
苯、甲苯				2.5
噪声：				
白天	55 dB(A)		53 dB(A)	
晚上	40 dB(A)		30 dB(A)	

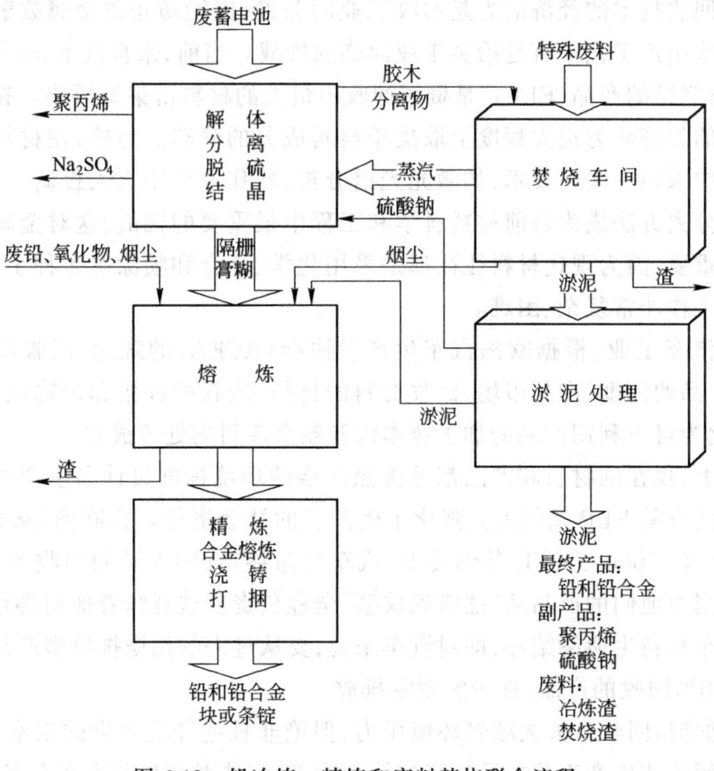

图 6-12 铅冶炼－精炼和废料焚烧联合流程

先进的工艺、装备以及熟练的操作人员是产品优良的保证,图 6-13 表明铅和烟尘的放散物急剧下降。该厂已通过 ISO 9002 和 ISO 14001 的论证,是一个环境友好工厂。

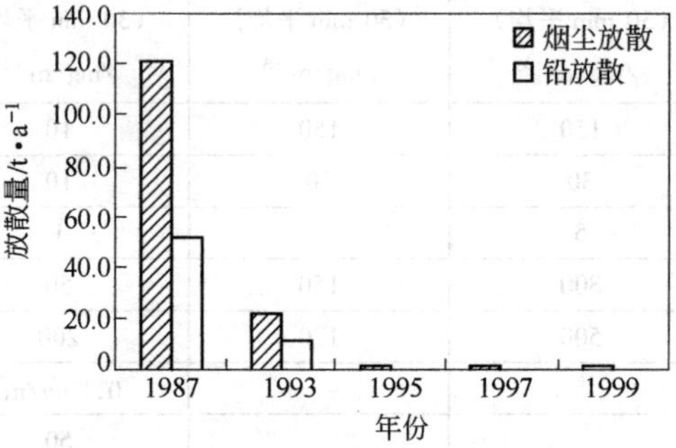

图 6-13 1987～1999 年铅和烟尘放散物的下降

6.4.8 巴西汽车蓄电池的处理状况

6.4.8.1 概述

虽然回收技术的经济活力是回收工业的关键,但能防止重金属放散和水污染的清洁回收生产工艺一直是冶金工业面临的挑战。当前,来自汽车、电气和电子工业的“生命终结的产品(ELP)”是资源回收中最大的材料密集型板块。在该板块中回收技术的经济活力很大程度上取决于材料成分的分离。另外,在材料回收的预处理作业中采用一些新技术,如激光光谱分析,使作业效率大大提高。应用最好、最有效的分离方法成为目前材料科学和工程中最重要的挑战,这对金属及其合金而言特别重要,因为现代材料往往都是采用化学、复合和喷涂等多种手段制成的,回收分离工作非常复杂、困难。

对于汽车工业,根据欧洲汽车生产者协会(ACEA)的观念,回收经济因素包括:回收产品的纯度、产品市场、回收材料的价值、废料的收集和运输成本、预处理成本、转化为可再利用产品的加工成本以及剩余废料的处置成本。

事实上,现在的材料和产品都是按照严格的环境标准设计和生产的。欧洲委员会制订的有关 ELP 条例大大强化了生产者的社会责任。在欧洲,从 2000 年 10 月起按照欧洲 2000/53/CE 条例关于“汽车生命终结(ELV)”的回收条款,汽车的生产者应当对他们的产品从“摇篮到坟墓”全程负责。这意味着他们必须建立一个闭路的汽车材料生命终结环,即对汽车来说,要从过去的污染排放型产品走向材料几乎能 100% 回收的产品,逐步实现零排放。

无论如何,回收可大大减轻环境压力,但绝非杜绝环境污染的根本所在,还必须包括采用清洁生产工艺以及良好的管理措施,一些对环境和生态有害的物质,如重金属中的铅、镉、汞、铬等,在材料和产品生产中要避免使用或少用。例如在汽车生产中已广泛采用无铅焊料、无铅油漆等。但不管怎样,在今后相当长的一段时期内上述有害物的应用还是不可避免的,如汽车用的铅酸蓄电池。图 6-14 是典型的汽车用材成分分析。

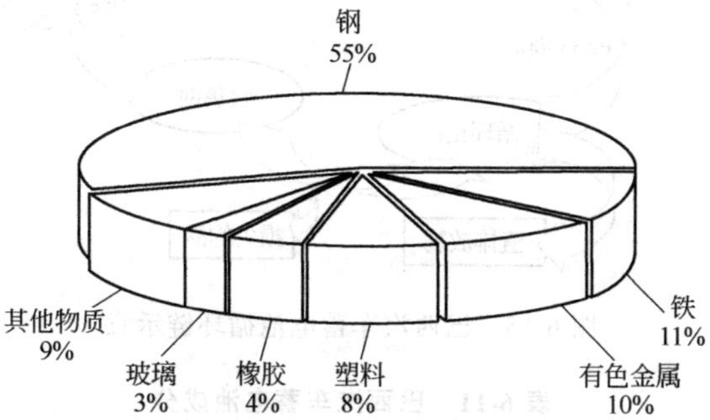

图 6-14 汽车用材成分

2001 年法国雷诺汽车的典型成分是钢铁约为 67%,有色金属 9%,有机材料如塑料、橡胶等 20%和玻璃 4%。

6.4.8.2 从铅酸蓄电池中回收铅

蓄电池已成了现代人们生活中不可缺少的用品之一。铅酸蓄电池最初主要是用作汽车的启动点火,以及为车辆,如电瓶车、叉车、无轨电车、其他无轨车辆乃至高尔夫装载小车提供环境友好形式的能源。由于供电的安全可靠,现在又广泛用作飞机、火车、地铁、隧道和许多工业装置以及电气、电子设备的电源设施。一方面,按照生命周期分析在消费领域它可以说是一种环境友好的设备,因为它提供可再生能源。另一方面,在生产和回收领域,又要特别小心处理一些它对环境和人体健康造成的有害问题。

目前,在巴西和世界循环铅的生产主要原料是废铅酸蓄电池。在一些发达国家,废铅酸蓄电池的循环利用率已达 90%甚至更高,在欠发达国家约为 50%;在巴西,按照地域不同和各州法律差异,循环利用率在 60%~80%之间。图 6-15 是汽车蓄电池循环链示意图[93]。

从图 6-15 可看出,巴西汽车蓄电池的循环工作还不是很完美,无论是在收集还是处理工艺以及管理方面,还有许多需改进的地方。蓄电池的结构中,有的部件金属成分很高(如格栅含金属铅达 90%),此外还有一些铅化合物($PbSO_4$、PbO_2、Pb_2O_3),聚丙烯和其他材料。蓄电池的典型的化学成分如表 6-11 所示。

无论是从铅以及铅化合物对环境和人体的危害,还是从铅的回收价值讲,对废铅酸蓄电池的循环利用必须得到高度重视。

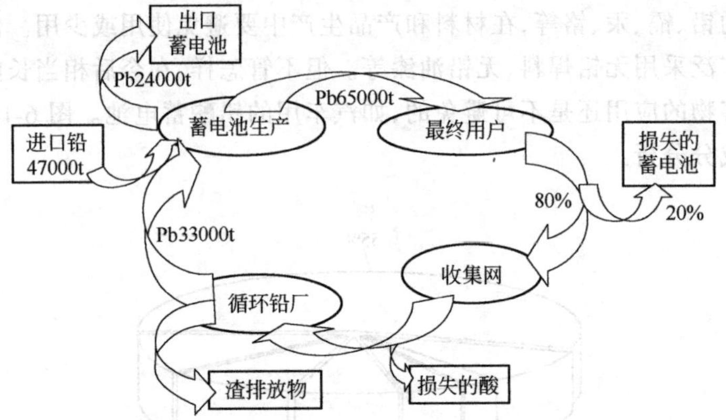

图 6-15　巴西汽车蓄电池循环链示意

表 6-11　巴西汽车蓄电池成分

成　分	含量/%
Pb	71.2
SO_4^{2-}	18.1
Sb	0.3
Ca	0.4
SiO_2	0.14
As	<0.04
Sn	<0.1

关于技术问题，无论是原生还是循环铅的生产，传统的工艺是火法冶炼（鼓风炉或回转炉）。Wernick 和 Themelis[94] 1998 年提出了一种循环铅的生产工艺，将蓄电池破（切）碎，分成的几种物流包括铅物料（约 60％金属铅、15％ PbO_2 和 12％ $PbSO_4$）、聚丙烯等废料和硫酸。含铅物料熔炼成粗铅和一种含氧化铅的硅酸盐渣，这种硅酸盐渣再在铅鼓风炉中加碳质还原剂熔炼成粗铅和低铅（可安全填埋）的惰性渣。值得注意的是该工艺须防止烟尘和飘尘的放散。

新近开发出了环境上较理想的湿法冶金工艺，但还有待于在经济和工业活力方面得到证实。同火法冶金比，铅的湿法冶金金属回收率高、环境友好及能耗低。意大利 Engitec Impianti 公司开发的 CX 湿法冶金整凑工艺蓄电池处理能力可达 5 t/h，1992 年得到了工业验证。

6.4.8.3　巴西的铅回收市场

越来越严格的环境条例和国际铅价的连续下跌，使巴西的循环铅生产出现了前所未有的危机，该领域的经济效益不断下降，传统的火法冶炼工艺受到环境条例的严重制约。

尽管巴西是南美洲最大的铅消费国，但从1996年以后就没有原生铅的生产了。表6-12和表6-13表示巴西近几年铅的生产和消费情况。

表6-12 巴西铅的生产

产　品	种　类	产　量/t		
		1995年	1998年	2001年
铅	原生铅	13958	—	—
	循环铅	50000	48000	52000

表6-13 巴西铅的消费

项　目	1997年	1998年	1999年	2000年	2001年
循环铅/万t	5.3	4.8	5.2	5.2	5.2
进口铅/万t	6.07	6.0	5.6	7.07	7.34
消费量/万t	11.37	10.8	10.8	12.27	12.54

近十年来，大部分铅回收企业由于经济和环境原因已关闭，余下的也仅维持在较小的生产规模上。1995年后，联邦环保部门因环境原因也关闭了一些企业。Cobrac公司是一家原生铅的生产者，由于矿山原料枯竭，1995年停止了生产。

现在巴西从事循环铅生产的企业主要有：

(1) Tonolli，一家独资公司，位于圣保罗州，循环铅的生产能力为36000 t/a，但2001年仅生产了12000 t铅。

(2) Moura，一家联合公司，位于伯南布哥州，生产能力为22000 t/a。

(3) Tamara Metais，一家独资公司，位于巴拉那州，生产能力为12000 t/a。

(4) Sulina de Metais，位于南里奥兰德州，生产能力为11000 t/a。

考虑到内外因素，巴西循环铅的生产面临许多不利因素和需改进的地方。主要不利因素表现为：

(1) 缺乏废蓄电池收集的国家计划。

(2) 大量废物需处置。

(3) 缺乏地方法规和污染惩罚准则。

(4) 缺乏先进的回收技术。

(5) 废蓄电池受到大量非法的回收处理。

主要需改进的地方有：

(1) 要有利于资源回收的国家政策。

(2) 建立全国范围的收集、回收体系。

(3) 鼓励清洁生产工艺开发。

(4) 完善地方环境条例,特别是污染惩罚制度。

克服不利因素,完善相关法规和管理制度,将使巴西的循环铅生产领域走上健康发展道路。

6.4.9 加拿大托诺宁(TONOLLI)有限公司循环铅生产工艺的改进

6.4.9.1 背景

加拿大托诺宁有限公司在安大略省的米西索加市建设一家铅回收和精炼厂,工厂80%的原料是从商人和蓄电池生产者那里购进的废铅酸蓄电池。托诺宁厂将建成一套现代化的破碎和回收系统,这套CX系统是由意大利Engitec Impianti公司开发的,包括未排液的废蓄电池整体破碎、各种成分的分离和蓄电池膏糊的脱硫。除蓄电池的破碎和铅的分离工艺有明显的改进之外,该CX系统还有助于克服或减轻一般循环铅厂常遇到的三废治理问题。该CX系统已成功在欧洲的两家工厂得以应用。

1986年中期至1989年末,铅酸蓄电池回收工业在铅的价格、废料的储备量以及产品的需求方面,与1982～1986年初相比经历过很大波动,铅价从约0.20美元/lb提高到了约0.40美元/lb,废铅酸蓄电池(整体、未排液)的价格从约0.02美元/lb提高到了约0.08美元/lb。

铅酸蓄电池回收工业既要面临着不断严格的环境条例的压力,又要面对气、液、固废料管理的种种问题,这些问题密切关系到废蓄电池的收集、运输和回收。

1988年加拿大环境公报表明,任何时候在加拿大都有约2000万只(约含20万t铅)在服务(应用)中。而且,在可预见的未来对铅酸蓄电池的需求还将逐步上升,因为到目前为止还没有找到技术可靠、经济合理,可取代铅酸蓄电池的新蓄能产品。美国的环保局也持这种观点,所以,美国很重视废旧铅酸蓄电池的回收利用。

1985年,加拿大托诺宁有限公司考虑了一个需投资数百万美元的计划以改善蓄电池的破碎和铅的分离工艺,并同时减轻循环铅生产中通常所遇到的一些环境污染问题。为了达到工艺改善和环境控制的目的,托诺宁有限公司决定采用意大利Engitec Impianti公司开发的CX系统[95]。

6.4.9.2 工艺介绍

A 概论

托诺宁厂的CX系统设计为每年处理60000只完整的车用蓄电池,包括塑料或硬橡胶外壳。工艺是基于破碎的蓄电池湿式筛分以将蓄电池的各组分分开。回收的硫酸铅和铅氧化物加苏打粉处理以产出碳酸铅(低硫)和硫酸钠。碳酸铅送冶炼厂生产金属铅,硫酸钠经结晶、干燥,最终产出工业纯的粉状产品。作业可采用

一、二、三班制，系统设计为可回收下列产品：

(1) 脱硫的氧化铅膏。这种产物水分含量约9%，锑含量小于0.5%，硫含量小于1%，可以用适当的炉子处理以回收铅。

(2) 板栅和电极。送熔炼炉处理产出金属铅，金属回收率在90%以上。

(3) 聚丙烯。这种物料可直接销售，或通过破碎、洗涤和提纯，产出高质量的片状产品销售。

(4) 无水硫酸钠。这是一种工业纯的产品，出售给制造业或玻璃工业。

B 蓄电池的破碎和筛分

蓄电池的破碎和筛分作业如图6-16所示。废蓄电池堆存在防酸的斜坡料场，在此进行粗碎并将酸倒空收集起来。预破碎的蓄电池由前端装载机送至加料仓，再用振动给料器和皮带运输机送至锤磨机。皮带运输机上装有磁性分离器将铁质物料从蓄电池中分离。这种专门设计的锤磨机将蓄电池进一步破碎，破碎的物料采用湿式筛分，将膏糊和金属铅以及其他的组分分开。膏糊浆收集至贮存池中，然后再泵送至脱硫工序。其余部分送至液力分离器进行进一步分选。

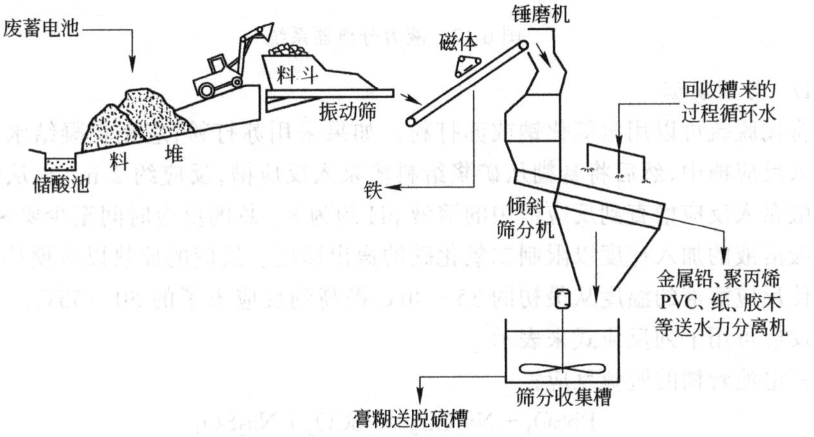

图6-16 废蓄电池的破碎筛分作业

振动筛分系统的筛分孔径经过设计，产出一种低锑的铅膏，筛分床是密封的，并用返回的工艺水喷淋以洗去塑料、金属和其他物质。

C 液力分离器

液力分离器系统如图6-17所示。由振动筛分来的金属铅、破碎的蓄电池壳体物和其他的物料直接加入液力分离器，该过程是利用向上流动的水柱按物料的密度将物料分离。

浮在水上的聚丙烯由旋转叶片送至螺旋输送器，再用皮带运输机送去贮存/外运。铅沉淀在运输器上并回收。分离器的其他物料、硬橡胶以及循环的水溢流至振动筛，其他物料、硬橡胶收集后再进一步处理，循环水收集在沉淀池中以便再用。

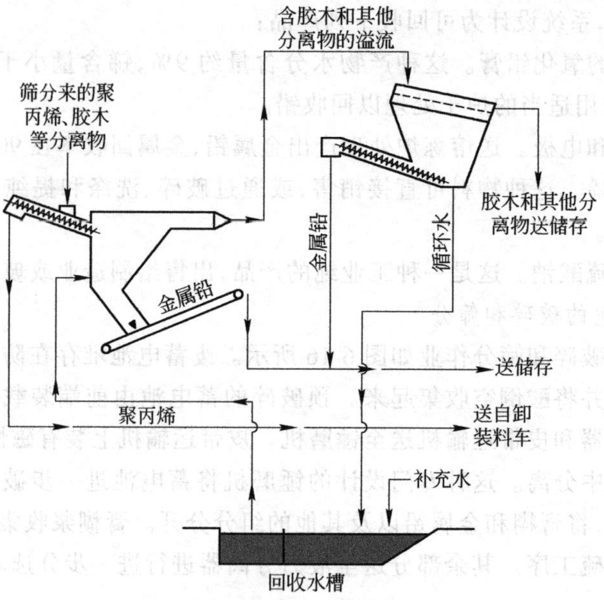

图 6-17　液力分离器系统

D　膏糊脱硫

膏糊脱硫可以用氢氧化钠或苏打粉。如果采用苏打粉，应先将凝结水和苏打粉加入反应槽中，然后将膏糊从矿浆给料槽泵入反应槽，反应约 2 h。再从贮酸池将废酸泵入反应槽直到反应槽中的溶液 pH 约为 8。总的反应时间至少要 8 h。要控制酸溶液的加入速度以限制二氧化碳的逸出速度。反应的放热以及搅拌产生的热将使反应溶液的温度从最初的 35～40℃ 提高到反应末了的 50～55℃。脱硫和中和反应可用下列反应式来表示。

蓄电池膏糊的脱硫反应：

$$PbSO_4 + Na_2CO_3 \rightarrow PbCO_3 + Na_2SO_4 \tag{6-3}$$

中和反应：

$$Na_2CO_3 + H_2SO_4 \rightarrow Na_2SO_4 + CO_2 + H_2O \tag{6-4}$$

然后，将中和反应过的溶液泵送至压滤工序。压滤过程的总周期时间约为50 min，其中 15 min 装料、10 min 洗涤、5 min 空气反吹。过滤液送至贮存池。

湿的滤饼进行两次水洗，第一次洗涤采用上一批料的第二次洗涤后的洗水，第二次洗涤用过程凝结水。洗涤水贮存在两个洗水槽中，第一次洗涤后的洗水送至过滤后的水槽中。大多数用过的洗水返回过程使用，部分洗水与过滤后的溶液一起送结晶器。湿滤饼的成分主要是碳酸铅，还有部分未反应的硫酸铅，收集后送冶炼炉处理回收铅产品。

膏糊脱硫过程如图 6-18 所示。

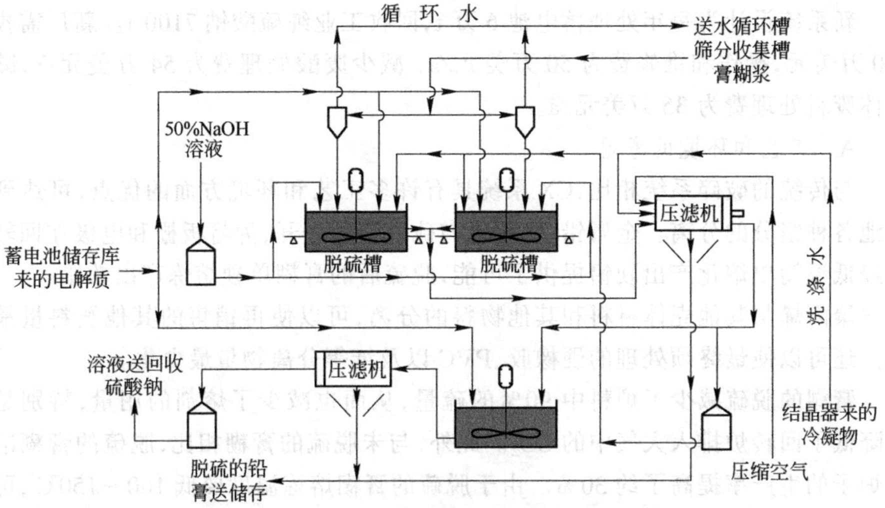

图 6-18 膏糊脱硫过程

E 硫酸钠生产

过滤液用净化过滤机处理以除去细小的固体物，然后泵送至蒸发结晶器。结晶器用蒸汽加热，冷凝水返回过程再用。结晶器出来的黏稠矿浆泵送至离心分离器，在此固体硫酸钠与母液分离，母液返回到蒸发器。硫酸钠经干燥、冷却后直接由气动运输系统送贮存。

工业纯硫酸钠的典型成分和要求如表 6-14 所示。

6.4.9.3 工艺设计

关键的工艺设计基本数据综合于表 6-15。

表 6-14 工业纯的硫酸钠典型的成分规范

参 数	成分和要求
外观	白色
气味	无味
NaCl	1.5%
碳酸钠	1.0%
硫酸根	0.01%
以 H_2S 存在的硫化物	5×10^{-4}%
不溶物	0.1%
烧损	0.25%
铁	100 ppm
粒度分布	
+ 20 目(大于 0.833 mm)	最大 1.5%
+ 60 目(大于 0.246 mm)	最大 65%
+ 100 目(大于 0.147 mm)	最大 95%
+ 200 目(大于 0.074 mm)	—

表 6-15 托诺宁厂工艺设计的主要基本参数

蓄电池的处理能力	60000 t/a
废酸液产生量	900 万 L/a
回收的工业纯硫酸钠	7100 t/a
熔炼用的碳酸铅饼	2400 t/a
金属铅(板栅/电极/浓缩物)	16000 t/a
聚丙烯片	3000 t/a
硬橡胶、PVC、纸等(作燃料)	2000 t/a
作业制度	24 h/d,7 d/周,48 周/a

新系统设计为每年处理蓄电池 6 万 t,回收工业纯硫酸钠 7100 t。新厂需投资 800 万美元,操作和维修费为 50 万美元/a, 减少废酸处理费为 54 万美元/a,减少固体废料处理费为 35 万美元/a。

A　工艺和环境的考虑

与传统的破碎系统相比,CX 系统具有许多工艺和环境方面的优点,可达到蓄电池各种组分的分离。金属铅、氧化铅与硫酸铅的分开,为将板栅和电极在回转炉内经低温简单熔化产出硬铅提供了可能,脱硫后的膏糊单独熔炼产出软铅。

聚丙烯与其他壳体材料和其他物料的分离,可以使再销售的其他塑料量最少化。还可以使最终须处理的硬橡胶、PVC 以及纸等分离物量最少化。

膏糊的脱硫减少了炉料中 90% 的硫量,从而也减少了熔剂的用量,特别是大大降低了回转炉排入大气中的 SO_2。此外,与未脱硫的膏糊相比,脱硫的膏糊冶炼使炉子的生产率提高了约 30%。由于脱硫的膏糊熔炼温度要低 100～150℃,可使冶炼过程的能耗下降 10%左右。脱硫还使冶炼过程产生的固体废料(炉渣)量减少了约 70%,从而降低了处理这些废料相应的成本。

硫酸钠的回收提供了一种可销售的有价值的副产品。

由于从蓄电池中收集的硫酸又用于脱硫阶段,可以预料,将来从工厂中排出的很少量废水仍能满足严格的环境要求。

最后,由于在 CX 系统中含铅的物料基本采用湿法处理而非“干法”处理,从而大大降低了操作工人在健康和安全方面的危险。

B　未来发展——Engitec 用膏糊生产电铅工艺

Engitec Impianti 公司已完成了用 CX 系统分离出来的蓄电池铅组件生产电解铅的小型和半工业试验。

脱硫的膏糊加入反应器中,用氟硼酸和铅电积产生的氟硼酸铅(废电解液)浸出,碳酸铅和氧化铅加入溶液后立即转化成了氟硼酸铅,二氧化铅不溶于这种浸出介质。由于膏糊中存在金属铅,再往反应液中加入少量过氧化氢以平衡 Pb/PbO_2 的比例,就可以使二氧化铅还原成可溶的形式。

在酸性介质中发生如下反应:

$$Pb^{4+} + Pb \longrightarrow 2Pb^{2+} \tag{6-5}$$

$$Pb^{4+} + H_2O_2 \longrightarrow Pb^{2+} + \frac{1}{2}O_2 + H_2O \tag{6-6}$$

因此,含在膏糊中的金属铅被溶解,促进了二氧化铅的还原。

二氧化铅的转化取决于浸出槽的温度和搅拌条件。当矿浆从红褐色变成灰色时,二氧化铅的转化就已完成。过滤后富电解液送电积过程。

滤饼(约占原膏糊量的 6%～7%)含有一些在脱硫阶段未转化的硫酸铅以及非金属物、塑料和玻璃等,滤饼送脱硫工序进一步转化。

饱和铅的电解液用专门设计成分的阳极在串联电解槽中进行铅电积，采用不锈钢永久阴极。每周期大约沉积 80 kg 铅，电流密度为 350 A/m^2，阴极沉积周期约为 48 h，电铅成分大于 99.99%。

6.5 循环铅生产中的清洁生产技术开发及应用

6.5.1 CX®工艺

6.5.1.1 概述

在发达国家，铅酸蓄电池的循环利用已取得了很好结果。铅的生产中有一半以上的原料来自循环铅，循环铅主要是废铅酸蓄电池。循环铅的生产工艺也有了很大改进，特别是在提高生产效率和环境影响方面得到了普遍重视。

尽管如此，在废铅酸蓄电池处理工艺中许多方面还有进一步改善的必要，特别是含铅物料的冶炼工艺。

在废铅酸蓄电池的破碎和分离的预处理过程中，通常产出两种含铅物料：

(1) 金属铅部分，即板栅和电极；

(2) 电池的活性物质，即膏糊。

通常金属部分是采用"熔炼—粗铅—精炼—精铅锭" 的处理工艺。

膏糊是一种较复杂的混合物，主要成分是 $PbSO_4$ 和 PbO_2，还有少量的 $Pb_2O(SO_4)$、Pb_2O_3，硅酸盐和其他添加物等。

$PbSO_4$和 $Pb_2O(SO_4)$的存在使膏糊的硫含量约达 6%，在熔炼时的还原气氛下，部分硫酸根会被还原成 SO_2，这就存在 SO_2 放散的问题。解决这个问题有两种方式：

(1) 在膏糊加入熔炼炉之前用脱硫法除去硫；

(2) 用添加剂使物料中硫固化。

第二种做法是不理想的，熔炼时添加剂与膏糊中的硫反应使硫进入炉渣，但这样也使炉渣的铅含量升高了。最常用的添加剂是 Na_2CO_3、铁和煤。

熔炼时煤作为还原剂使铅化合物还原成金属铅，而同时也会使部分硫酸盐还原成 SO_2。

铁和苏打是通过生成 $x Na_2 \cdot y FeS \cdot z PbS$ 的复杂化合物进入渣中。这种炉渣要求熔炼温度在 1000℃ 以上。此外，加添加剂也会减少炉子的容量，降低炉子的生产能力。

进行膏糊脱硫时，通常是往膏糊浆中加氢氧化钠或碳酸钠，采用间断作业，反应后的矿浆用压滤机过滤以尽量降低滤渣中的水分。脱硫后的膏糊夹杂的硫酸钠，再加上硫酸铅，总的硫含量约为 0.8%～1.5%。

因此，由于目前的循环铅的生产存在上述缺点，Dr. M. Olper 等人研制了一种新的循环铅生产方法。

6.5.1.2 CX®工艺过程

在从废铅酸蓄电池回收铅及其他有价物的过程中,各种成分的良好分离,对于循环铅的清洁生产工艺是很重要的,CX®法[96]就是按此目的设计的。工艺主要包括三个单元过程:

(1) 蓄电池破碎和各组元分离。

(2) 膏糊脱硫和硫酸钠的生产。

(3) 熔炼和精炼,产出高纯铅和铅合金。

CX®工艺和普通工艺比,变化最大的是膏糊脱硫作业。

(1) 膏糊脱硫。

1) 不同反应剂的影响。膏糊加氢氧化钠或碳酸钠脱硫的目的是使硫酸铅转化成氧化铅或碳酸铅。理论上脱硫反应是:

$$PbSO_4 + Na_2CO_3 \rightarrow PbCO_3 + Na_2SO_4 \quad (6\text{-}7)$$

但该反应不会发生,而是按下述反应生成不同的碱式碳酸铅:

$$2PbSO_4 + 3Na_2CO_3 + H_2O \rightarrow NaPb_2(CO_3)_2OH + 2Na_2SO_4 + NaHCO_3 \quad (6\text{-}8)$$

$$3PbSO_4 + 4Na_2CO_3 + 2H_2O \rightarrow Pb_3(CO_3)_2(OH)_2 + 3Na_2SO_4 + 2NaHCO_3 \quad (6\text{-}9)$$

两种碱式碳酸盐的生成比例取决于脱硫操作条件,不同的反应剂与硫酸铅的反应程度比较示于图 6-19。

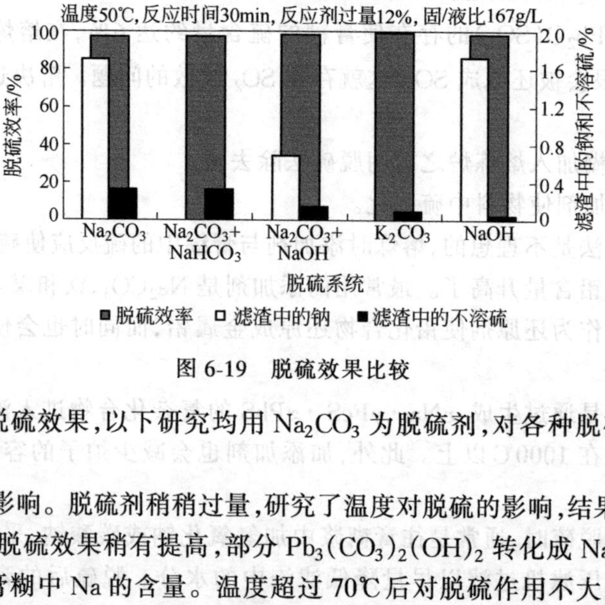

图 6-19 脱硫效果比较

为了了解脱硫效果,以下研究均用 Na_2CO_3 为脱硫剂,对各种脱硫条件进行了研究。

2) 温度的影响。脱硫剂稍稍过量,研究了温度对脱硫的影响,结果示于图 6-20。温度升高,脱硫效果稍有提高,部分 $Pb_3(CO_3)_2(OH)_2$ 转化成 $NaPb_2(CO_3)$,增加了脱硫后的膏糊中 Na 的含量。温度超过 70℃后对脱硫作用不大。

3) 时间对脱硫的影响。同样在脱硫剂稍稍过量条件下研究了时间对脱硫的影响,结果示于图 6-21。

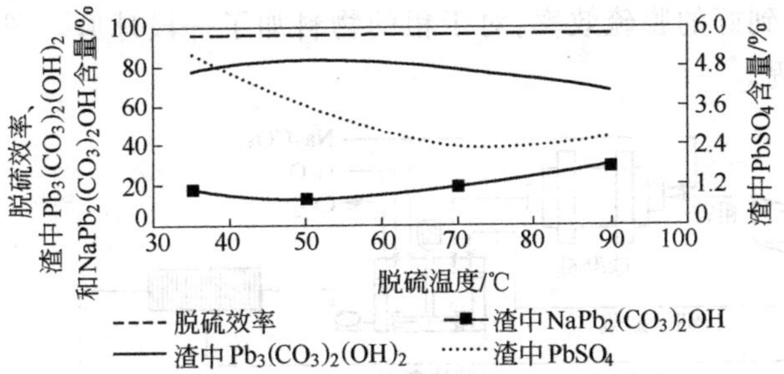

图 6-20 苏打粉一段脱硫时温度的影响

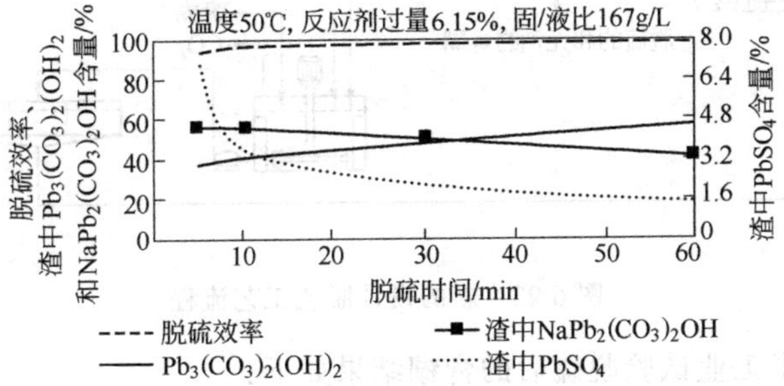

图 6-21 时间对脱硫的影响

时间延长对脱硫效率影响不大,少量 $NaPb_2(CO_3)$ 转化成 $Pb_3(CO_3)_2(OH)_2$,降低了脱硫后的膏糊中 Na 的含量。

4) 反应剂过量的影响。反应剂过量脱硫效率提高,同样也提高了脱硫后的膏糊中 $NaPb_2(CO_3)$量。

5) 膏糊的碳酸化试验。为了彻底脱除脱硫后膏糊中的硫,进行了脱硫后的膏糊碳酸化试验。将脱硫后的膏糊矿浆与通入的二氧化碳反应,达到了完全脱硫和脱钠的效果。试验结果如图 6-22 所示。

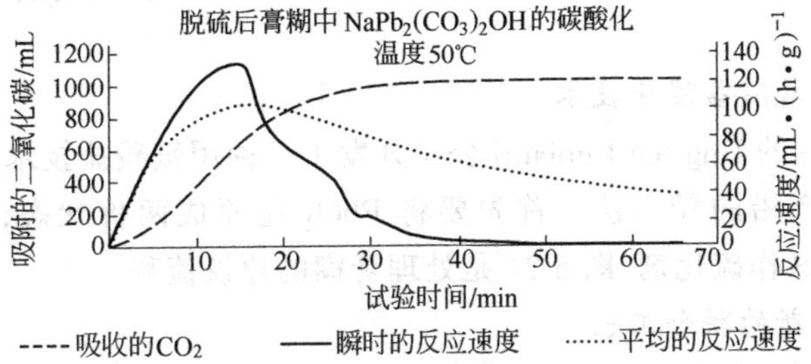

图 6-22 膏糊碳酸化试验结果

(2) 脱硫单元设计。按 CX® 工艺中的脱硫方式,要尽可能达到脱硫后的膏糊中硫和钠的含量最低,使硫酸铅完全转化成碳酸铅,这是通过两段溢流脱硫工序来实现的,为了达到好的脱硫效率,对于粗的物料加了一段球磨。图 6-23 是新设计的脱硫工艺流程。

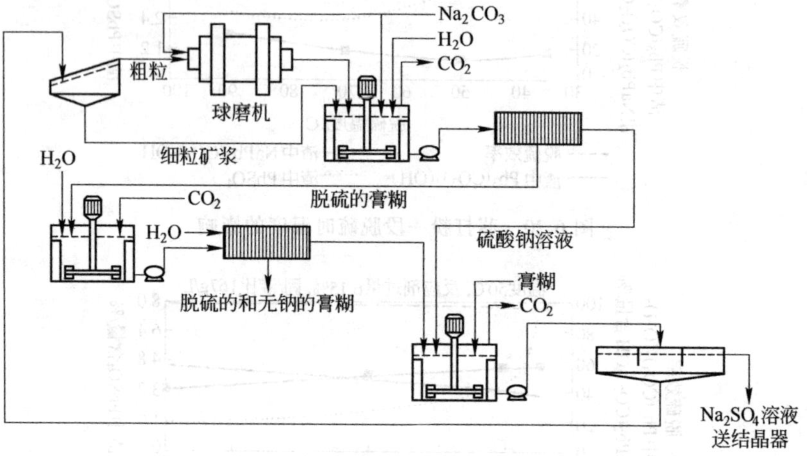

图 6-23　新的设计脱硫工艺流程

按新设计半工业试验脱硫后的膏糊结果如下:

总硫含量	<0.25%
不溶硫含量	<0.15%
钠含量	<0.20%
脱硫率	>97.0%
Na_2CO_3 转化成 Na_2SO_3 的转化率	>97.0%

这种结果对必须熔炼处理的膏糊很重要。含硫高的细板栅也可加入球磨机磨碎后进行脱硫。

(3) 脱硫膏糊熔炼。按 CX® 工艺中的脱硫方式处理后的膏糊,熔炼产生的渣量仅为膏糊量的约 2.5%,而且熔炼温度也较低(900℃),从而大大提高了熔炼设备的生产率。

6.5.1.3　氟酸盐浸出技术

意大利米兰的 Engitec Impianti 公司开发了一种用氟酸盐技术从精矿、粗铅或含铅废料中生产铅的新方法。首先要将 PbO_2 还原成两价状态,然后再转化成 PbS。选择 Na_2S 作硫化剂,图 6-24 是处理膏糊的建议流程。

6.5.1.4　新的联合工艺

在火法冶炼工艺中引入新的脱硫工艺,将对整个火法冶炼工艺带来很大改进。脱硫作业比以前复杂些、成本高些,但在以后熔炼中因更为简化和低成本而大大得到了补偿。更重要的是这种改革使循环铅的生产工艺在保护环境和降低生产成本方面有很大改善。新的联合工艺概念流程如图 6-25 所示。

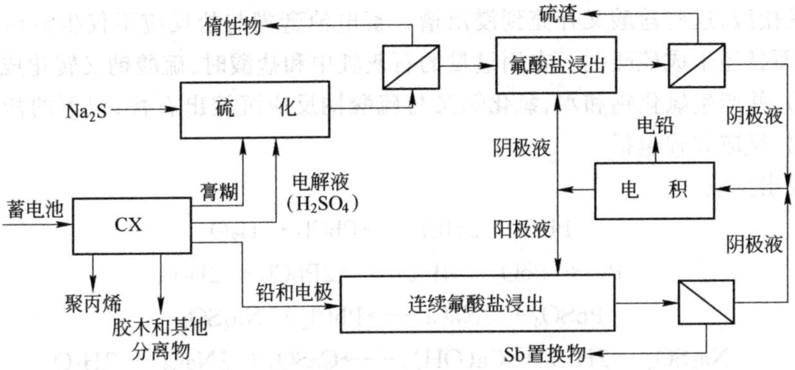

图 6-24 氟酸盐浸出处理蓄电池流程

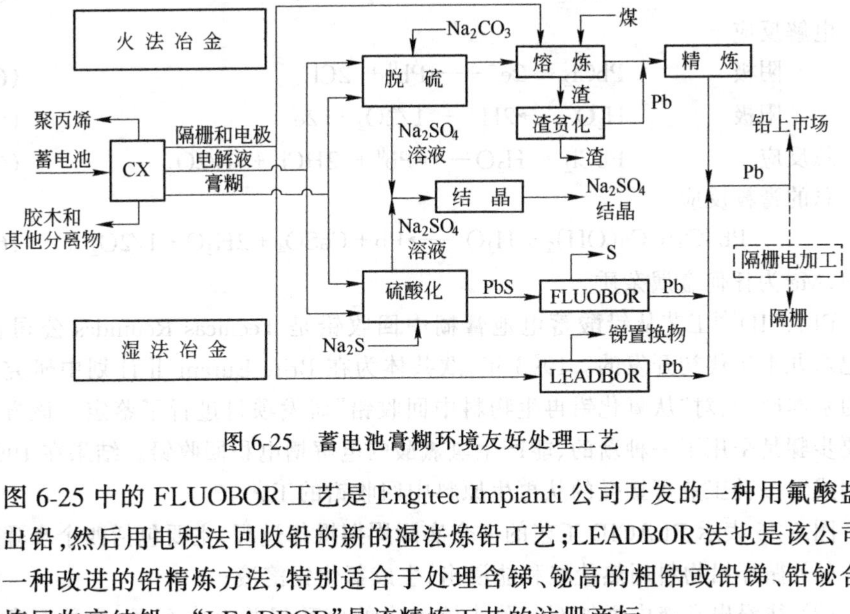

图 6-25 蓄电池膏糊环境友好处理工艺

图 6-25 中的 FLUOBOR 工艺是 Engitec Impianti 公司开发的一种用氟酸盐技术浸出铅，然后用电积法回收铅的新的湿法炼铅工艺；LEADBOR 法也是该公司开发的一种改进的铅精炼方法，特别适合于处理含锑、铋高的粗铅或铅锑、铅铋合金的精炼回收高纯铅。“LEADBOR”是该精炼工艺的注册商标。

6.5.2 PLACID 工艺[97]

由于传统的回收循环铅工艺具有经济和环境方面的诸多问题，西班牙的 Técnicas Reunidas 公司开发了 PLACID 法，并在马德里附近建了一套半工业试验装置，经过两年多的试验，据称在 1996 年后实现工业应用。

6.5.2.1 PLACID 工艺概述

PLACID(plomo ácido)法是使铅在热的、微酸性的盐酸及盐溶液中浸出，生成可溶的氯化铅，氯化铅用电积法在阴极上沉积出金属铅，同时释放出氯化物阴离子，在阳极液中因水的电解释放出的氢离子在穿过隔膜后，立即与氯化物阴离子反应生成盐酸,这些盐酸又补充到浸出槽。蓄电池膏糊与盐反应不仅生成可溶的氯化铅,而且还生成硫酸钠。在用过量的石灰乳中和盐酸时,硫酸钠又转化成硫酸钙(石膏),并产生氯化钙和水,氯化钙又与硫酸钠反应沉淀出石膏,留下的盐同样返回浸出,反应方程包括:

浸出反应

$$PbO + 2HCl \longrightarrow PbCl_2 + H_2O \tag{6-10}$$

$$Pb + PbO_2 + 4HCl \longrightarrow 2PbCl_2 + 2H_2O \tag{6-11}$$

$$PbSO_4 + 2NaCl \longrightarrow PbCl_2 + Na_2SO_4 \tag{6-12}$$

$$Na_2SO_4 + 2HCl + Ca(OH)_2 \longrightarrow CaSO_4 + 2NaCl + 2H_2O \tag{6-13}$$

净化反应

$$MeCl_2 + Pb \longrightarrow PbCl_2 + Me \tag{6-14}$$

电解反应

阴极 $$PbCl_2 + 2e^- \longrightarrow Pb^0 + 2Cl^- \tag{6-15}$$

阳极 $$H_2O \longrightarrow 2H^+ + 1/2O_2 + 2e^- \tag{6-16}$$

总反应 $$PbCl_2 + H_2O \longrightarrow Pb^0 + 2HCl + 1/2O_2 \tag{6-17}$$

总的膏糊反应

$$PbSO_4 + Ca(OH)_2 + H_2O \longrightarrow Pb + CaSO_4 + 2H_2O + 1/2O_2 \tag{6-18}$$

式中,Me 为任何金属杂质。

PLACID™工艺从铅酸蓄电池膏糊中回收铅是 Técnicas Reunidas 公司在 20 世纪八九十年代初开发的。1993 年,欧共体为在 Brite Euram Ⅱ计划中研究该工艺的基本原理,对"从氧化铅再生物料中回收铅"研发项目进行了鉴定。该方法的主要步骤是采用了一种新的、能产生氢氯酸的电解槽电积回收铅。结果在 1995 年研制成了一种工业可接受的从再生原料中回收铅的工艺。

图 6-26 表示 PLACID 工艺的一个实际周期操作过程,主要包括四个步骤:

(1) 循环铅物料用热盐酸和盐浸出,生成氯化铅溶液;

(2) 往浸出富液中添加石灰除去溶液中的硫酸根并生成石膏,这种石膏可用做水泥添加料或制造墙粉;

(3) 采用加铅粉置换法净化铅浸出富液中的杂质,产出一种主要含剩余铅和铜、铋、锡等的置换渣;

(4) 最终净化后的溶液可采用电积法产出高纯铅(大于 99.99%Pb),用PLCID 法生产的铅最大特点是铋含量很低,这是该工艺的独到之处。阳极反应放出氧,产生盐酸,这部分盐酸又返回浸出。因此,工艺的药剂消耗很低。

Técnicas Reunidas 公司 1995～1996 年期间在半工业试验装置中验证了 PLACID 工艺的全过程(经过 1000 h 的连续作业试验),采用的是工业规模的电极,铅的生产能耗很低 (0.9 kW·h/kg),但至今尚无工业应用。

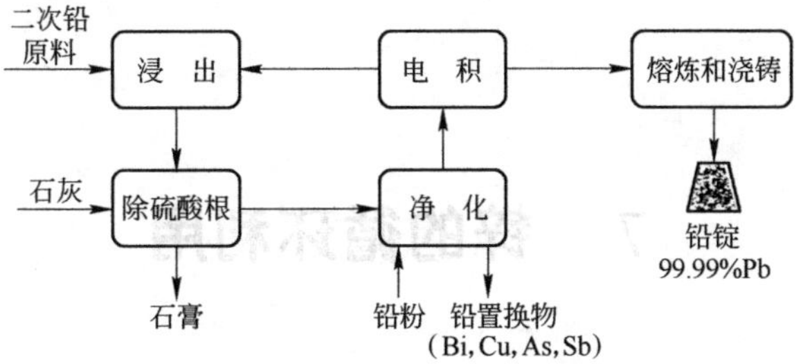

图 6-26 PLACID 工艺

图 6-27 是半工业电解槽示意图。

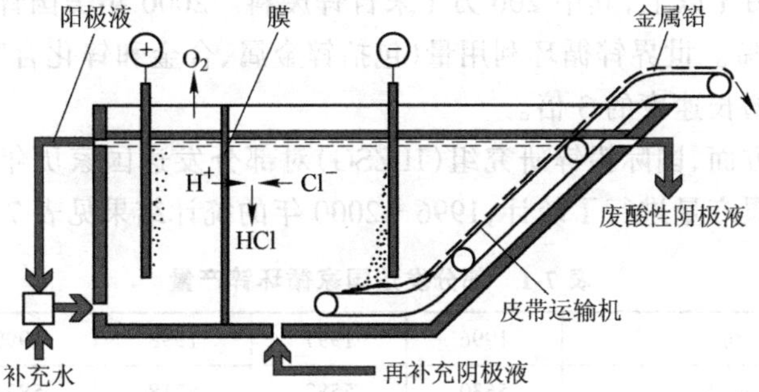

图 6-27 半工业电解槽示意图

6.5.2.2 PLINT 法[98]

进一步的研发是为了改善 PLACID 工艺的循环铅原料的处理,结果演化出了 PLINT 法。在 PLINT 工艺中,投资力度大的电积阶段由用石灰沉淀铅的阶段所取代,现有的低温熔炼阶段用来生产高纯铅(大于 99.99%Pb,见图 6-28),该工艺的性能大大好于目前火法冶炼工艺。

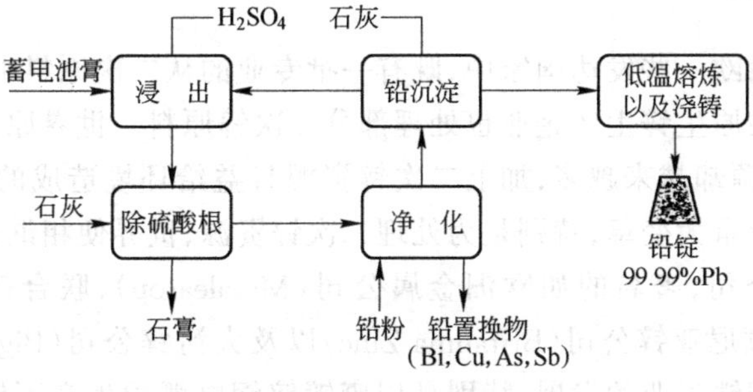

图 6-28 PLINT 法概念流程

PLINT 法过程中不产生酸,所以药剂消耗要高于 PLACID 法。用硫酸取代盐酸,降低了操作费用。此外,投资和电耗也低,环境友好,前景看好。

7　锌的循环利用

7.1　世界锌的循环利用概况[26,37,99]

据国际锌协会(IZA)估计,目前西方世界每年消费的锌锭、氧化锌、锌粉和锌尘总计在650万t以上,其中200万t来自锌废料。2000年美国锌循环利用量占锌总消费的40%。世界锌循环利用量(包括锌金属、合金和锌化合物)的增长速度为原生锌产量增长速度的3倍。

在锌金属方面,国际铅锌研究组(ILZSG)对部分发达国家历年的锌金属总产量和循环锌金属产量进行了统计,1996～2000年的统计结果见表7-1。

表7-1　部分发达国家循环锌产量

年　份	1996	1997	1998	1999	2000
A精炼锌金属总产量/kt	5530	5582	5718	5834	6157
B再生精炼锌金属产量/kt	518	536	555	600	600
C再生金属锌所占份额/%	9.4	9.6	9.7	10.3	9.7
D重熔锌金属/锌合金量/kt	298	296	296	296	296
E二次原料的直接应用量/kt	1125	1106	1108	1108	1108
循环利用总量(B+D+E)/kt	1941	1938	1959	2004	2004

7.1.1　国外概况

在北美和西欧一些发达国家中,既有一批专业的从二次原料中回收锌的企业,还有许多传统的原生锌生产企业也处理部分二次锌原料。世界原生锌原料日趋紧张,而二次锌资源却越来越多,加上二次锌资源日益给环境造成的压力,也迫使锌的生产格局进行重大变革,特别是为处理二次锌资源,世界便相继出现了一批大型联合或跨国锌公司,著名的如欧洲金属公司(Metalearop)、联合矿业公司(Union Miniere)、不列颠尼亚锌公司(Britannia Zinc)以及大河锌公司(Big River Zinc)等。随着现代世界钢铁工业的发展,特别是用废镀锌钢电弧炉生产不锈钢的比例不断上升,世界的含锌电弧炉烟尘(FAF dust)产生量也在不断增加,使近十几年来锌的生产原料结构发生了变化,从过去以各种含锌渣(如热镀锌渣、电锌厂的浸出渣)和废锌合金为主,变成以含锌电弧炉烟尘为主,即含锌电弧炉烟尘的重要性超过了上述含锌渣,一些大型联合或跨国公司便是顺应这种形势而成立的。

7.1.1.1 欧洲

在欧洲,除了部分专业的从二次原料中回收的锌企业外,几乎所有的大型锌冶炼厂都从事锌二次资源的回收和处理。

德国的 Berzelius Umwelt Service AG(B.U.S)是欧洲最大的二次资源锌生产者,公司在德国、西班牙、法国和意大利共拥有五家威尔兹法处理电弧炉烟尘的工厂。表 7-2 是 B.U.S 集团处理电弧炉烟尘的实例。该集团总处理能力近 40 万 t,占欧洲电弧炉烟尘总处理能力的 60% 以上。产出的氧化锌出售给锌冶炼厂生产锌产品,其中 Pontenossa S.P.A 和 Aser S.A 产出的氧化锌经洗涤、净化后可送原生锌生产系统的浸出工序处理,最后产出电锌。

表 7-2 B.U.S 集团处理电弧炉烟尘工厂实例

工 厂	国 家	年处理能力/万 t	后续工序
B.U.S Metal Buisburg	德国	6	无
B.U.S FrebergGmbH	德国	5	—
Recytech S.A	法国	8	无
Pontenossa S.P.A	意大利	9	洗涤净化
Aser S.A	西班牙	10	洗涤净化
合 计		38	

欧洲金属公司是一家从事铅锌及特种金属生产、加工和回收的集团公司,拥有 Recytech S.A 和 Harz-Metall 两家处理电弧炉烟尘回收锌的工厂,烟尘处理能力分别为 8 万 t/a 和 5 万 t/a。世界著名的锌公司联合矿业集团在比利时有两家锌冶炼厂,一家以锌精矿和电弧炉烟尘为炼锌原料,另一家则是全部从二次原料中回收锌的工厂(Overpelt)。后者处理(热)镀锌和电镀锌过程废料、汽车碎片、电弧炉烟尘等,产出的高纯氧化锌送该集团在比利时和法国的电锌厂作原料。2000 年 12 月,该集团又收购了澳大利亚 Normandy Mining 公司的 Larvik Pigment 锌厂,这样该公司又增加了一套 13 万 t/a 的蒸馏法处理锌二次原料生产锌粉及氧化锌的装置[99]。

英国的 Britannia Zink 公司是世界上用帝国熔炼炉(ISF)处理混合铅锌精矿的开创者。最近,该公司又开发了用 ISF 处理电弧炉烟尘、火法炼铜含锌烟尘、锌合金生产过程产生的含锌烟尘等回收锌的工艺,该公司锌的产能为 10 万 t/a,年处理的总物料量为 30 万 t,其中 8 万 t 为锌二次原料。不久,该公司又建立了一个用 ISF 处理废旧锌锰电池的工业试验厂,年处理 22 万 t 废弃锌锰电池,可产出 4000 t 精馏锌。

葡萄牙的 Befesa 公司是一家专业的从电弧炉烟尘中回收锌的公司。最近,该公司与 Basque Country 钢铁公司达成了协议,每年后者的约 13 万 t 电弧炉烟尘送给 Befesa 公司处理。2001 年 Befesa 公司处理了 23.3 万 t 电弧炉烟尘。

7.1.1.2　美国

美国是锌二次原料回收利用较好的国家之一,表 7-3 为美国 20 世纪末锌循环利用的情况。从表中可看出,美国锌的循环利用量已占锌总产量的 25% 以上,锌循环利用中约 1/4 的锌来自电弧炉烟尘和镀锌渣。

表 7-3　20 世纪末美国锌的循环利用情况

年　份	1996	1997	1998	1999	2000
锌循环利用量/万 t	37.9	37.6	43.4	39.9	43.6
占总锌产量比/%	26.1	25.2	27.5	24.8	27.1

1984 年美国的电弧炉烟尘回收利用率仅为 30% 左右,当年"资源保护与再生法"重新修订后,电弧炉烟尘的废弃成本大幅度提高,促使电弧炉烟尘回收利用率也迅速提高,1998 年达到了 75%。2000 年以后美国每年产出电弧炉烟尘约为 70～80 万 t(含锌 14～16 万 t),其中 80% 以上得到了回收利用,约 15% 经无害化处理后填埋,5% 用于铺路。

Horsehead Resources Development(HRD)是美国最大的电弧炉烟尘生产公司,采用威尔兹法,年处理能力约 38 万 t,回收锌 6. 5 万 t。美国的 IMCO 及 ZCA 也是世界知名的锌回收公司。1998 年 IMCO 收购了全球最大的二次资源锌回收公司 U.S. Zink Corp.,后者包括位于伊利诺斯、得克萨斯和田纳西州的五个二次资源锌生产厂,每年二次锌原料的处理能力达 10 万 t。另外,ZCA (Zink Corp. of America)也是处理电弧炉烟尘回收氧化锌的公司。

7.1.1.3　亚洲

在亚洲,二次锌资源回收利用较好的国家是日本和印度。

由于日本资源匮乏,20 世纪 70 年代锌的生产就开始考虑了二次锌原料问题。1999 年,日本电炉炼钢产出烟尘 52 万 t,其中 70% 得到了回收,25% 经无害化处理后填埋,5% 用做水泥原料。参与回收利用的公司包括锌生产企业、专业的(烟尘)回收利用企业及钢铁企业。

印度锌的循环利用起自 20 世纪 70 年代末,以后发展到印度总锌产量中 15%～20% 来自二次资源,冶炼能力达 6 万 t/a,拥有 40 多家二次锌原料回收利用企业。由于印度的钢铁工业并不发达,因此可回收锌的二次原料有限,主要依靠进口锌浮渣、黄铜渣、热镀锌渣等二次原料。1996～1999 期间,国家一度禁止废料进口,使 35% 的企业倒闭,印度不得不从国外进口原锌。后来解除了禁令,现在印度的锌循环利用行业又再度活跃起来。

韩国和日本在废旧锌锰电池回收处理技术处于领先地位。韩国的资源回收技术公司开发的等离子体处理锌锰电池回收铁锰合金和金属锌,年处理锌锰电池能力达6000 t;日本ASK工业株式会社采用分选、焙烧、破碎、分级、湿法处理等技术,年处理锌锰电池达数千吨。但总体讲,当前世界从含锌废旧电池中回收的锌比例还很小,仅是一种尝试,主要原因可能还是回收锌的成本太高,经济上不合算。

7.1.2 中国

中国从二次资源中回收的锌产量不大,比例低。据《中国有色金属年鉴》统计,2001循环锌6.97万t,占当年锌总产量的约5.8%。在1995年循环锌量最高的年份(9.59万t),也仅占当年总量的8.9%。2004年循环锌量是4.48万t,占当年锌总产量(271.95万t)的1.6%,占总消费量(255.12万t)的1.76%。

中国是世界第一钢铁、锌锰电池生产和消费大国,又是汽车和金属锌的生产和消费大国,有非常丰富的二次锌资源,与之极不相称的是中国锌的循环利用量却很低。现在年总量不超过10万t,这其中还包括5~6万t从国外进口的汽车切块中的锌合金铸件,这说明国内二次锌资源的回收利用率很低。从事该行业的主要是一些私人小冶炼厂。

7.2 二次锌原料及处理技术

7.2.1 二次锌原料

二次锌原料主要是钢铁厂产生的含锌烟尘、热镀锌厂产生的浮渣和锅底渣、废旧锌和锌合金零件、化工企业产生的工艺副产品和废料、次等氧化锌等,这类废料属于旧废料。而生产锌制品过程产生的废品、废件及冲轧边角料,则属新废料范畴。

锌灰、锌浮渣熔剂撇渣和喷吹渣是钢板或钢管在不同镀锌操作中产生的主要二次锌原料。锌灰是干镀锌过程中由于熔融锌的氧化而产生的,浮在熔融锌的表面。锌灰主要是锌氧化物,也有少量金属锌以及其他杂质,组成通常为:Zn 60%~85%、Pb 0.3%~2.0%、Al 0~0.3%、Fe 0.2%~1.5%、Cl 2%~12%。在湿镀锌过程中,熔剂是为了降低熔融锌的氧化,熔剂撇渣的主要组成是金属锌、氧化锌、氯化锌、氯化铵等,典型组成为:Zn 5.6%、$ZnCl_2$ 48.1%、ZnO 27.4%、$AlCl_3$ 3.1%,其余为Fe、Cd、Al等氯化物或氧化物。此外,在镀锌过程中镀锌槽底由于钢锅壁和钢部件与熔融锌反应,形成一种Zn-Fe合金,沉淀在槽底,称之为底渣,典型成分为:Zn 96%、Fe 4%。喷吹渣是钢管镀锌中表面清渣时得到的,典型组成为:(金属)Zn 81%、Fe 0.3%、ZnO 16%、Pb 0.3%、Cd 0.1%。

电弧炉炼钢时,往炉中加入各种钢铁废料,有的废料可能含有锌或其他金属,一些易挥发的金属(如锌)在冶炼过程中就会挥发进入烟尘,电弧炉烟尘(EAFD)

主要含氧化锌、铁酸锌以及其他金属氧化物等(视入炉原料不同而有所不同),典型组成为:Zn 19.4%、Fe 24.6%、Pb 4.5%、Cu 0.42%、Cd 0.1%、Mn 2.2%、Mg 1.2%、Ca 0.4%、Cr 0.3%、Si 1.4%和Cl 6.8%。

2004年我国锌的总消费量为255.12万t,其中镀锌的消费量占47%,这表明2004年我国镀锌的消费量在120万t左右。遗憾的是,至2006年我国钢铁工业从电弧炉烟尘中回收锌还是空白,这是资源的巨大浪费。

硫化锌精矿湿法冶金中产生的含锌渣主要有浸出渣、净化渣和熔锅撇渣,其中浸出渣是最主要的回收锌原料。其他的二次锌原料还包括废电池、汽车含锌废料等。

中国的二次锌原料主要为热镀锌渣和各种锌合金。一些硫化锌精矿湿法冶炼厂的浸出渣用威尔兹法回收的部分氧化锌,通常直接在本厂处理。

7.2.2 锌的循环利用技术

含锌废料回收锌的方法有火法和湿法两种,其中以火法为主。新废料一般在炼锌厂或锌制品厂内部处理,经仔细分类的纯废锌或合金可直接重熔;含锌杂料(包括氧化物)可采用还原蒸馏法或还原挥发富集于烟尘中处理。回收锌的冶炼设备有平罐或竖罐蒸馏炉、电热蒸馏炉等。这些火法冶炼设备用于处理二次原料时,操作条件与处理原生锌原料类似。

7.2.2.1 火法冶金

与原生锌的生产不同,二次锌原料的利用主要以火法为主。许多二次锌原料可在原生锌的生产过程中同时处理,如电热法、帝国熔炼法、QSL法等生产过程中都可以处理部分锌废料。威尔兹法主要处理锌浸出渣及钢铁工业的含锌烟尘等。

7.2.2.2 湿法冶金

从二次锌原料中用湿法生产循环锌的量虽不及火法,但却有某些独特优势,如在处理钢铁工业废镀锌板以及电弧炉烟尘时,用火法处理也不很理想,而现在用湿法处理却有较大进展,特别是湿法处理中采用溶剂萃取技术分离和提纯,得到了业内许多人士的认同,预料未来10年内将会有较大发展。目前先用火法从烟尘中产出粗氧化锌,经净化后再将较纯的氧化锌加入电锌厂的湿法系统处理,最终产出高纯电锌。此外,湿法处理环境条件好。

7.2.3 中国的循环锌生产实例

下面介绍中国循环锌生产实例。

(1) 上海锌厂用平罐蒸馏法处理热镀锌浮渣、锅底渣及其他含锌废料。金属锌直收率为71.4%~84%,锌总回收率为95%,蒸馏锌品位为97%~99.9%,罐渣含锌为10%～15%。该方法缺点是热效率低,劳动强度大。

(2) 广西柳州市有色金属冶炼厂用电炉熔炼处理锌浮渣蒸馏锌粉。原料先进行烘焙,同时加入焦炭、石灰和石英,烘焙后炉料水分小于0.4%。烘焙料热态加入电弧炉,经还原产出锌蒸气,再经冷凝器冷却制取锌粉。锌粉电耗为4500～5000 kW·h/t,锌回收率为85%～90%,渣含锌为5%～10%。

(3) 北京矿冶研究总院用氨法生产活性氧化锌的工艺[100]。

1991年北京冶炼厂曾进行了处理干电池的湿法冶金工艺工业试验,废锌锰干电池经球磨、过筛、分级、摇床分选,可分别获得金属锌、铜、铁、二氧化锰和氯化铵溶液。

7.3 国外钢铁业的锌回收

7.3.1 概论[102,103]

在世界锌的消费中,约有一半用于镀锌[101]。从表7-1中也可看出,2000年发达国家锌的循环总量约为200万t,其中废旧金属锌及合金的重熔和二次锌原料的直接利用(D+E项)约占循环锌总量的绝大部分,而循环锌量(B项)约为60万t,约占循环锌总量的30%。目前,发达国家从废旧锌锰电池中回收的循环锌主要是日本和韩国作了些尝试(关键可能还是回收成本高,经济上不合算),预计回收的锌总量在1万t左右,在循环锌中所占比例很低。在60万t循环锌中,钢铁业锌的回收占有很大比例。随着世界钢铁生产中越来越多地采用废钢以及用电弧炉碱性炼钢的小型钢铁企业数量的不断增加,电弧炉烟尘(EAFD)量也在不断上升。镀锌废钢材数量的增长又加剧了这种趋势。在美国镀锌废钢材被认定为有害废料,小型钢铁企业在处理这种电弧炉烟尘时存在着技术、经济和法律方面的许多问题。在欧洲和世界其他地方也存在类似的问题。钢铁行业中绝大多数电弧炉烟尘是碳钢生产时产生的,不锈钢生产的烟尘约占20%,其次还有高炉含锌烟尘等。从电弧炉烟尘中回收锌,在经济上、环境保护和资源回收方面都有很重要的意义。

电弧炉炼钢典型的操作温度是1500～1700℃间,当炉料中存在易挥发性金属,如锌、铅和镉等时,作业中它们就会挥发,最终进入烟尘中。在不锈钢生产中的烟尘含铬高,此外含有铅和镉,这都是有毒物质。过去曾采用填埋法处理这种烟尘,但这些有毒物质可能会严重污染地下水。不锈钢的生产者也很在意EAFD的处理费用,通常填埋的处置费在150～250美元/t。

7.3.1.1 钢铁业锌回收存在的主要问题和机遇

钢铁业锌回收存在的主要问题如下。

(1) 美国每年产出70～80万t EAFD,被认定为有害废料(K061),且每年还在以4%～6%速度在增长。在这种废料中,每年有45～50万t可经处理回收锌和铅;每年有 20～25 万 t 无或低锌和铅的烟尘需固化或填埋;每年有 2～2.5 万 t 销售给免税市场,如肥料及其他回收锌的行业。

(2) EAFD 的成分通常为:Zn 15%～20%;Pb 0.5%～2%;Cd 0.1%～0.3%;Cl 0.5%～3%;F 0.05%～0.1%;Fe 30%～45%(大多为三价)。

(3) 每年美国的 EAFD 含有 14～16 万 t 锌和 7～8 kt 铅,该金属量相当于美国每年锌消费量的 8%～10%,铅消费量的 0.2%～0.3%。

(4) 每年美国采用电弧炉的钢铁厂需花费 1～1.5 亿美元用来处理或处置 EAFD。

(5) 电弧炉炼钢者最关心的问题仍然是降低 EAFD 的处理成本和残渣的处置问题。

(6) 从回收锌和铅的角度看,EAFD 的品位还是偏低。

钢铁业锌回收存在的机遇为:

(1) 变有害废料为无害。

(2) 回收高附加值产品并投入经济循环。即以金属或氧化物回收锌;铁以金属或氧化物返回钢铁工业;回收铅和镉;从不锈钢 EAFD 中回收镍和铬;回收卤化物盐类。

(3) 回收利用可创造财富,并减轻环境污染。

7.3.1.2　处理工艺

过去,大多数 EAFD 的处理工艺都是设计用来处理从碳钢 EAFD 中回收锌的,而对不锈钢 EAFD,因其含锌低而含镍、铬和钼较高,生产者要回收这些合金元素,过去的工艺基本不适合不锈钢 EAFD 的处理,必须对这些工艺加以改造。现已开发了许多EAFD处理方法,处理工艺有火法、湿法、联合法(火法、湿法)、稳定和固化法、玻璃化法等。

(1) 火法。工业中已应用的工艺如:

1) 普通威尔兹法处理,为电热法、电锌法和 ISP 法提供原料——美国、德国、意大利、西班牙、日本和中国台湾(地区)等。

2) 威尔兹法(产出可销售的抛光级氧化锌和化学纯氧化锌)——墨西哥。

3) 火焰反应器处理,为电热法、电锌法提供原料——美国。

4) 三井(公司)炉处理(粗氧化锌)——日本。

5) 电热炉处理(化学纯氧化锌)——日本。

6) ISP 炉的风嘴喷入 EAFD(金属锌和铅)——英国、德国。

7) 真空热还原(粗金属锌)——日本。

(2) 湿法。EZINEX 法(金属锌和铅)——意大利。

(3) 正在建设中或即将投产的有两种火法工艺方法:

1) MRP/ASW/PSE(粗氧化锌)——英国。

2) BSN(粗氧化锌)——德国。

(4) 正在开发或评估中的方法有:

● **火法**

1) Phoenix Environmental(凤凰环境公司)(粗氧化锌)——美国。

2) Midrex Fastmet(粗氧化锌)——日本。

3) 川琦(粗氧化锌)——日本。

4) JOI(粗氧化锌)——南非。

5) HYLSA(粗氧化锌)——墨西哥。

6) JCRM(粗氧化锌)——日本。

7) CONTOP(粗氧化锌)——澳大利亚、瑞典。

● **联合法**

1) 美国金属回收公司(抛光级氧化锌和金属铅)——美国。

2) Hartford 钢公司(抛光级氧化锌和金属铅)——美国。

(5) 潜在的方法有:

● **火法**

1) Enviroplas(锌) ——南非。

2) Allmet(锌、金属铅) ——美国。

3) Metwool(锌、粗氧化锌) ——美国。

4) Ausmelt(粗氧化锌) ——澳大利亚。

● **湿法**

1) 改进的 ZINCEX(锌) ——西班牙。

2) Terra Gaia(锌硫化物精矿) ——加拿大。

3) Rezada(SHG 锌、金属铅) ——法国。

4) $(NH_4)_2CO_3$ 浸出(氧化锌)——荷兰。

5) 加压氯化浸出 (氧化锌)——荷兰。

(6) 已放弃的方法有:

● **火法**

1) Elkem(锌、金属铅) ——美国。

2) IMS 等离子(锌、金属铅) ——美国。

3) Hiplas(金属锌)——英国。

4) ZTT(粗氧化锌) ——美国。

5) Laclede 钢公司电炉法(WP 锌、粗氧化锌) ——美国。

● **湿法**

1) MRT(1) (抛光级氧化锌、金属铅)——美国。

2) MRT(2) (抛光级氧化锌、金属铅)——美国。

● **联合法**

IBDR-ZIPP(锌、金属铅)——加拿大。

7.3.1.3 几种处理工艺简介

几种处理工艺简介如下:

(1) 等离子法。等离子炉温度可达10000 K或更高,在等离子状态和如此高的温度下,通过烟尘用碳还原,90%以上的金属氧化物都可被还原。产生的废料是一种不含有害物的炉渣。该工艺的主要缺点是等离子炉能耗高,长期采用必须有低廉的能源作支撑。现在瑞典的Scandust法仍在操作。

(2) 电炉处理。日本川崎钢公司开发了一种一个焦炭填充床和两组风眼的熔炼还原工艺,用于处理吹氧炉(blast oxygen furnace)烟尘,这种烟尘的化学成分和物理性质很类似于电弧炉烟尘,铁和镍的金属回收率达100%,铬达98%。该工艺从1994年5月起已工业应用。

(3) Inmetoco法。Inmetoco公司开发了一种用回转炉从生产碳钢的废料中回收铁的工艺,并于1978年开始处理不锈钢生产的轧钢皮、屑和EAFD。后来对工艺又进行了改革,可用于从其他废料中(如酸洗液、镍和铬电镀废液等)回收镍和铬。在美国Ellwood市建立了一个日处理150 t废料的工厂,年产出2 kt含锌和铅的氧化物半成品。

(4) 直接回收。J&L特种钢公司和dereco公司于1988年联合开发了一种dereco法,并进行了不锈钢电弧炉烟尘的处理试验。烟尘、金属碎屑与10%黏合剂、10%的焦末(或硅铁作还原剂)制团,用电弧炉熔炼。连续进行了550天的试验,产出的电弧炉烟尘含锌量达到30%以上,这种烟尘再进一步回收锌。用焦炭作还原剂时,金属回收率较低,如铬不到70%;如果用硅铁作还原剂,则Fe、Cr和Ni的回收率几乎达100%。

Daido钢公司用铝浮渣作还原剂研究了不锈钢电弧炉烟尘的直接回收方法。铝浮渣是铝工业中的一种废料,含有金属铝,是一种很强的还原剂。用一个80 t的电弧炉进行了工业试验。试验结果为铁和镍的回收率很高,但铬的回收率低,不超过60%。往炉渣中加入适量的石灰提高炉渣的碱度,可使铬的回收率提高到85%~90%。

7.3.1.4 电弧炉烟尘处理的经济性

EAFD处理的经济性与地理位置、烟尘种类和选择的处理方法等有关,综合看大致在如下范围内:

(1) 收入。

1) 从EAFD产生企业或政府部门获得有害废料处置补贴收入。现在是80~125美元/t,过去是150~250美元/t。

2) 产品销售收入。其中锌产品为30%~100% LME(伦敦金属交易所)价+佣金,铁产品为 50～300 美元/t,铅产品为 LME 的 30%～40%,渣为 5～10 美元/t。

(2) 生产成本。生产成本为每吨 EAFD 150～200 美元。

(3) 投资。投资为 250～600 美元/t 年处理能力。

(4) 如果没有政府有害废料处置补贴收入,通常 EAFD 的处理无经济性可言。

7.3.2 北美电弧炉烟尘的回收利用[104]

7.3.2.1 概述

20 世纪 80 年代,(美)国家环保局颁布了环境条例,其中包括电弧炉粗钢生产中烟尘放散的控制,并将电弧炉烟尘列为有害物。在 90 年代该条例又进一步完善,对电弧炉烟尘,要求采用高温处理以回收金属,或经化学无害化处理以满足填埋要求。在加拿大也制定了类似的条例。现在,在美国和加拿大高温处理回收金属和填埋是电弧炉烟尘的两种主要处理方式。美国情报管理者协会商务研究部(Associative of Information Managers Market Research),于 2000 年 3 月 17 至 4 月 28 日对美国和加拿大的 76 家电弧炉粗钢生产者的电弧炉烟尘处理进行了调查。[104]

在美国和加拿大,碱性转炉氧气炼钢正在不断下降,而电弧炉炼钢在不断上升,这表明电弧炉炼钢烟尘量也在不断上升。1999 年,在调查的 75 个电弧炉企业共生产了约 5470 万 t 钢,这相当于 6710 万 t 生产能力的 82%;调查的实例代表美国和加拿大总电弧炉炼钢当年产量的 94%,或相当于美国和加拿大当年总钢产量(12380 万 t)的 44%。所有的被调查者表示在 2000 年将比上年电弧炉钢产量增长 10%以上。被调查的对象中,碳钢产量约占 81%,合金钢占 15%,不锈钢为 3%,其余 1%为脱硫钢和硅钢。

7.3.2.2 含铁的给料(IBCM,iron bearing charge materials)熔炼

废料的种类和其他的含铁给料将对产生的电弧炉烟尘质量有很大影响。高质量的含铁废料将导致烟尘的产生量少。相反,含较高重金属(如锌、铅、镉等)的废料也将导致烟尘中这些重金属的含量高。

在被调查的对象中,切碎的废料是最普遍的含铁给料,约占 85%。至少 50%的生产者还采用本厂的返料(home revert)、重熔料(heavy melt),在被调查的对象中至少有 25%的企业可发现总共有 13 种不同品级的 IBCM 料。

切碎的废料占电弧炉消耗的含铁给料最大比例(25%)。在被调查的对象中五种类型的含铁给料量总共占 62%的比例,其次是切碎的高纯铁废料,占 16%,其他三种每种各占约 7%。

7.3.2.3 电弧炉烟尘的产生量和构成

电弧炉烟尘的产生量和构成如下:

(1) 电弧炉烟尘产生量。1999 年调查的电弧炉生产者共生产了约 1069457 t 电弧炉烟尘,而美国和加拿大的总量约为 120 万 t。因此,调查数(1069457 t)约占美国

和加拿大产出的总电弧炉烟尘量的90%。其中被调查的40家中小企业电弧炉烟尘量约占调查数的49%,而9个小型碳素带钢企业的电弧炉烟尘量约占27%。

(2) 电弧炉烟尘产生率。被调查的对象中82%的企业电弧炉烟尘产生率在吨钢11～20 kg范围,图7-1是企业吨钢电弧炉烟尘的产量比例。

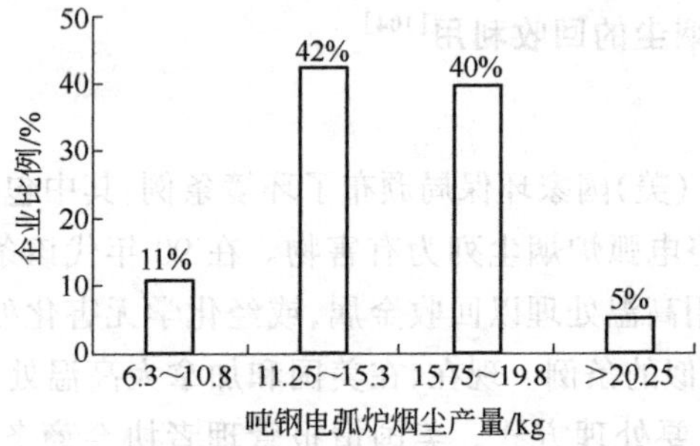

图7-1　企业吨钢电弧炉烟尘的产量比例

小型碳素带钢企业的电弧炉烟尘产生率最大,其中77%的小型碳素带钢企业电弧炉烟尘产生率在每吨钢约16 kg(约35 lb)以上。

42%的企业(31个)每年产出的电弧炉烟尘在7500～14999 t之间。图7-2是年电弧炉烟尘产生率的分配。

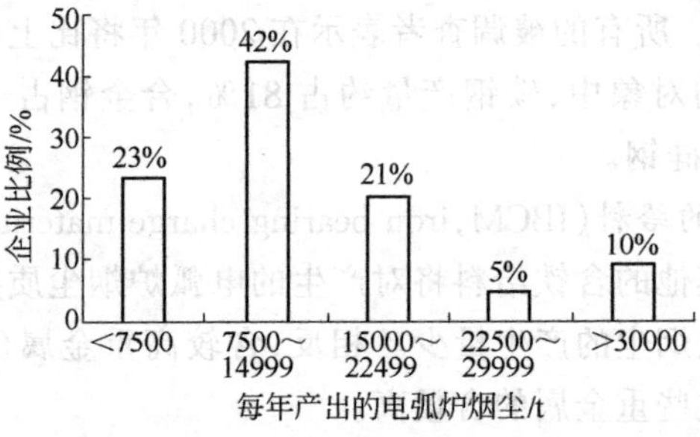

图7-2　调查的73个企业年电弧炉烟尘产生率的分配

(3) 电弧炉烟尘产生的典型化学成分。电弧炉烟尘的化学成分对技术回收的可能性至关重要。在碳素钢的生产中,通过电弧炉烟尘的回收处理,为回收烟尘中的有价物提供了最大的可能性。

62个企业中的48%(29个)企业氧化锌(ZnO)的百分含量在15%～24.9%,其中21%(13个)的企业氧化锌的含量在25%以上。图7-3是各企业电弧炉烟尘中氧化锌含量的分配。

61个企业中40%(25个)的电弧炉烟尘中氧化铅的含量在1%以下,其他31%的企业在1%～1.99%之间。在回收氧化锌时,氧化铅的含量可能会削弱氧

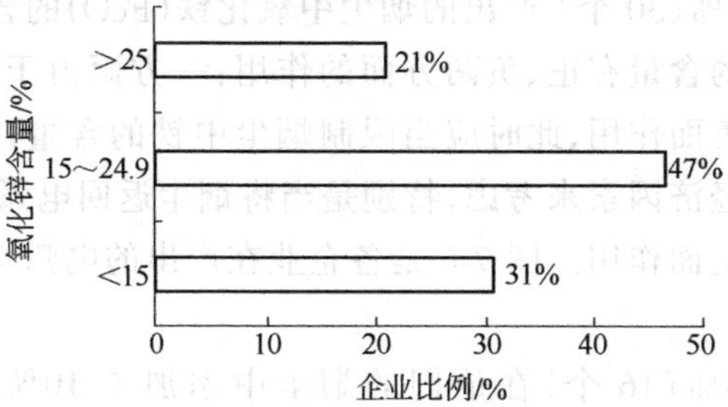

图 7-3 调查的 62 个企业的氧化锌含量

化锌回收企业的经济性。当然,某些工艺可能最终将导致回收金属铅,如在高温回收金属锌的工艺中,氧化铅将与氧化锌一起挥发,夹杂在氧化锌中的氧化铅最终也可以回收。但无论如何,烟尘中的氧化铅对氧化锌的回收经济性起着副作用。图 7-4 是各企业在产出的电弧炉烟尘氧化铅含量中的分配。

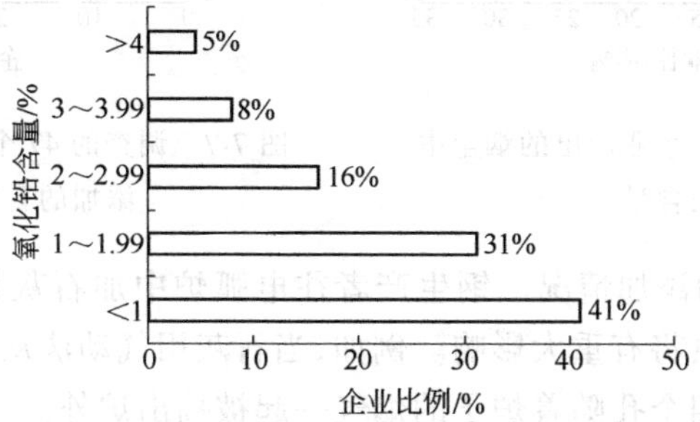

图 7-4 调查的 61 个企业产出的烟尘中氧化铅含量

61 个企业中 47%(29 个)产出的烟尘中氧化镉(CdO)的含量为 0.4% 或更高一点。含氧化镉的烟尘与含氧化铅的烟尘存在的问题类似,对氧化锌的回收经济性也起着负面作用。图 7-5 是各企业在产出的电弧炉烟尘氧化镉含量中的分配。

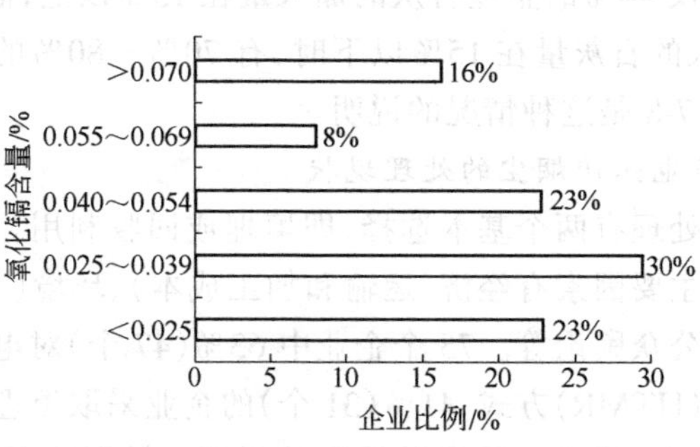

图 7-5 调查的 61 个企业产出的烟尘中氧化镉含量

64 个企业中 47%(30 个) 产出的烟尘中氧化铁(FeO)的含量为 30% 或更高一点。烟尘中氧化铁的含量有正、负两方面的作用:一方面由于铁的价值低于锌,所以对锌的回收有着负面作用,此时应当限制烟尘中铁的含量;另一方面,也可以将铁的回收作为一种经济因素来考虑,特别是当将烟尘返回电弧炉中再炼(钢)时,此时的铁含量就有着正面作用。图 7-6 是各企业在产出的电弧炉烟尘氧化铁含量中的分配。

47 个企业中 34%(16 个)在他们的烟尘中添加了 10% 或更高一点的石灰(CaO),图 7-7 是各企业在产出的电弧炉烟尘中添加的石灰量比例。

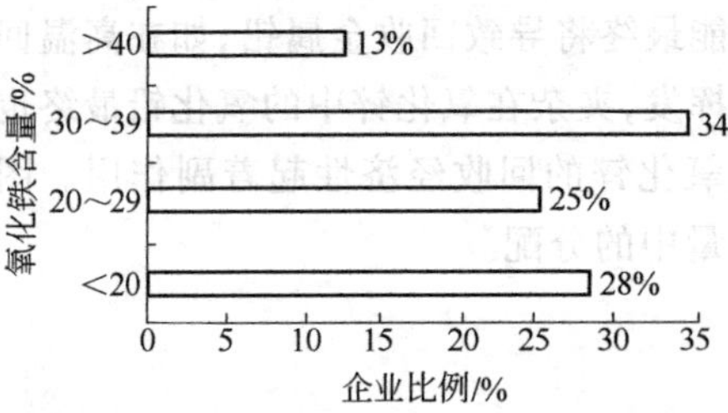

图 7-6　调查的 64 个企业产出的烟尘中氧化铁含量

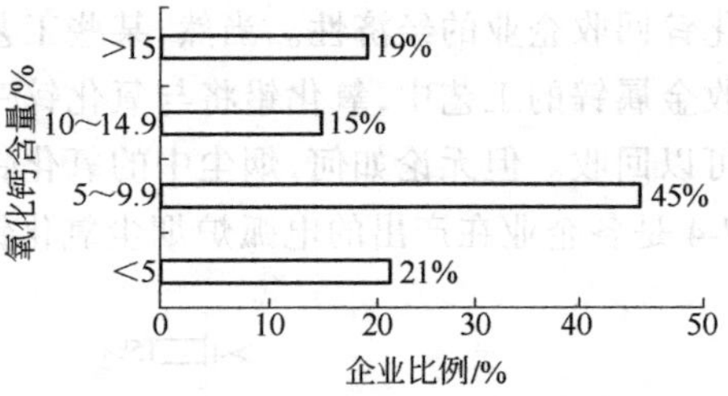

图 7-7　调查的 47 个企业产出的烟尘中添加的石灰量比例

(4) 目前石灰的添加情况。钢生产者往电弧炉中加石灰是为了钢的脱硫,但这样对烟尘的产生量将有重大影响。例如,当石灰用气动法从电弧炉炉顶加入时,许多石灰就会从第四个孔随着炉子的烟气一起被抽出炉外。

60 个企业中 63%(38 个)电弧炉熔炼石灰的添加是在第一次加料时(与废料一起)加入废料斗中。最普通的石灰添加方式(23%)是(用气动法)吹入炉内。这包括通过炉顶或炉子的第五个孔吹入炉子的前端或炉侧。当采用废料斗加石灰时,烟尘中石灰的含量就低;当石灰直接加入炉内或通过炉顶加入时,烟尘中石灰的含量就会增加。仅 44% 的企业石灰的加入量在 15% 以上,他们都是采用废料斗法加入石灰;当加入的石灰量在 15% 以下时,有 70%～80% 的企业是采用废料斗法加入石灰的。图 7-8 是这种情况的说明。

7.3.2.4　北美电弧炉烟尘的处理现状

电弧炉烟尘的处理有两个基本选择,即填埋或回收利用。决定选择何种方式取决于许多因素。主要因素有经济(运输和加工成本)、环境(条例和环境保护)以及长期的稳定性和公众舆论等。75 个企业中 63%(47 个)对电弧炉烟尘的处理是采用高温金属回收(HTMR)方式,41%(31 个)的企业采取填埋的方式,5% 的企业采取其他的回收方式。图 7-9 是这种情况的说明。被调查的对象产出烟尘量的 54%(586939 t)得到了回收利用;45%(470518 t)被填埋。

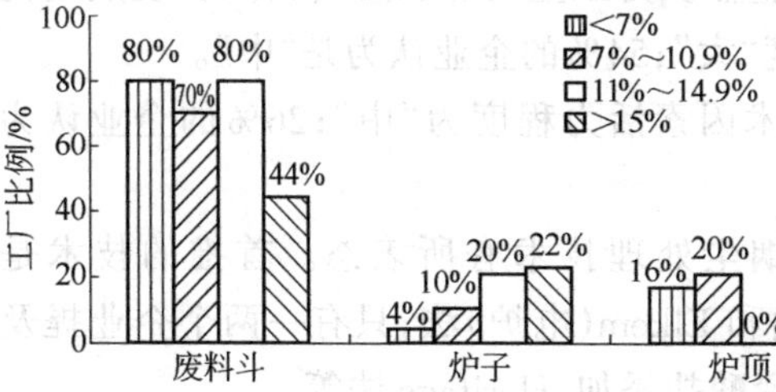

图 7-8 烟尘中 CaO 的含量和石灰加入方式的关系

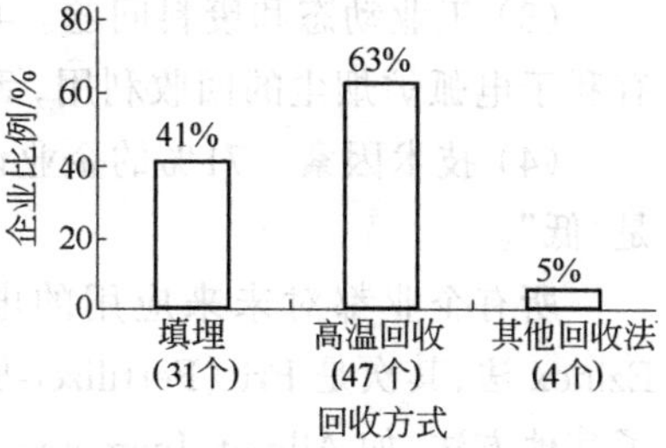

图 7-9 75 个企业的烟尘处理方式

在采取电弧炉烟尘填埋的企业中,77%(31 个中的 24 个)企业的烟尘填埋率是 100%;10%(3 个)企业的填埋率至少在 60%。93%(28 个)的企业在填埋前采取了化学稳定化处理。

在填埋处理的企业中,87%(27 个)是采用外部的填埋场,余下的 4 个企业是采用自己的填埋场。59%(16 个)企业是采用环境安全填埋,仅俄亥俄州就有 41%(11 个)是环境安全填埋。

只有 7 个企业说明了他们采用外部填埋场填埋的安全期。其中 2 个表明安全期不到 10 年,2 个预期安全期约为 10 年,有 3 个的安全期已超过 10 年。有 25 个企业说明了他们的外部填埋场地址,有 28%(7 个)企业是将填埋的烟尘运到约 805 km(500 英里)以外的填埋场去填埋,不到一半的企业仅只将他们的烟尘运到约 322 km(200 英里) 以外的填埋场去填埋。

7.3.2.5 电弧炉烟尘处理的推动力和发展趋势

关于电弧炉烟尘回收处理的推动力问题,被调查企业普遍表示主要是经济问题;考虑国家的管理条例和工业动态(如废料类型)是第二位;技术因素也是大家公认的重要因素。但是,在必须考虑的上述诸因素中,重要的是寻求钢铁业电弧炉烟尘处理中难题的解决办法。

(1) 经济问题。除两个厂外,所有工厂都认为,降低电弧炉烟尘加工成本是最重要的,也就是说生产者认为电弧炉烟尘处理的经济性是最大的推动力因素。

调查企业中的 95%(72 个)表示需要给电弧炉烟尘加工处理者补贴费,但只有 11 家表明了补贴的费用或费用范围。有 3 个工厂表明付费的范围为每吨烟尘 70 ~150 美元,这要比填埋费高(不计运费)。

在 72 家要求付给烟尘加工处理者补贴费的企业中,有 10%(7 个)的企业认为付给的补贴费还应增加,53%(38 个)的企业没有表态,其余认为近期内可维持不变。

(2) 法规问题。企业都很关心制定的法规条款。62%的企业认为条例中有关电弧炉烟尘处理的条款有利于烟尘的回收利用,表示推动力“大”;37%的企业认为是“中”。

(3) 工业动态和废料问题。45%的企业认为工业动态和废料(种类)发展动向有利于电弧炉烟尘的回收利用,活力程度“大”;54%的企业认为是“中”。

(4) 技术因素。71%的企业认为技术因素活力程度为“中”;26%的企业认为是“低”。

所有企业都对未来应用的电弧炉烟尘处理技术有所表态。首推的技术是Ezinex法,其次是Frit(Fertilizer-肥料)法和Elkem(电炉)法,只有一两个企业提及了其他方法,如Allmet、Inemetco、RMT磷酸盐添加、Heritage法等。

所有电弧炉炼钢企业都对降低烟尘的产生量表现出了很大兴趣。调查企业中有64%(48个)采用的是非－气动石灰加料法,而另外的30%(27个)操作者只知道这种工艺。尽管在调查的企业中没有一家采用可调速驱动布袋收尘风机作为减少电弧炉烟尘量的方法,但大家都知道有这个可能性。尽管大家都知道采用废料预热可作为减少电弧炉烟尘量的方法,但只有5家企业采用。

(5) 电弧炉烟尘处理的主导意向。有68%的企业认为他们最关心的问题是如何减少电弧炉烟尘处理中的开支,还有45%的企业表示他们对减少烟尘的产生量也很关心。总之,在63个企业中有81%(51个)表示,这些问题将影响到他们的企业的生存。

7.3.2.6　电弧炉烟尘处理工艺比较

在调查企业对三种主导技术和装备的认同性时,62个企业中98%(61个)赞同Horsehead法;其次,74%(46个)企业赞同Envirosafe法;63%(39个)企业认同Zinc Zacional法。

总之,调查的企业产出的烟尘有36%是Horsehead法处理,23%是由Envirosafe法处理,15%是Zinc Zacional法处理。在填埋处理中,53%是具有环境安全保证,15%是Safety Kleen法处理;在所有回收利用的烟尘中,采用Horsehead法占65%,其次Zinc Zacional法占27%,其余是其他工艺。

7.3.3　美国钢公司电弧炉烟尘的处理

美国钢公司的电弧炉烟尘处理厂,是用旋转膛式炉火法回收氧化锌并产出一种可回收铁的产品。该厂已操作了3年以上,目前该厂4个电弧炉熔炼车间产出的电弧炉烟尘全部自己处理[105]。

7.3.3.1　公司概况

1997年11月,美国钢公司将位于田纳西的杰克逊电弧炉烟尘处理厂的控制和经营接了过来,该厂原来是美国钢公司西田纳西分公司的财产。工厂最初是由佐治亚的亚特兰大的金属回收技术(MRT)公司设计并建成的,后来被美国钢公司收购,归其所有。

在MRT管理时期,工厂打算生产采用两部分工艺产出高纯度氧化锌。第一步是采用高温金属还原(HTMR);第二步是湿法冶金。工厂在建设时,MRT公司遇上了财政问题,决定停止这项工程。

美国钢公司接收过来后,继续开发这项工程。不久发现湿法工艺存在严重问题,要产出高质量的氧化锌,需增加的额外投资太多,而且湿法冶金最终的经济效果还很难预料。另外,高温金属还原显示有一定的前途,于是公司决定继续完善这一工艺,而放弃湿法冶金工艺。

7.3.3.2 工厂介绍

工厂由三个部分建筑组成。第一部分是电弧炉烟尘的进厂卸料以及氧化锌产品外运装料;第二部分是主工艺建筑,包括原料混合和制团设备、旋转膛式炉(RHF);第三部分建筑包括原来的湿法冶金设备、仓库、更衣室、维修区以及办公室。

外部的原料是用密封的卡车或有轨铁路车厢运至厂内,西田纳西分公司的烟尘直接从仓库用气动输送法运来。烟尘的短程搬运是采用真空－气动运输系统完成。有轨车厢的卸料是通过由车厢下边与真空－气动运输系统相连的管接头卸出。其他含金属的废料也是如此卸料,再与烟尘混合。然后将混合料筛分,除去大小不合格的物料,再送至一或两个料仓中。从料仓再将混合料送至失重(loss-in-weight)加料器,再经刮板运输机送至混合研磨机。煤也是铁路车厢运至厂内,煤的粒度一般在32 mm以下,由斗式提升机送至料仓。再用螺旋运输机将煤送至锤磨机磨至0.246 mm(60目)以下。磨后的煤从锤磨机送至一个较小的料仓,从此再加入失重加料器。该加料器将煤按一定的比例加至运输烟尘的刮板运输机,与烟尘一起送至研磨机。

混合器将烟尘、其他含金属废料以及煤混合,再用刮板运输机将混合料送至制团机,将物料制成约25.4 mm×15.9 mm×19 mm的团矿,然后用皮带运输机将团矿送至RHF。团矿再用平板运输机运送,通过炉顶上的3个串联的加料孔加入炉膛。团矿在炉膛内布上一层,在炉内停留约12 min,炉膛的旋转是可调速的。

用水冷的出料螺旋从炉内排除团矿,处理过的团矿经溜槽送水骤冷,再堆存,最终返回电弧炉熔炼回收铁。

含烟尘的炉气进入衬耐火材料的烟道,再进入骤冷室,通入冷空气冷却后,送脉冲布袋收尘室收尘。

7.3.3.3 电弧炉烟尘的性质

电弧炉烟尘是废钢用电弧炉熔炼时产生的一种产物。在靠近电弧区产生的温度超过8300℃以上,在这种温度条件下废钢中的许多元素和化合物都被挥发。这些挥发物与炉子烟气一起经烟道配料烟气处理系统。这些元素和化合物在烟道中燃烧氧化、冷却和冷凝,又转化成固体形式(氧化物等)。表7-4是美国钢公司的电弧炉烟尘的平均成分。

表 7-4　美国钢公司电弧炉烟尘平均成分

成分/%									密度/g·cm^{-3}
Zn	Pb	Fe	K	Na	Ca	Mg	Cd	水分	
30.3	3.1	21.7	1.3	1.6	4.4	2.2	5.78×10^{-2}	0.4	833.0

烟尘成分的变化主要取决于使用的废钢种类、生产的特种钢产品、石灰的加入方式、炉子的操作、烟气的处理等，表 7-5 是美国钢公司各钢厂的电弧炉烟尘的平均成分。

表 7-5　各钢厂的电弧炉烟尘的平均成分

工厂	成分/%									密度/g·cm^{-3}
	Zn	Pb	Fe	K	Na	Ca	Mg	Cd	水分	
CHR	32.3	2.5	15.3	1.6	1.3	10.4	3.7	9.48×10^{-2}	0.6	929.1
JAX	27.4	2.7	28.6	0.6	0.9	3.5	2.6	6.23×10^{-2}	0.5	816.9
KNX	34.1	3.8	20.0	1.8	1.6	3.1	2.3	9.48×10^{-2}	0.5	913.1
WTN	31.9	3.5	21.5	1.3	2.0	4.0	1.9	5.23×10^{-2}	0.3	849.0

电弧炉烟尘的物理性质也有较大变化，主要取决于炉子的操作，烟尘的化学成分，烟尘的收尘、贮存和运输方式。松装密度(体积密度)在 480～1440 kg/m^3 之间，对水分含量有较大影响。石灰含量越高，烟尘越轻，流动性越好。

7.3.3.4　处理工艺

炉子的作业温度大致在 1300℃，24 h 加热，炉墙安装有燃烧器。燃烧器是为炉子提供最初的加热，并控制炉内的气氛。24 个燃烧器分布在炉子不同的 6 个温度控制区。向燃烧器提供的燃烧空气是固定的，根据区域所需控制的温度来增加或减少天然气用量。通过诱导风机保持整个系统呈微负压操作。

随着团矿加入炉膛并穿过炉子，团矿被炉顶、炉墙和炉膛的辐射迅速加热，烟尘中的锌氧化物和煤中的碳紧密接触，使氧化物很快被还原成金属，放出 CO，CO 又立即燃烧生成 CO_2。金属迅速气化，然后立即与氧反应生成氧化物。这些反应都是放热的，既保持了炉膛反应区所需的高温，又可节省能源及天然气。因此，炉子的生产率越高，经济效益就越好。

接下来，氧化物开始冷凝成固体，与烟气一起离开炉子，在烟道至布袋收尘室的途中氧化物继续被冷却和冷凝，直到引入环境空气冷却后完成最后的冷却和冷凝，在布袋室被收集。表 7-6 是收集的 RHF 烟尘平均成分。这种烟尘外销给锌工业部门。

反应后的团矿用水冷的螺旋排料器从炉内排出，物料成分列于表 7-7，这种团矿被称之为“还原了铁的物料(RIU)”。

表 7-6 RHF 烟尘平均成分

成分/%										
Zn	ZnO	Pb	Cd	Na	K	Cl	Fe	Cu	Mn	水分
61.4	80.3	5.3	0.2	2.2	2.2	6.9	590×10^{-4}	288×10^{-4}	152×10^{-4}	<1.0
成分/%										体积密度/$g\cdot cm^{-3}$
Ca	Mg	Al	Ba	Cr	Ni	Sn	Ti	Tl	V	
784×10^{-4}	172×10^{-4}	55×10^{-4}	10×10^{-4}	10×10^{-4}	11×10^{-4}	316×10^{-4}	3×10^{-4}	79×10^{-4}	2×10^{-4}	752.9

表 7-7 RIU 成分

成分/%							
Fe	Zn	Pb	Cd	Cu	Mn	Na	Al
33.15	11.65	1.68	0.01	0.37	2.67	1.18	0.73
成分/%					金属铁/%	铁金属化率/%	
K	Ca	Mg	Cr	V			
0.74	7.05	3.14	0.13	0.01	15.35	46.29	

在电弧炉熔炼车间，RIU 与废钢铁一起加入电弧炉中。当 RIU 的加入量不超过炉料总量的 2% 时，对冶炼作业没有什么影响，实际上工厂也没有测定过影响数据。电弧炉烟尘团矿用的煤还原剂可能带入部分硫，通常 RIU 中的含硫范围在 0.3%～0.8% 之间，由于 RIU 的添加量不大，对产品钢的质量没有明显影响。少量的硫化合物 SO_x 都被氧化锌吸收，不会引起环境问题。

7.3.4 从二次锌原料中回收氧化锌——威尔兹法

7.3.4.1 概述

锌用作钢铁的防腐剂已有上千年的历史。为了提高产品的质量和耐用性，镀锌钢主要用在汽车和建筑行业，1998 年锌的总消费为 640 万 t。其中一半以上(340 万 t)是消耗在镀锌厂。因此，从钢铁镀锌残渣中回收锌很重要。

1998 年，全世界生产了约 7.71 亿 t 粗钢，其中从废钢中生产了约 2.54 亿 t 粗钢，约占 33%。每 1 t 电炉钢产出 10～15 kg 的烟尘，表 7-8 为世界电弧炉烟尘的产量。

7.3.4.2 处理方法

表 7-9 为 1997 年欧洲、美国和日本电弧炉烟尘的各种处理方法和加工能力，很明显威尔兹法是最主要的方法，在欧洲约占产能的 83%，三者平均占 76%，其他方法占很少的位置[106]。

表 7-8 世界电弧炉烟尘的产量(kt/a)

地方	1997 年	2007 年(预测)
欧洲	670	730
美国	860	981
日本	420	443
其他发达国家	1007	1548
世界总量	2957	3702

表 7-9 EAFD 的处理工艺及产能

工艺	欧洲		美国		日本		总计	
	产能/万 $t·a^{-1}$	百分比/%	产能/万 $t·a^{-1}$	百分比/%	产能/万 $t·a^{-1}$	百分比/%	产能/万 $t·a^{-1}$	百分比/%
烟尘总量	67.0		86.0		42.0		195.0	
处理能力	50.5	100	44.0	100	41.0	100	135.5	100
威尔兹法	42.0	83	37.0	84	25.0	61	104.0	77
火焰反射炉	—	—	3.0	7	—	—	3.0	2
Elkem(电炉)			4.0	9			4.0	3
帝国熔炼炉	7.5	15	—	—	—	—	75	6
Ezinex	1.0	2					1.0	1
电热法					6.0	15	6.0	4
竖(鼓风)炉					10.0	24	10.0	7

德国杜伊斯堡贝尔采留斯金属公司(Berzlius Ummelt Service,简称 B.U.S.)经营 5 家威尔兹处理厂,烟尘的总处理能力约 40 万 t,这些工厂分布在德国、法国、西班牙和意大利,总共从二次原料中年产锌和铅约 8 万 t。此外,在世界其他一些地方也有采用威尔兹法的,如在墨西哥、巴西、西非、韩国和中国台湾等地都有应用。

7.3.4.3 威尔兹工艺

下面介绍威尔兹工艺。

原料包括电弧炉烟尘、各种含锌残渣、焦炭和熔剂,由公路或铁路以干的、湿的或制粒的形式送入厂。湿料(压密或制粒)、粗粒熔剂和焦炭是贮存在箱式容器中,干式物料是由气动运输送至贮存库。

回转窑的给料是将物料充分混合后制粒,球粒加入窑的加料斗。球粒应当有固定的成分(烟尘、还原焦、熔剂和水分)和粒度,以保证窑的操作稳定,而且是以达到高的锌回收率和固定的渣成分为前提。

威尔兹窑本身一般长 50 m,直径 3.6 m,稍微倾斜,通常转速为 1.2 r/min。威尔兹窑的操作与通常电锌厂的锌浸出渣的威尔兹法类似,图 7-10 是简化的流程示意图。

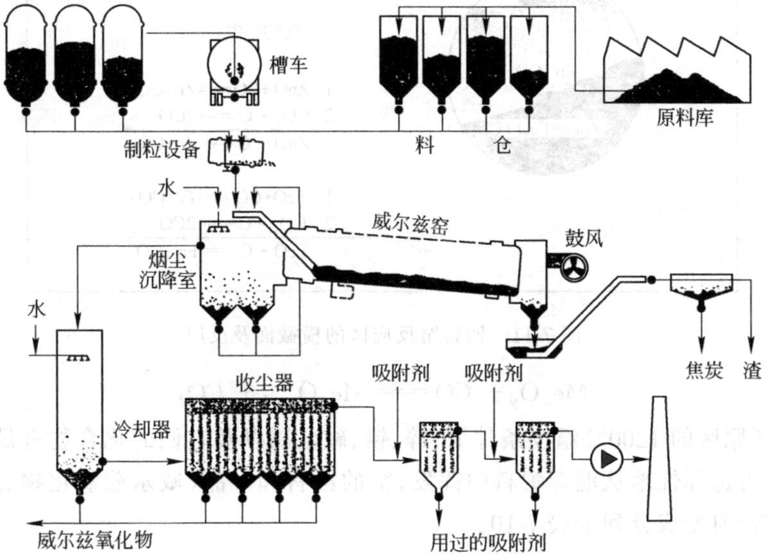

图 7-10 威尔兹厂的简化流程

在窑内燃烧烟气与炉料是逆流运动,湿的物料加入炉内后被窑的尾气干燥并预热。在窑内反应区,当温度约达 1200℃时,金属氧化物开始被还原,锌和铅挥发进入烟气,窑内气氛要保持空气过剩操作(从窑的尾端引入空气),使锌和铅再氧化。氯、碱金属或部分重金属也可能一起挥发。这种烟气在烟气处理系统处理。首先,烟气中机械夹杂的粗颗粒物(如部分炉料)在烟尘沉降室沉降,沉降的这部分烟尘再返回窑内处理。然后将热的、含金属挥发物的烟气冷却,在收尘器分离出威尔兹氧化物。收尘后的烟气再经净化处理除去有害物(二恶英、Hg、Cd 等),烟气中污染物含量达到当地的排放标准后经风机排入大气。

物料在窑内的停留时间为 4~6 h,取决于窑的内衬、窑长和转速等因素。窑渣通过湿式排渣系统排出。用磁选法将未反应的焦炭从渣中分离出来。

由于在炉料中形成强的还原气氛,在炉膛空间保持氧化气氛,回转窑可分成两个不同的反应区。图 7-11 表示在回转窑的反应区的横截面及反应方程。

炉料中的焦炭与氧反应,使碳转换成 CO_2。这种 CO_2 与炉料中的固体碳按布尔多(Boudouard)反应生成 CO。CO 又与炉料中的金属氧化物按 Richardson-Ellingham 反应使金属氧化物还原:

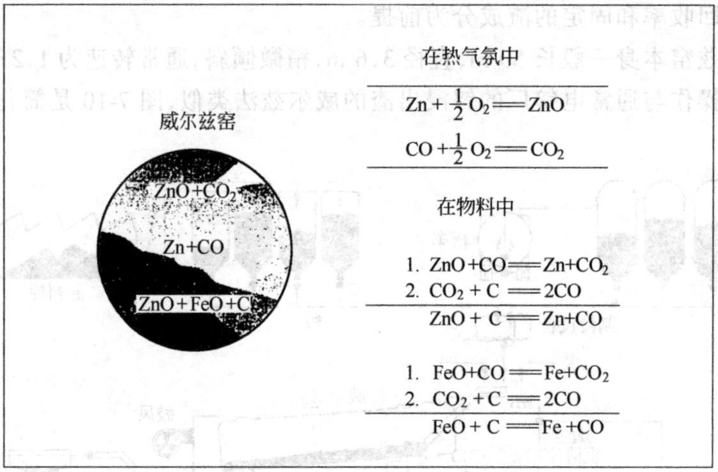

图 7-11 回转窑反应区的横截面及反应

$$Me_xO_y + CO = Me_xO_{y-1} + CO_2 \tag{7-1}$$

在还原区的1200℃温度条件下，锌、铅、碱金属以及它们的化合物有足够高的蒸气压，可选择性地从混合炉料中挥发，窑的给料和产品（威尔兹氧化物、酸/碱性威尔兹渣）典型成分列于表 7-10。

表 7-10 给料和产品的典型成分（%）

成 分	钢厂烟尘	渣（酸性）	渣（碱性）	威尔兹氧化物	威尔兹氧化物（洗涤后）
Zn	18～35	0.2～1.5	0.5～2	55～58	60～68
Pb	2～7	0.5～1	0.5～2	7～10	9～11
Cd	0.03～0.1	<0.01	<0.01	0.1～0.2	0.1～0.3
F	9.2～0.5	0.1～0.2	0.1～0.2	0.4～0.7	0.08～0.15
Cl	1～4	0.03～0.05	0.03～0.05	4～8	0.05～0.1
C	1～5	3～8	3～8	0.5～1	1～1.5
FeO	20～38	30～40	30～50	3～5	4～7
Fe（金属）/Fe	—	80～90	80～90	—	—
CaO	6～9	8～9	15～25	0.6～0.8	0.7～1.2
SiO_2	3～5	35～37	6～12	0.5～0.7	0.5～1
Na_2O	1.5～2	1.2～1.6	1.2～1.6	2～2.5	0.1～0.2
K_2O	1～1.5	0.7～0.9	0.7～0.9	1.5～2	0.1～0.2

在威尔兹过程中，威尔兹渣以副产品产出，含有炉料中的全部无价成分以及加入的熔剂。作为威尔兹工艺的一种选择性，渣可以是酸性或碱性。为了说明炉渣

的性质，当选择碱性威尔兹渣时，碱度可用式 7-2 表示：

$$B(\text{碱度}) = m(CaO + MgO)/m(SiO_2) \quad (7\text{-}2)$$

酸性工艺是添加 SiO_2 作熔剂，碱度介于 0.2～0.5 之间。碱性操作添加石灰或石灰石，碱度介于 1.5～4 之间。碱度介于上述两者之间的威尔兹工厂特别难以操作。当炉渣碱度在 1 左右时，容易生成炉瘤，如在炉窑入口区形成炉瘤，或在窑尾端形成富铁结环。

过去，威尔兹产出的氧化锌都是送帝国熔炼法处理，B.U.S 公司开发了一种方法并取得了专利，即可将威尔兹氧化锌送湿法炼锌厂处理。B.U.S 公司的 5 个威尔兹处理厂简介如下：

7.3.4.4 B.U.S. 所属的 5 个工厂简介

B.U.S. 所属的 5 个工厂简介如下：

(1) 1906 年在德国的杜伊斯堡就建立了 MHD 贝采留斯金属公司(B.U.S. Metall GmbH, Duisburg)，1929 年起开始用回转窑处理自身的含锌蒸馏罐灰和炉渣以及外购的物料。1952 年重建了威尔兹窑，现在该窑可用于处理各种含锌物料。

(2) 德国弗赖堡 B.U.S. 锌回收有限公司(B.U.S. Zinkrecycling, Freiberg)，1992 年 7 月 3 日该公司投产了一台威尔兹窑，用来处理各种含锌物料(特别是电弧炉烟尘)。

(3) 位于法国 Fouquières-lès-Lens 的 Recytech 公司于 1992 年建立，由欧洲金属公司和拥有 50%股权 B.U.S 金属有限公司共同组建，各拥有 50%的股权。工厂专门处理炼钢烟尘。

(4) 西班牙毕尔巴鄂 Aser 公司。该公司于 1987 年在西班牙北部的毕尔巴鄂市投产了一个威尔兹法工厂，处理电弧炉烟尘，B.U.S. 金属有限公司拥有 50.01%的股权。

(5) 意大利米兰的 Pontenossa 公司于 1985 年建立，处理钢厂的电弧炉烟尘。1994 年起工厂由 Pontenossa 公司经营，B.U.S. 金属有限公司拥有 40%的股权。

7.3.4.5 技术特点

以上 5 个工厂的基本技术特点和操作参数比较分别列于表 7-11～表 7-15。

表 7-11 各威尔兹厂的物料处理方法

工厂	批料处理单元作业	处理车间
1	每批湿料、压缩料、成团的或干料经皮带秤，连续强力搅拌器，箱式给料机，滚筒制粒转鼓处理	制粒车间
2	每批湿料、压缩料、成粒的或干料经皮带秤，连续强力搅拌器，箱式给料机，滚筒制粒转鼓处理	制粒车间

续表 7-11

工厂	批料处理单元作业	处理车间
3	每批湿料、压缩料、制粒的料经皮带秤处理	
4	每批湿料、压缩料、成粒的或干料经皮带秤，连续强力搅拌器，箱式给料机，滚筒制粒转鼓处理	制粒车间
5	每批湿料、压缩料、制粒的料经皮带秤处理	

表 7-12 威尔兹窑的尺寸及参数

工厂	窑长/m	自由直径/m	无砖直径/m	转速/r·min^{-1}	容积/m^3
1	41	3.1	3.6	1.3	309
2	38.5	2.5	3	0.5~1.6 (1)①	189
3	49	3.14	3.6	0.8~1.25①	380
4	50	3.1	3.6	1.25	377
5	60	3.6	4.2	0.78~1.12①	611

①平常速度。

表 7-13 烟气处理系统

1	2	3	4	5
烟尘室(水急冷)	烟尘室	烟尘室(水急冷)	烟尘室(水急冷)	烟尘室(水急冷)
蒸发冷却器(水急冷)	箱式冷却器(间接空气冷却)	空气喷射器(空气急冷)	蒸发冷却器(水急冷)	蒸发冷却器(水急冷)
电收尘器(管式冷却器)，(两段烟气吸附)	布袋收尘	布袋收尘(两段烟气吸附)	电收尘器	布袋收尘，排风机
排风机	排风机	排风机	排风机	后燃烧室，排风机

表 7-14 废气排放物法定和测定值比较(mg/m^3)

排放物	1		2		3		4		5	
	法定值	测定值	法定值	测定值	法定值	测定值	法定值	测定值	法定值	测定值
废气量		41000		40000		150000		35000		70000
烟　尘	5	2	10	0.1~2.6	1.7		50	9	10	1~3
SO_2	500	< 400	500	5~70	300	< 150	300	5	50	< 10
NO_x	500	<150	200	5~10	500	< 30			150	< 130
HCl	30	< 4	20	1~2.7	50	< 0.3			10	< 3
HF	5	< 1	5	0.2~3.0	5	< 1			2	< 0.5
PCCD/F	0.1	0.1		1		< 0.3				0.05

表 7-15 威尔兹厂的典型关键数据

工厂	电弧炉烟尘量(湿) /t·(24 h)$^{-1}$	威尔兹氧化物量(干) /t·(24 h)$^{-1}$	挥发速度 /kg·m^{-3}·(24 h)$^{-1}$	锌回收率 /%	焦耗 /kg·t^{-1}
1	180～190	50～60	150	85～90	280
2	200～220	50～60	200～220	91～93	160～170
3	210～230	70～80	150	85～90	290
4	240～250	75～85	175	91～93	260
5	260～270	80～90	120	85～90	280

7.3.5 德国威尔兹法回收锌的新进展[107]

过去，威尔兹法广泛用于从锌浸渣中回收锌，现在也开发用于从电弧炉烟尘以及其他低品位含锌粉料中回收锌。

7.3.5.1 制粒

B.U.S. 金属公司的德国弗赖堡锌厂、德国弗赖贝格锌回收厂和西班牙的毕尔巴鄂锌厂都采用了威尔兹技术回收锌。制粒是威尔兹工艺中一个很重要的步骤。这些工厂由于建立了制粒车间，就可处理干的电弧炉烟尘了。干烟尘、熔剂和还原剂用散装物料槽车(或卡车)送入工厂，厂内采用气动输送法输送。按成分配比并加入适量水后用圆盘制粒机制粒，粒料用威尔兹窑处理。物料制粒后处理有下列优点：

(1) 威尔兹窑处理量可提高 15%～20%，降低焦耗约 10%；

(2) 由于采用粒料，降低了循环的物料量约 50%，提高了威尔兹窑产出的氧化锌质量。

7.3.5.2 氧化锌浸出

威尔兹氧化锌除含 55%～60% 的锌外，还有一些碱性物(1%～2% Na、1%～2% K)和卤素(4%～8% Cl、0.4%～0.7% F)。对湿法炼锌方法，碱性物和卤素是不利的，通过浸出—两段洗涤，可将碱性物和卤素大大降低，浸出液可直接送湿法炼锌系统处理。

7.3.5.3 SDHL 法

SDHL 法是以四个发明者名字的第一个字母命名的方法。迄今，威尔兹法还普遍被认为是处理低品位含锌和铅钢铁工业烟尘及其他残渣最佳工艺之一。但它的一个明显不足之处是能耗高，因为最终渣中含有炉料中加入的大部分的还原剂(焦炭)以及炉料中部分铁也被还原成金属。SDHL 法的目的就是使原来的威尔兹法能耗大大下降，提高锌回收率和设备产能。

在传统的威尔兹法中，还原剂量以比化学所需量高得多的比例加入，导致炉渣中含有大量焦炭。在SDHL法中，还原剂以亚化学所需量加入（约为70%），这是因为通过在窑的末端引入一定的空气，使金属铁再氧化而提供过程所需的热。几种方法比较见表7-16。

表7-16 几种威尔兹工艺的比较

项 目	传统威尔兹法	制粒威尔兹法	SDHL法
处理量/$t \cdot d^{-1}$	146	165～170	200～210
锌回收率/%	84	86	91～93
焦耗/$kg \cdot t^{-1}$	380	270	160～170
天然气耗/$m^3 \cdot h^{-1}$	180	180	0

7.3.6 日本电弧炉烟尘处理技术及回收利用状况

7.3.6.1 电弧炉烟尘的产生和特性

电弧炉烟尘的产生和特性如下：

(1) 概述。1999年日本用电弧炉生产的粗钢为9900万t，每吨钢约产出18.3 kg烟尘，因此1999年电弧炉烟尘总量为520000 t[108]。

(2) 化学成分。1995年对日本16个电弧炉车间的烟尘进行了分析，平均结果列入表7-17。预计近几年锌和氯的含量有所提高。

表7-17 EAFD化学成分(%)

Zn	22.5	Ca	2.6	Cu	0.20	Mn	2.6
Fe	32.0	Cl	3.1	Sn	0.05	Al	1.1
C	3.6	Cd	0.02	Pb	2.2	O	25.0
P	0.10	F	0.25	Na	1.0	总 计	100
Cr	6.3	Ni	0.03	K	0.5		
Mo	6.3	Si	1.6	Mg	1.15		

(3) 粒度。电弧炉烟尘粒度很小，一般为0.1～10 μm，为了防止烟尘飞扬，运输中要特别小心。

(4) 烟尘中的二恶英。日本产出的烟尘中的二恶英为4ng-TEQ/g（TEQ, Toxic Equivalent，毒性当量）。

(5) 锌的物相。锌主要以ZnO和$ZnFe_2O_4$存在，有时还有$ZnCl_2$。通常ZnO约为70%，$ZnFe_2O_4$约为30%，而$ZnCl_2$最大不超过百分之几。

$ZnFe_2O_4$ 不溶于碱，这对湿法冶金很重要。

(6) 烟尘生成机理。电弧炉炼钢时，由于气泡的炸裂形成了以金属和炉渣为基础的烟尘，由此可见烟尘主要是由挥发性组元，如锌、镉和氯化物等的挥发而形成的。

博颜筱本等对电弧炉烟尘成分的研究结果表明，铁是以 FeO 或 α-Fe 存在，实际上不存在 Fe_2O_3。锌是以 Zn 或 ZnO 存在，实际上不存在 $ZnFe_2O_4$。这种结果进一步揭示烟尘粒度是在 30～300 nm 的范围。这种粒度范围如果说是烟尘，但更适宜称之为烟雾。

采用热力学平衡计算分析了氯化物的行为，结果表明，在炉子烟气中存在 NaCl、KCl、HCl。假定在低温下将生成 $CuCl_2$、NaCl、$PbCl_2$ 和 $ZnCl_2$ 沉淀。

这些氯化物主要是沉淀在铁质颗粒表面上，毋庸置疑，它们的行为与化学结构、烟气成分和温度有关。通过对上述烟尘生成机理的认识就可适当控制相关工艺中烟尘的生成，从而使后面的烟尘处理(收尘)容易些。

7.3.6.2 日本的电弧炉烟尘处理技术

A 处理现状

1999 年日本的电弧炉烟尘处理状况如图 7-12 和表 7-18 所示。图 7-12 中“其他”项假定包括含 Ni 和 Cr 的 SUS 烟尘附属回收过程、EAF 烟尘的直接回收利用、烟尘以外的附属造渣过程等。

总之，从 71％的电弧炉烟尘中回收的锌是通过付费(toll)烟尘回收处理法以及其他方式回收的。

图 7-13 为威尔兹法流程示意，图 7-14 为电蒸馏法流程，图 7-15 为三井法流程，图 7-16 为以电弧炉烟尘为原料生产其他材料的方法。

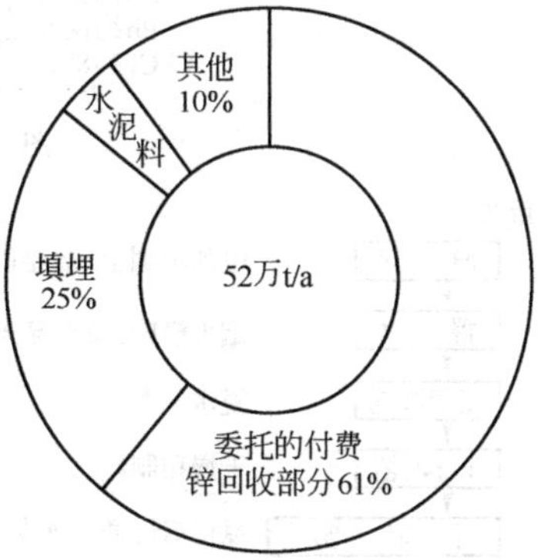

图 7-12 1999 年日本 EAFD 处理状况

表 7-18 日本的 EAFD 回收锌工厂

工艺名称	生　产　者	产能/$t \cdot a^{-1}$	抛光添加剂氧化锌(99.5％ZnO)；残渣返回 EAF
电蒸馏法	东方锌公司小名滨厂	50000	粗氧化锌除去铅和卤化物后送 ISP 处理回收锌
威尔兹法	宗哲金属公司	60000	粗氧化锌除去铅和卤化物后送 ISP 处理；残渣销售给炼钢厂
	姬路钢铁公司	50000	粗氧化锌除去铅和卤化物后送 ISP 处理；残渣填埋
	住友金属矿冶公司 Shisaka 厂	120000	粗氧化锌除去铅和卤化物后送 ISP 处理；残渣填埋
三井法(MF 法)	三池熔炼厂	120000	粗氧化锌送 ISP 处理；冰铜送炼铜厂回收铜和银；炉渣填埋

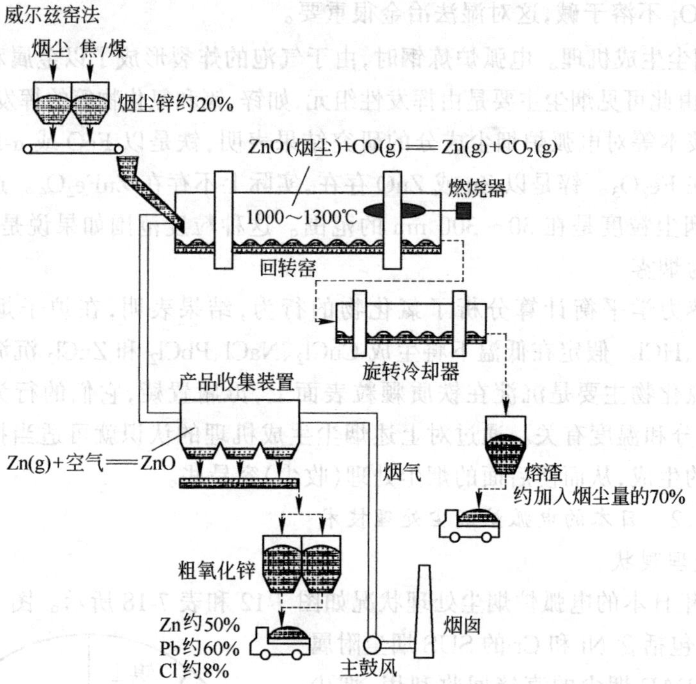

图 7-13　威尔兹法流程

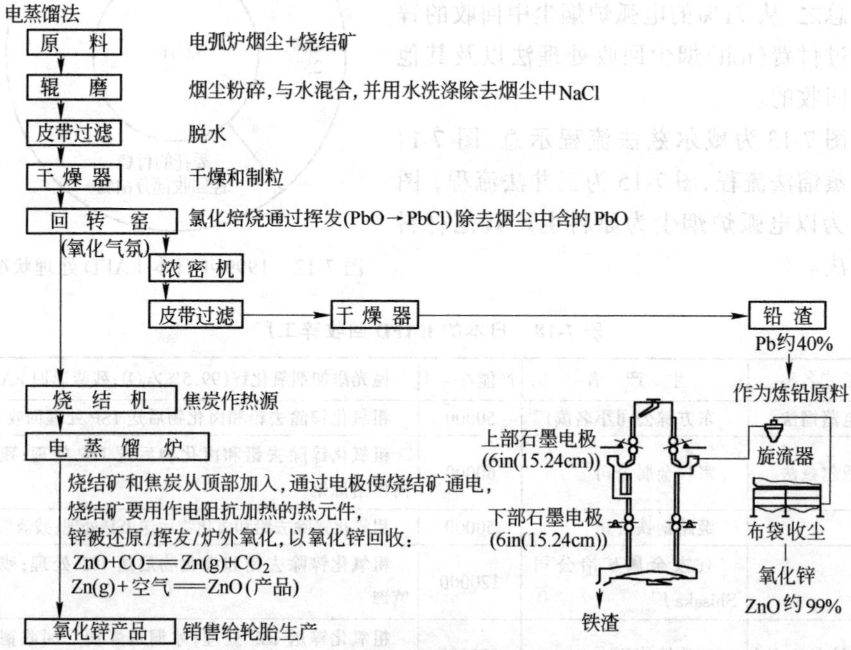

图 7-14　电蒸馏法流程

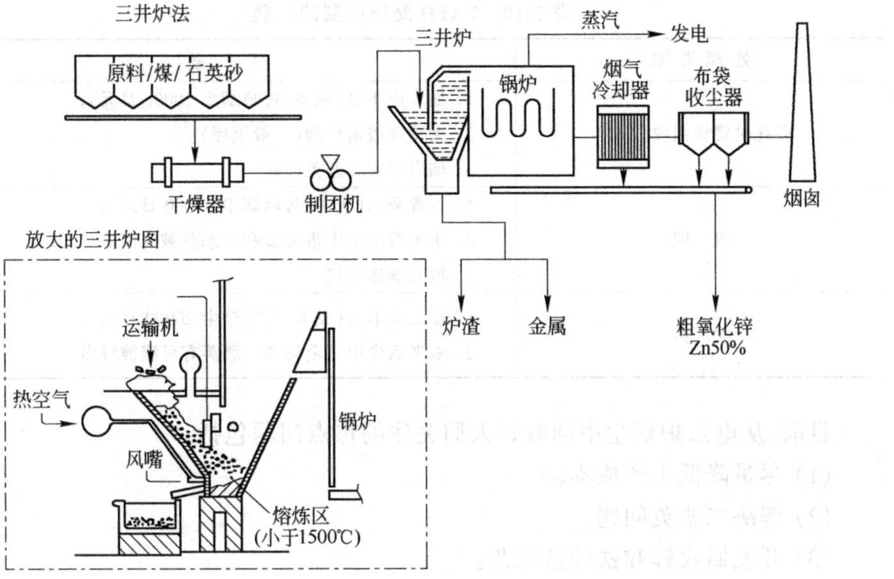

图 7-15 三井法流程

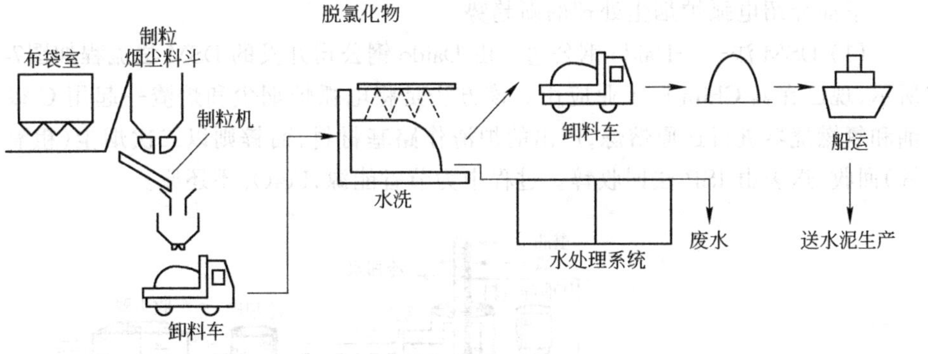

图 7-16 以电弧炉烟尘为原料生产其他材料示意图

B EAFD 中锌的回收状况

日本 EAFD 年总产量约为 520000 t,含锌品位大致约为 20%,则每年产生的 EAFD 中有 104000t 锌。按 71% 的 EAFD 进入锌回收系统计算,则有 370000 t 烟尘进入回收系统。约按 70% 的锌回收率计,则总锌量为 52000 t。因此,EAFD 中的锌约一半得到了回收。将来的发展方向是进一步提高电弧炉烟尘中锌的回收利用率。

C 与 EAFD 处理有关的问题

与 EAFD 处理有关的问题列于表 7-19。

表 7-19　EAFD 处理遇到的问题

处理类型	问　题
委托付费锌回收方式	1. 加工成本高(成本：每吨烟尘 20000 日元)； 2. 大量残渣需处理(一般填埋)； 3. 烟尘中含二恶英问题
填　埋	1. 处置费高(成本：每吨烟尘 15000 日元)； 2. 未来有烟尘中重金属和二恶英被浸出的可能； 3. 填充场地难找
油灰料	1. 加工成本高(成本：每吨烟尘 20000 日元)； 2. 未来烟尘中重金属和二恶英有可能被浸出

目前，从电弧炉烟尘中回收锌人们关注的焦点问题包括：

(1) 尽量降低生产成本。

(2) 解决二恶英问题。

(3) 开发回收锌和铁的新工艺。

(4) 如有可能开发就地回收锌的工艺。

7.3.6.3　电弧炉烟尘处理的新趋势

下面介绍电弧炉烟尘处理的新趋势。

(1) DSM 法——Daido 钢公司。由 Daido 钢公司开发的 DSM 法流程如图7-17所示，现已在其 Chita 厂工业应用。该方法是将电弧炉烟尘和炉渣一起用 C-级重油和氧燃烧器进行还原熔炼，产出的炉渣作路基材料，而锌则以二次烟尘(粗氧化锌)回收，送去由 ISP 法回收锌。过程中为节省能源，Fe_2O_3 不还原。

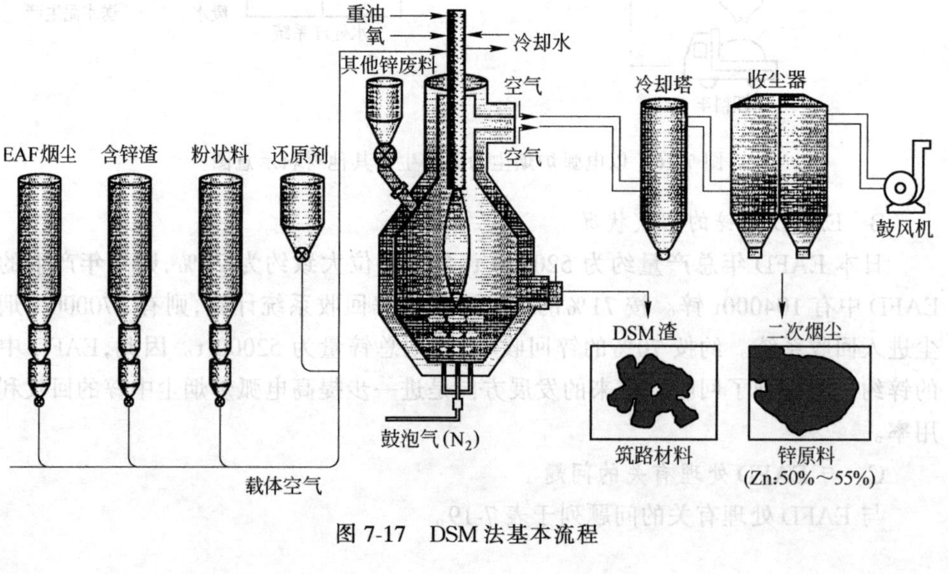

图 7-17　DSM 法基本流程

(2) Z-星炉——日本川崎钢公司法。图7-18是日本川崎钢公司为处理SUS烟尘开发的一种处理工艺,其中包括用于回收粗氧化锌的文丘里洗涤器、浓密机。烟尘从二次风嘴的顶端竖炉的焦炭层加入,烟尘在炉内被还原、熔炼,产出炉渣、锌及其他金属。该工艺的关键在于控制上部炉膛的温度以防止锌沉淀(冷凝)。锌先以粗氧化锌形式回收,再送ISP法进一步回收。被还原的其他金属以及炉渣从炉子底部放出。川崎钢公司已建成了一套该工艺的半工业试验装置,正在操作中。

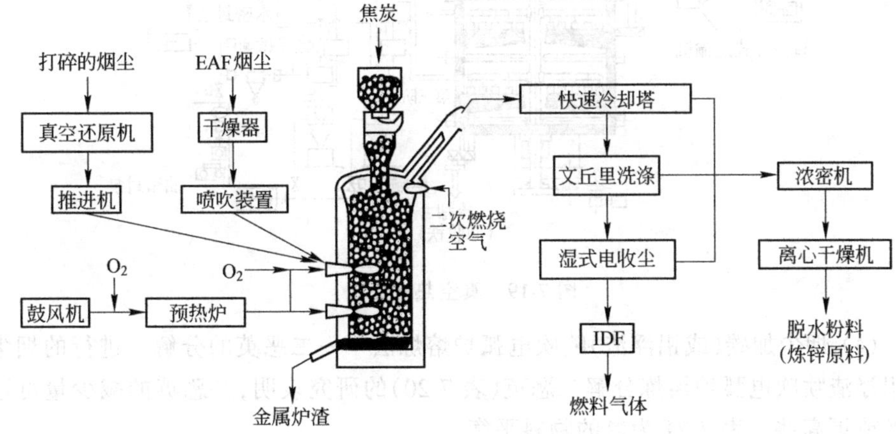

产出的金属和炉渣成分示例

金属成分/%		炉渣成分/%	
C	4.2	CaO	37
Si	2.5	SiO_2	36
Mn	1.7	Al_2O_3	15
P	0.28	MgO	6
S	0.09	Fe	1.5
Zn	0.005	Zn	0.01
Pb	0.001	Pb	0.001
Cu	0.52	Cu	0.01
Cr	0.63	Cr	0.12

回收物成分示例(%)

T.Zn	T.Fe	Pb	C	SiO_2	Al_2O_3	CaO	二恶英
60.0	1.71	6.2	2.27	2.98	1.14	1.75	0.0001ng-TE Q/g

图7-18 川崎钢公司法流程示意图

(3) VHR法——爱知钢公司。爱知钢公司开发了一种真空热还原工艺(如图7-19所示),EAFD与还原剂(Fe或FeO)一起混合,在真空下加热到900℃使锌还原。该公司已建成了一个烟尘处理能力为500 t/月的半工业试验装置,该技术现还在开发中。

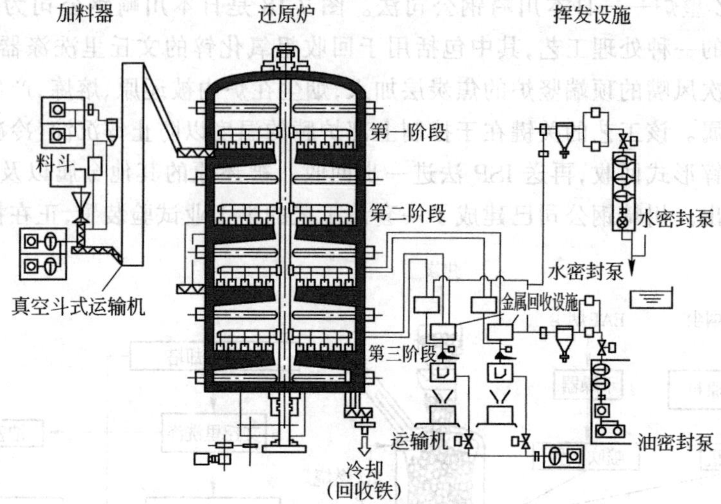

图 7-19　真空热还原法

(4) 烟尘加碳(或铝浮渣)喷吹电弧炉熔炼法——二恶英的分解。进行的烟尘和铝浮渣喷吹电弧炉熔炼分解二恶英(表 7-20)的研究表明,二恶英的减少量可达50%或更高些。表 7-21 为氯的物料平衡。

表 7-20　二恶英的降低率

项　目	特种钢		碳素钢	
	吊桶加料	喷吹加料	吊桶加料	喷吹加料
烟尘中二恶英量	1.0ng-TEQ/g 减至 0.38	1.0ng-TEQ/g 减至 0.40	2.0ng-TEQ/g 减至 1.30	2.0ng-TEQ/g 减至 0.94
降低率/%	62	60	35	53

表 7-21　氯的物料平衡(%)

烟尘来源	试验结果	传统方法	吊桶加料	喷吹加料
特种钢	渣	6.9	8.9	8.7
	金属	0	0	0
	烟气	0.5	0.5	1.1
	烟尘	92.6	90.8	90.2
碳素钢	渣	1.1	1.2	1.6
	金属	0	0	0
	烟气	4.7	9.3	7.6
	烟尘	94.2	89.4	90.8

(5) JRCM法——节能的金属烟尘回收技术。该方法中电弧炉是完全密封的(如图7-20所示)。分析炉子的烟气和烟尘表明,烟气温度高于1100℃,$V(CO)/V(CO_2)$是2,烟气量(标态)为100 $m^3/(t·h)$。电弧炉中的铁是以Fe或FeO存在,锌以Zn蒸气存在,烟尘粒度小于1 μm。现在一个半工业规模装置(1 t/h的电弧炉)安装在Chita厂,正在进行可行性试验研究。据称这是一个"梦之工艺",可达到废料零排放。

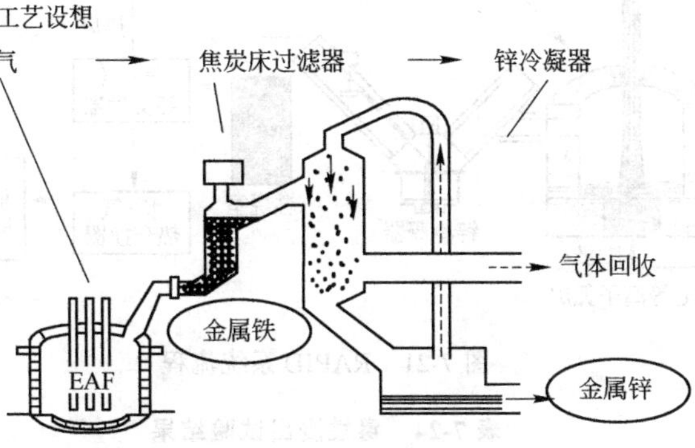

图7-20 JRCM法原则流程

7.3.7 用RAPID系统从电弧炉烟尘中回收金属

韩国每年产生的电弧炉烟尘约35万t。由于这种烟尘中含有可溶的有害物和有价金属(Fe、Zn、Pb和Cd)。这种烟尘被韩国政府列为"有毒废料",所以必须处理(置)并回收其中的有价金属。韩国回收技术有限公司(Recycling Technology Co.,Ltd.,Pohang,KOREA)建立了一套年处理1万t烟尘的RAPID(RIST Arc Plasma Industrial Device,等离子电弧工业装置)系统试验装置,系统流程如图7-21所示。产出的铁和锌的成分分别列于表7-22和表7-23,炉渣的毒性浸出试验结果列于表7-24。这套装置的试验结果表明,锌的回收率达75%,炉渣完全可安全填埋。该公司现在正在建设年处理5万t烟尘的RAPID试验装置[109]。

表7-22 金属铁成分(%)

C	Mn	Ni	Fe
1.21	0.046	0.23	余量

表7-23 回收的锌典型成分(%)

Zn	Pb	Cu
95.7	2.3	1.2

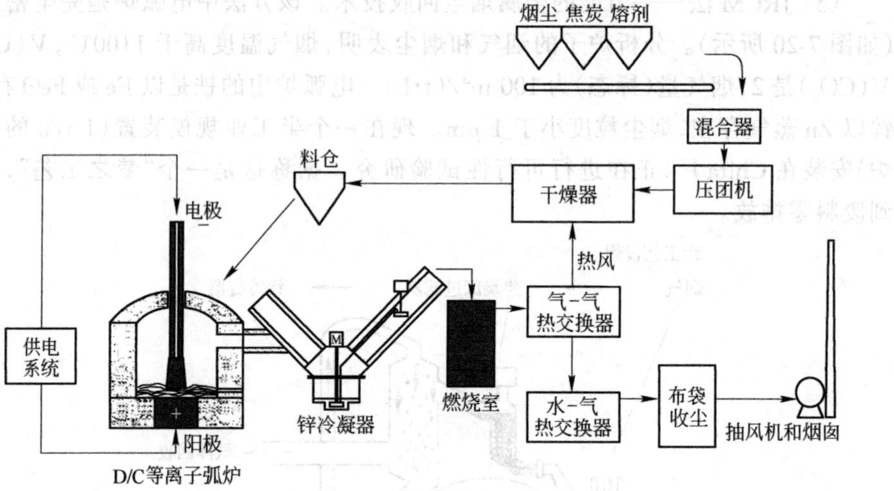

图 7-21　RAPID 系统流程

表 7-24　毒性浸出试验结果

项　　目	Cd	Pb	Cr
炉渣中元素含量/%	0.02×10^{-4}	0.02×10^{-4}	0.01×10^{-4}
法律允许的炉渣元素含量/%	1×10^{-4}	5×10^{-4}	10×10^{-4}

7.3.8　ZINCEX 和 PLACID 的应用前景

7.3.8.1　概述

20 世纪 70 年代，西班牙的 Técnicas Reunidas 公司开发了 ZINCEX™法，并在 80 年代和 90 年代初改进了 ZINCEX 法（即 MZP 法）[110]。

7.3.8.2　ZINCEX 法

ZINCEX 法的关键是在含有大量杂质的氯化物介质环境中，可以从原生和再生原料中回收锌。

核心步骤是采用溶剂萃取来浓缩和净化锌溶液，以便能产出多种锌产品。当产品可以达到特别纯的锌锭时，同时也意味着可产出高纯的硫酸锌、氧化锌或其他的锌化工产品。

原来开发的 ZINCEX 法包括两个溶剂萃取系统（阴离子和阳离子萃取）。由于它的复杂性，已为改进了的 ZINCEX 法（MZP）所取代。

初期的 ZINCEX 法从氯化物溶液中回收锌的技术概念已过时。该技术可从氯化物浸出液中回收富液和其他氯化锌溶液，以及地下盐水。ZINCEX 法也可用来处理混合精矿，工艺的概念流程如图 7-22 所示。

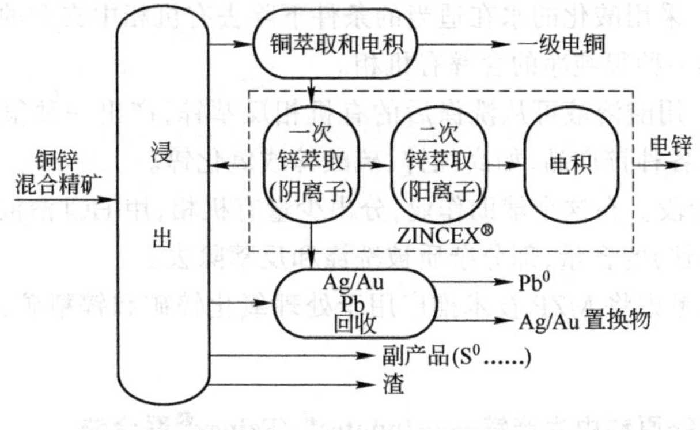

图 7-22 ZINCEX 法概念流程

7.3.8.3 改进的 ZINCEX 法

改进的 ZINCEX 法称作 MZP 法，该技术可通过处理如热镀锌渣、威尔兹氧化物、电弧炉烟尘等二次锌资源回收锌。1991～1992 年间，该方法在部分由欧共体资助建立的一个试验装置中获得了技术上、经济上和环境方面的可行性验证。1997 年在西班牙巴塞罗那附近的一个试验厂通过该方法从含锰和汞主要杂质的电池中产出了 2.8 kt 锌。该工艺如图 7-23 所示，基本过程是：

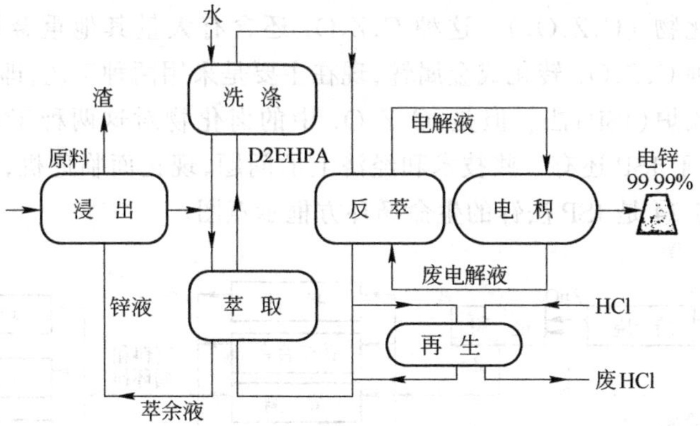

图 7-23 MZP 法概念流程

(1) 浸出。含锌原料采用适当的方法浸出。有许多浸出方法可得到浸出富液，视原料的性质，可以采用常压浸出、高压浸出、堆浸或微生物浸出等。

(2) 溶剂萃取。MZP 技术中的一个重要环节是浸出液与有机相接触，选择性地将锌萃取入有机相。有机相萃取剂是溶于煤油中的 D2EHPA(二－2 乙基－己基磷酸)，在 MZP 的条件下这种萃取剂对锌有很高的选择性。由于 Técnicas Reunidas 所采用的技术条件，像 Co、Cu、Ni、Cd、Mg、Cl、F 和 Ca 等杂质都不会被明显萃取。

(3) 洗涤。采用酸化的水在适当的条件下除去有机相中夹杂的水和痕量的共萃杂质,可获得一种很纯净的含锌有机相。

(4) 反萃。用酸溶液可从洗涤后的有机相反萃锌,产出一种很纯的硫酸锌溶液,适用于生产各种锌产品,如高纯锌、硫酸锌或氧化锌。

(5) 再生阶段。在这个辅助作业,分出少量有机相,用 HCl 溶液进行处理以降低共萃杂质(如铁)的含量,部分杂质被洗涤和反萃除去。

最近,正在考虑将 MZP 技术推广用于处理氧化锌矿和锌精矿,一些工程正在计划中。

7.3.9　从二次锌原料中生产锌——Indutec® /Ezinex®联合法

7.3.9.1　概述

在人们生活中锌是被广泛应用的基本金属之一。近几十年来锌的消费在不断增长,特别是镀锌市场。有迹象表明,在今后一段时期内,这种增长趋势还会继续。因此,锌面临着广阔的市场前景。

可以将各种含锌废料和循环料看作是易于开采的富锌矿。但是,目前这部分原料仅少部分得到回收利用,大多数被填埋或还无回收利用良策。近些年来,已开发了许多从这类物料中回收锌的工艺(主要是火法),大多是用热蒸馏法使锌转化成粗的锌氧化物 (C.Z.O.)。这种 C.Z.O. 还含有大量其他重金属和卤化物杂质。要将这种 C.Z.O. 转化成金属锌,现在主要是采用两种工艺,即硫酸浸出—电积和密闭鼓风炉(ISP)法。但是,C.Z.O. 中的卤化物对这两种工艺都是很不利的。而且,由于 ISP 还有一些技术和经济上的问题,现正面临危机,许多生产企业已关闭。图 7-24 是 ISP 法锌的生命循环方框示意图。

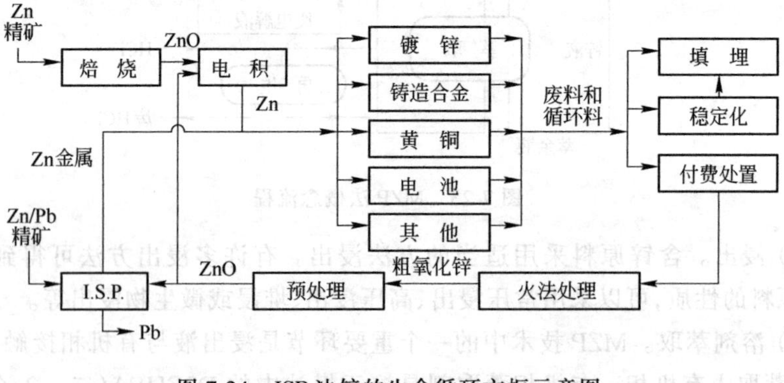

图 7-24　ISP 法锌的生命循环方框示意图

20 世纪 90 年代初,意大利 Engitec 公司首次开发出了 Ezinex®工艺,然后又于 1993 年开发出了主要用以处理电弧炉烟尘的 Indutec®法。1993 年建成和投产了一个从电弧炉烟尘中产锌能力为 500 t/a 的半工业试验厂。一年以后着手设计一个2000 t/a规模电锌的工业厂,并建成投产。工业厂操作期间,又建成了一套从含锌废料中火法处理成C.Z.O.的半工业试验厂,操作良好。

7.3.9.2 Indutec®法

Indutec®是火法工艺,主设备是无芯低频感应炉。基本原理是锌和可挥发重金属挥发,产出C.Z.O.,工艺很简单,流程示意于图7-25。

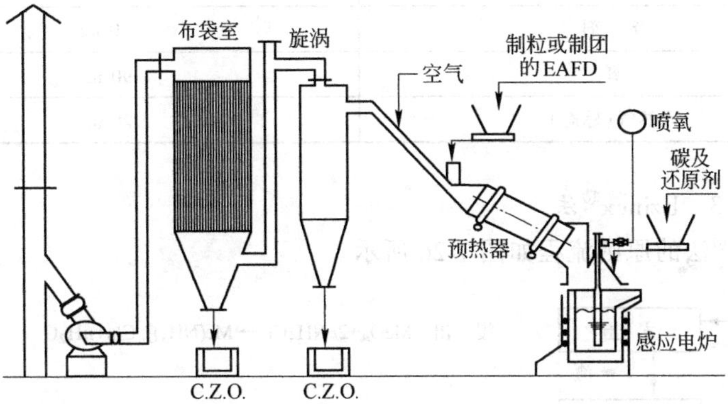

图7-25 Indutec®法流程

含锌物料与其他添加物一起制粒并经炉子烟气预热后加入炉内,过程包括:

(1) 锌和可挥发重金属挥发产出C.Z.O.;

(2) 铁以生铁回收;

(3) Ca、Mg、Al等造渣。

炉渣上的空间给予部分氧气,使挥发的金属锌迅速氧化成锌氧化物,锌氧化生成的放热反应,在粒料的回转预热器中部分的放热得到回收。上述产品的特性综合于表7-25。

表7-25 产品特性(处理原料:EAFD)

产品			炉渣浸出试验		
			元素	浓度/$mg \cdot L^{-1}$	极限
生铁	Fe	92%~94%	Ag	未检出	0.50
	C	3%~4%	Cd	0.01	0.02
粗氧化锌	Zn	60%~68%	Cr^{3+}	未检出	2.00
			Cr^{6+}	未检出	0.20
	Fe	0.5%~1.5%	Hg	未检出	0.05
	Pb	4%~7%	Pb	<0.01	0.20
	NaCl+KCl	5%~10%	Cu	<0.01	0.10
			Zn	0.35	0.50

对于一个 EAFD 处理能力为 15000 t/a 的工厂，估算的主要消耗列于表 7-26。

表 7-26　Indutec®法消耗

处理 1 t EAFD 的估算消耗	
电　能	600 kW·h
碳	50～100 kg
熔　剂	20 kg
氧	90 m^3
天然气(标态)	20 m^3

7.3.9.3　Ezinex®法

Ezinex®法的原则流程如图 7-26 所示。

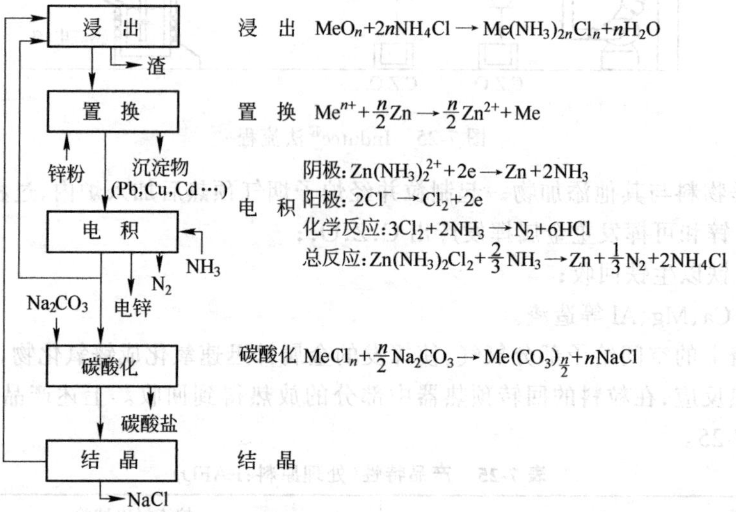

图 7-26　Ezinex®法流程

Ezinex®法是设计用来将 C.Z.O. 转化成金属锌的，工艺是基于氯化铵电积不会有氯放出，当然，这种电解质对 C.Z.O. 中存在的杂质（特别是卤化物）是不敏感的。过程主要由五个部分组成：

(1) 浸出。锌氧化物以氨络合物被浸出，铁不被浸出，铅也以络合物浸出。

(2) 置换。为了防止其他金属与锌在阴极上共沉积，必须将溶液中比锌更正电性的金属除去，方法是通过往溶液中加锌粉置换来实现。置换出的杂质包括银、铜、镉和铅。置换沉淀物送铅冶炼厂处理以回收有价元素。

(3) 电积。电解液为氯化铵溶液。采用钛制的阴极母板，阳极为石墨。阴极上沉积锌，阳极反应放出氯气。但放出的氯气立即与溶液中的氨反应放出氮，而氯则转化成氯化物返回过程使用。往电解液中通入空气搅拌,加强溶液中离子的扩散作用。电积中溶液中的锌浓度从 20 g/L 降至 10 g/L。

(4) 碳酸化。在该单元作业中通过添加碳酸盐以控制溶液中的钙、镁和锰含量。这些杂质沉淀物送 Indutec®工艺处理,在那里钙、镁造渣,锰进入生铁中。

(5) 结晶。在该单元作业有两个主要任务:

1) 维持系统水平衡;

2) 碱金属氯化物结晶。

该单元作业也很重要,因为绝大多数锌废料和循环料都含有碱性氯化物。碱性氯化物会对 C.Z.O. 转化成金属锌的其他工艺,如硫酸盐—电积和 ISP 工艺造成很大麻烦,所以,在这里进行 C.Z.O. 的预处理以除去碱金属氯化物。

7.3.9.4 Indutec®/Ezinex®联合法

上述两种工艺的联合,将为含锌废料和循环料的处理提供更有效的工艺和更多机遇,可使这类原料直接产出金属锌,并避免了其他工艺所需采用的麻烦作业,如洗涤。联合工艺的原则流程如图 7-27 所示[111]。

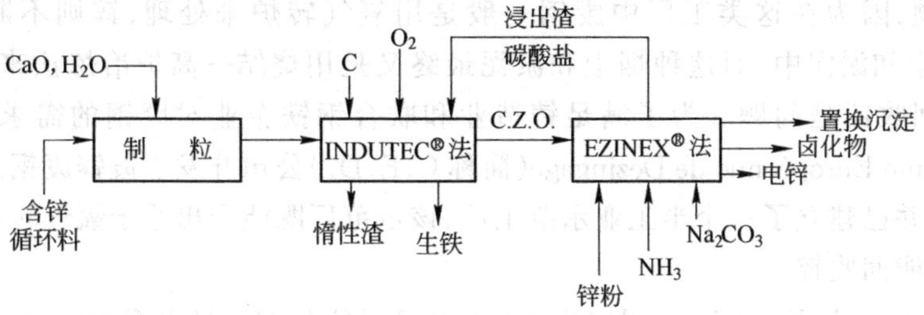

图 7-27 联合工艺的原则流程

这种联合使整个工艺的灵活性大大扩大了,拓宽了原料的处理范围,使过去许多填埋了的废料有机会处理。研究表明,许多其他工业部门的含锌废料都可用这种联合工艺处理,例如,可以处理碱性或锌碳电池、镀锌行业的含锌废料等。可将联合工艺中 Indutec®看作是 Ezinex®的前阶段作业。联合使过程更简化,提高了生产效率,原料中存在的氯化物、氟化物和金属杂质的问题很容易地得到了解决。在联合工艺中,原来废料中的一些有害元素在这里成为了有价元素,提高了经济效益。图 7-28 表示一个经过设计的高效、综合处理各种含锌废料和循环的全流程图。

7.3.10 镀锌废钢的脱锌

7.3.10.1 概述

电弧炉生产不锈钢的重要原料之一是镀锌废钢板,过程中锌最终进入电弧炉烟尘。当这种电弧炉烟尘含锌量足够高时,可以经济地回收。但是,用 BOF(氧气

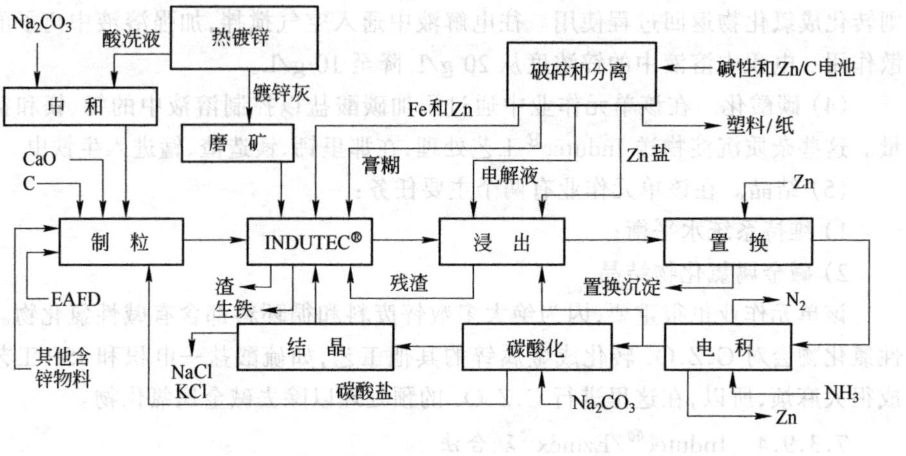

图 7-28　设计的 Indutec® 和 Ezinex® 综合流程

转炉)工艺生产铸造和轧制钢时,只能用无锌废钢。在铸造时,释放的锌可能会产生有毒的烟雾,腐蚀铸模内衬,形成铸造空穴。对联合钢厂来说处理镀锌废钢也存在着问题,因为在这类工厂中废钢一般是用氧气转炉来处理,锌则不断积累在 BOF 烟尘和淤泥中,而这种烟尘和淤泥最终又是用烧结—高炉冶炼法来处理,所以锌的回收还是问题。为了满足铸造业和联合钢铁企业对废钢的需求,法国的 Compaginie Européenne de Dézingage(简称 C.E.D.)公司开发了镀锌废钢的碱法脱锌工艺,并已建立了一个半工业示范工厂,该示范厂既能产出适于氧气转炉处理的废钢,又能回收锌。

Compaginie Européenne de Dézingage S.A.(C.E.D.)是由 Compagnie Fraçaise des Ferrailles (C.F.F.)和 Hoogovens Srap Processing B.V. 联合组成的一个风险公司,而 Hoogovens Srap Processing B.V. 又是 Koninklijke Hoogovens N.V. 的一个子公司。C.E.D. 公司建成的半工业示范工厂,厂址选择在法国北部的瓦朗谢讷,这里有两个汽车车体冲压厂,车体冲压中产出的废品和边角废料可提供给脱锌厂作原料,而脱锌厂产出的脱锌废钢又可提供给附近的铸造厂用作铸造件的生产原料。原料的供应和产品销售有一定保证,经济效益可能最佳。

7.3.10.2　工艺综述

C.E.D. 脱锌工艺是基于该公司长期的碱性脱锡经验,以及对锌在碱溶液中的溶解和电积的大量研究结果而产生的。工艺的原理很简单,即当镀锌的废钢在热的苛性碱溶液中时,锌被溶解而钢则不溶,溶解反应后,将脱锌的废钢清洗,而将富锌的溶液送锌电积车间产出阴极锌。工艺流程如图 7-29 所示[112],各工序简述如下。

(1) 预处理。原料送溶锌工序前,将原料切碎以便实现以下目的:

1) 可将原料压实;

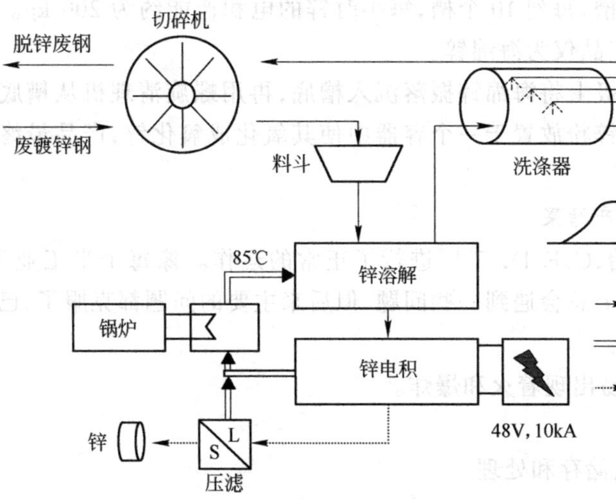

图 7-29 C.E.D. 工艺流程示意图

2) 预防表面钝化;

3) 除去表面油污;

4) 清理物料表面。

适当地切碎对浸出反应器的产能和浸出液的质量关系很大。

(2) 锌溶解。皮带运输机将废料送至浸出反应器,并加入氢氧化钠溶液,反应的决定因素主要有:

1) 电耦合作用。纯锌在苛性碱溶液中溶解很慢,而锌和钢之间的电耦合作用大大促进了锌的溶解。

2) 锌浓度影响。进入浸出反应器的初始溶液锌浓度高时就会使锌的浸出速度大大下降。工厂制定的操作原则是进入浸出反应器的初始溶液锌浓度不得高于 1.5 g/L。

3) NaOH 浓度的影响。氢氧化钠的浓度保持在 10%。

4) 温度。实践证明温度是很重要的因素,浸出的操作温度不得低于 85℃。

5) 停留时间。最佳的浸出时间是 45 min,但根据原料的成分不同以及所需的浸出条件的变化,可以通过调节送料皮带运输机的速度来控制浸出时间。

(3) 清洗。浸出结束后,废钢在转鼓中进行四段串联洗涤,为了补充蒸发损失需加入新水。用过滤机除去水中夹杂的脏物。

(4) 处理后的切块。废钢脱锌和洗涤后进行第二次切碎,使其密度达 2~2.4 t/m^3。切碎作业产生的摩擦热保证产品是干的。

(5) 锌回收。在锌浸出反应器和电积车间之间循环的溶液总量是 120 m^3,用电积法从溶液中回收锌。两个规格均为 10 kA、42 V 的整流器提供电积的用电,电积系统有两列电积槽，每列 10 个槽，每小时锌的电积产能约为 200 kg。阴极是用镁制成，因为电积产品仅为海绵锌。

用振动法从阴极上将海绵锌振落沉入槽底，再用螺旋清理机从槽底取出海绵锌。将这种海绵状锌粉放置于一个容器中使其氧化成氧化锌，产品最终以氧化锌销售。

7.3.10.3　生产结果

从 1996 年开始，C.E.D. 工厂进行了正常的运作。像每个半工业工厂一样，初期在工艺和技术上总会遇到一些问题，但后来主要的问题都克服了，已解决的初期的主要问题包括：

(1) 电积系统易出现着火和爆炸。

(2) 锌的提取。

(3) 锌的运输、储存和处理。

(4) 厂内高浓度的氢氧化钠气雾放散问题。

改进后的情况综合如下：

(1) 正常情况下工厂是在 95% 的满负荷状态中运作。

(2) 每个作业小时(脱锌废料的)产量是 7 t。在进一步作业参数和给料能力最佳化条件下，每小时的产量可提高到 8 t。工厂的设计能力是 36000 t/a。1998 年生产了 47000 t 脱锌废料，1999 年提高到了 50000 t。可以确信，如有必要该厂的年产量可提高到 70000 t。

(3) C.E.D. 每月约生产 100 t 氧化锌粉。

(4) 如图 7-30 所示，产品的质量是可靠的，可长期达到脱锌废料的锌含量和氢氧化钠含量分别在 $100\times10^{-4}\%$ 和 $30\times10^{-4}\%$ 以下。

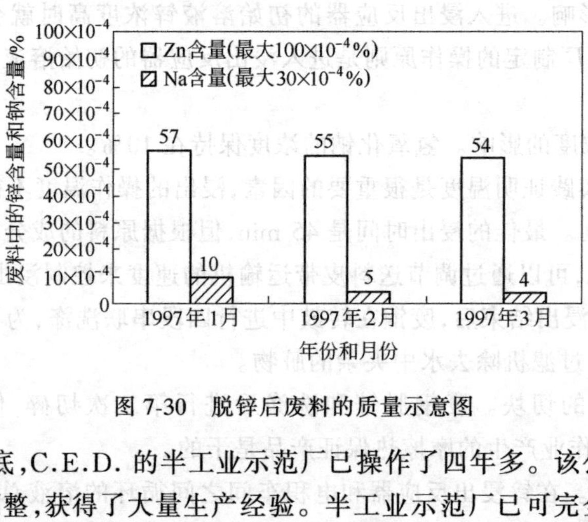

图 7-30　脱锌后废料的质量示意图

到 2000 年底，C.E.D. 的半工业示范厂已操作了四年多。该公司对原有的设计进行了许多调整，获得了大量生产经验。半工业示范厂已可完全做到在稳定的生产效率和产品质量下运作。公司认为,半工业示范厂证实该工艺经济合理、环境友好。图 7-31 表示该工艺提供的产品及相关的产业链。

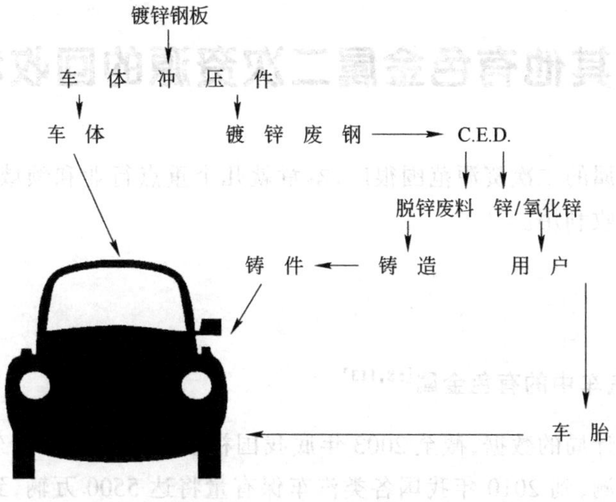

图 7-31 C.E.D. 半工业示范厂的产品及产业链

7.3.10.4 其他需考虑的问题

其他需考虑的问题如下:

(1) 厂址选择。C.E.D. 示范厂相距两个车体冲压厂均约 40 km,这两个厂每年共产出约 20 万 t 镀锌低碳废钢。脱锌厂相距铸造厂约 70 km,该厂每年生产汽车铸造汽缸、驱动轴和其他铸件,约消耗 8 万 t 钢铁。可以看出,厂址选择必须尽量靠近原料供应地和产品消费市场。C.E.D. 的厂址提供了一个较理想的选择范例。此外,从图 7-31 还可看出汽车轮胎的制造也是氧化锌消费市场的一部分。

(2) 经济规模。根据 C.E.D. 的经验,对大型镀锌废钢脱锌厂来说,可以在一个较低的生产成本下运作。对于一个年处理能力为 15 万 t 镀锌废钢的工厂,最终每吨脱锌后的废钢生产成本约为 250 法郎。

8 其他有色金属二次资源的回收利用

含有色金属的二次资源范围很广，本章就几个重点行业和领域综述有色金属二次资源的回收利用。

8.1 汽车

8.1.1 报废汽车中的有色金属[58,113]

据国家统计局的数据，截至2003年底我国社会保有的各类汽车达2380多万辆。据专家预测，到2010年我国各类汽车保有量将达5500万辆，到2030年将达1亿辆。汽车制造消耗的金属除钢铁外，有色金属主要有铝、铜、铅、锌等。但近几十年来，特别是20世纪70年代发生世界性石油危机以来，汽车制造者一直在努力寻求汽车节能(节油)的办法。一个简单的选择是降低汽车自身的重量，如尽量采用薄镀锌钢板制作车身，铜的用量越来越少，铝及镁轻型材料应用越来越多。目前，我国汽车制造用铝量还不多，假定今后每辆车平均用铝50 kg，每年报废250万辆车，则每年从报废汽车中可回收12.5 t铝。此外，从报废汽车中还可回收相当数量的铜、铅和锌等有色金属。

8.1.1.1 汽车铝合金的应用

据报道，车重每降低100 kg，每100 km油耗可减少0.7 L。例如，20世纪80年代末，美国平均每辆小汽车用铝已达71 kg、日本为58 kg、德国为50 kg。发达国家平均为55 kg，预计到21世纪将达270 kg。据称汽车零部件用铝的极限率在50%左右。

我国的汽车用铝量也在不断上升。目前生产的大多数再生铝合金均为车(含摩托车)用合金，但我国平均用铝量仍比发达国家低，1995年平均为48 kg左右。汽车用铝主要部件有发动机、热交换器、转向器、车轮(一般为原铝)、部分车身、传动系统等。

汽车用铝合金主要有高硅铝合金，主要用做汽缸体、曲轴箱、油泵壳等。铝镁系合金，主要用做汽缸体、曲轴箱、车轮、覆盖件等。铝铜镁系合金，用做车轮、结构件。铝镁硅系合金，用做保险杠等。表8-1列出铝在汽车中应用的典型零部件及合金典型牌号。

表 8-1 汽车用铝合金典型牌号

应 用	铝合金牌号(原生/循环铝)
发动机铸件	38X,319,356
车 轮	A356,5754
闭合板	6111,6016,6022
结构板	5182,5754,2036
锻 件	6082,6061,6063
减振锻体	7003,7129
散热器	3003

8.1.1.2 报废汽车机械拆解

报废汽车的拆解及有价物的回收原则流程参见图 4-7。基本程序是:

(1) 报废汽车倒尽液体后,用水冲洗干净。

(2) 拆卸大件(车身板、车轮、底盘等)。

(3) 将拆卸大件和未拆卸件分别送入切碎机系统流水线,先压扁,然后用多刃旋转切碎机切碎。

(4) 流水线对碎块的处理。全部碎块通过空气吸道,将轻质的塑料等物吸走;再通过磁选机除去钢铁碎块;沉浮分离法用不同密度的介质分选出镁合金和铝合金;铅、锌和铜等密度大的物质沉在底部,根据它们的熔点不同可采用熔化法分别回收铅、锌,最后留下的是铜。

8.1.2 未来汽车用铝的分析

8.1.2.1 概述

铝的消费增长和汽车制造有着密切的关系,特别是近十几年来,世界循环铝的主要消费领域是汽车制造业。另外,其他运输行业也是发达国家铝消费的重要用户。2000 年欧洲交通运输行业用铝占铝总消费量的 29%,预测将来用铝的比例会更大。在交通运输业中,汽车起着主要作用(占金属消费量的 95%)。此外,每辆汽车的用铝量还会增加。除铸造铝合金件外,挤压和轧制件也会越来越多地应用铝。交通车辆用铝量的增长,也预示着将来循环铝原料的增加。

德国是世界汽车工业强国,分析德国未来汽车业以及用铝的情况很有意义。德国的汽车工业是最大的老废铝料的产生者,同时也是新、老废铝料最大的用户。1977 年废铝总量的约 40%(不包括内部废料)用于汽车工业[114]。汽车工业用铝量的不断增加,严重影响到将来德国原生铝和循环铝的生产和消费。

未来在汽车的设计和用铝方面肯定会发生变化,原生铝和循环铝的供应,无论是德国本国的铝还是进口铝,都会有变化。有人模拟了原生铝和循环铝的供需变化和德国进口铝的形势。有的研究者以1997年的情况为基础,预测了2040年的情况,包括传统汽车和铝强化汽车(aluminium intensive vihicles,AIV)。

8.1.2.2　德国汽车用铝的循环利用

德国的铝工业远远不能满足国内的需求,1997年铸造铝合金的38%、原铝合金的47%以及原铝的55%都是靠进口。其中,锻造铝材的43%从挪威进口,其余从英国(26%)、冰岛(10%)、法国(8%)、俄罗斯(7%)、加拿大和巴西(不到5%)进口。仅从英国和法国进口的循环铝合金就为43%左右。图8-1为原铝和循环铝在汽车领域的应用及循环示意图。

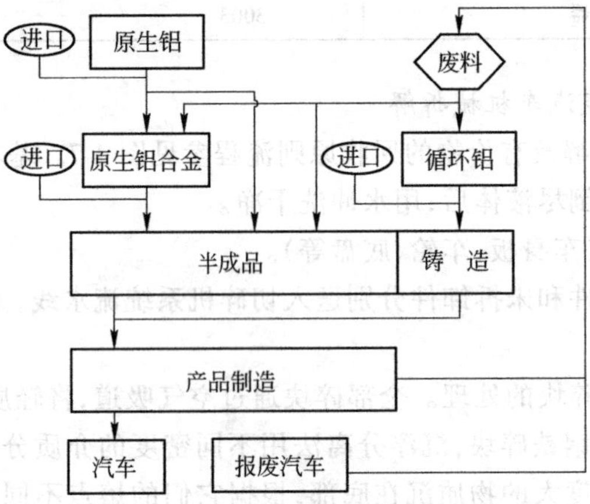

图8-1　德国原铝及循环铝在汽车中的应用

A　德国汽车用铝板、带、挤压件和铸件

2000年德国是世界第三大汽车生产国,仅次于美国和日本。1997年,德国的汽车生产所用的铝,有78%是铸造铝合金。其中有80%来自循环铝精炼厂生产的循环铸造铝合金,其余20%是由原生铝冶炼厂提供的原生铸造铝合金。图8-2为汽车用的铝板、带、挤压件和铸件的生产流程示意图。

汽车用的最普通铸造铝合金是AlSi9Cu3,约占全部铸造铝合金用量的50%。其次为AlSi12和AlSi10Mn合金,分别占16%和12%,近年来,这两种合金的用量估计已翻了一番。

对于原生铝铸造合金,为了安全,重要铸造件(如车轮、制动部件)一般采用AlSi7Mg1合金。表8-2列出了一些典型的汽车用原生铝合金成分及使用比例。

表8-2　合金成分及原生铝使用比例

合金类型	代　号	牌　号	比例/%
铸造合金	A359	AlSi9Cu3	48
	A356	AlSi7Mg	20

续表 8-2

合金类型	代号	牌号	比例/%
铸造合金	A361	AlSi10Mg	12
		AlSi12Cu	9
	A413	AlSi12	7
	A332	AlSi12CuNiMg	4
锻轧合金			
挤压合金	6060	AlMgSi0.5	35
锻造合金	6082	AlMgSi1	11
轧制品	3003	AlMn1	10
	5182	AlMg4.5Mn0.4	9
	5754	AlMg3	14
	6016	AlSi1.2Mn0.4	15
	7020	AlZn5.4Mg1	6

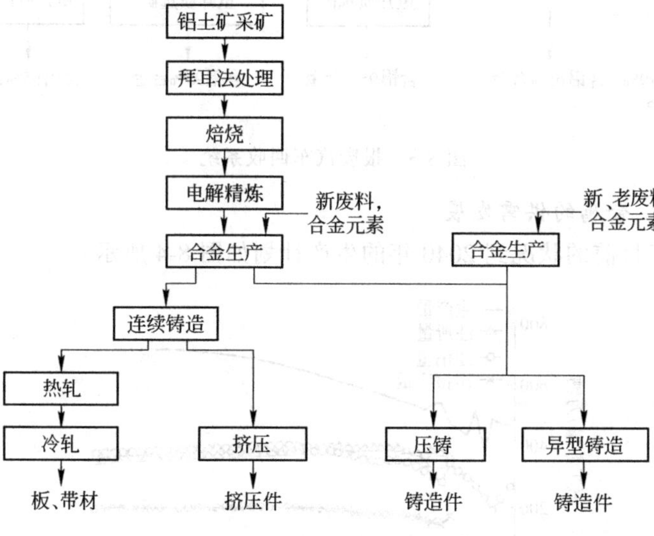

图 8-2　汽车用铝板、带、挤压件和铸件的生产流程示意图

表 8-2 还表明，有代表性锻造合金的实例有散热器片(3003)、锻压车轮(6082)、减振器梁(7020)、内 (5182/5457)和外(6016)挤压部件。锻(轧)制合金又分为挤压件(46%)、低合金化的轧制品(25%)和高合金化的轧制品(29%)。

B　报废汽车循环利用

1997 年德国有 340 万辆汽车被注销，其中仅约 40%是在德国回收利用的，其余大部分出口到东欧国家继续使用。图 8-3 所示为报废汽车回收体系。拆除所有的液体物质后汽车被部分解体，拆出轮胎、胎环、蓄电池、催化剂等。胎环直接销售给金属循环利用工厂处理。解体后的车体、动力系统和散热器再分解。除散热器外，铜－铝混合物直接送回收冶炼厂用做合金材料，其他的切碎物料用重介质分离法回收铝。轧制和铸造铝合金之间目前还没有什么分离办法，这部分物料全都用做铸造铝合金生产原料。

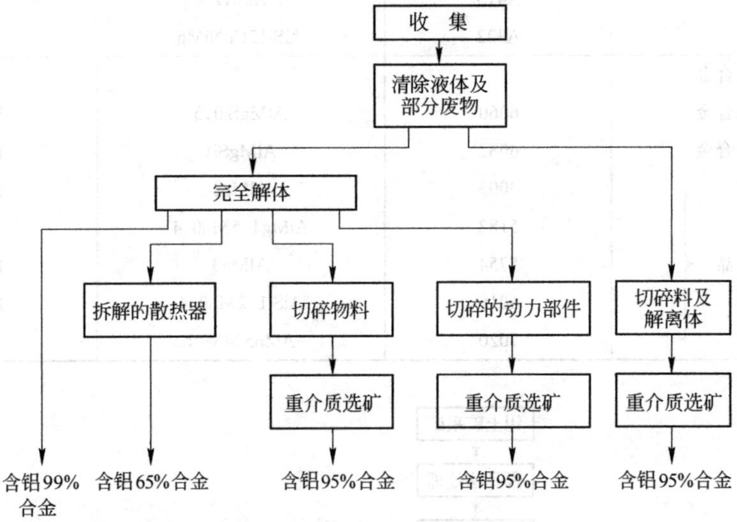

图 8-3　报废汽车回收系统

8.1.2.3　金属的供需发展

德国汽车目前的状况到2040年的生产计划如图8-4所示。

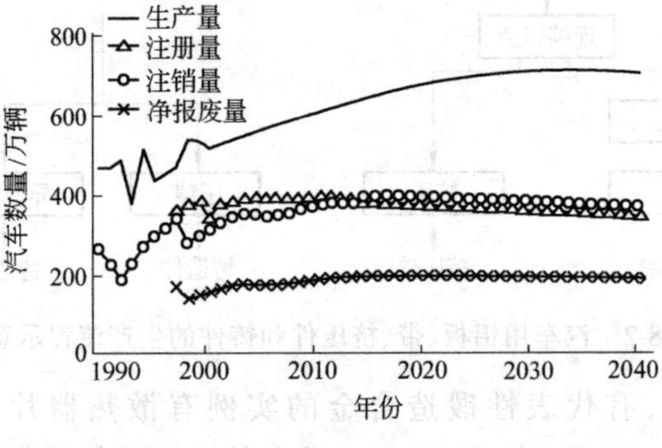

图 8-4　德国汽车市场的发展

要精确预测出2040年的汽车市场发展情况难度很大，但为了分析、研究并获得有关数据，假定汽车的产量、注册量、注销量和报废汽车的循环量以及汽车市场的发展情况如下：

(1) 到2040年德国的汽车产量仍在增长，但年增长率在逐渐下降。

(2) 2010 年后汽车的注销量也逐渐下降。

(3) 汽车的平均报废期为 12 年。

(4) 尽管目前欧盟正在着手修改汽车报废条例,这里假定到 2040 年德国报废的汽车量占德国循环回收和出口的比例以 1977 年为基数,情况基本不变。

1997 年德国生产汽车 470 万辆,假定 2040 年德国生产汽车 690 万辆,德国生产和进口的汽车注册量为 340 万辆,注销量为 350 万辆。这样,德国循环回收的汽车数量就为 140 万辆。这种假定的发展同样适用于传统车和 AIV。

8.1.2.4 汽车用铝的发展

从传统设计的汽车的用铝平均年增长率(图 8-5)可看出,预计在 2000～2010 年将达到最大(7.4%),这是因为汽车生产者趋向于除汽车的发动机、变速箱、底盘和支架采用铸造铝合金外,车身的支撑部件也越来越多地趋向于采用锻(轧)制铝合金;AIV 也表现出了类似的趋向,在 2000～2010 年间也将达到最高的增长率(8.8%)。

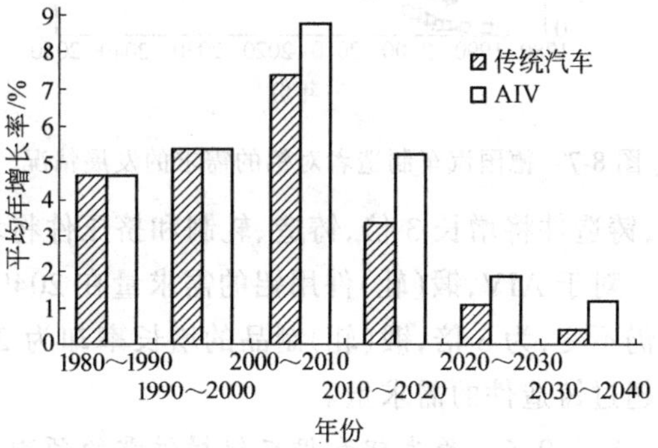

图 8-5 预测的汽车用铝平均年增长率

图 8-6 表明,在今后的几十年内,客(轿)车的平均用铝量将从目前的约 100 kg 提高到 250 kg,而铸造合金的比例将从 75%降至 50%。

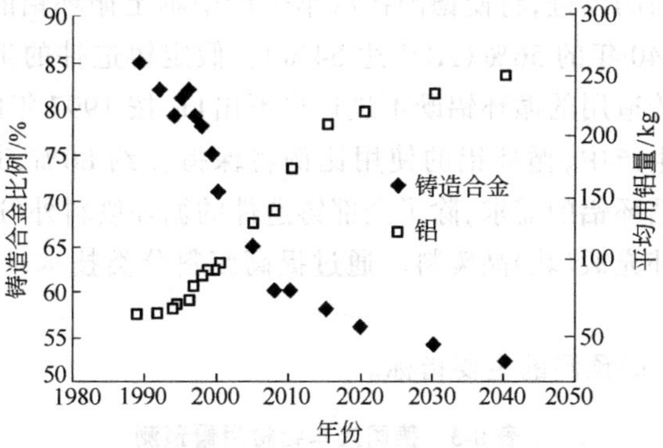

图 8-6 预测的汽车用铝与铸造合金的平均年增长率

8.1.2.5 汽车的铸件和锻件产品的发展

到 2040 年,传统汽车每车平均 250 kg 的用铝量是有可能达到的,因为对以钢为基本材料的传统汽车的潜在用铝量约 300 kg,其中可以采用 160 kg 铸造合金,

140 kg 锻(轧)制合金。但对于许多小汽车来说,大量用铝是有问题的。对于 AIV 来说,假定用铝量为 400 kg,铸造铝合金用量基本保持不变,为 130 kg。而对于车身和构架,锻(轧)制合金的应用比例可增加到 67.5%。

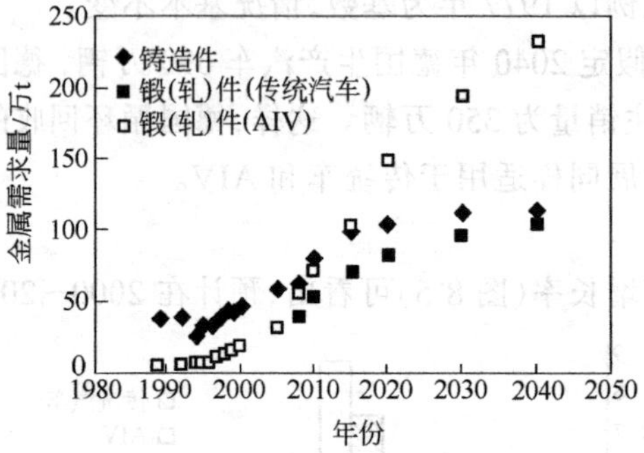

图 8-7 德国汽车制造者对铝的需求的发展情况

比较统计和估算的汽车用铝供应数据可以发现,用铝量的 80%是汽车制造者自己加工的,其余 20%是由循环铝生产企业和原生铝企业加工的。图 8-7 所示为德国汽车制造者的铝需求量的发展情况。由于锻(轧)制品的应用比例增大,到 2040 年锻(轧)制品需求量几乎接近铸造件的需求量(110 万 t)。这意味着在 40 年内,铸造件将增长 3 倍,铸造、轧制和挤压件将增长 10 倍。

对于 AIV,锻(轧)件用铝的需求量在 2040 年将达到 233 万 t。铸造件的增长率仍不变,为 3 倍,锻(轧)制品的增长率却为 22 倍,实际上到 2015 年锻(轧)件就可超过铸造件的需求量。

8.1.2.6 *原生铝和循环铝材供需的预测*

假定到 2040 年,德国的原生铝产量不超过 70 万 t,这是因为德国缺乏原料(铝土矿)和廉价的(水)电力。将来对材料的需求必须依靠提高进口份额来满足。

到 2040 年循环的铝量将会有很大变化。废铝的收集、分类、废料预处理(包括选别)、冶炼等方面的改进,将使德国在汽车生产中本土循环铝的供应比例从目前的 46%增加到 2040 年的 56%(AIV 达 54%)。假定铸造件的生产全部由本国的新、老废料满足,铸造用的循环铝既不进口也不出口,按 1997 年的比例,2040 年铸造铝合金部件的生产中,循环铝的使用比例将保持在约 80%,其余 20%为原铝。为了满足铸造对循环铝的需求,除了全部铸造件的循环废料外(这部分合金往往重熔即可),还必须补充锻(轧)品废料。通过提高废料分类技术,可以做到将铸造和锻(轧)材料分开。

表 8-3 列出一些预测的主要指标。

表 8-3 德国汽车铝材用量预测

项 目	1997 年传统汽车	2040 年传统汽车	2040 年 AIV
汽车产量/万辆	4700	6900	6900
每辆车用铝量/kg	79	250	400
铸造合金比例/%	78	52	32.5

续表 8-3

项 目	1997 年传统汽车	2040 年传统汽车	2040 年 AIV
铸造合金中原铝比例/%	20	20	20
铸造合金中循环铝比例/%	80	80	80
进口循环铝的比例/%	37	0	0
出口循环铝的比例/%	12	0	0
原铝产量/kt	570	700	700
AIV 循环率/%	40	40	40

8.1.3 汽车用铝现状与预测

8.1.3.1 德国汽车市场材料的需求

表 8-4 表明汽车对铝产品的最终需求。

表 8-4 1997 年和 2040 年汽车用铝比较及估算的产品量

品 种	1997 年传统汽车	2040 年传统汽车	2040 年 AIV
铸造品比例/%	78	52	32.5
产量/kt	359	1121	1121
锻(轧)品比例/%	22	48	67.5
产量/kt	105	1035	2329
总需求/kt	464	2156	3450

1997 年德国生产 470 万辆汽车需要 46.4 万 t 铝产品，2040 年估算的汽车产量是 690 万辆，对于两种(传统和 AIV)情况，由于各种汽车的铝用量不同，材料的需求可能变化于 220 万 t 和 350 万 t 铝之间。而在两种情况中对铸造件铝的需求将从 1997 年的 36 万 t 增加到 2040 年的 112.1 万 t；对锻(轧)品材料的需求状况则不同，将从 1997 年的 10 万 t 增加到 2040 年的 103.5 万 t，对 AIV 铝的需求将增加到 232.9 万 t。

8.1.3.2 汽车市场铸造和锻造合金供应

对于循环铝铸造件，假定今后不再进口，全由德国循环铝量的增加来满足，这就意味着到 2040 年，循环铝铸造件的需求量将是 1997 年 43 万 t 的近 3 倍(118 万 t)。

与此同时，送再冶炼的多余废铝量将大大增加，从而可取代部分原铝。对传统汽车的供应量将从 1997 年的 19 万 t 增加到 95 万 t，对 AIV 铝的需求将达 166 万 t。这期间由于原铝的产量仅稍有增加(从 57 万 t 增加到 70 万 t)，德国产生的锻(轧)品材料的回收循环也将较高。

对于1997年的基本情况，不同类型的锻(轧)品(低/中/高合金化、轧制/挤压品废料)废铝循环量也不一样(表8-5)。考虑到德国原铝的供应量，可以导出最终的循环量。

表8-5列出德国整个锻(轧)材料系统的估计数。

表8-5　德国铝系统锻(轧)材料的循环比例(%)

项　目	1997年传统汽车	2040年传统汽车	2040年AIV
轧制(低)	35		
轧制(中)	80		
轧制(高)	65		
挤压(低)	47		
平　均	43	78	85

根据前述的汽车用铝需求，考虑汽车的报废年限，可推算出汽车行业废铝的产生量(表8-6)。

表8-6　2040年汽车行业老废铝的产生量(万t)

铝 废 料	传统汽车	AIV
铸造废料	25.8	25.8
轧制废料	12.4	24.3
挤压废料	9.6	19.4

8.1.3.3　汽车市场用铝的进口比例

德国的铸造件铝的需求全部由德国循环的废铝供应来解决，合金和未合金化的锻(轧)材必须靠进口才能满足需求。对未合金化的原铝进口比例将从1997年的55%提高到2040年的79%，合金化的原铝将从47%提高到69%。而对AIV，合金化的原铝进口比例将达76%。进口情况如图8-8所示。

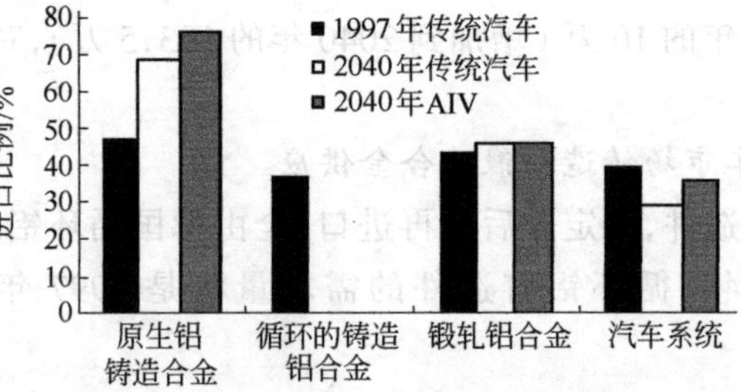

图8-8　1997年和2040年德国铝的进口情况预测

可以看出，到2040年对于传统汽车铝的进口比例降低了(从40%降至29%)，因为铸造件的需求是由本土的循环铝来满足。

8.1.3.4 现在和将来汽车系统的物料流

利用工艺链模型,可得出整个汽车系统的物料流。表 8-7 表明德国汽车系统包括进口或不包括进口时循环铝的比例。

表 8-7　1997 年和 2040 年有进口和无进口时(采用)循环铝的比例(%)

项　目	1997 年传统汽车		2040 年传统汽车		2040 年 AIV	
	德　国	包括进口	德　国	包括进口	德　国	包括进口
原铝铸造件	0	0	0	0	0	0
循环铝铸造件	100	100	100	100	100	100
锻(轧)合金	43	26	78	41	85	44
总汽车系统	79	70	88	64	90	58

表 8-8 列出德国原铝、循环铝和进口铝的绝对量。

表 8-8　德国汽车原铝、循环铝和进口量(万 t)

项　目		德　国	进　口	合　计
原生铝合金	1997 年	8.0	11.5	19.5
	2040 年	20.0	75.0	95.0
	AIV	25.0	140.0	165.0
循环铝合金	1997 年	30.0	15.0	45.0
	2040 年	150.0	15.0	165.0
	AIV	200.0	25.0	225.0
全汽车系统	1997 年	38.0	26.5	64.5
	2040 年	170.0	90.0	269.0
	AIV	225.0	165.0	390.0

从图 8-9 可以看出,为了满足德国汽车市场将来铝需求的增长,必须扩大铝的生产能力,包括德国和国外铝的供应。对传统汽车需增加 63.5 万 t 的供应量,对 AIV 需增加 128.5 万 t 的供应量。这些产能的扩大需在 1997 年后 10～15 年内完成。

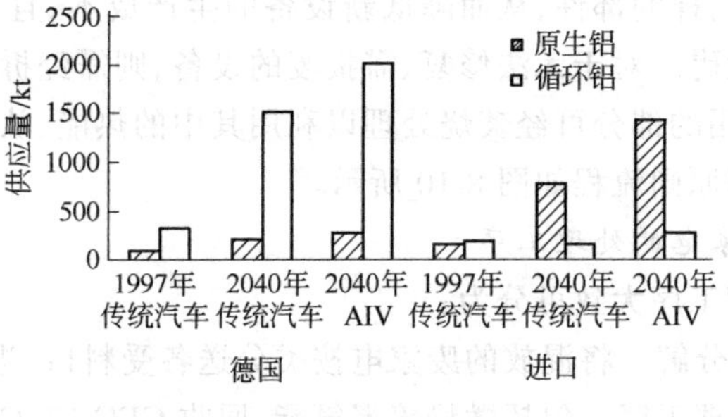

图 8-9　德国原铝和循环铝的供应

8.2　家电

8.2.1　概论

家电的范围很广。最初各国列入家电的范围主要是电视机、电冰箱、洗衣机和空调机四种。随着科技和经济的发展,人们生活水平的不断提高,电话、手机、计算机等现在也成为普通的家电了。

中国是家电的生产和消费大国,而且正向着世界家电强国迈进。目前,我国家电已进入报废高峰期。表8-9列出1998～2001年中国四种主要家电的生产情况[115]。

表8-9　中国四种主要家电生产情况(万台)

年　份		1998	1999	2000	2001
种　类	电冰箱	1014	1199	1278	1349
	洗衣机	1207	1342	1443	1334
	彩　电	3600	4486	3754	4187
	空调机	850	1338	1826	2313

家电属特种废弃物,含有许多对环境有害的物质,也含有大量可回收利用的物质。如电冰箱中的制冷剂CFC-12、发泡剂CFC-11是破坏臭氧层物质,必须回收。电冰箱、空调中的压缩机、换热器,经处理后可回收铁、铜、铝;电视机的显像管、线路板等都有可回收的物质。从保护环境和资源回收利用出发,国家对家电的回收和处理立法,并建立回收利用体系已成为迫在眉睫问题。

8.2.1.1　废家电的处理

虽然现在中国已是家电的生产和消费大国,但废旧家电的处理至今尚未形成规模。废旧家电的处理通常应遵循再利用和资源化的原则。再利用包含两层意识,首先是整机再利用,即仅经过更换部分老化、破损部件后,整机可进入二手市场实现再利用;其次是对那些无法再利用的设备,可将那些还能用的部件拆卸下来,用于新设备,取代同样的部件,从而降低新设备的生产成本,且对新设备的基本性能和使用寿命无大碍。对于无法修复、需报废的设备,则需经拆卸、破碎、回收有价成分,最终不能利用的部分可经焚烧处理以利用其中的热能,从渣中回收钢铁。

废家电的处理原则流程如图8-10所示。

8.2.1.2　废家电的处理工序

废家电的处理工序大致可分为:

(1) 卸料和初分解。将混放的废家电按类分送各受料口,进行初分解。

(2) 电冰箱处理工序。包括微粉碎聚氨酯,回收CFC-12、CFC-11,处理金属和树脂材料等。

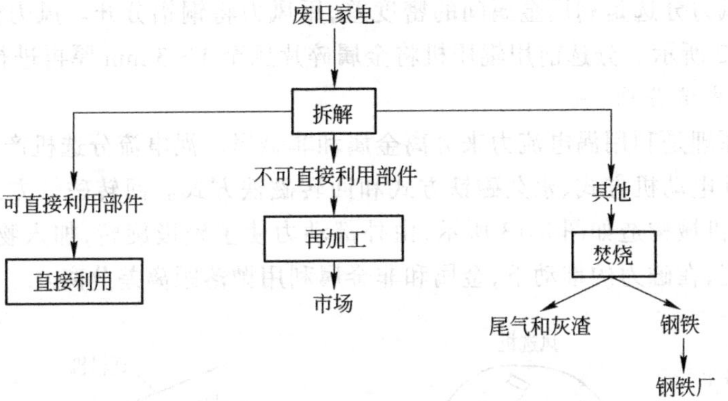

图 8-10　废家电的处理原则

(3) 低温破碎。以液氮作为制冷剂，在约 -190℃ 下使压缩机等坚固部件中的铁在低温下变脆，然后破碎，使铁和非金属分离。

(4) 常温破碎。例如将电视机破碎，然后送分选，使金属和非金属分离。

(5) 铜、铝分离。例如将空调器、换热器进行压延，剥离出铜管和铝翅片并分别回收。

(6) 阴极显像管处理。切断阴极显像管，将面板玻璃和漏斗玻璃分开，清洗后回收，并同时回收铁、荧光粉、碳等。

(7) 印刷线路板焊锡回收。将线路板加热使焊锡熔化回收。

(8) 塑料等无害化处理。将各工序产生的含塑料等物质的垃圾进行热分解无害化处理，有条件时也可分别回收各种物质。

8.2.1.3　废家电回收利用新技术

A　金属复合物低温破碎

低温破碎是利用某些物质在低温下变脆，从而将金属复合物在低温下进行破碎分离。如家电中的压缩机、马达中的金属复合物等，常温下破碎能耗很大，且复合材料分离不彻底，使后续的分离困难。低温破碎对金属复合物的分离往往很有效。如图 8-11 所示，先将金属复合物送入冷却管，再送入冷却罐，用液氮将物料冷却到约 -100℃ 以下，铁则变脆，再用回转式破碎机破碎，破碎的铁很容易与铜铝等分离。

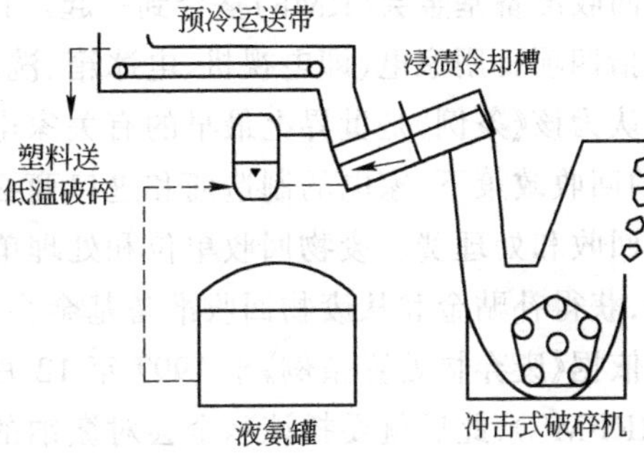

图 8-11　金属复合物低温破碎

B　铜铝风力分选

铜铝风力分选是利用金属间的密度差,用风力将铜铝分开。风力分选装置原理如图 8-12 所示。分选前用辊压机将金属碎片压至 1～3 mm 厚再进行风选。

C　涡电流分选

基本原理是利用涡电流力来分离金属和非金属。涡电流分选机产生涡电流的方式有线性电动机方式、永久磁铁方式和回转磁铁方式。回转磁铁方式的主磁极为圆滚筒,机械构造如图 8-13 所示,由外部动力使主磁极旋转,加入物料后,金属产生涡电流,在磁力的推动下,金属和非金属利用抛落距离差分离。

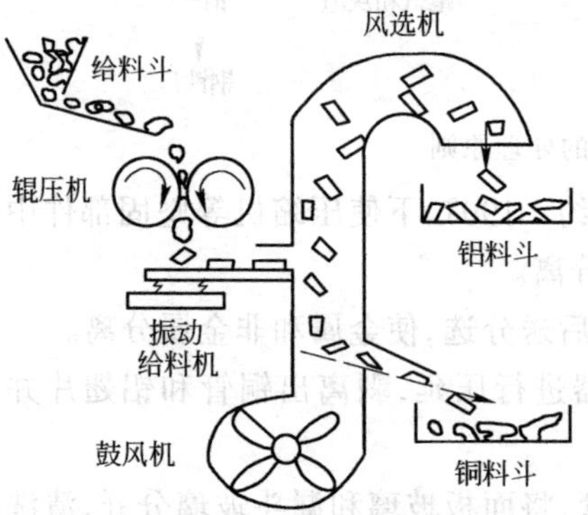

图 8-12　风力分选装置

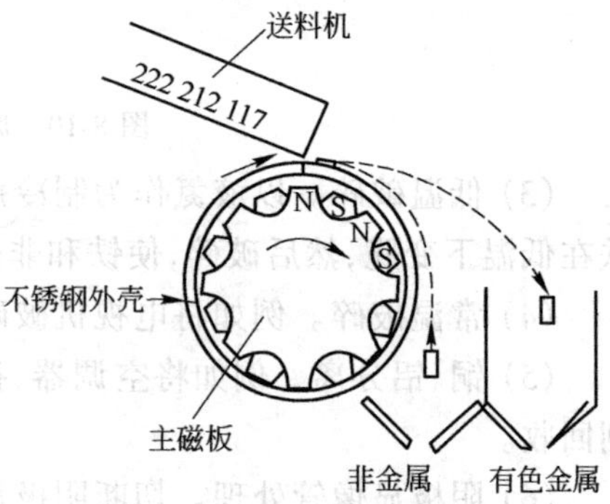

图 8-13　涡电流分选机

8.2.2　中国台湾废旧家电的处理[116,117]

8.2.2.1　概述

1997 年 1 月,中国台湾环保局(EPA)完成了“四合一(four-in-one)体系”工程,为不断提高回收效率,将四个主要成员(即居民、回收公司、地方当局和环保局)的废物回收准备基金会(RMF)整合到一起。1997 年 7 月 5 日,中国台湾环保局颁发了包括四项日用家电(即电视机、电冰箱、洗衣机和空调机)的《废弃物处置条例》。当时认为该《条例》是世界上最早的有关家电回收的法规文件之一。在这个“四合一”的回收政策下,家电的制造商和进口商必须根据环保局的要求,向环保局缴纳废物回收和处理费。废物回收单位和处理单位可根据经审核过的废物回收量和处理量,获得补贴金和从废物回收准备基金会返回的补偿金。中国台湾环保局还进一步依据《废弃物处置条例》于 1997 年 12 月 29 日成立了废旧家电回收管理基金会(RRFMC),此后就委托该基金会对缴纳的废物回收和处理费进行管理,以及负责将管理的基金投向与废旧家电回收和处理体系有关的领域。图 8-14 为资源回收与处理体系的流程示意图。

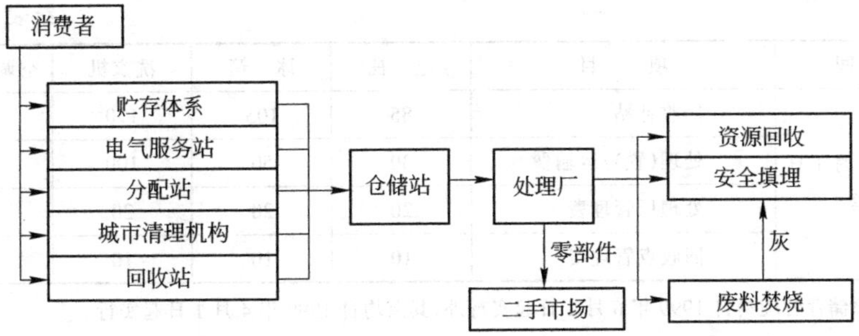

图 8-14 资源回收与回收体系流程示意图

根据《废弃物处置条例》10.1 款内容，由指定的制造商、进口商和销售商依据销售(或进口)的数量以及由中国台湾环保局核定的比率缴纳一定的回收处理费用，作为资源回收管理的基金。而回收基金则必须专款专用于实际回收处理时所发生的费用、回收补贴和偿还其他以资源回收为目的的相关项目。1998 年 2 月 26 日，中国台湾环保局首次核定了废旧家电回收、清理和处理(置)的费用，并于 1998 年 3 月 1 日起向制造商、进口商和销售商征募回收基金。表 8-10～表 8-12 列出了现行的费用和补贴数。

表 8-10 官方指定制造商、进口商和销售商缴纳回收基金的核定费用(NT $/台)

时 间	电 视		冰 箱		洗衣机	空调及取暖器
	大电视	小电视	大冰箱	小冰箱		
1998 年 3 月 1 日～1999 年 6 月 30 日	150	150	220	220	154	170
1999 年 7 月 1 日～2000 年 4 月 30 日	245	119	427	157	272	174
2000 年 5 月 1 日至今	420	270	680	440	360	290

注：1. 电视尺寸划分是以 25 in(1 in = 25.4 mm)CRT 为基准，冰箱则以 250 L 为基准；

2. NT $为新台币元。

表 8-11 废家电回收、清理和处理(置)的核定补贴(NT $/台)

时 间	项 目	电 视	冰 箱	洗衣机	空调及取暖器
1999 年 4 月 1 日～2000 年 6 月 30 日	回收补贴	65	85	150	160
	回收点管理费	30	30	30	30
	处理(置)/运输费	30	50	100	30
	储存管理费	20	20	20	20
	月储存费	10	19	28	10

续表 8-11

时　间	项　目	电　视	冰　箱	洗衣机	空调及取暖器
2000 年 7 月 1 日至今	回收补贴	85	105	170	230
	处理(置)/运输费	30	50	100	30
	处理厂管理费	20	20	20	20
	回收点管理费	10	10	10	10

注：除储存管理费自 1999 年 6 月 1 日起实行外，其余均自 1999 年 4 月 1 日起实行。

表 8-12　废家电处理工厂运输及处理津贴(NT $/台)

种　类	运输补贴		处　置	
	普通地区	边远地区	2000 年 7 月 1 日～2000 年 12 月 31 日	2001 年 1 月 1 日至今
电　视	25	37	330	450
冰　箱	65	97	410	735
洗衣机	40	60	220	415
空调及取暖器	25	37	145	435

注：1. 运输津贴是指对由收集/储存点运输到处理厂所发生费用的津贴；
2. 边远地区是指台东和花莲地区。

8.2.2.2　现状

按照环保回收政策，中国台湾在 1998～2001 年间建成了 6 个专门处理废旧家电的工厂。在废旧家电的处理方面处于世界的前列。中国台湾目前的废旧家电回收系统如图 8-15 所示。由多种收集/加工渠道将消费者用过的家电收集起来并送到回收处理厂。要求回收加工厂必须要有运营执照，为获得回收利用补贴金必须要有专门用于处理家电的设施。当收集者将收到的废旧家电送到回收利用厂后就可从管理基金会获得返回的补偿金。表 8-13 列出从 1998 年 3 月～2003 年 12 月每年的回收价格的变化情况，表 8-14 列出每年审核过的废物回收量。

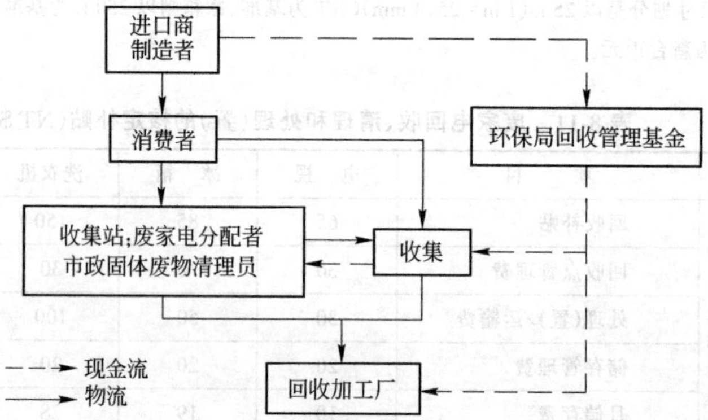

图 8-15　中国台湾废家电收集/回收利用循环图

表 8-13 中国台湾每年回收价格变化情况(NT $/个)

时间	电视机		电冰箱		洗衣机(中等)	空调机(普通)
	大	小	大	小		
1998-03～1999-06	150		220		154	170
1999-07～2000-04	245	119	427	157	272	174
2000-05～2001-08	420	270	680	440	360	290
2001-09～2001-12	441	284	714	462	378	305
2002-01～2002-12	441	284	714	462	378	305
2003-01～2003-12	441	284	714	462	378	305

注：小规格电视机和电冰箱分别指的是小于或等于 25 in 和容积 250 L。

表 8-14 每年审核过的回收量(个)

年 份	电视机	电冰箱	洗衣机	空调机
1998	164610	134322	106241	11240
1999	502415	334459	280167	38229
2000	425111	188728	285588	86121
2001	798786	531588	329464	188919
2002	542279	345174	273193	193620
2003(1～8 月)	314403	208670	170406	146115

中国台湾废家电回收处理体系可以大致分为两部分，即前端回收和后端资源处理。由于岛内废家电数量急剧增长，回收已成必然。因此，中国台湾环保局自1998 年 6 月起就先后三次对废家电的回收/储存点进行了选取。目前，中国台湾共有 60 个回收储存点以回收四大类指定的废家电。据统计数据，废家电年产生量最高接近 300 万台。在 1998～2003 年 7 月间，经 7 家再生处理工厂储存和回收的数量就达到了 6484590 台。

8.2.2.3 资源循环回收过程

在废家电资源循环体系中，最重要的当属资源回收处理工厂。为使未来的废家电处理厂能满足岛内需要并符合环保要求，中国台湾环保局于 1998 年设立了一系列的工厂。目前，有 6 家公司投资了 7 家处理厂，这些公司涵盖了制造商、经销商、二手商品商店以及所有现有的废家电回收/储存点。大部分处理厂是从德国进口处理技术，并根据当地废家电产品的特点将进口技术本地化。

目前，现有 7 家工厂自 2000 年 7 月起就正式运营并处理了大量的废家电。其中，6 家工厂年处理四大类废家电的能力总和可以超过 300 万台。有 5 家工厂于 2001 年取得了 ISO14000 认证(见文后彩图 5)。另外，一家新的处理工厂正在建设中。

这些工厂最初计划是处理冰箱、电视、洗衣机和空调等四类废家电，目的是合理回收冰箱压缩机中的制冷剂和净化器(purifier)的发泡剂,以及空调压缩机中的制冷剂和电视机中的荧光粉等,同时回收铁、铜、铝等有价金属。

四大类废家电的处理可粗分为四个阶段:称重、人工拆解和挑选、主件破碎以及破碎后的挑选和称重。

(1) 废电视机的处理。首先进行主体拆解并分类,之后分离阴极射线管(CRT)的锥形及平面玻璃,回收荧光屏上的荧光粉并对玻璃再次回用。经处理可使所有材料得以分类回收。

(2) 废冰箱的处理。回收氟氯化碳(CFCs)和制冷剂,分离压缩机,在密闭条件下碾磨冰箱主件,回收净化器的发泡剂。经处理可使所有材料得以分类回收。

(3) 废空调及取暖器的处理。回收制冷剂和润滑剂,分离压缩机,经处理可使所有材料得以分类回收。

(4) 废洗衣机的处理。人工拆解洗衣机,逐个分离运转装置及零件,之后压减主件体积或碾磨,经处理可使所有材料得以分类回收。

8.2.2.4 二次污染的防治

中国台湾准备提高对废家电处理工厂环保要求的标准。因此,有关企业都必须先就建厂、工厂运作等事项向中国台湾环境署申请批准,而且需经评委会就以下问题进行讨论:

(1) 处理厂的软件及硬件设施以及其处理能力的证明;

(2) 在试车期间对噪声、灰尘及空气污染等制订环保监测的抽样检测方案;

(3) 四类废家电人工拆解后资源回收的比例;

(4) 制冷剂、发泡剂和荧光粉的回收;

(5) 净化器及矿物油中氟氯化碳的残留情况;

(6) 企业有害废弃物的处理情况;

(7) 废物处理的工艺和资源回收的可行性;

(8) 应急计划(包括防火和工业安全)。

上述范围中,主要目标是资源回收以及制冷剂、净化器发泡剂和荧光粉的回收。废冰箱、空调压缩机中的制冷剂和净化器发泡剂主要是氟氯化碳的回收。因为世界公认这类物质与臭氧层破坏和全球气候变暖有着密切关系。在对废冰箱(或空调)人工拆解和破碎之前,各厂都会事先将压缩机中的制冷剂和矿物油回收储存。对于净化器发泡剂的处理,有三家工厂采用德国最先进的液氮超低温冷凝技术进行回收处理,而其他工厂采用活性吸附处理。无论是CFC-R11、CFC-R12、CFC-R22还是CFC-134a、CFC-141b,它们都是氟氯化碳类物质,在氟氯化碳再生/精炼厂处理。因此,所有工厂在氟氯化碳回收工序部分的投资都超过了其他软件和硬件设施的投资。现在中国台湾已有了处理废印刷电路板和废电子材料的成熟技术和相应的工厂。在废家电资源回收处理后仍残余一定数量的废物,例如冰箱和洗衣机中的压缩机和电机,电视中的荧光粉以及阴极射线管玻璃,洗衣机中的外壳,冰箱中的净化器等。其中,压缩机和电机可出口至第三国处理。由于不同的阴极射线管制造商所使用的玻璃成分不一,所以经回收并混合后玻璃产品难以达到阴极射线管制造商所制定的再使用标准。因此,这些公司已开始在回收处理前对不同类型的电视机进行分类,这样就可以将特定的玻璃售给原阴极射线管制造商。此外,玻璃再生市场的现状是供大于求。因此,对于处理厂而言,寻求新的资源再生途径(如玻璃饰品等)是当务之急。而由废电视回收得到的荧光粉,数量是相当有限的,而且目前对阴极射线管等含荧光粉物料的回收尚未成功。因此,目前尚难建立阴极射线管再生/处理厂。而粉物料一般是以固化形式进行无害填埋处理。洗衣机的玻璃钢(FRP)外壳回收也面临着处理量小的问题。如果不计其他含玻璃钢材料(如浴缸和浴盆等)的回收,玻璃钢回收的有限数量尚难达到经济规模并支撑一个玻璃钢再生处理工厂的运营。目前,玻璃钢材料有两种处理方式,即破碎焚烧或无害填埋。净化器则是冰箱处理过程中产出的最大量的废物。目前,各处理厂都在积极研究净化器资源再生的方法,以降低废弃物处理的成本。除上述问题外,在废家电主件破碎及之后的人工挑选及回收过程中产生的噪声及粉尘污染问题也令人关注。至于试验室安全、安全培训以及突发事故的应急措施及处理等,这些则是对工厂最基本的要求。

8.2.2.5 扩大生产者责任

为解决由北至南的发货问题以及回收机构、拆解机构、处理工厂之间的竞争问题,7家处理工厂成立了一个公共回收处理中心(CRTC)。自2001年3月1日该中心正式工作起,中国台湾废空调机的回收率已由3%升高至15%,而且回收数量也超过了30000台/周[1](见图8-16)。而资源回收基金管理委员会的主要职责则在于核定补贴费用以及对处理体系的环保进行评估。

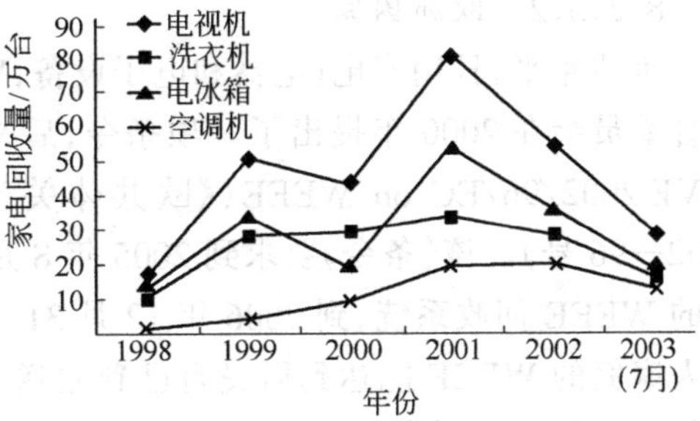

图 8-16 2001年(最大)中国台湾的家电回收量

8.2.2.6 未来发展

未来发展情况如下:

(1) 为了减少废家电处理厂之间的竞争,将进一步完善法规体系。

(2) 建立一个新技术研发中心,研究阴极射线管玻璃、荧光粉、玻璃钢外壳净化器的回收利用问题。

---

[1] 原文如此。

(3) 尽量降低废弃物处理成本,提高资源回收利用率并逐渐降低补贴费。

(4) 对回收物资处理工厂的环境评价结果表明,部分工厂存在的二次污染问题要限期改正。

8.2.2.7　小结

(1) 在 1998～2003 年 7 月间,中国台湾的 7 家处理工厂已回收处理了 6484590 台废冰箱、电视机、洗衣机和空调机。

(2) 为提高资源回收利用率并建立下游市场,扩大的生产者责任中应有二手商品店、制造商、进口商和零售商的共同参与。

(3) 几乎所有的处理工厂都于 2001 年通过了 ISO14001 认证。

(4) 在废家电回收处理方面,中国台湾在自动控制装置、粉体保存设备的安装以及技术研发中已积累了不少经验。

8.2.3　一些欧洲和亚洲国家废旧家电的回收利用

8.2.3.1　概述

废旧家电的回收利用已是一个全球性的焦点问题,因为大多数的家电设备中都含有有害物质。现在,已研制了许多用于废旧家电回收利用技术。在亚洲,废旧家电主要是指:电视(机)、电冰箱、空调机、电脑和洗涤设备等。而在欧盟,废家电的范围则涉及所有电器和电子设备。欧盟要求所有成员国从 2006 年起都必须遵守欧盟所制定的关于废旧家电处理规则。

8.2.3.2　欧洲国家

近些年来,日用家电(电器和电子设备,WEEE)在迅速增长。欧洲议会和欧洲联合委员会在 2000 年提出了一项条令,后来于 2003 年最终决定称之为 DIRECTIVE 2002/96/EC on WEEE(《欧共体关于废旧电器和电子设备处理条令》,2002—96 号)。该《条令》要求到 2005 年 8 月 13 日前每个成员国都要建立私人家庭的 WEEE 回收系统;到 2006 年 12 月 31 日在至少平均 4 km^2 范围内有回收站,私人家庭的 WEEE 能达到居民自己独立送回收站的程度。在《条令》中还提出了其他方面的一些要求。

A　荷兰

1998 年 4 月 21 日,荷兰住房、空间计划和环境部颁布了《白、黄商品处置法》。生产者应履行的义务是,制造商和进口商有责任召回和处理生命终结的用品。该法明确了 14 种白、黄商品。后来,1998 年 7 月 16 日又颁布了一个《指南》,要求对大型办公设备和家电的《处置法》于 1999 年 1 月 1 日起生效。其他类商品从 2000 年起生效,还明确了制造商和进口商向主管部门提交大型办公设备和家电的召回和处理办法细则的最后期限是 1998 年 9 月 1 日,其他类商品是 1999 年 3 月 31 日,以及向主管部门提交组织和资金准备结构。含 CFC_S 和 $HCFC_S$ 废电冰箱和冷冻器不再允许销售,采取的处理方法要尽可能减少 CFC_S 和 $HCFC_S$ 的放散。

为了遵循这项法规,一些工业协会,如机械和电器协会组织了一个非盈利性的机构,即由 NVMP(金属电气产品处理荷兰协会)来建立 WEEE 回收系统(计算机和通讯设备除外,这些设备由别的机构——ICT 负责)。荷兰的制造商和进口商(总计约 650 家)已委托 NVMP 按主管部门已认可的一个联合计划来履行和完成此项工作,计划中包括处理结构和资金安排。

制造商和进口商的责任是:每个月两次报告投入荷兰市场的产品数量;每个月两次对投入市场每种产品交付的处理费用;某一产品的处理费用转入下一产业链中的分配额。处理费用必须按发货清单以图(表)分项列出。处理费用是固定的,由 NVMP 决定。表 8-15 列出一些选定的废物处理费,处理费 60% 是根据现有的废物处理费计算的,40% 是未来处理的花销[117]。

表 8-15　荷兰废物处理费

项　目	征收额/欧元
白商品	
冷冻和冷凝设备	17
大型设备(洗涤机、炉子和电磁设备等)	5
国内设备(咖啡器具、真空清洁器和煎炸平底锅等)	1
其他	无
黄商品	
TV	8
DVD	3
其他	无
工　具	
电动工具	1
公(花)园工具及其他	无
加(耐)热设备(石棉等)	5
缝纫机类	3
其　他	无
(有)键盘的设备	2

零售商的责任是当供应一种新商品时,召回同类的旧商品,不付(废料处理)费,处理费转移到了消费方。消费者的责任是当购买或收到新商品时要支付废物处理费。这种由 NVMP 设计的收集/回收利用循环方式如图 8-17 所示。消费者要希望不付某一产品的废品处理费有两种可能性:购买新商品时将处理费转移给零售商;转移给地方废品处理部门。零售商要希望不付产品的废物处理费有四种选择:转移给地方废物处理部门;转移给地方商品贮存仓库;转移给商品分配中心;转移给 NVMP 和运输部门。荷兰的地方商品贮存仓库都位于市区 20 km 的半径范围内。荷兰约有 600 个废料处理地方管理部门和 65 个商品贮存仓库。NVMP

和运输部门随时待命，有 8 件以上的大型废旧白商品时，要在两天之内交付给废品回收处理厂。荷兰有 4 个回收公司和 7 个废品回收处理厂（其中只有 2 个厂处理电冰箱和冷冻机）。

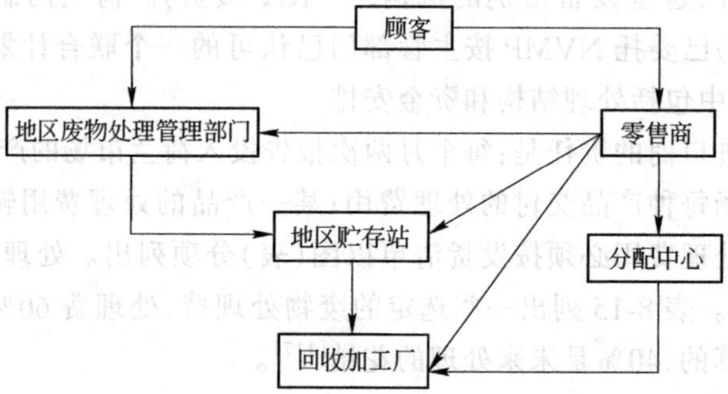

图 8-17　荷兰收集/回收利用循环图

1991 年 1 月 1 日白、黄商品处置法生效以来，每年的回收结果列于表 8-16。在2000 年和 2001 年，每年每户居民的 WEEE 的平均重量分别是 3.6 kg 和 4.0 kg，已经达到了 EC 的要求（4 kg），平均费用列于表 8-17。2001 年 NVMP 的雇员是 12 人，但每年的货币流量约 6000 万欧元。NVMP 不仅要从事回收业务，而且还要通过电视、广播、报纸、网站等进行大量宣传工作。

表 8-16　NVMP 回收结果

项　目	1999 年	2000 年	2001 年
冷冻和制冷产品回收量/台	460000	550000	609000
大型日用家电回收量/台	136000	272000	345000
电视机回收量/台	192000	296000	303000
其他家电回收量/t	25000	5422	10000

表 8-17　NVMP 平均费用（欧分/kg）

项　目	平　均	黄 商 品	白 商 品
回　收	12	18	12
后　勤	8	10	7
地区中心	5	7	5
宣　传	4	5	3
NVMP 所得	2	2	2
其　他	4	5	4
总　计	35	47	33

B　丹麦

丹麦是斯堪地那维亚最小的国家，但却是地方自治实践最全面的国家。根据1999年丹麦政府环境保护局颁发的《1998～2004年废物管理计划》，包括WEEE以及所有制冷设备都以《条例》或《指南》做了详细说明。地方管理部门制定了自己的《条例》来履行和完成废物的回收利用。地方管理部门还从住户中收集丹麦废物税，以用于废物的回收和处理。丹麦废物税从1987年1月1日起生效。这种废物税的目的在于使废物从填埋和焚烧走向回收利用和循环。废物税的征收是有差别的，最贵的是废物填埋，带有能量回收的焚烧较便宜，废物回收利用免税。

丹麦的(废物)收集/回收利用系统如图8-18所示。有265个地区管理部门都在各自的区域范围内建立了废物收集和分类站。家庭废料可由住户自己送到附近的废物回收和分类站，或由专门的收集人员负责。运输公司和回收厂是由地区管理部门通过国际公开招标选定。由于丹麦的本土范围有限，加上经济和地区的原因，几个地区管理部门联合公开招标是常有的事。有15～20家回收加工厂，但仅指定了3家回收加工WEEE。商业废料不能直接进入地区废物收集和分类站，因为废物税是来自居民家庭。商业废料的回收利用应当直接与回收加工厂联系，或经地区管理部门的特许。

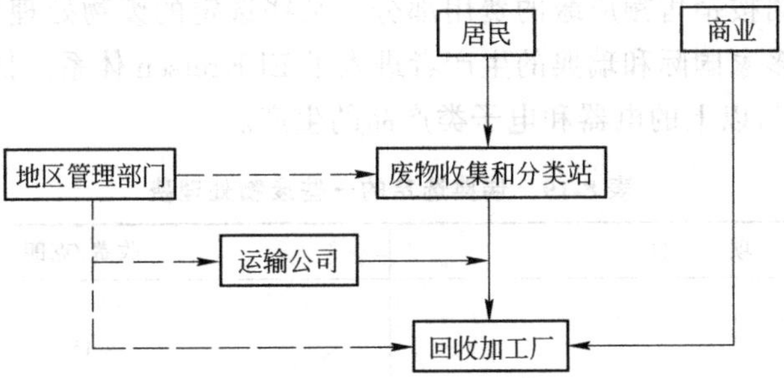

图8-18　丹麦收集/回收利用循环图

表8-18列出1997年收集的数量和最终的处理量。1997年仅约30%的WEEE被回收利用，所以在《1998～2004年废物管理计划》中2004年的目标是提高WEEE的资源循环量，减少送去焚烧和填埋的WEEE。

表8-18　1997年WEEE的处理量

项　目	总量/t	总量/t	回收利用量/t	填埋量/t	焚烧量/t
电子类	43000	103000	30000(30%)	23000(20%)	50000(50%)
电气类	60000				

1997年废冷冻设备总量大约是15000 t，估计1997年收集的电冰箱约为12500 t，相当于回收率83%。在《1998～2004年废物管理计划》中，2004的目标是

回收和处理废旧电冰箱至少达到其总量的90%。电冰箱中含冷冻剂CFC-12至少有95%得到回收。发泡剂CFC-11至少有80%得到回收。冷冻剂CFC-12或循环利用,或进行无害化处理;发泡剂CFC-11必须进行无害化处理。

C 瑞典

瑞典的《电子和电气产品生产者责任法》于2001年7月1日生效。该法规定消费者的权利和义务是,当购买一种新产品时,将相同数量的老产品返回,消费者应得到购买老产品相同性质的服务。同样,要求生产者免费召回和处理这些返回的产品。收集起来的电子和电气废装置必须由能胜任这项工作的单位来处理。立法的目的在于鼓励按市场化机制来解决日益增长的大量废物的问题。

电子和电气设备的生产者或制造商、进口商以及零售商活跃于瑞典市场,他们都要分摊生产者责任的份额。该法规列出了10种家庭和商业电子和电气设备清单,由于有关CFC或HCFC条例的原因,电冰箱和冷冻机未列在清单内。

已建立了23个商业协会(其中约一半负有生产者责任),这些协会都承认一个叫El-Kretsen AB的服务机构,该服务机构是2001年3月1日建立的。23个商业协会涵盖了全部电器和电子类商品,即IT产品、白商品、黄商品、其他电子消费品、医药和实验室设备等。系统的经费来源于新产品销售征收的费用以及加入系统的生产者承诺按销售额应缴的费用部分。某些选定的废物处理费列于表8-19。现在已有400多家国际和瑞典的生产者进入了El-Kretsen体系。估计这些生产者涵盖了瑞典90%以上的电器和电子类产品的生产。

表8-19 瑞典选定的一些废物处理费

项　　目	收费/克朗
普通家电	
真空清洁机	15
微波炉	25
洗碗(盘)机	45
洗衣机	45
电视机、收录机等	
电视机(32 in或更大)	60
电视机(22～31 in)	40
电视机(14 in或更大)	20
电视机(9 in或更小)	8
车用收音机等	3

注:不包括VAT(Video-Audio-Tuner,视频-声频-调谐器);法规从2003年7月1日起生效。

如图8-19所示,El-Kretsen已建立了全国性的废品召回体系。该体系提供了顺畅的收集和WEEE循环利用系统,总共有1000多个收集点。由于该机构章程要求零售商应有充足的商品贮存库,在大约100000～500000个贮存库都有临时收购点。El-Kretsen 还与瑞典 289 个从事废品收集和分类的城市相关部门签订了协议,由 El-Kretsen 负责废品的运输和加工处理。

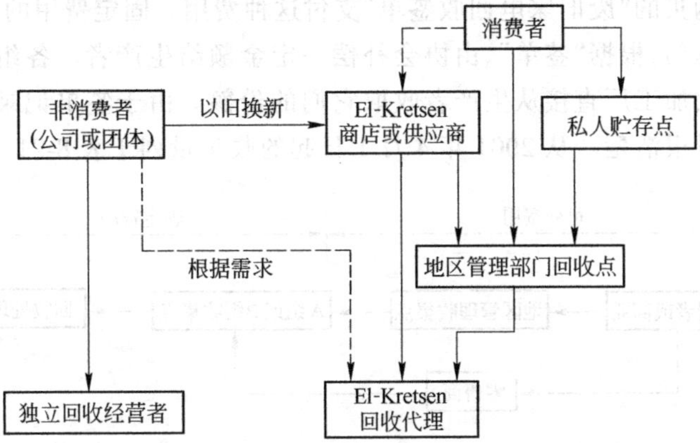

图 8-19　瑞典收集/回收利用循环图

收集的全部废品都是由 El-Kretsen 完全信任的、经过审定的拆解者来承担。分出有害的成分或物质送相应的终端处理厂或焚烧厂处理。金属和其他可回收的物质则回收利用,而织物、橡胶、塑料和木料以能量形式回收。收集、运输、拆解和加工单位都必须按照瑞典环保法经营,这些法规是严格按国际标准制定的,El-Kretsen 的副总裁定期审定处理的产品是否完全与相关的法规相符。

8.2.3.3　亚洲国家和地区

A　日本

1998 年日本制定了《家电用品回收法》,法规中规定了 4 种废旧家电:电视机、电冰箱、空调机和洗衣机。官方确定的生效日期为 2001 年 4 月 1 日。法规加大了生产者的责任,生产者可以有自己的废旧家电收集和加工利用厂。政府和地方管理部门主要是监督和检查法规的执行情况。法规规定电视机、电冰箱、空调机和洗衣机的回收率分别为 55%、50%、60% 和 50%。回收率的定义是回收的物质总量与废品的总量之比,不包括热能的回收。

1994 年家用电器协会建立了一个半工业试验厂。根据半工业试验厂的实践经验,形成了两个组,即 A 组和 B 组。A 组由 19 个公司组成,包括松下、东芝、JVC、Daikin 等;B 组的成员有 21 个公司,包括日立、三菱、三洋、夏普、索尼、Jujitsu、NEC 以及一些进口商。A 组有 24 个回收加工厂,B 组有 14 个回收加工厂(见文后彩图 6)。按地区不同,每个组有 190 个回收点。当送出一台废旧家电时,消费者必须付出如图 8-20 所示的可变费用和固定费用。可变费用包括从消费者家到 A 组或 B 组收购点的运输费,它取决于许多因素,如运输距离、商业政策,这些都是由零售商和地方管理部门来决定的。一般为 500～2000 日元之间。固定费用包括收集费、贮存费、运输费等。表 8-20 列出相关的费用，这种收费标准是松下公司 2000 年 9 月 5 日公布的。后来 B 组也公布了自己的标准，消费者必须根据从零售商或邮局购买的“废旧家电回收签单”支付这种费用。固定费用的金额是由家用电器协会管理的，根据“签单”，由协会补偿一定金额给生产者。各组的收集点、运输公司和回收加工厂直接从生产者收取它们的份额。由于签单记录详细，管理部门对废料流量很清楚。从 2001 年 4 月 1 日起的收集量列于表 8-21。

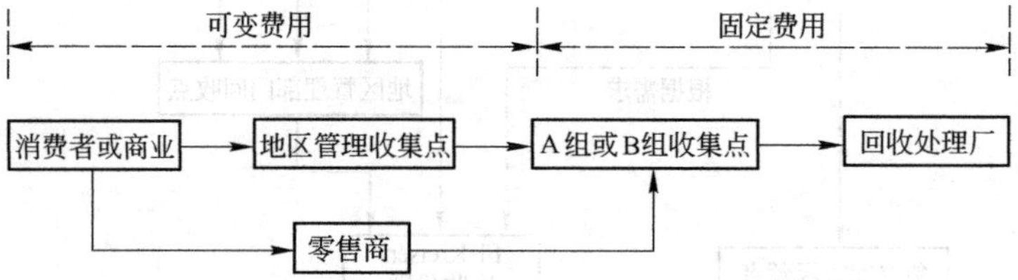

图 8-20　日本收集/回收利用循环图

表 8-20　日本的可变费用和固定费用(日元)

项　目	可 变 费 用	固 定 费 用	总　费　用
电视机	500～2000	2700	3200～4700
电冰箱	500～2000	4600	5100～6600
空调机	500～2000	3500	4000～5500
洗衣机	500～2000	2400	2900～4400

表 8-21　年收集量

时　间	电视机/千台	电冰箱/千台	洗衣机/千台	空调机/千台
2001-04～2002-03	1334	3083	1930	2190
2002-04～2003-03	1636	3520	2426	2565
2003-04～2003-08	963	1446	1117	1366

B　韩国

按照《鼓励资源节约和再利用法》，废电视机和洗衣机从 1992 年开始回收；废空调机从 1994 年开始回收；废电冰箱从 1997 年开始回收；废计算机和其他小型家电分别从 2002 年和 2003 年开始回收。韩国实行“抵押金—偿还体系”(图 8-21)，即生产者、进口商品先付抵押金，一旦用过的废品得到召回并回收利用，就可收到偿还金。

从 1992 年实行“抵押金—偿还体系”以来，出现了一些问题，例如回收加工厂数量不足；新的回收技术还有待完善；在循环利用政策下要突出生产者的责任。

2000年成立了韩国电子环境协会,作为一个非盈利性机构,负责管理和经营废电视机、电冰箱和空调机系统。从2001年1月起,一些自愿的生产者加入了如图8-22所示的半工业试验系统。这些自愿者对应当遵守"抵押金－偿还体系"没有兴趣。

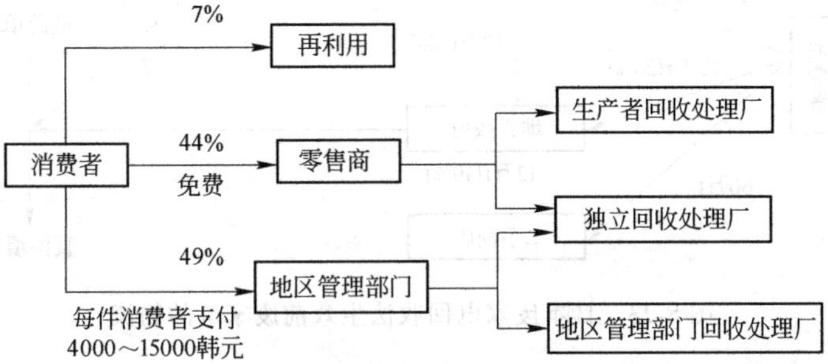

图8-21　韩国抵押金—偿还体系

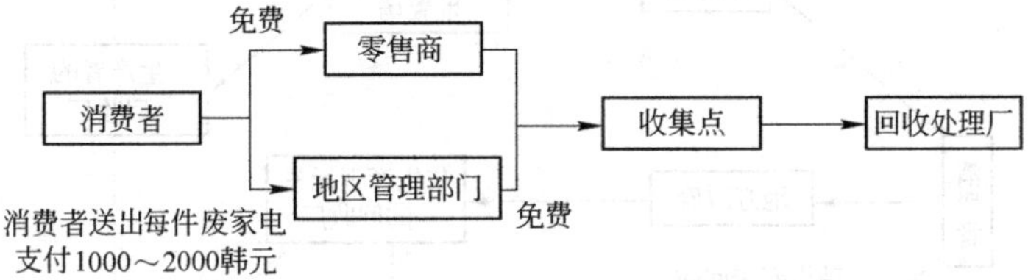

图8-22　韩国电子环境协会半工业试验系统

C　日本、韩国和中国台湾的家电回收体系就扩大生产者责任的比较

根据经济合作和发展组织(OECD)章程,对于将由地方政府承担的废弃物回收和处理费的补贴转移到生产者,"扩大生产者责任"是一项理想而必要的措施。由于填埋场地不足以及收集/运输费用的上升,并随着废弃物总量和地方政府承担的废弃物回收和处理费补贴的增长,解决这个问题已成为当务之急。关键是尽快减少填埋的废物量,要求生产者不仅对自己的产品负责,生产者直到消费者还应对产品消费的后处理负责,这就是"扩大生产者责任"的本质,但不同国家和地区的扩大生产者责任,在内涵和形式上也有所差异。

在日本,1988年制定了《家电用品回收法》,从2001年4月1日起正式生效[118]。该法生效前(图8-23),消费者和销售商没有责任。销售商的回收只是一种服务,没有责任。但按照法律规定,地方政府有责任回收和处理这些用过的家电。法律生效后(图8-24),每项内容都含有较大责任性。首先,消费者必须将废旧家电送至销售商或地方政府,这是消费者的责任。销售商再将它们送至生产者指定的贮存点,由生产者取回并负责处理。这种责任分摊制就是经济合作和发展组织章程的基本观念。

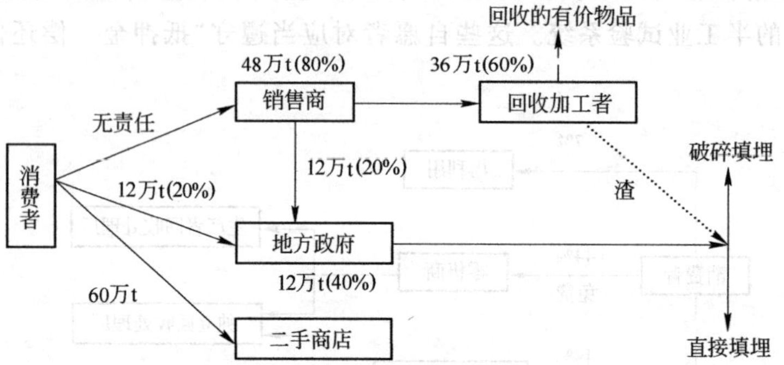

图 8-23　日本废家电回收法生效前废家电的物流

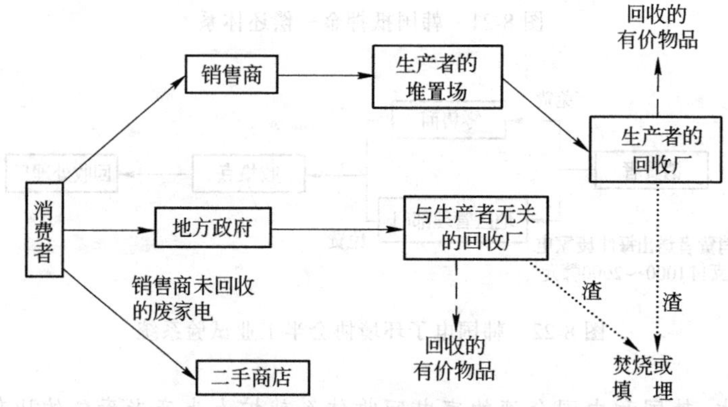

图 8-24　日本废家电回收法生效后废家电的物流

在韩国，1992 年《鼓励资源节约和再利用法》生效，立法的目的是减少废弃物量。在该法中，为了督促生产者减少废料量和回收利用废弃物，制定了“抵押金－偿还体系”，家电废料是其中的内容之一。

最初，废旧家电的抵押金是 30 韩元/kg，但这样偿还率很低。所以，后来将抵押金提高到 38 韩元/kg。在 2001 年 1 月左右，将电视机的抵押金提高到 75 韩元/kg，洗衣机为 100 韩元/kg，电冰箱为 140 韩元/kg。

在该体系中(图 8-25)，生产者是将押金付给政府。当某种物品被处理和回收利用，就对该物品偿还部分抵押金。一旦销售商回收了废旧家电，就按抵押金－偿还体系处理。销售商再将回收的废旧家电转给 Samsung 回收处理厂或 5 家指定的专业私人处理厂。经政府有关部门对它们的处理和回收利用指标审核认可后，这些处理厂就可得到相应的偿还金。但由于种种原因，生产者得不到全部的偿还金。所以，偿还的比例是很低的(表 8-22)。

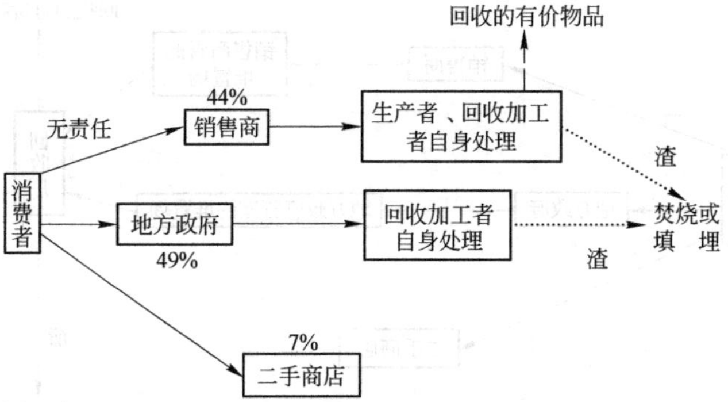

图 8-25　韩国在抵押金—偿还体系下的废家电的物流

表 8-22　韩国抵押金—偿还体系执行情况

年　份	抵押金/韩元	偿还金/韩元	偿还比例/%
1995	50	1.5	3.0
1996	64	3.5	5.6
1997	145	12	8.3
1998	141	10	7.1

在由地方政府回收废旧家电的情况下，消费者必须付 4000～15000 韩元的费用。废旧家电最后由 5 家指定的专业私人处理厂和 KRECO(由环保局成立的一个公司)的一个处理厂处理，但 KRECO 的这家处理厂在 2002 年关闭。后来，关闭的这家工厂卖给了韩国电子环境协会(AEE)，电子环境协会是从韩国电子工业协会(EIAK)分离出来的。

对于生产者必须缴纳抵押金，其数量接近建设新回收处理厂费用的一半，所以三个大企业(Samsung、Daewoo 及 LG)和韩国电子工业协会发表了一个公告，主要内容包括：一是生产者打算建立自己的废旧家电回收系统；二是生产者将不再付给政府抵押金。政府(环保局)在 2000 年 6 月认可了这个公告(但如果该公告未能有效实现，政府将恢复抵押金－偿还体系)，从 2001 年 1 月开始试行(图 8-26)。由于采用了“生产者责任系统”，生产者就必须回收和处理全部废旧家电，所以它们打算尽可能多地建立废旧家电回收系统，销售商也有责任回收。

中国台湾则采用废旧家电回收管理基金会体系(图 8-27)，生产者按其产品的销售量向废旧家电回收管理基金会缴纳费用。如果生产者参与废旧家电的回收(包括运输)和处理工作，生产者也可从管理基金会得到偿还。该体系保证，从事废旧家电收集、运输和回收利用工作的所有参与者都可得到补偿。这种管理体系只规定家电的生产者必须向管理基金委员会缴纳抵押金。

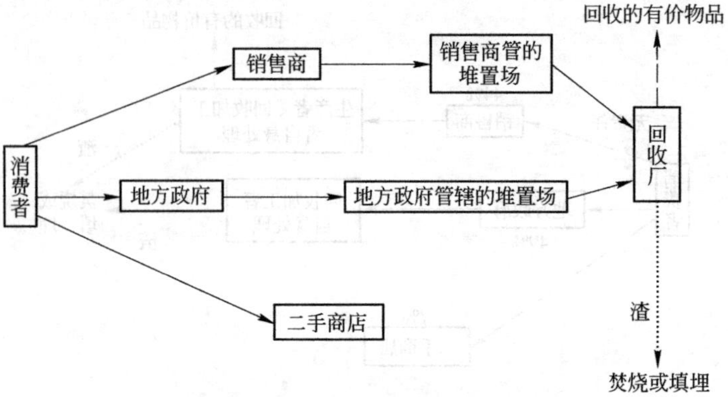

图 8-26　韩国在生产者责任系统下的废家电的物流

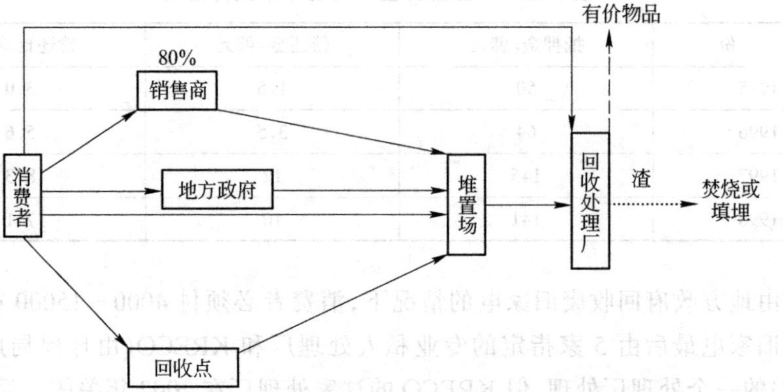

图 8-27　中国台湾在管理基金会体系下的废家电的物流

表 8-23 列出了韩国、日本和中国台湾回收体系之间的比较情况。由表 8-23 可看出，最主要的差别在于扩大生产者责任。为提高资源回收比例并建立下游市场，扩大的生产者责任中也应该有二手商品店、制造商、进口商和零售商的共同参与。

表 8-23　韩国、日本和中国台湾家电回收体系的比较

项　目	韩　国	日　本	中国台湾
法　规	资源节约和再利用法	废家电回收法	废弃物处理法
主要回收组织	生产者责任系统	生产者组成的组织	家电回收管理基金会
参与者	家电生产者、销售商	家电生产者	家电生产者、销售商、消费者
回收责任	家电生产者、销售商	家电生产者	家电生产者、销售商、消费者
补贴金额		电视 2700 日元，冰箱 4600 日元，洗衣机 2400 日元，空调 3500 日元	参见表 8-11 和表 8-12
审查体系	每年 1 次或多次	每年 1 次	分批审计

8.3 电子废弃物

8.3.1 概述

线路板是电子工业的基础,从计算机、电视机到电子玩具等,几乎所有的电子产品中都有线路板存在。据悉,全球约40%以上的线路板都在中国生产。从2003年起我国进入家电淘汰报废高峰期,每年进入更新换代期的冰箱、洗衣机、电视机和电脑都在500万台以上,废弃线路板及其加工废料数量巨大,已成为了一个新的污染源。

无论是废旧家电还是线路板,过去几年中国内已有一些先行者进行过一些循环利用的尝试,但进展甚微。一个主要原因是二次原料的来源无保证。近几年来,国家将实行循环经济提到了战略高度,以后情况将会越来越好。在家电二次资源中,有两种回收利用价值较高的原料,它们是家电拆解后的线路板以及废二次电池。

废旧线路板是玻璃纤维强化树脂和多种金属的混合物,属典型的电子废弃物,如果不妥善处理与处置,不但会造成有用资源的大量流失,而且由于其所含有镉和溴化物阻燃剂等大量致畸、致突变、致癌物质,会对环境和人类健康产生严重的危害。此外,线路板金属的含量高达40%,最多的是铜,此外还有金、铝、镍、铅、硅等,其中不乏稀缺金属。从中回收的铜和贵重金属等金属粉,可用做金属冶炼厂的原料;其他如玻璃纤维和树脂等非金属粉也可以作为纤维增强材料或填料使用;其废渣还可用做建材原料。

由于废旧电路板韧性较大,多为平板状,很难通过一次破碎使金属与非金属分离。所含物质种类较多,解离后金属有缠绕现象。这些特点决定了废旧线路板的回收处理难度大。国内已有一些企业开始生产或正打算研制废旧线路板的回收处理设备,有的属中试阶段,不适合大规模工业化生产;其他多属小单机生产;存在着能耗过高、产量小(小时处理量不超过500 kg),粉碎后分离不彻底,粒度范围大,使得重力分选的效率较低,一般金属的回收率在90%以下,生产成本高,劳动强度大,经济效益不理想,使得工厂无法进行工业化生产,且容易造成二次污染。

国外虽已开发出能对废线路板进行回收的新设备,但这种生产线价格昂贵,需要数百万美元,包括我国在内的发展中国家因价格问题很难引进此类生产线。

国内也有一些企业研制并生产了废旧电子线路板处理的成套设备。如浙江丰利粉碎设备有限公司的FXS系列废旧电子线路板处理的成套设备。该系列设备采用物理法回收工艺,包括强力破碎机、中碎机、精细粉碎机、超微分级机、高压静电分离等设备,能对各类废旧印刷线路板及加工废料、废旧电器等进行机械粉碎回收处理，回收金属的纯度也较高。

废线路板破碎—分选回收的原则流程如图 8-28 所示[119]。

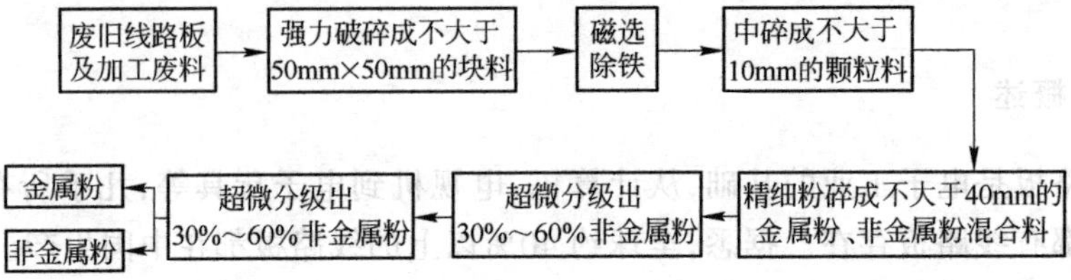

图 8-28　废线路板破碎—分选回收流程

8.3.2　海尔集团处理电子废弃物计划[120]

海尔集团的废旧家电回收及资源化综合利用的示范工程总规模为年处理电子废物 60 万台，回收铜、铝、其他各类金属、塑料、贵金属混合物等可利用物资约 8000 t，可利用零部件折合整机 2000 套。该工程由电子废物处理线和废弃电冰箱处理线组成。

项目包括处理电子废物，具有模块化结构，便于不同类型电子废物的处理和生产规模的调整；经过处理，废弃电冰箱的 70％以上的物资可以回收，60％以上的物料转化为再生资源，减少了可能造成的对环境二次污染。

海尔方法分为手工拆解、手工与机械相结合、机械化拆解。机械破碎过程中，对冰箱体进行粗碎，对小壳体进行细碎，电磁分选得到铁，涡流分选出铝，风力分选出铜、塑料、稀贵金属等，对最终的剩余物、有害物质及稀贵金属进行超临界氧化处理，送金属冶炼炉焚烧或采用其他技术进行收集和无害化处理。

海尔集团开始这种尝试，在废旧家电回收方面采取了多种渠道，如各种社会化、地区化的回收方式，充分利用现有的销售网和回收网点。

8.3.3　奥斯墨特(Ausmelt)法回收计算机线路板及贵重金属

贵金属回收工业中很重要的一部分就是从电子废料中回收贵金属。目前世界各地大部分低品位回收产品送冶炼厂进行后续处理和贵金属的回收。

就废物回收有价成分问题，奥斯墨特开展了广泛的研究，而且回收技术还在不断发展中，其中有一项奥斯墨特废料催化转炉吹炼(CWC)技术，可用于回收计算机线路板及其他电子废料中的贵金属。通过上述研究的开展，可初步评定奥斯墨特技术的应用情况，之后则是通过中试实验来评定实际的结果。

8.3.3.1　处理工艺

对于上述物料的处理工艺较为简单，包括：

(1) 处理过程中氧化有机成分。

(2) 将不想回收的金属及难熔成分造渣。

(3) 生产含贵金属的金属产品。

为实现上述过程,应控制奥斯墨特法体系中的氧势,使有机成分氧化,铜及贵金属成为单独的一相,而不回收的金属则氧化成渣相。由于物料中含少量贵金属,故加入金属铜作为捕集相。通过控制铜捕集剂的量及熔池的条件,使铜的回收达到最大,进而实现贵金属最大量的回收。

由于物料含金属量很少,产出的渣量大,所以渣很快就会填充炉膛。为使金属有效回收,不损失在大量的渣中,应将渣清除并只留金属相在炉中,该操作每隔一段时间便进行一次,贵金属在熔融铜熔池中得以累积。这使得金属生成量不断增大,相分离好。

一旦积累了足够量的金属,就可以通过铜的选择性氧化入渣,而使贵金属在金属相中富集。当剩余金属相中贵金属含量足够高时,金属从炉中排放。加煤使渣中的铜还原成金属相,以达到回收渣中铜的目的。如果不需要将铜从炉中排放出去,则保持炉中金属还原态并进入下一个循环操作。这可以确保贵金属损失降至最低。

8.3.3.2 半工业试验

半工业试验的处理规模接近200 kg/h,为说明该厂的处理工艺,将各单元操作及产品情况列于表8-24中[121]。

表8-24 半工业试验情况

处理阶段	操作目的	产品
原料处理	轻度还原性条件下作业	贵金属含量低的渣(排弃)和含贵金属的金属铜
氧化(有足够量金属生成时才进行)	停止进料,将铜氧化入渣,目的是富集贵金属	铜氧化物含量高的渣和含Au 2%的金属铜(排放出炉而作为产品)
还原(含贵金属的铜放出后进行)	将铜氧化物含量高的渣还原成金属铜并回收	由渣回收的金属铜作为贵金属捕集剂,用于下一个作业周期

A 工艺试验

有4家实验工厂处理不同的混合物料,生产含贵金属的铜并将渣排弃,其中两家工厂的原料已经过预处理(即焚烧),另两家采用未经预处理的原料。

当原料未经预处理时,发现有大量的有机物在炉子的上部区域氧化,而不是在渣熔池中。为满足有机物燃烧需要,必须在熔池上部空间补入空气并恰当地调整下部区域的空气富余量。

此外,未经预处理的物料还含有大量的卤化物,这些卤化物会结合物料中的其他组分并生成挥发性的化合物,结果会降低金属(包括贵金属)的回收率。此外,还要考虑到避免烟气中生成二恶英类化合物。

B 选择性氧化

该阶段的主要目的是通过对金属铜(贵金属的捕集剂)的选择性氧化以提高贵金属的品位。操作中应尽可能地将贵金属的氧化量或夹带入渣的量降至最低。

早期的实验厂就是通过上述方式成功生产出高品位的合金(金含量大于2%)。该合金产品适合于后续的贵金属回收处理。富铜渣经还原并回收金属铜。结果显示,在第一阶段有95%的贵金属进入高品位的合金产品中,而在渣还原阶段几乎所有的铜得以回收。

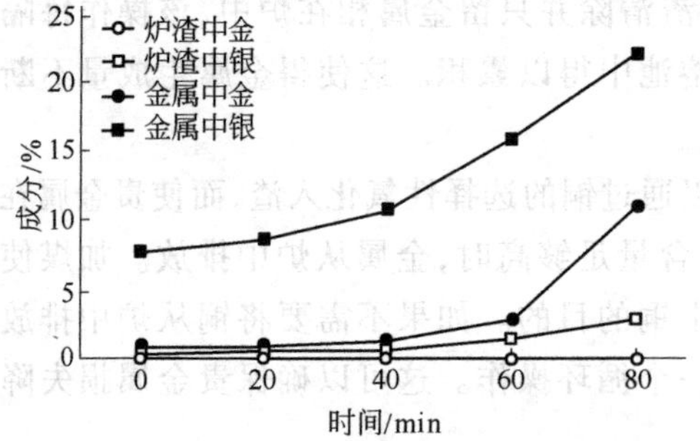

图 8-29 氧化期金属和炉渣中金和银的含量

在整个氧化过程中金属相及渣相中金、银的含量变化如图 8-29 所示。由图可看出,在氧化过程终结时渣中银的量平稳增长至2.75%,而渣中金的量稳定在$(200\sim300)\times10^{-4}$%这一水平。

为研究过氧化的影响,特将氧化过程分成了三个阶段。在第三阶段,金属铜的氧化就超过了金属铜中含金2%的指标,最终得到含金12.5%的金属铜,然后进行短暂的渣还原操作,回收含金1.0%的金属铜100.3 kg。上述结果表明,奥斯墨特炉能够实现铜氧化入渣的目的。

C 还原

在氧化之后是还原,目的是从氧化阶段产出的渣中回收金属铜。还原阶段产出的渣留在炉中并作为下次作业的起始熔池。因此,对氧化阶段产出渣进行完全的还原并不十分重要,目标铜量是可以调整的,当铜量达到要求时再从闭路循环中排放出来。

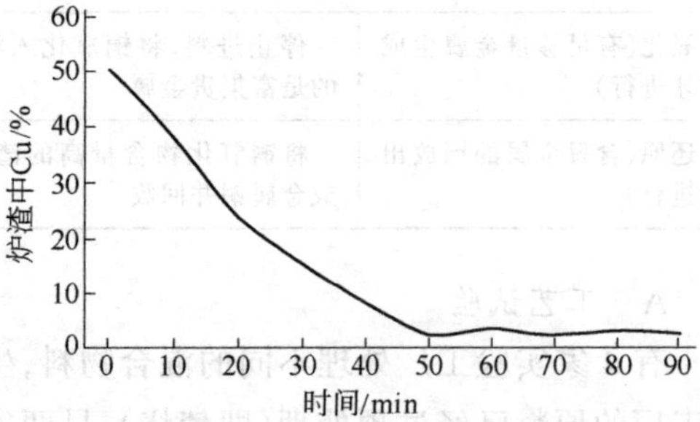

图 8-30 还原期渣中铜的含量

还原过程中渣中氧化铜的量与时间的关系如图 8-30 所示。由图可看出,还原操作可使渣中铜的含量迅速降至小于3%的水平。之后,还原过程进行得相当缓慢。

氧化阶段所得渣中的贵金属被充分地回收,进入金属铜中,这部分金属铜产自于渣还原工序。实验工厂的数据表明还原工序所得的金属铜中贵金属的品位近5%。

D 试验结果

(1) 贵金属。中试实验中,金、银和钯的总回收率都相当高,金可达到94%~99%,银可达到99%~100%,钯可达到86%(如果物料中存在钯)。在中试实验中,硫的回收率通常接近100%。

(2) 渣。当操作温度低于1200℃时,尽管渣呈流体状态,但由于炉内存在一个温度梯度,所以仍会面临如何保持铜捕集剂熔融的问题。后续试验厂所采用的操作温度即为1200℃或更高温度。这可以保证试验结束时所放出的金属液清洁。

操作结束时所产出的渣的化学成分为:FeO 13%,$SiO_2$30%,$Al_2O_3$8%,CaO 6%,MgO 7%,$NaO_2$8%~11%和$B_2O_3$15%~23%。无论在炉中还是模具中,渣都呈透明液态,最后所得为固体产品。

在首次处理过程中,随着正硅酸铁的影响减轻,渣的黏度增大,尤其是当渣含铁低于10%时更是如此。在后续处理中,添加了少量的铁氧化物熔剂,目的是保持渣中含铁10%的水平。进行上述处理后未再发现渣黏度的问题。

渣流体的温度在800~900℃,比操作温度低得多。

(3) 烟尘。处理厂所排放的烟尘主要为含氧化物和铅、锌、锡、砷、镉、钠和硼的卤素化合物。如果该烟尘返回处理,则卤化物的累积对于贵金属的回收是有害的,而且也会污染后续的金属产品。

可以通过进行烟尘洗涤以除去其中的卤化物,并在奥斯墨特炉中单独处理,所得的含贵金属的粗铅锭可出售给精炼厂。

(4) 气体排放物的分析(NO_x、CO和二恶英/呋喃类)。所有试验工厂所排放气体中的NO_x、CO的水平都很低,达到排放标准。尾气问题中值得关注的是二恶英/呋喃类的含量。美国环保局的锅炉和工业炉窑(boilers and industrial furnaces)有害废物燃烧排放标准是0.2 ng/m³。设计排放水平为0.07 ng/m³,该值远低于排放标准。鉴于物料中卤素含量高且中试厂所排气体冷却速率慢,能实现这一排放水平是很不容易的。工业生产中尾气冷却将更快,因此,所排放气体中的二恶英/呋喃(类)化合物的含量将更低。

推荐的工艺以及试验证明,用奥斯墨特法处理含贵金属的二次原料回收贵金属的工艺是成功的。产出的炉渣符合美国环保局的毒性浸出试验标准。渣中保持10%~15%的铁含量,可得到适当黏度的炉渣,对贵金属的回收有利。以铜作为捕收剂,金、银和钯的回收率分别达99.1%、92.2%和97.6%。工艺中为使贵金属富集,将产出的大部分金属铜氧化,只留少量铜形成一种贵金属含量高的合金(大于2%金),这种合金很适合于下一步回收贵金属的工艺处理。放出合金后,将渣中的铜再还原，产出再生铜。贵金属的95%进入合金得到回收，其余的贵金属主要进入再生铜中，在以后再生铜的精炼中得到回收。

8.3.4　优美科（Umicore）公司冶炼精炼厂电子废料的处理

8.3.4.1　概述

2002/96/EC欧洲条例关于电气设备和电子废料（WEEE）管理条例，是欧盟议会和委员会（EU Council and Parliament）于2002年12月颁发的，并于2003年2月13日起强制执行。

关于电气设备和电子废料条例执行程序大致如下：

(1) 08/2004，条例纳入各成员国本国法律的截止日期。

(2) 08/2005，收集系统运营，财政支持到位。

(3) 12/2006，必须达到收集和循环的计划目标。

(4) 12/2008，欧盟委员会推荐新目标，由欧盟议会和委员会制定。

事实上，在欧洲各国执行的情况并不都很理想。现在，欧洲每年约产生500万t电气设备和电子废料，平均每人有14 kg电气设备和电子废料，增长速度是最快的，是城市垃圾增长率的3倍以上[122]。电气设备和电子废料是通过填埋、焚烧和无预处理的回收处置的。制定电气设备和电子废料条例的目的是为了使电气设备和电子废料由填埋、焚烧变为环境安全的再利用和循环利用，保护资源，特别是节约能源，保护环境。电气设备和电子废料收集的责任和资金支持主要由电气和电子设备（EEE）的生产者承担。

(1) 私人（居民）的电气设备和电子废料。消费者提交电气设备和电子废料是免费的。应当设立足够的收集点，到2006年12月31日要达到居民每人每户回收4 kg电气设备和电子废料的目标。对于“新”电气设备和电子废料（2005年8月31日后进入市场的），在电气设备和电子废料进入回收处理厂的仓库后，电气和电子设备生产者必须支付收集费。“老”电气设备和电子废料（2005年8月31日前进入市场的），收集费由收集系统承担。消费者在购置新EEE时，必须以旧换新。

(2) 非私人的电气设备和电子废料。收集费由使用者承担。电气设备和电子废料的处理：生产者对其产品必须提供再利用和循环利用的相关情况。收集的电气设备和电子废料不是为了再利用，必须送到主管部门指定的处理厂，实现条例（附件Ⅲ）规定的最低技术消耗，实现条例（附件Ⅱ）规定的最低处理成本。进入处理厂的电气设备和电子废料和出厂的产物都必须详细记录。条例列出了最低的回收目标和综合的再利用、循环利用的部件（组分）目标。也列出了出口的相关规定，如果出口者提供了符合条例的相关证明。由于电气设备和电子废料的类别不同，目标也不一样，相关数据列于表8-25。

表 8-25 按物品种类区分的目标

WEEE 种类	条款类别	回收/%	再利用、循环利用/%
大型家电和自动售货机	1;10	80	75
IT 和消费者设备	3;4	75	65
日光灯	(5)		80
其他设备	2;5;6;7;8;9	70	50

电气设备和电子废料条例(条款 3)对再利用(reuse)、回收(recovery)和循环利用(recycling)做了专门的解释：

再利用:电气设备和电子废料或其部件经一定处理后又可用于相同目的的应用。

回收:废料中材料和能源(如废料的有机物经焚烧产生的热能)的回收。

循环利用:废料经处理后可产出原来或用于其他目的的材料、产品等,但不包括能源的回收。

8.3.4.2 优美科公司冶炼精炼厂

A 工厂概况

优美科公司是一个专业的金属材料、产品的生产和营销集团,业务主要包括以下四个领域：

(1) 贵金属及制品营销;

(2) 贵金属和催化剂生产;

(3) 高级材料生产;

(4) 特种锌制品生产。

公司依靠其在材料科学、化工和冶金方面的实践和经验,在世界许多国家和地区建立了业务领域内的生产企业和营销、服务机构。2004 年销售额达 7.1×10^9 欧元,现有雇员约 10000 人。2003 年又兼并了 OMG 公司的 Degussa 贵金属厂。

优美科公司在比利时安特卫普的霍博肯有一家贵金属冶炼、精炼联合企业。该企业从各种复杂的含贵金属原料中回收和销售金、银和铂族金属(铂、钯、铑、铱和钌),稀有金属(硒、碲和铟)和重金属(铜、铅、镍、锑、锡、砷和铋)。副产品有硫酸,炉渣用做建筑材料和水泥添加料。

主要原料是各种工业废料及有色金属冶炼的各种副产品(如浮渣、冰铜、黄渣、阳极泥等),各种含贵金属杂料、废线路板/电子设备、催化剂、汽车尾气催化剂等。该厂采用非常灵活的处理工艺,年总物料处理量可达 250000 t,而产生的废物却很少。现在,优美科公司是世界上最大的贵金属废料循环回收利用公司,年生产能力达 70 t 铂族金属、100 t 黄金和 2400 t 白银。

公司主要在霍博肯生产运作，有两个基本生产系列：贵金属系列(PMO)，其宗旨是快速、高效(大处理量)和低成本处理各种含贵金属的杂料和废料；重金属系列(BMO)，其宗旨是灵活多样和低成本处理各种重金属冶炼厂产出的各种副产品、废料和杂料。PMO和BMO构成了优美科公司的主要运作模式：灵活性、可靠性和应对各种复杂局面。

最近投资2亿欧元，以开发、建立和转化成新的冶金工艺，完成了霍博肯从过去的精矿冶炼转化为循环资源的冶炼加工厂的就地转型。

B　取样和分析

针对公司处理的复杂多变的原料，良好的取样和分析手段是实现公司高效运作的重要措施之一。精确而快速地取样和分析，可为运营的计算机控制和管理提供可靠的数据和信息，达到最佳效果。

取样和分析过程是连续进行的，与原料的供应者保持着密切联系，技术大都是公司自己开发的，自动化和信息化管理是支撑目标实现的重要手段。

C　贵金属作业

主要处理工序包括冶炼、铜浸出和电积以及贵金属精炼。设计时考虑了使原料以最佳状况进入流程。关键因素有原料物理状况、它们的分析参数以及回收的金属价值。冶炼炉(贵金属作业的第一步)为艾萨炉，采用的是潜埋喷枪燃烧技术。该技术是通过喷枪将富氧空气和燃料送入熔池中，以焦炭作为金属的还原剂。当原料中含有塑料或其他有机物时，它们的燃烧可以代替部分还原剂和燃料，节省能源。冶炼过程使贵金属富集于铜中，其他金属杂质主要进入炉渣，炉渣还需进一步处理。

在铜浸出－电积车间浸出铜后，贵金属进入浸出渣，贵金属渣送贵金属精炼车间处理。采用经典的处理方法(灰吹)与公司自己开发的方法(银精炼)相结合，使能回收的贵金属(金、银和铂族金属)都得以回收。

D　重金属作业

它主要包括铅鼓风炉、铅精炼和稀有金属车间的作业。鼓风炉处理前述的高氧化的含铅渣以及其他含铅物料，产出粗铅、镍黄渣、铜冰铜和贫渣。除铜镍外，粗铅富集了其他绝大部分有色金属，采用哈里斯法(Harris process)精炼法。除纯铅和锑酸钠(用于TV－玻璃生产)外，过程中还产出含稀有金属的渣，在稀有金属回收车间进一步处理产出纯金属(铟、硒和碲)，含锡和铋的中间产品送至霍博肯外的公司所属企业，加工成纯金属。

镍黄渣在公司的奥伦厂转化成硫酸镍后，含贵金属的渣又返回至贵金属精炼车间处理。铜冰铜返回至艾萨炉处理。贫的鼓风炉渣用做水泥生产添加料或堤坝加固剂。

优美科公司的工艺有多方面的“清扫”功能，使有价物的综合回收程度(特别是贵金属)很高。

E 清洁的环境保护技术

优美科公司按照1993年颁发的环境许可证,积极和负责任地进行环境控制和管理。在霍博肯结合ISO 9001质量系统,按ISO 14001标准完成了所有的环境控制。从1995年以来先后在环保上投资了1亿欧元,使环境质量不仅符合欧洲所有的新法规,还能满足更严格的环境条例的要求。

8.3.4.3 优美科霍博肯公司电子废料的处理

优美科公司的循环资源来自世界各地,通过国际网络同各地的许多循环资源销售办事处联系并成为合作伙伴。

A 原料分类

与价格密切相关的是原料的“高”、“中”、“低”值,或品级,通常分类如下:

(1) 低值(小于$100\times10^{-4}\%$ Au)。TV-板、控制器板、(无线)电话、计算器、分离Fe/Al后的混合电子废料等。

(2) 中值($(100\sim400)\times10^{-4}\%$ Au)。PC-板、笔记本电脑、某些移动电话等。

(3) 高值(大于$400\times10^{-4}\%$ Au)。主机线路板、某些移动电话、ICs、MLCCs等。

B 原料来源(生产残余物或报废物品)

优美科公司处理的典型生产原料有民用和非民用的线路板,含贵金属的穿孔机和引线框架、多层陶瓷电容器(MLCCs)、集成电路(ICs)、某些自动化电子部件、过期或报废的电子元器件,以及一些小型电子设备,如手机、笔记本电脑和计算器、数码相机等。对于小物件在取出电池和取样分析后,可直接加入艾萨炉处理。

由收集系统、预处理者、贸易公司,有时还有产品制造者(有的还经营产品召回系统)提供生命周期终结(EOL,报废)的产品。除一些小型装置(如手机)外,EOL物流往往是拆解了的、经过预处理除去了大部分的塑料、铁和铝。典型的物料有线路板、拆下来的含贵金属高的电子器件零部件、从切碎的或经机械分选出的金属部分(多数为铜基)、含金属的混合塑性材料、含贵金属的灰尘等。

废料进行机械分选时,或多或少会引起部分金属(特别是贵金属)的损失。WEEE往往还含有大量的污染物,如塑料、纸和木材。塑料常常含有卤素物质,因此需要特殊的冶金装置和操作,以防止二恶英和呋喃类以及其他有害物的放散。在霍博肯,这种装置就是艾萨炉及相关的环境保护措施。

8.4 废旧电池

8.4.1 概述[47,123~127]

在日常生活、工作和生产中,电池已几乎渗透到每一个角落。我国现已成为第一大电池生产国和消费国。1998 年世界干电池生产量约为 300 亿只,其中锌锰(酸、碱性)干电池就占 72%,其余为镍镉电池和其他电池。同年,我国电池生产量约为 140 亿只,超过世界总产量的三分之一。在 140 亿只国产电池中,多数是一次电池。1999 年,我国的电池总产量约 150 亿只。当年出口 100 亿只,进口 20 亿只(主要是低汞电池)。国内每年实际消费约 70 亿只,其中有含汞干电池约 40 亿只(主要是低汞电池)。有关专家评估认为,中国的干电池的特点是产量大、产值小;低档多、高档少;出口多、创汇少。

以锌锰电池为例,每年用于锌类电池生产的锌占国内锌总消费量的约五分之一。此外还要消耗锰约 24 万 t、铜 4500 t、汞约 60 t,以及其他有色金属。如按每只电池重量 23 g 计(5 号碱锰电池平均重量),我国每年仅废电池垃圾就达 31 万 t 以上。如按中国有色金属工业协会 2005 年《中国有色金属工业年鉴》数据,2004 年我国锌的总消费量为 255.12 万 t,其中 13% 是用于电池的生产。这说明 2004 年我国电池生产消耗的锌在 33 万 t 以上。

现在,国家《废电池污染防治技术政策》已出台,将有利于废旧电池回收利用技术的开发和健康发展,有利于废旧电池回收和技术市场的规范化。该《技术政策》指出,废旧电池污染防治的原则是全过程控制,避免二次污染和污染转移。这是国际上通用的废电池管理和污染控制思路。废镍镉电池、含汞电池和废铅酸蓄电池属于危险废物,应尽量回收利用和妥善处理,禁止各种废电池的焚烧处理。

总体上来说,目前我国废旧电池的回收和利用技术尚处于初级阶段,仅有少量的废旧电池得到回收处理,大部分电池都随生活垃圾一起填埋或焚烧。废旧电池中含有各种金属、碱和酸。处理时应尽量考虑综合利用,回收有价物质,不能回收利用的也要进行无害化处理,以达到回收物质、保护环境的目的。巴西里约热内卢 Cidade 大学 M.I.F.Macedo[128] 等人对电池采用填埋法处理中金属的浸出行为进行了研究,他们采用填埋场的地下溶液作为浸出剂,试验得出:在 pH 值为 8.1、35℃的条件下,浸出 2 h,溶液中的锌、锰浓度分别为 1.35 mg/L、1.20 mg/L,超过了里约热内卢州环境标准;在 pH 值为 4.7 时,锌、锰、镉、铅和汞浓度分别为 5.30 mg/L、5.00 mg/L、1.00 mg/L、0.90 mg/L 和 0.90 mg/L,远远超过了标准。

民用小型可充电电池主要是指镍镉电池、镍氢电池和锂离子电池,它们的应用趋势是:低档电子产品用镍镉电池,中档电子产品用镍氢电池,高档电子产品用锂离子电池。在发达国家,由于其环境问题,镍镉电池生产和消费在逐年下降。而镍氢电池和锂离子电池,由于符合环保要求,被称为“绿色电池”。我国自产加上进口,年可充电电池消费量在 10 亿只以上。有人估计,1996～2005 年,镍镉电池市场份额将从 74%下降至 46%,镍氢电池从 21%增长至 35%,锂离子电池从 5%增长至 18.9%。从表 8-26 的数据可大致看出这三种电池的发展趋势。

表 8-26 全球手机电池生产量(百万只)

年 份	Ni-Cd	MH-Ni40	锂离子	聚合物锂离子
1992	760	40		
1993	807	72	3	
1996	694	205	125	
1997		641	195	0.008
1998		754	276	0.18
1999		783	342	5.6
2000		695	396	21.0

特别值得一提的是锂离子电池,由于具有自放电率低、能快速充电、无污染、无记忆效应等优良性能而备受市场青睐,并被看做是未来最具发展前途的电池之一,在便携式电器、电动车辆、军工装备及航空航天领域应用前景广阔。

8.4.2 废旧电池的处理技术

废旧电池的种类很多,处理方法也差异很大,一般可分为两类:单品种处理和多品种的混合处理。

8.4.2.1 废旧干电池的处理

它主要指碱或酸性锌-锰干电池的处理,电池中除锌和二氧化锰外,还含有镉、汞、铅以及各种电解质(氯化铵、氯化锌、氢氧化钾等)。其处理方法主要有以下几种。

A 人工分选

这是初期采用的方法,即先用刀具将电池剖开,挑出电芯等物质后将锌筒回炉。该方法工艺落后,劳动强度大,经济效益差,存在二次污染,不适合大规模处理。

B 湿法冶金

该方法是利用锌和二氧化锰都溶于酸的原理,溶解后溶液经净化,最终可产出电锌和二氧化锰,或生产化工产品(如立德粉、氧化锌、化肥等)。湿法冶金原则工艺流程如图 8-31 所示。

(1) 焙烧浸出法。废电池在回转炉中 600～800℃ 的温度下焙烧,NH_4Cl、Hg_2Cl_2 挥发,在冷凝器中冷凝成粉状,再精馏可产出纯度 99.9% 的汞产品。尾气必须经严格处理,使含汞达标排放。焙烧产物酸浸,浸出液净化后可分别产出锌和二氧化锰,或生产化工产品。

日本某厂的方法是,将电池焙烧除汞后的渣(含锌 30%～60%、含锰 23%～30%)用硫酸在 pH 值为 1 的条件下浸出,然后用 NaHS 中和,使锌以 ZnS 沉淀(少量锰共沉),沉淀物用做冶金原料。

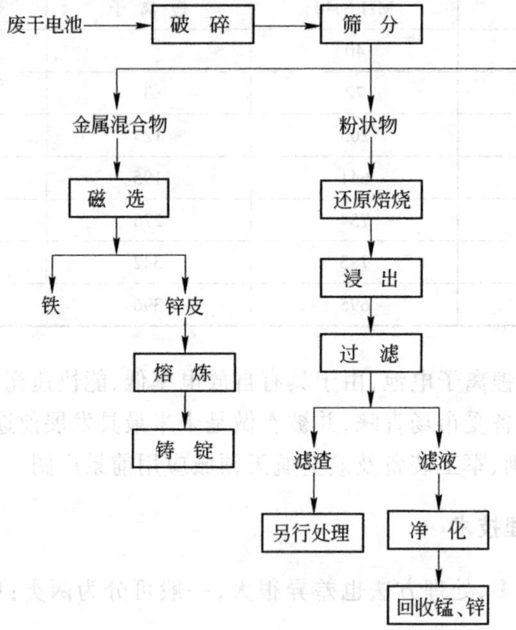

图 8-31　废干电池的湿法处理工艺

(2) 直接浸出法。将废电池破碎、筛分、洗涤后,直接用酸浸出,以后的处理方法同上。

一般来说,湿法冶金所得的产品纯度较高,但流程长,废气、废水和废渣处理复杂。

C　火法冶金

a　一般火法冶金

日本二次资源研究所研制了一种火法冶金处理废旧干电池的工艺,但由于其流程长、原材料消耗高、成本高以及污染仍较严重等缺点,未得到工业应用。日本 DTK 等公司研制了一种改进的工艺,即不再回收单一金属,而是以磁性材料回收整体物质,用做磁性材料、彩电和变压器等的生产原料,使工艺大大简化,生产成本也大幅度下降。

b　真空冶金

这是基于锌、汞、铅等易挥发,并根据不同的挥发和冷凝温度将它们分离。该方法具有流程短、能耗低、环境污染小等优点。

8.4.2.2　可充电电池——镍镉电池

镍镉电池曾是主要的可充电电池,由于镉的毒性大,受到了很大限制。在国外,20 世纪 90 年代后它逐步让位于镍氢和锂离子电池。但我国 80 年代后期对镍镉电池的需求量迅速增大。镍镉电池生产厂由80年代的十几家增加到90年代的200家以上,年产量剧增到4亿只以上。国外在废旧镍镉电池回收利用的产业化方面已有报道,如美国国际金属公司采用火法处理镍镉电池,镉挥发以氧化物回收,镍以镍铁回收。日本曾是镍镉电池最大的生产国和消费国,已报道了两种回收工艺,火法工艺与美国国际金属公司的工艺相近,湿法工艺是采用酸浸出镍镉,然后再分别回收。德国也在建废旧镍镉电池湿法处理回收利用的工厂。归纳起来,处理方法主要有两种。

A 火法处理

一般是采用高温熔炼,并利用镉易挥发的特点将镉分离出来,产出一种铁镍渣。如美国日用电池公司的流程是将原料与还原剂(焦炭)混合,在熔炼炉中通惰性气体(氩或氮气),分三段加热:在250～300℃的温度下除去水分,再在500～800℃的温度下烧掉塑料等挥发物,最终在900～1000℃的温度下使镉挥发并冷凝回收。

B 湿法处理

原料用硫酸或盐酸浸出,浸出液经净化后,然后用化学沉淀、溶剂萃取或电积法回收金属。

a 化学沉淀

D.A.Wilson等人研制了一种化学沉淀工艺,废旧电池经清洗后(洗去KOH电解质),在550～600℃的温度下焙烧1 h,镉被氧化,镍镉的盐类也被分解成氧化物。焙烧后的产物用4 mol/L的NH_4NO_3常温常压浸出,镉氧化物溶解,而镍、铁则不溶。浸出液通入CO_2使镉以$CdCO_3$沉淀。溶液中含有少量镍,加入HNO_3后萃取回收镍。

b 萃取—电积

荷兰研制了一种镍镉电池处理工艺。电池先破碎、筛分,粗颗粒主要为铁壳、塑料和纸,再用磁性分离将铁和塑料、纸分开。用盐酸在30～60℃的温度下将铁中的镉洗下,铁送钢铁厂生产镍铁。非磁性部分也可能含镉,按危险废物处置。盐酸清洗液再用做细颗粒的浸出液,约97%的物料(镉约99.5%)被溶解。过滤浸出液,约占物料量1%的残渣主要是镍和铁,可送钢铁厂处理。浸出液用萃取法提取镉,最终可用电积法获得纯度99.8%的电镉。

8.4.3 锂离子电池回收钴的现状

8.4.3.1 概述

现代电子设备已广泛采用环境友好的清洁能源(电池),这些设备包括计算机、电子表、音像装置、笔记本电脑和移动电话等。锂离子电池由于具有体积小、重量轻、放电电流强而稳定、放电时间长等优点,深受便携式电器设备使用者的欢迎,近几年在电池市场的比例迅速扩大。同时,由于大量的废锂离子电池的出现,人们更加关注对废锂离子电池回收利用的研究开发,特别是锂离子电池中的钴有很高的回收利用价值。

从环境友好和资源回收利用的观点出发,在欧洲、北美和日本等国家都鼓励电池的回收利用。

对锂离子电池,在热处理和磨矿后,进行熔炼和酸处理,使钴以钴盐回收。

8.4.3.2 从废锂离子电池中回收钴的示例

A 锂离子电池的处理流程

图 8-32 是废锂离子电池回收的处理工艺。从用过的电池中回收低品位钴,包括破碎过程、放电稳定化过程、再破碎、磨矿、磁选、细磨、分级和筛分,进而采用熔炼炉可产出高品位钴。作为回收的产品,可包括金属钴、碳酸钴和碳酸锂。

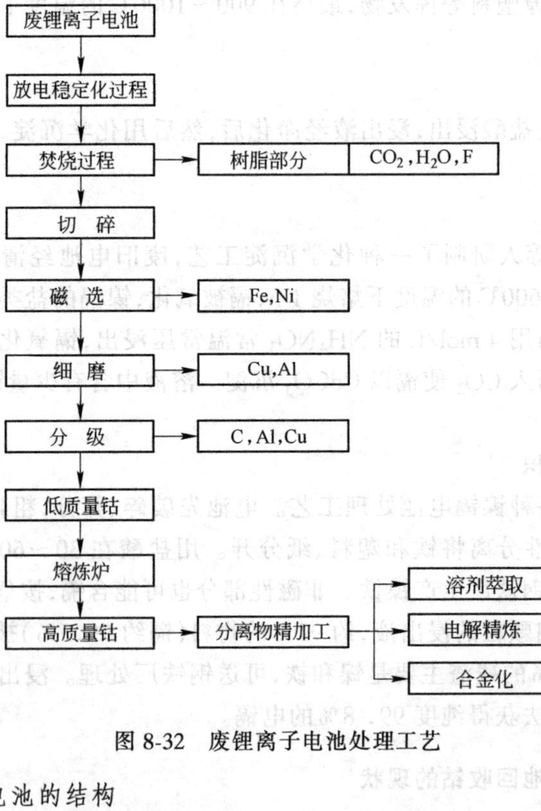

图 8-32 废锂离子电池处理工艺

B 锂离子电池的结构

锂离子电池的主要材料构成如下:

(1) 正极材料——锂化合物、$LiCoO_2$、$LiNiO_2$/$LiMnO_4$/$LiMn_2O_4$;

(2) 负极材料——石墨、天然或人造炭黑、铅碳纤维、中碳粉、微碳粉;

(3) 溶液——有机溶剂、$LiPF_6$、丙烯碳酸盐、乙烯碳酸盐;

(4) 隔离物——聚丙烯(PP)、聚酯(PE)。

电池大致成分为:

锂(Li)	约 2%
钴(Co)	约 17%
碳(C)	约 17%
壳体(聚乙烯)	约 32%
铜箔和铝箔	约 19%
镍(Ni)	约 0.5%
其他	约 12.5%

C 放电稳定化(electrical discharge stabilization)和废锂离子电池的粗磨(coarse grinding)

就废锂离子电池这类材料的初磨而言,必须考虑到磨矿方法,避免物料(放电)着火燃烧,引起温度升高。因此,初磨最好是在水、蒸汽或惰性气体中进行。但从经济上考虑,水是最理想的磨矿介质。采用有特殊刀片的磨矿系统(图 8-33)[129],在有水的情况下进行连续磨矿(切碎),粗磨后在稳定化水槽中进行放电稳定化过程。由网格式运输机取出切碎的电池料,并提升送至自动焚烧工序。

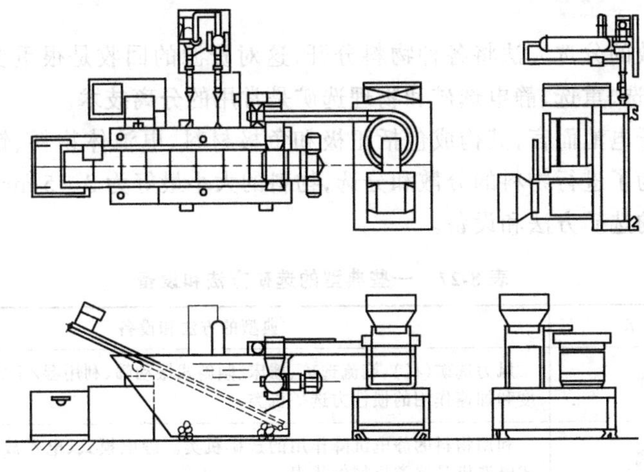

图 8-33 锂离子电池初磨系统

D 焚烧

焚烧采用旋转焚烧炉,温度为 600℃,全部有机物被烧去,炉气采用湿式收尘净化。图 8-34 为旋转焚烧炉示意图。

E 磨碎

电池焚烧中会产生烧结,所以焚烧后还必须磨碎和分级。焚烧后的产品自然冷却后进行磨碎,可采用冲击式或碾压机磨碎。电池体中的碳,以及正极中的钴酸锂都成了很细的粉料，磨碎后必须将锂钴和碳分开。

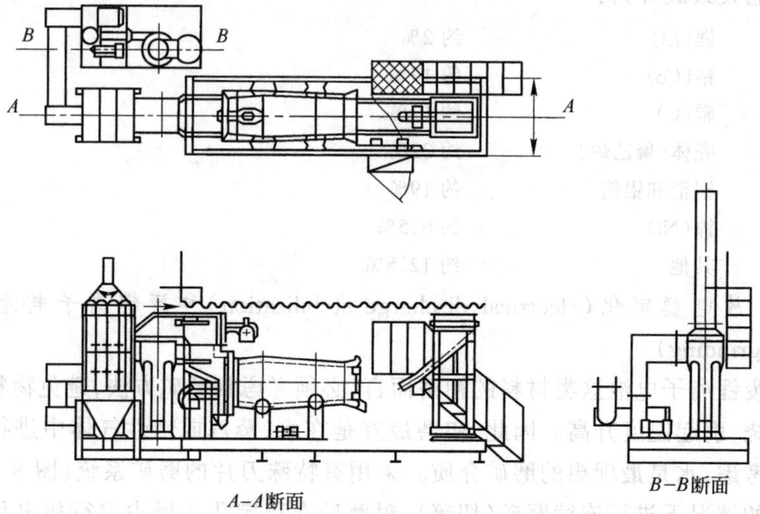

图 8-34　旋转焚烧炉示意图

F　磁选

采用有效的分选方法将各种物料分开，这对资源的回收是很重要的。在废料的选矿中，磁选、重选、静电选矿和物理选矿是常用的分离技术。

对锂离子电池而言，其构成包括正极和负极材料、电池体物料、铝、铜等，都需进行分离。为了进行物料的分散和分选，物料的大小最好为 3～5 mm。表 8-27 列出一些典型的选矿方法和设备。

表 8-27　一些典型的选矿方法和设备

选矿技术	典型的方法和设备
重力选矿	风力选矿(机)、旋流选矿、摇床、倾斜式振动筛、利用湿/干式物料的沉降速度和加速作用的惯性力选矿机类
静电分离	利用物料的静电沉降作用的选矿机类。静电模式、电晕放电式、以及转鼓式电选机是这类机械的代表
旋电流分选	利用旋转电流差分选的设备，涡(电)流选矿机是这类设备的代表
磁　选	这类设备是利用物料的不同磁性进行选别，已有许多种类的磁选机供选择
浮　选	利用物料的可浮性进行选别
物理选矿	利用物料的重量、形状、颜色、阻力等进行选别，倾斜式振动选矿机是这类设备的代表之一

G　干筛

有的金属用磁选可能分离不出来，而采用干(式)筛分则可实现这种分离。因此,通过筛分可有效地将正极中的钴、锂和负极中的碳分开。最近,市场上出现了一种声能筛分(sonic sifting)机,可有效地进行筛分和分离。干(式)筛分物料可分成三个级别:相对上等品级回收的是粒度较大的金属其他的电池材料;中间粒度的粉料主要成分是钴;最小的粉料主要是碳。

H 干分级

分离和干筛分后,采用风力分级有利于钴的回收。由于钴的密度较大,采用离心分离较有利于钴的回收,图 8-35 为回收钴的风力分级机示意图。含钴的粉料与(空)气流一起进入分级机,较大的颗粒和密度较大的物料(钴)被离心力推向气流的外缘,较小的颗粒和密度小的物料集中在气流中央,从而达到分级的目的。这种分级机可以调节气流和分级区的高度。

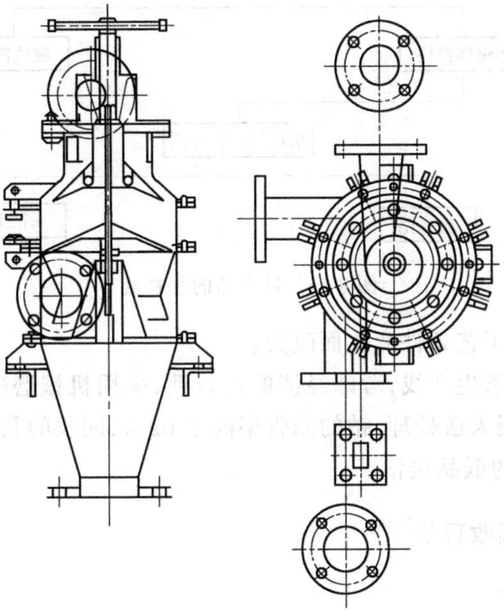

图 8-35 空气惯性微分级机

I 回收钴的过程及主要指标

回收钴的过程如图 8-36 所示。

精钴成分指标:

Co 34%	Al 3%
Cu 5%	Fe 0%
Li 5%	Ni 0%

钴回收率: 62%

产 率: 32%

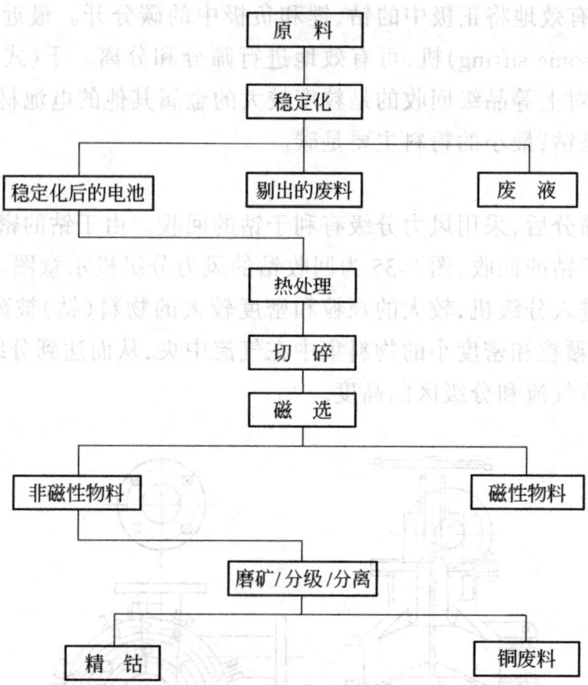

图 8-36 钴产品的物料流

上述指标会随工艺条件变化而改变。

日本建立了一条生产线,考虑经济的可行性,采用机械磨矿、分离和分级。迄今为止,主要是采用火法处理,钴的回收率高于62%,回收的其他金属有Cu、Li、和Al,还有3%～5%的低品位钴。

8.4.4 韩国电池回收现状[130]

8.4.4.1 引言

随着家用电气设备,如电子表、照相机、无线电收音机、收录机、电动玩具等的应用不断扩大,在韩国各种类型的电池的需求和消费量也在不断增长。若不计电池的进出口,产生的废电池量应大致与电池的生产量相当。表 8-28 列出 2001 年韩国国内各种类型电池的生产量和消费量[130],这些电池中分别含有 Cd、Hg、Pb、Zn、Mn 等重金属。

表 8-28 2001 年韩国电池的产量和消费量

类 别	一次电池	二次电池	合 计
国内生产量/只	632892×10^3	22969×10^3	655861×10^3
进口量/只	267603×10^3	156686×10^3	424289×10^3

续表 8-28

类别	一次电池	二次电池	合计
出口量/只	358647×10^3	39492×10^3	398139×10^3
国内消费量/只	541948×10^3	140163×10^3	682011×10^3

表 8-29 列出了电池的特点。汞和银氧化物电池都含有汞，但从 1996 年起，对在韩国生产的所有碱性和锌碳电池都不允许添加汞。首先用铅和铅－铟取代了锌汞，以后又被镓和铝－镓所取代[131]。NEMA(韩国国家电器制造协会，2001 年)声称，根据 20 年来的电池工业经验和科学研究，碱性和锌碳电池填埋不存在严重的健康和环境威胁。不管怎样，韩国还是计划从 2004 年起回收和循环利用所有的电池。这意味着，电池是不能直接丢弃在生活垃圾中的，因为在以后的腐蚀中将释放出对环境有害的重金属[132]。

表 8-29 各种一次电池和二次电池的特点

电池	成分			电压/V	应用
	阳极	电解质	阴极		
锌碳	MnO_2	$NH_4Cl, ZnCl_2$	Zn	1.5	音像设备
碱性锰	MnO_2	KOH, ZnO	Zn	1.5	音像设备、计算器
氧化汞	HgO	KOH/NaOH	Zn	1.35	电子表
氧化银	Ag_2O	ZnO	Zn	1.4	照相机
锂	$(CoX)_n/MnO_2$	$LiClO_4$	Li	2.7	电子表、计算器
锌/空气	O_2	KOH	Zn	1.3	电子表、计算器
锂离子	$LiCoO_2$	锂盐/有机物	C	3.6	手机、笔记本电脑
锂聚合物	$LiCoO_2$	聚合物	C	1.2	手机、笔记本电脑
镍镉	NiOOH	KOH	Cd	1.3	便携式电子设备
镍氢	NiOOH	KOH	MH	1.3	便携式电子设备
铅酸	PbO_2	H_2SO_4	Pb	1.9	汽车

由于韩国的自然资源有限，所以很重视二次金属资源的回收，特别是对国家的发展和安全有战略意义的金属资源。从提高资源的利用效率来看，废旧电池的简单处理不利于像银、镍、钴、锌和锂这样一些有价金属的回收。基于未来解决环境问题和节约资源，韩国很重视二次资源的回收利用技术的开发和推广应用。韩国已有几家回收利用废旧电池的处理工厂，有个工厂从镍镉电池中用火法回收镉金属锭和镍铁。废旧氧化银电池则在贵金属回收公司处理。目前，KIGAM 的研究人员正在进行锂离子电池、锌碳电池和碱性电池回收利用的技术开发，力争尽快实现商业应用。

8.4.4.2 韩国废电池的收集和处理

从1996年起，韩国允许无汞电池、锌碳电池和普通垃圾一起处理。最近，有几个城市的政府开始收集家用电池。收集的废电池的57%是锌碳电池，约31%是碱性电池，约2%是有害电池，约10%是非电池废料。尽管有害电池仅占2%，但有汞电池、银氧化物电池和镍镉电池中的汞和镉都是有害元素。如不加以收集处理，那些含有害元素的电池就会混入普通电池当中填埋。

A 含汞电池的浸出和浸出液的分析

浸出试验的废电池是首尔的几个区收集来的。样品包括含汞电池、氧化银电池和Ni-Cd电池在内的碱性和锌碳电池(AA,AAA,C,D)。每种电池选取1200 g并用切碎机切至小于5 mm，切碎的电池均匀混合后取400 g用做浸出试样。浸出容器为2 L的玻璃瓶，采用阶段浸出。每100 g样品和1000 mL蒸馏水用稀盐酸调整pH值至5.8～6.0。然后将玻璃瓶加塞密封，在振动台上以200 r/min的速度摇动6 h。试验后用1 μm的玻璃纤维过滤器过滤，用ICP摄谱仪分析重金属，用"冷－水技术"分析汞。

B 含汞电池的浸出结果

1996年以前生产的氧化银电池、汞电池、旧式碱性电池和锌碳电池都含有汞。表8-30列出电池中和浸出液中的汞含量。从表8-30可看出，汞的含量超过了废水的容许极限。因此，必须将含汞电池与普通家用电池分开，以便将含汞电池单独进行除汞处理。在韩国，有毒的汞电池不再生产了，而以锌－空气和锂电池所取代。但由于氧化银电池的稳定性，现在仍在电子表中应用。

表8-30 含汞电池浸出试验

电池	数据	
	电池汞含量/%	浸出液中汞浓度/%
汞(B)	30.0	25.0×10^{-4}
氧化银(B)*	0.33	1.24×10^{-4}
锌碳(C)*	0.0018	0.0076×10^{-4}
碱性锰(C)*	0.05	0.13×10^{-4}

注：B为纽扣式；C为圆柱式；*表示1993年前的旧式电池。

C 无汞电池的浸出试验

无汞电池主要是碱性电池和锌碳电池。在原来这些电池中的汞已被镉、铅和铝所取代。由于生产厂家不同，这些金属的含量，Cd为$(2\sim38)\times10^{-4}$%、Pb为$(21\sim780)\times10^{-4}$%、Al为$(90\sim2900)\times10^{-4}$%。浸出试验主要是进行Cd、Pb、Al和Mn、Zn、Fe浸出行为的研究。

浸出试验表明，锌和锰的浸出浓度分别超过了环境标准5 mg/L和10/mg L，即

便是氧化锌和 Mn_2O_3 也能被浸出，但在这些电池的浸出中，汞、镉、铅和铝的浓度却很低，能满足环境要求。表 8-31 列出各种粉碎的碱性电池和锌碳电池浸出结果。

表 8-31 碱性和锌碳电池浸出结果

序号	电 池	pH 值	金属浓度/%				备 注
			Cd	Pb	Al	Hg	
1	锌碳(AAA)	7.29	0.32×10^{-4}	$<0.1\times10^{-4}$	$<0.1\times10^{-4}$		pH 值 5.86 h 固/液比为 1/10
2	锌碳(AA)	6.84	0.1×10^{-4}	$<0.1\times10^{-4}$	$<0.1\times10^{-4}$		
3	锌碳(C)	6.94	0.56×10^{-4}	$<0.1\times10^{-4}$	$<0.1\times10^{-4}$	0.001×10^{-4}	
4	锌碳(D)	6.26	$<0.1\times10^{-4}$	$<0.1\times10^{-4}$	$<0.1\times10^{-4}$	0.001×10^{-4}	
5	碱性(AAA)	12.61	$<0.1\times10^{-4}$	$<0.1\times10^{-4}$	0.29×10^{-4}	0.05×10^{-4}	
6	碱性(AA)	12.72	$<0.1\times10^{-4}$	$<0.1\times10^{-4}$	0.39×10^{-4}	0.002×10^{-4}	
7	碱性(C)	12.89	$<0.1\times10^{-4}$	$<0.1\times10^{-4}$	0.15×10^{-4}	0.194×10^{-4}	
8	碱性(D)	12.65	$<0.1\times10^{-4}$	$<0.1\times10^{-4}$	0.30×10^{-4}	0.079×10^{-4}	

D 从废氧化银电池中回收有价金属

纽扣式汞电池已被锌-空气电池取代。但是，一些需要薄型、体积小、容量大、供电稳定的小型电子设备，如手表、计算器、助听器、照相设备等，仍大量地使用着氧化银电池。在过去 10 年中，韩国每年消费的纽扣式氧化银电池约有 6 t。

从废氧化银电池中回收有价金属的工艺，首先采用蒸馏法从氧化银纽扣电池中除去汞，蒸馏后的残渣用硝酸浸出银。回收汞和银的工艺流程如图 8-37 所示。

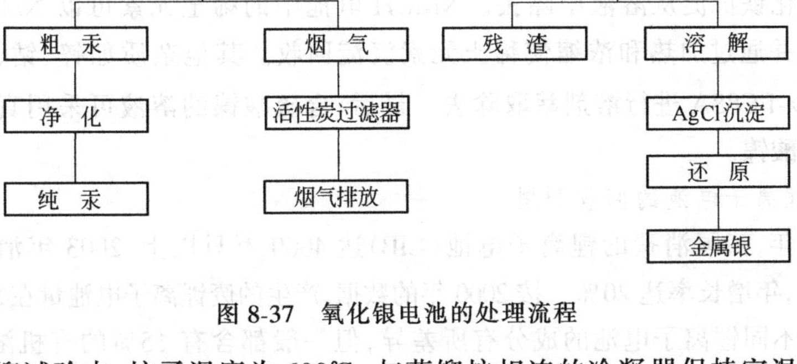

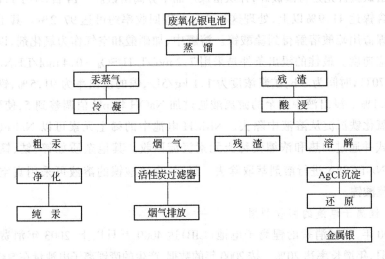

图 8-37 氧化银电池的处理流程

在蒸馏试验中，炉子温度为 600℃，与蒸馏炉相连的冷凝器保持室温。试验结果,汞的去除率达99.5%。处理后的残渣完全可达到填埋的条件。蒸馏后的残渣用2 mol/L HCl浸出,温度为60℃,固液比为10%,时间为4 h,银浸出率达99%。为了将银和溶解的其他金属(Zn、Fe、Ni等)分离,必须使溶液中的银离子以氯化银沉淀。然后,加苛性钠使氯化银转化成氧化银,再以葡萄糖作为还原剂,将氧化银还原成金属银。这一系列反应表示如下:

$$AgNO_3 + NaCl \rightarrow AgCl + NaNO_3 \quad (8\text{-}1)$$

$$2AgCl + 2NaOH \rightarrow Ag_2O + 2NaCl + H_2O \quad (8\text{-}2)$$

$$Ag_2O + RCHO + NaOH \rightarrow 2Ag + RCOONa + H_2O \quad (8\text{-}3)$$

在还原阶段,1 mol的银需要加入2.8 mol的NaOH和0.5 mol的葡萄糖。为了使银充分还原,实际NaOH加入量应为NaOH理论需要量的1.9倍。

E 从废镍镉电池中制备硫酸镍

现在,镍镉电池还大量用于许多便携式设备(如工具、照相机、玩具等)以及辅助设备(如紧急照明、信号、计算器等)的动力。尽管可充电电池的应用已开始大量被效率高、环境可接受的电池,如镍-金属氢化物和锂离子电池所取代,但预计在21世纪内镍镉电池仍还有较大的市场。镍镉电池的回收利用大多采用火法。处理中先是将镉挥发,以回收金属镉,含镍和铁的渣可作为生产镍铁的原料。韩国有一家工厂就是用火法冶金处理用过的镍镉电池。图8-38所示为简化的渣处理流程。在该流程中,镉挥发去除后,从渣中以硫酸镍回收镍。渣中含镍36%、铁20%以及其他金属(如钴)。

浸出试验首先是将渣破碎,并从富镍产品中分离出铁。-14目(小于1.168 mm)的细粒含镍达41.9%以上,处理这种产品的镍回收率约可达97.2%。其工艺过程是将富镍渣用硫酸溶解得到硫酸镍。溶解中,加硝酸和空气作为氧化剂,以提高系统的反应速度。最佳的浸出条件是采用7.2 mol/L H_2SO_4 + 0.4 mol/LHNO_3,反应温度为70℃,时间为3 h,矿浆浓度为1.1 kg/5L,镍的浸出率为91.5%,铁的溶解率为26.1%。浸出液中剩余的游离酸通过加NaOH将pH值调整到5,使酸中和。铁以氢氧化铁沉淀从溶液中除去。Ni-MH电池中的稀土元素可以$NaRe(SO_4)_2 \cdot H_2O$形式并通过加热和浓缩使稀土元素沉淀回收。其他杂质如锌、钴、锰等可采用50%Na-PC88A进行溶剂萃取除去。最后,含硫酸镍的溶液可采用真空蒸发结晶回收硫酸镍。

F 锂离子电池的回收利用

2000年,韩国消费的锂离子电池(LIB)达4000万只以上,2003年消费量超过6000万只,年增长率达20%。按2000年的数据,产生的废锂离子电池量在500 t以上。

尽管不同锂离子电池的成分有所差异,但一般都含有15%的有机溶液和7%的塑料,以及若干有价元素,如5%~20%的钴和5%~7%的锂。所以,每年从废

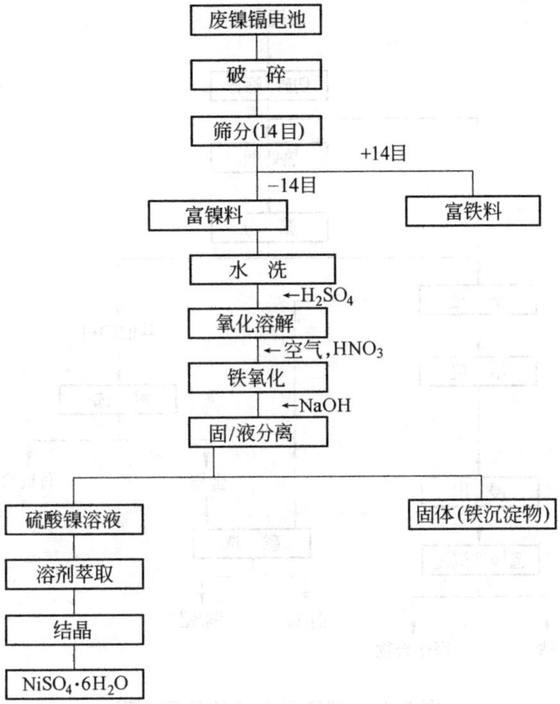

图 8-38 除镉后的渣湿法处理工艺(14 目约为 1.168 mm)

锂离子电池中可回收利用 30 t 以上的钴和 3 t 以上的锂,这对资源和环境保护极为重要。图 8-39 所示为 KIGAM 开发的一种回收废锂离子电池的工艺。该工艺可分成两个主要部分:一部分是电极物料的物理分离过程;一部分是化学处理,以充分回收有价金属,如钴。物理过程重点在从废锂离子电池中分离出 $LiCoO_2$。而化学过程分为钴的浸出和分离回收过程。物理过程可粗略地看成是富集钴和从废锂离子电池中分离出负极材料。这是通过一系列的热处理、切碎、重选和磁选过程来完成的[133]。通过浸出和选择性沉淀使钴以富集的形式回收。有几种浸出液中钴和锂的分离方法,最后确定采用 D2EHPA 萃取钴,再用稀硫酸反萃。添加苛性钠使钴以氢氧化物沉淀回收;萃余液中的锂可加碳酸钠沉淀回收。

G 碱性锌碳电池的处理方法

为了回收利用碱性和锌碳电池,KIGAM 开发了一种机械/化学处理工艺(图 8-40)。由于回收上来的电池是各类电池的混合物,采用了一种形状分离技术将纽扣式电池、圆柱体和矩形电池分开。然后,用重量法将圆柱体的碱性和锌碳电池分开。用物理分离法将纽扣式电池分出后,将碱性和锌碳电池破碎、磁选,分别得到两种产品,一种产品含 Fe94%,占碎电池总量的 21.4%;另一种产品含 Fe88%,占碎电池总量的 23.5%。

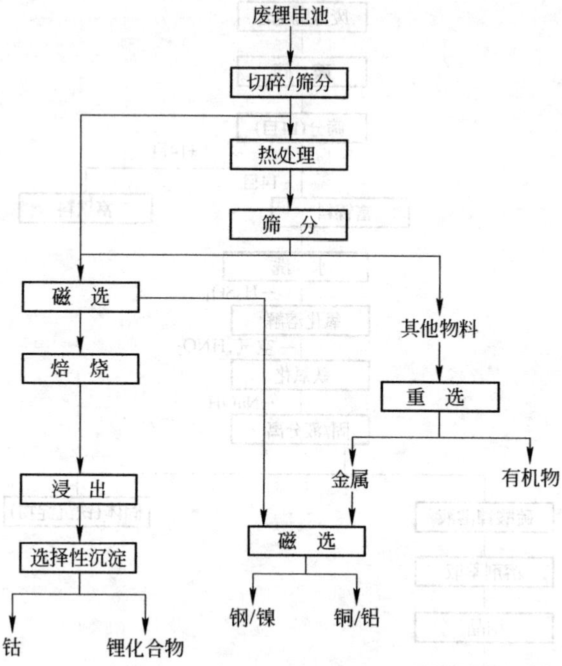

图 8-39　锂离子电池的处理流程

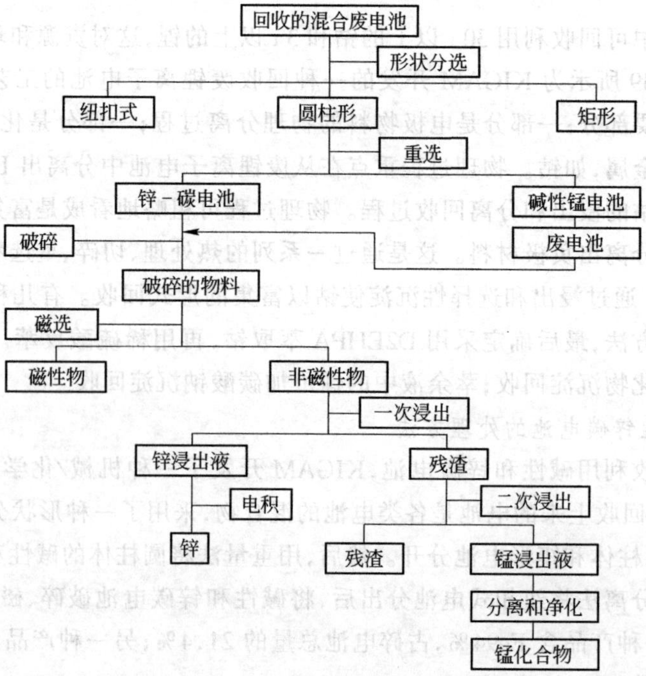

图 8-40　碱性和锌碳电池的回收工艺

浸出过程中,金属粉末在 NaOH 和 H_2SO_4 溶液中溶解。在 8 mol/L NaOH、60℃、10%的矿浆浓度、200 r/min 的搅拌速度和 2 h 浸出的条件下,这种碱性浸出很有效,99%的锌被溶解。在 0.1 A/cm^2、8 mol/LNaOH、2 h 的反应时间和 2.7 V 槽电压的条件下进行的锌电积试验,电流效率达到了 99.9%。碱性浸出后,用硫酸和 H_2O_2 溶液浸出锰渣,浸出液分离、净化后,以 $MnSO_4$ 和 Mn_3O_4 的产品形式结晶回收锰。

8.4.5 奥斯墨特法处理二次电池

8.4.5.1 概述

移动电话电池通常主要分为三类:镍镉、镍氢和锂离子电池。镍镉电池从技术上看已过时,绝大多数移动电讯器材用的电池已被镍氢和锂离子电池所取代。现在,回收的主要是镍氢和锂离子电池。

为了制定一种有效回收有价金属和破坏有毒物的处理工艺,首先必须了解这三种电池的主要成分。回收者的主要课题是要适应电池制造成分的变化。

图 8-41、图 8-42 和图 8-43 分别表示三种电池的平均成分。

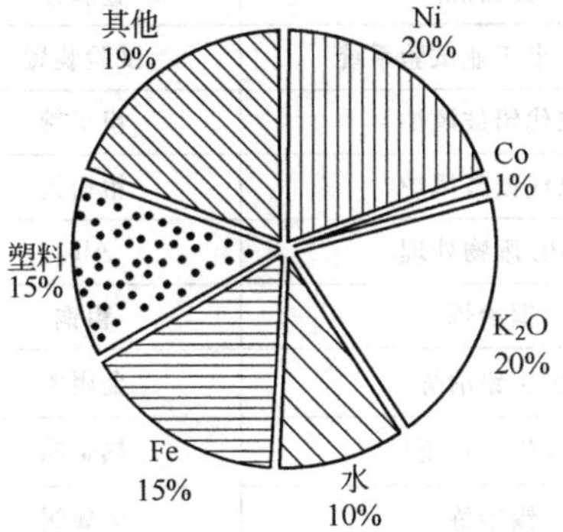

图 8-41 镍氢电池的典型成分

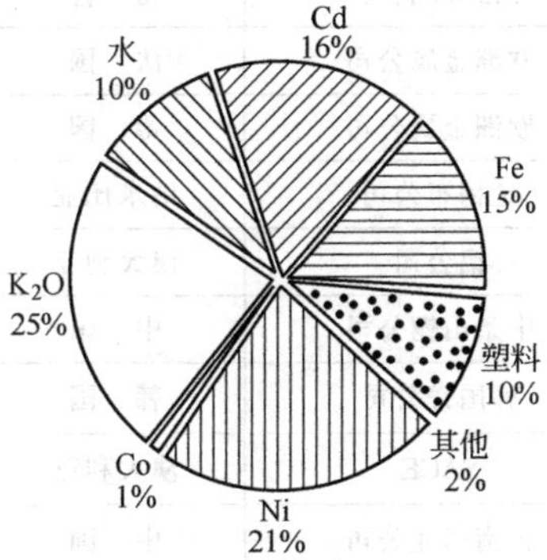

图 8-42 镍镉电池的典型成分

奥斯墨特法转炉可较好地适应这三种电池的处理工艺,回收有价金属。对镍镉、镍氢电池,可回收金属镍和钴;对锂离子电池,钴约占电池重量的 8%~15%,以化合物形式回收。

8.4.5.2 奥斯墨特技术

奥斯墨特技术为工业提供了一种低成本、高效率的工艺,用于处理各种基本金属矿,以及从各种废料中回收有价金属。该工艺具有熔炼速度快、炉子维修简单、投资和生产成本比一般传统工艺低的特点,还为铁的生产提供

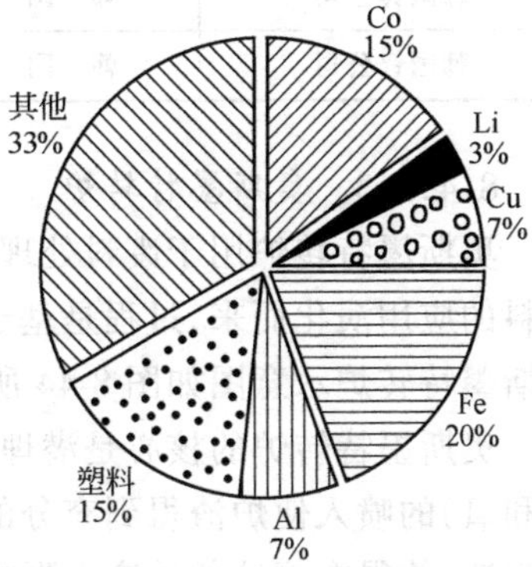

图 8-43 锂离子电池的典型成分

了一种独特的、低成本的技术,称之为AusIron法。奥斯墨特的适应范围很广,操作条件可以从强氧化到强还原气氛,适应的操作温度可在800～1600℃之间。表8-32列出了奥斯墨特技术的发展和工业应用情况[134]。

表8-32　奥斯墨特技术的发展和工业应用情况

买　主	国　家	用　途	产　品
Ausmelt有限公司	澳大利亚	多用途半工业试验系统	试验装置
Ausmelt有限公司	美　国	多用途半工业试验系统	试验装置
韩国锌公司	韩　国	铅渣烟化车间	铅、锌烟尘
里奥廷托公司	津巴布韦	镍浸出渣熔炼	脱硫镍铜冰铜
印度斯坦铜公司	印　度	贵金属冶炼	金银多尔合金
滨都拉拉公司	津巴布韦	镍铜渣熔炼	粗铜
韩国锌公司	韩　国	锌渣处理	铅、锌烟尘
三井公司	日　本	ISF炉渣烟化	锌烟尘
Minsur公司	秘　鲁	锡冶炼	金属锡
欧洲金属公司	法　国	多用途半工业试验系统	试验装置
欧洲金属公司	德　国	取代铅鼓风炉	粗铅锭
楚梅布公司	纳米比亚	取代铅鼓风炉	粗铅锭
铝公司	澳大利亚	SPL废物处理	AlF_3
中条山铜公司	中　国	铜冶炼	粗铜
韩国锌公司	韩　国	再生铅冶炼	金属铅
SACE	澳大利亚	生铁生产示范厂	热金属
云南锡业公司	中　国	锡冶炼	金属锡
Ausmelt有限公司	南　非	多用途半工业试验系统	试验装置
韩国锌公司	韩　国	2号炉铅渣烟化	铅、锌烟尘
韩国锌公司	韩　国	含铅物料冶炼	金属铅和烟尘

8.4.5.3　奥斯墨特转炉

奥斯墨特转炉用于废料处理和回收有价金属,是由该技术用于处理有色金属原料的应用演化而来,过程是基于废料给料中的可氧化成分与铁氧化物催化反应。奥斯墨特转炉示意图如图8-44所示。

奥斯墨特转炉的核心是潜埋于熔融渣层中垂直支撑的喷枪。通过燃烧气(空气和氧)的喷入使炉渣得到充分的混合,因此炉中的反应速度很快。控制燃烧空气的流速,使得在喷枪的外表面形成一层固体渣,从而使喷枪不被强腐蚀性的环境所侵蚀。

由喷枪喷入富氧空气和燃料（煤、油或天然气）并在枪尖外燃烧，提供转炉所需的热量。通过调节喷枪下方燃料/氧气比例以及还原煤/给料比例来控制炉内的氧化或还原条件。喷枪可以控制在炉内的任何高度，安装的喷枪数可根据炉子所需的处理量大小任意选择。

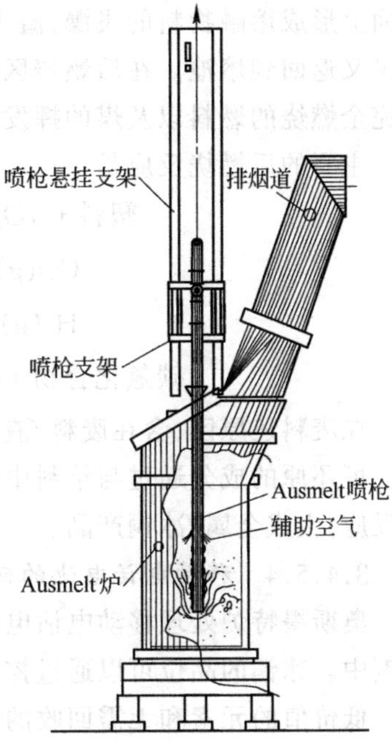

图 8-44　奥斯墨特转炉示意图

密封的容器或炉子通常是一个高的、圆柱体的装置，在微负压下操作，并通过设计使其能产生炉渣飞溅。奥斯墨特炉衬耐火材料，取决于其用途是喷淋冷却、绝热、强制水冷还是蒸汽冷却/锅炉翼片式冷却，以延长耐火材料寿命。

给料、熔剂和还原煤由运输系统将物料送至炉子顶部的各加料孔，炉料可以落入熔池中。细粒物料可以制成团，直接喷入熔池内，防止被烟气夹杂出去而损失。与传统方法相比，这种转炉在技术、经济和环保方面有许多优点（见表 8-33）。

表 8-33　奥斯墨特技术的优点

范　围	优　　点
技　术	强化熔池搅拌，反应速度快，处理能力大 在一个炉子中具有多种功能 金属直收率、杂质脱出率高 减少返料，生产率高，节省投资 氧势的严格控制，易于在氧化、还原或中性条件下操作
经　济	低的燃料消耗可有效利用喷入的燃料和燃烧后的能量 所需的燃料和还原剂少，生产成本低 对各种燃料（煤、油、天然气）和原料（矿石、渣、废料）的适应性强
环　保	负压下操作，减少飘尘、烟气的外逸 减少炉料被烟气带出的损失 良好的密封和操作系统 烟气中的二恶英、呋喃类、SO_x、NO_x 含量低

奥斯墨特工艺的独特之处在于利用炉渣作为反应介质，在同一个炉内提供了不同的反应区。四个基本反应区是燃烧区、烟气上升区、后燃烧区和废料还原区。

在燃烧区，燃料在控制的条件下燃烧，为转炉提供热量，并使炉内气氛达到反应所需的氧势。在烟气上升区，气态的燃烧产物从熔池迅速上升，夹杂着炉渣在熔池面上形成熔融物料的飞瀑，渣飞瀑的顶峰直达后燃烧区，然后带着后燃烧产生的热量又返回到熔池。在后燃烧区引入空气/氧使塑料和过程反应产生的一氧化碳、未完全燃烧的燃料以及煤的挥发物燃烧。

主要的后燃烧反应是：

$$塑料 + aO_2(g) \rightarrow bCO_2(g) + cH_2O(g) \tag{8-4}$$

$$CO(g) + 1/2O_2(g) \rightarrow CO_2(g) \tag{8-5}$$

$$H_2(g) + 1/2O_2(g) \rightarrow H_2O(g) \tag{8-6}$$

$$碳氢化合物 + aO_2(g) \rightarrow bCO_2(g) + cH_2O(g) \tag{8-7}$$

在废料还原区，含在废料/渣料中的金属组元与渣中的氧化物组元发生化学反应。可还原的成分通过与给料中的还原剂（碳或硫化剂）或渣中的氧化亚铁发生化学反应，生成金属/冰铜产品。

8.4.5.4 移动电话电池的回收

奥斯墨特炉处理移动电话电池是通过添加硫化剂，使电池中的有价物富集于冰铜中。冰铜的品位可以通过控制炉内的氧化还原气氛和添加的硫量来控制。

低价值的元素和无需回收的成分被氧化进入弃渣，但弃渣必须满足毒性浸出试验（TCLP）的要求。塑料在炉子顶部被燃烧，可为炉子提供部分供热。烟气的迅速冷却以及烟气中存在硫有利于防止二恶英（dioxins）、呋喃类（furans）的生成。

由于存在镉，镍镉电池的处理会增加过程的复杂性。镉是有毒物质，如果被人体吸入，则很容易被吸收，造成严重危害。奥斯墨特炉处理镍镉电池的优点是镉富集于一种量小的副产品中，这种副产品可送镉回收厂处理。

8.4.5.5 回收工艺的验证

20世纪末，采用奥斯墨特法进行镍镉电池处理，以回收镍、钴和镉的半工业试验，其主要目的在于：

(1) 检验和验证奥斯墨特法处理镍镉电池的安全性和可靠性。

(2) 产出市场可销售的镍/钴冰铜和含镉烟尘。

(3) 产出的弃渣能够满足环境浸出试验的要求。

(4) 定量获得二恶英、呋喃类的生成数据。

(5) 定量获得工艺的元素分配和设备的操作数据。

A 工艺化学

处理的镍镉电池大约含镍 20%、镉 20%、铁 35% 和塑料 20%，其成分因不同的生产者而有所差异。

以黄铁矿作为硫化剂，电池约在1250℃温度下冶炼。电池中的镍和钴以冰铜回收，镉在收尘系统以烟尘回收。产出的炉渣经毒性浸出试验，属于安全填埋物质。过程的主要反应是氢氧化镍分解，氧化镍与铁硫化物反应，氧化钴碳热还原：

$$Ni(OH)_2 \rightarrow NiO(渣) \rightarrow H_2O(g) \quad (8\text{-}8)$$

$$9NiO(渣) + 7FeS(冰铜/黄铁矿) \rightarrow 3Ni_3S_{2(冰铜)} + 7FeO(渣) + SO_2(g) \quad (8\text{-}9)$$

$$CoO(渣) + C(s) \rightarrow Co(冰铜) + CO(气) \quad (8\text{-}10)$$

$$CoO(渣) + FeS(冰铜/合金) \rightarrow CoS(冰铜/合金) + FeO(渣) \quad (8\text{-}11)$$

反应过程中黄铁矿起着反应剂和冰铜生成剂的作用。黄铁矿与镍氧化物反应生成镍硫化物。每千克电池所需的黄铁矿量是反应所消耗的铁硫化物量的函数。

铁的氧化以及对炉渣的作用要求加入氧化硅作为熔剂，以保持炉渣的适当热性能和黏度。为了达到冰铜的高镍、钴回收率，通过保持喷枪在95%所需的化学计量条件下燃烧(即不完全燃烧)，使系统处于微还原状态下作业。

塑料和所述反应的气态副产物是在熔池上的炉子顶部空间进行燃烧的。

B 半工业试验计划

验证试验由两个阶段组成：第一阶段是观察试验，以制定连续试验的操作条件和获取有关有机卤化物的生成数据。约在第一阶段后10周进行第二阶段试验，连续处理的电池量在4 t以上，时间在52 h以上。在电池的给料速度为160～170 kg/h时，操作2.5 h可达到熔池的极限容量。此时，转炉就必须放出冰铜和炉渣。第二阶段试验的熔炼作业时间为25.6 h。在这种安排条件下，电池、熔剂、黄铁矿和还原煤是连续加入炉内的。

C 原料

收集了两类电池，平均成分如表8-34所示。

表8-34 镍-镉电池成分(%)

成　分	一　类	二　类
Ni	17.0	17.0
Fe	27.0	33.2
Cd	20.0	14.0
Cu	0.1	0.1
S	0.9	0.2
K_2O	2.4	2.3
Co	1.6	0.5
SiO_2	0.2	0.2
CaO	0.3	0.1
Al_2O_3	0.4	0.1
Zn(ppm)	0.01	0.01
Pb(ppm)	0.01	0.01

以澳大利亚煤作为还原剂，含固定碳 54%、挥发分 35%、石灰石为 54% CaO、硅石为 99% SiO_2、黄铁矿为 96% FeS_2 以及试验启动时的炉渣等物料都选自澳大利亚。

D　试验设施

半工业试验装置流程如图 8-45 所示。这是一个单枪试验装置，圆柱形炉高 2 m，内径 0.5 m。

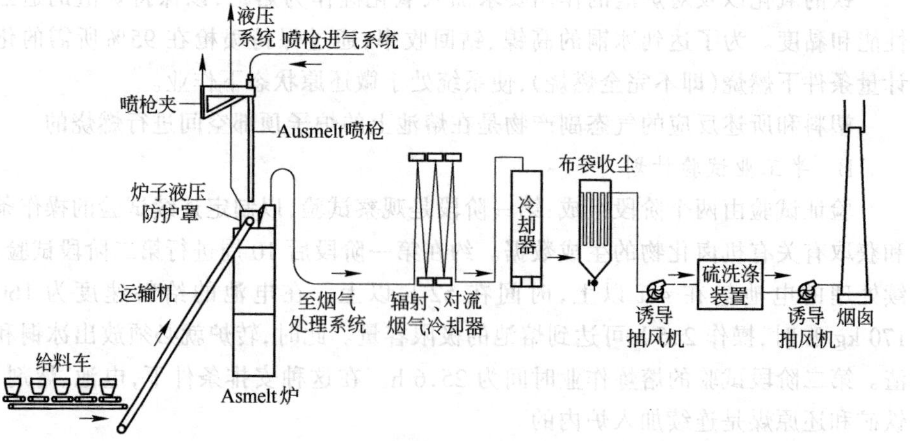

图 8-45　半工业试验流程

炉料是经可变速的布料器将料卸到倾斜的皮带运输机上，物料直接给入炉内。各部件都是密封的，使烟气和飘尘放散最小。进入炉内的物料是通过一个旋转阀，加料孔始终处于密封状态。

炉子烟气经过一段不锈钢烟道，在此烟气经辐射和对流作用冷却。然后烟气再进入一个垂直的冷却塔，冷却后的烟气用反复脉冲式布袋收尘。布袋收尘后烟气进入硫固化装置，最后经烟囱排入大气。在烟气处理系统中由两个诱导风机进行抽气，保持炉子在微负压下操作。

E　控制和采样

所有的入炉物料、产出的冰铜、镉烟尘和炉渣都需进行取样分析，测定电池的平均成分，因为很难得到有代表性的电池。试验中由操作者利用冰铜和炉渣的在线分析结果来调整各种操作参数，使过程最佳化。两个试验阶段都要进行炉渣取样做毒性浸出试验。

由于电池中含有镉和塑料（常常有氯化物），过程产出的烟气必须保持镉、氯和有机卤化物在一定的范围内。根据二恶英和呋喃类生成的预报器来控制总的有机卤化物含量。在固硫系统和布袋收尘后都要进行烟气和烟尘取样分析。

F 试验结果和讨论

a 冰铜、炉渣和烟尘成分

试验结束时，回收的4.5 t电池产出了2 t冰铜、3.2 t炉渣和0.8 t含镉烟尘。每千克电池的黄铁矿加入量在0.24～0.38 kg之间，产出的冰铜含镍在30%以上。试验中产出的最终冰铜、炉渣和烟尘分析列于表8-35。

表8-35 冰铜、炉渣和烟尘的平均成分(%)

成分	冰铜	炉渣	烟尘
Ni	36.7	0.53	0.05
Fe	36.5	35.8	0.4
Cd	0.08	0.02	62.7
Cu	1.0	0.04	0.04
S	21.3	1.3	3.8
Co	1.7	0.14	0.00
SiO_2		36.3	0.4
CaO		4.7	0.6
Zn	50×10^{-4}	224×10^{-4}	6000×10^{-4}
Pb	250×10^{-4}	17×10^{-4}	7000×10^{-4}
C			15.4
Cl			1.67

两次试验中，镍、钴和镉在冰铜、炉渣和烟尘中的成分分配列于表8-36。工艺的目的是要将镍、钴最大限度地进入冰铜，因为这两种金属的价值最高。冰铜中的镉量不能影响冰铜的出售，渣中的镉量应符合炉渣的安全处理要求。

表8-36 平均成分分配(%)

试验	分配		
	Ni(冰铜)	Co(冰铜)	Cd(烟尘)
试验1	98.3	87.1	99.9
试验2	97.5	89.0	99.4

b 烟气温度和流速

Achaya等[135]曾研究过二恶英和呋喃类生成的机理和影响因素，他们认为这些有害物生成的临界温度范围为250～400℃。

为了控制烟气处理系统的冷却行为，在辐射/对流冷却段的入口、烟气冷却器入口和布袋收尘入口都安装了热电偶。熔池温度的控制也作为过程温度控制的一部分。

按照试验期测量的温度，在烟气处理系统的辐射/对流冷却段的冷却温度变化为428～563℃。在250～400℃的温度范围内烟气的停留时间将对二恶英和呋喃类的生成起着决定性作用。在烟气处理系统的辐射/对流冷却段较短的停留时间，意味着二恶英和呋喃类的生成概率较低。表8-37列出该冷却段的烟气停留时间。

表8-37 辐射/对流冷却段的烟气停留时间(试验1)

实 例	流速/$m^3 \cdot h^{-1}$	温度降/℃	停留时间/s
1	3544	322	1.4
2	3589	337	1.4
3	5022	430	1.0
4	4929	395	1.0
5	3858	439	1.3

在烟气处理系统的辐射/对流冷却段烟气的停留时间是1.0～1.4 s，这相当于冷却速度为230～430℃/s，可以预料这么短的停留时间，对于二恶英和呋喃类的生成时间是不够的。二恶英和呋喃类的浓度很低，这已为试验期间烟气的取样分析所证实。

c 测定的有机卤化物量

催化转炉内高的温度和高的烟气流将导致电池中存在的氯化物都挥发。这些卤化物随烟气进入烟气处理系统。卤化物的存在，特别是氯，为了限制二恶英和呋喃类的生成，必须加以控制。试验中在布袋收尘的下游进行了烟气取样，分析有机卤化物量。

烟气中有机卤化物量低，意味着通过烟囱排出这种有害物质的可能性就小。两个试验期的烟气样品分析表明，烟气中的有机卤化物特别低，低于分析方法可检出的极限，烟气(标态)中的有机卤化物低于0.04 mg/m^3。

同样，也进行了取样分析水溶性氯。在布袋收尘器和硫固化装置下游取样分析，水可溶性氯(标态)在5～7 mg/m^3以上。以有机卤化物形式存在的氯不足以及对水溶性氯的检测表明，烟气中的氯似乎是以氯化氢存在。氯化氢可能是挥发的氯化物与天然气燃烧生成的水反应的结果。

在有害物质生成的临界温度250～400℃范围内的烟气停留时间，可能是二恶英和呋喃类在烟气处理系统再生成的关键。烟气中硫的存在，也可能对二恶英和呋喃类在烟气处理系统的再生成有重要影响。Raghunathan and Gulleett[136]报道过在废物焚烧时，硫的存在可使烟道气体中的二恶英和呋喃类浓度大大降低。他们发现，甚至在煤燃烧的很低的二氧化硫浓度(0.1%)条件下，也足以使二恶英和呋喃类生成从3000 ng/m^3降至250 ng/m^3。试验中由于黄铁矿的分解和还原剂煤中的硫的释放，足以使烟气中的硫浓度超过2%。

d 炉渣的毒性浸出试验结果

对两期试验的最终炉渣进行了试验，试验结果(表 8-38)完全符合美国环保局制定的毒性浸出试验标准(US EPA TCLP critieria)。

表 8-38 炉渣的 TCLP 试验结果(mg/L)

元素	TCLP 极限	试验 1		试验 2		
		炉渣 A	炉渣 B	炉渣 A	炉渣 B	炉渣 C
Al	100	0.3	0.41	0.14	0.12	0.06
Cr	100				0.03	
Mn	500	1.4	1.5	2.55	0.22	0.04
Co	100	0.23	0.28	2.35	0.54	0.22
Ni	100	4.7	6.0	36.0	23.0	6.0
Cu	100	0.58	0.84	0.02	0.10	0.15
Zn	100	0.17	0.14	0.12	0.02	0.02
As	5			0.004	0.006	0.001
Cd	1	0.03	0.03	0.0006	0.022	0.072
Ba	100	0.34	0.34	0.34	0.023	0.021
Hg	1					
Pb	10	0.02	0.02		0.035	0.01

炉渣的毒性浸出试验表明，这种炉渣无论是用做建筑材料，还是填埋处理都是安全的，对环境无危害。

e 其他电池处理的可能性

该工艺处理镍氢电池基本有同样的效果，但烟尘中不含镉；对于锂离子电池，也是加硫化剂使铜镍钴进入冰铜，产出硫酸锂烟尘和可废弃的炉渣。但需要进行半工业试验来验证，特别是分析烟尘产品的变化。

f 商业机遇

奥斯墨特催化废料转炉处理移动电话电池的商业前景取决于以下三个因素：

第一，规模经济。奥斯墨特催化废料转炉处理镍镉电池的生产成本对规模经济很敏感。如图 8-46 所示，在处理镍镉电池时，当年处理量为 5～5000 t/a 或更大

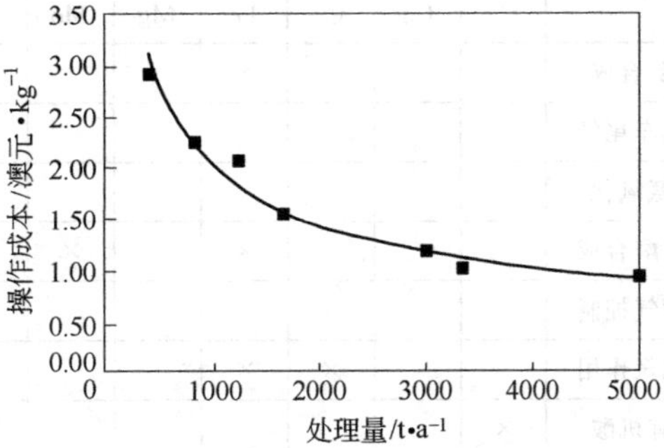

图 8-46 估算的操作费用(镍镉电池)

时，对于澳大利亚的情况，操作费用可以从每千克电池 3 澳元降至 1 澳元或更低。奥斯墨特法不仅可处理镍镉、镍氢和锂离子电池，而且还可用于处理计算机废料、含贵金属以及其他含高价物的废料。

第二，产品的市场预测。对于镍镉电池过程的主要产品有：镍冰铜，可作为一种标准产品销售给炼镍厂；镉烟尘，可以销售给镉回收厂。但本过程中由于以黄铁矿作为硫化剂，产品中的硫含量较高，对销售价格可能有影响。奥斯墨特工艺设计者正在考虑做一定的改变，即将来以磁黄铁矿或硫化镍代替黄铁矿作为硫化剂，从而使产品中的硫含量降至 1% 以下，而且还可提高冰铜中的镍品位；弃渣，完全符合环保要求，填埋的处理费用较低。

奥斯墨特工艺的推荐者估计，处理的每千克（镍镉）电池回收的镍价值约为 1 美元，或在合理的规模下，镍价值大致相当于操作成本。因此，工艺的成功与回收的镉的价值有密切关系，最终的商业可能性还要考虑电池制造者、商业和政府的支持问题。

第三，废旧电池回收和处理需要长期得到电池制造业的支持，同时，商业和政府部门的支持也很重要，例如废旧电池的回收和处理要有足够的数量保证，各个方面都要增强废旧电池回收处理的法规意识。

8.5　催化剂

8.5.1　概述

一些有色金属在许多化学反应中具有催化作用，如在石油精炼、控制天然气发电厂废气和汽车尾气排放等环境保护方面。工业催化剂主要含有色金属及其氧化物。表 8-39 列出了具有催化效应的金属的应用情况。

表 8-39　具有催化效应的金属在化学工业中的应用情况

化学过程	金属													
	Co	Cu	Cr	Fe	Mg	Mo	Ni	Pt	Pd	Rh	Sn	V	W	Zn
氨合成				×	×									
汽车尾气								×	×	×				
氨氧化								×	×	×				
蚁醛合成				×		×								
烟气控制								×						
脱氢作用			×	×										
有机酸	×													
HCN 合成								×		×				

续表 8-39

化学过程	金属													
	Co	Cu	Cr	Fe	Mg	Mo	Ni	Pt	Pd	Rh	Sn	V	W	Zn
马来酸酐						×						×		
甲醇合成		×	×	×										×
甲烷合成							×	×						
石油氢化	×					×	×	×	×				×	
加氢醛化	×									×				
有机氢		×					×	×	×	×				
聚氨酯合成											×			
氯氧化作用		×												
环氧丙烷	×			×			×				×			
肽 酐	×											×		
对肽酸	×													×
硫 酸												×		
乙酸乙烯酯									×					
烃重整							×	×						×
水煤气转换		×	×	×										
甲烷合成①							×	×	×	×				

① 与表中前面的"甲烷合成"重复,原文如此——编者注。

从废催化剂中回收有色金属不仅具有重要的经济意义,而且对资源节约和环境保护也很重要。其中,人们特别关注钴、铜、铬、钼、镍、锡、钨、钒和锌等金属的回收,主要包括以下三个领域:

(1) 镍在氢化过程和烃蒸气重组中的应用。

(2) 含钴、镍、钼和钨等金属催化剂在石油氢化过程中的应用;铂族金属,如铂、钯和铑的催化作用在石油精炼以及火力发电厂废气排放和汽车尾气排放前用做净化剂。

(3) 尾气排放控制中的应用。

对《化学文摘》进行上述几个领域的废催化剂金属回收主题的检索可以发现,在近 20 年时间里已取得了 600 多项专利技术。

对于有毒原料的处理,现在的要求越来越严格,尤其是在欧洲和北美,而且随着废弃物被界定为有害和有毒后的处理成本升高,从废催化剂中充分回收有色金属无论在经济还是生态方面都显得极为重要。

8.5.1.1 相关的专利

为了了解哪些金属的循环备受关注,对《化学文摘》1970～1998 年间的金属循环专利进行了检索，涉及金属达 12 种，如钴、铜、铬、钼、镍、铂、钯、铑、锡、钒、钨以及锌等，共检索 632 份专利[137]。

基于上述金属循环的总量及经济价值，进行了以下三个方面的研究：

(1) 用于氢化作用、烃蒸气重组等方面的镍催化剂。

(2) 用于石油加氢处理和加氢脱硫的钴、镍、钼、钨二元氧化物/硫化物催化剂。

(3) 用于汽车尾气和发电厂废气排放控制、石油精炼以及多种化学合成的贵金属。

上述三个领域中废催化剂再生技术的申请专利情况见表 8-40～表 8-42。催化剂在石油精炼领域中的应用量是最大的，但由表 8-41 可看出，申请专利数仅比贵金属略多一点。

表 8-40　1970～1988 年间催化剂回收利用技术专利申请情况

国家	专利数		
	镍	石油精炼	贵金属
日本	26	40	43
德国	47	42	8
意大利		29	
美国	4	72	23
捷克斯洛伐克	6	4	17
罗马尼亚	11	1	6
芬兰		7	7
法国			8
苏联	4	1	1
瑞典	6		
波兰	2	2	1
印度	1		
加拿大	1		
巴西	1		
合计	109	198	114

表 8-41　1988～1998 年间催化剂回收利用技术专利申请情况

国家	专利数		
	镍	石油精炼	贵金属
日本		18	71
美国	4	29	14
法国	3	14	25

续表 8-41

国　　家	专 利 数		
	镍	石油精炼	贵 金 属
德　国		5	8
列支敦士登			13
匈牙利	8		4
罗马尼亚	5	2	3
波　兰	2	1	5
加拿大		1	7
俄罗斯		3	2
英　国	4		
瑞　典	3		
荷　兰		2	
印　度	1		
合　计	30	75	152

表 8-42　世界催化剂回收利用技术专利申请情况

催化剂类型	专 利 数		
	1970～1988 年	1988～1998 年	合　计
镍	109	31	140
石油精炼(Co,Ni,Mo,W)	198	77	2
汽车尾气净化(贵金属)	114	155	269
合　计	421	263	634

1970～1988 年,在废催化剂的处理方面取得专利数居前三位的是日本、德国和美国;1988～1998 年,位居前列的则是日本、美国、法国和德国。由此可见,日本始终重视废催化剂的回收利用技术的专利申请。

值得注意的是,与 1970～1988 年相比,尽管 1988～1998 年间含镍催化剂和石油精炼催化剂的处理方面的专利申请数在降低,但贵金属方面的专利申请数却在不断增加。

8.5.1.2　回收技术

从废催化剂中回收有色金属的技术可分为火法冶金、湿法冶金和真空挥发三类。这里讨论三种催化剂体系,即镍氢化作用、石油精炼(Co、Ni、Mo、W、V 和 Pt)以及尾气排放控制(Pt、Pd、Rh)方面应用的催化剂。这三种催化剂体系的载体主要是铝、硅、沸石、铝硅酸盐和多种混合氧化物。

火法冶金方法有以下显著优点:

(1) 通过氧化、还原或真空挥发可以有效除去碳,有机残渣和某些杂质,如砷、硫、卤素等。

(2) 载体以渣形式与熔融的金属分离。

(3) 回收的产品形式为富集的金属或可销售的合金。

当然,火法冶金方法还存在一些缺点,如对于某些催化剂中的金属,由于形成挥发性氯化物而造成的金属损失,高温熔炼中由于卤化物造成的腐蚀问题等。

湿法冶金方法具有以下一些优点:可以在低温条件的水溶液介质中通过采用溶剂萃取、沉淀、离子交换、液膜分离和电积等方法,实现某些杂质的分离。

真空挥发方法可通过以下途径实现元素的有利分离:

(1) 有价金属,如 Co、Cu、Cr 和 Zn 等生成挥发性的卤化物。

(2) Ni 生成挥发性的羰基化合物。

(3) 杂质硫、碳以及镉或铅等可以卤化物或氧化物的形式挥发除去。

周期性的再生可以保持催化剂的活性,这通常是化工厂和石油精炼厂联合运营的一部分。最常见的再生方式是:氧化烧尽和/或氢还原,或用其他还原性气体除去碳、高沸点有机残留物、挥发性杂质(如硫、砷和卤化物)以及由多相催化物料中衍生出的某些金属。周期性的再生处理能有效地延长催化剂使用寿命,但最终可因催化剂活性物的失效而不可逆转,或者由于不可除去的杂质的累积而退化,或者由载体所引起的物理降解。

在法国有 EURECAT(European Reprocessing Catalysts)等公司可以为化工厂和石油精炼厂提供现场或非现场技术服务,可使多种商用催化剂的使用寿命延长。非现场再生与现场再生相比,非现场再生是在优化的工艺条件下进行,并有可能使工厂停工时间减至最短。

对于任何一家成功的商用催化剂工厂而言,对与催化剂活性相关的主要物理化学参数进行定期评定是非常重要的。美国测试与材料学会已制定出了这些主要参数测定的标准。

表 8-43~表 8-45 所列出的处理方法通常都需要将火法、湿法或真空挥发等三种方法中的两种或三种联合使用。

表 8-43 镍金属再生技术专利

催化剂种类	回收工艺	回收产品形式	专利拥有者
煤炭液化中的氢化	热 H_2SO_4 浸出液化氢化 C 材料	Ni、Co、Cu、Fe	加拿大国际镍公司
以 MgO 或 Al_2O_3 为基的 NiO 烃蒸气重组催化剂	与 Ni/Fe 一起进行氧化熔炼	Ni/Fe 和 MgO/Al_2O_3 渣	前民主德国 VEB Bergbaund Huetten-Kombinet. 公司
氢化作用	H_2SO_4 浸出/NaOH 沉淀/加碳焙烧成氧化物	独立的金属镍和金属钒	美国 HRI 公司
氢化作用/食品	脱脂/H-NH_3 + S 活化/反应	羰基镍	Magyar Asvahyoldj Foldgaz Kiserleti

续表 8-43

催化剂种类	回收工艺	回收产品形式	专利拥有者
化肥/化学工业	CO/Ni(OH)$_4$ 挥发		匈牙利 Intezet 公司
石油精炼	在硫化物或硫酸盐存在下与 NaCl 或 Na_2CO_3 一起进行电弧炉熔炼	NiS 熔体，而 V 在渣中	前联邦德国 Gesellschaff Elektromet 公司
Ni/Sn 催化剂	与 HCl 反应/膜渗析分离 HCl/用 $Ca(OH)_2$ 调整 pH 值沉镍/以 NiO 形式回收 Ni	NiO + SnO_2	日本 Nisshin 钢铁公司
加氢脱硫	用烷基芳基膦酸盐和羟胺在 pH 值为 2 时萃取	Ni/Co 富集液	日本 Catalysts & Chem Ind. 公司
2-乙基己醇合成	在高压釜中与 HCl 反应	Ni/Cu	罗马尼亚 Intreprinderea Ratinaria Vega 公司

(1) 镍。表 8-43 列出 8 种由废催化剂中回收镍的分离方案，以及一些已应用了的工艺。

INMETCO 公司自 1978 年起就在宾夕法尼亚州 Ellwood 市建立了金属回收工厂，该厂主要是从火法冶金排放的废料中回收镍以及铬和铁，采用湿法工艺还从不同废催化剂中回收钴、铜、铂、铑、金和银等金属。

INMETCO 工厂的金属回收工艺由两步火法冶金过程构成：第一步，在回转炉中，温度为 1260℃ 左右并在碳存在的条件下进行还原熔炼；第二步，在电炉中生产出 Ni-Cr-Fe 合金，产品可用于钢铁工业。回收工艺可细分为四步：原料制粒、碳还原、两段火法冶炼产出合金。该厂符合美国环保局有关处理危险及有毒物料的规范和标准。据报道，1993 年处理的含金属的废料超过了 58000 t。

表 8-43 所列的金属回收工艺适用的催化剂范围很广，涉及烃蒸气重组、石油精炼以及化学合成等。

(2) 石油精炼催化剂。有一些公司正在从事废石油精炼催化剂回收业务，表 8-44 列出了回收工艺以及回收产品的性质。

氢化处理用催化剂为钴(或镍)与钼(或钨)组成的二元氧化物/硫化物，成分范围通常为：Co/Ni2% ~4%，Mo/W8% ~12%，此外还有一些微量的 Rh 等催化剂成分，但由于这些微量元素的总量小，经济性不够显著。

二价金属钴或镍可在多种酸性溶液中有效溶解，从而实现与三价态的金属钼或钨分离。对于以最高氧化态形式存在的三价金属而言，碱性溶液是很有效的溶剂。

加氢催化剂中还存在着其他一些金属，它们是在石油氢化处理过程中由有机金属化合物的分解和吸附的。这些金属主要是镍和钒。

回收金属产品的性质主要取决于所采用的回收工艺是火法还是湿法。对于湿法冶金工艺而言，所得的产品形式通常为金属氧化物或盐，火法冶金产品一般是金属和合金。

除表 8-44 所列的处理厂外，还有几家石油公司也提出了专利，这些公司有：Atlantic Richfield 公司、Chevron 公司、Sinclair 公司、Union Oil 公司以及法国石油研究院。还有 7 家化学公司也提出了有关废石油氢化催化剂的处理技术专利，这些公司有：美国氰胺公司、Akzo 公司、BASAF 公司、Celanese 公司、Nalco 化学公司、Union Carbide 公司以及 Isechem 工业公司。石油精炼催化剂在很大程度上是由上述公司制造的，而且是在上述公司与石油公司之间进行闭路循环，并由上述公司确保其成分合理。

此外，还有 GTE 实验室、三菱钢铁公司、住友金属矿业公司以及 Nippon Tobacco Sangyo 公司等也进行废石油精炼催化剂的处理。

表 8-44 还列出了各公司从成分相当复杂的废金属物料中回收金属的处理能力，也适合于有毒废物的处理。在美国，处理这类有毒危害物的工业固体废物的公司主要有：Allied Waste 公司、Browning Ferris 公司、Laidlaw Environmental Services 公司以及 USA Waste 公司等。

表 8-44　处理废石油精炼催化剂的工厂

公　司	地　址	基本工艺	产　品	处理能力/短 $t \cdot a^{-1}$
CRI-冶金公司	美　国	氧化物高压碱浸/NaHS，Na_2CO_3 溶解	MoO_3/V_2O_5，Al_2O_3/Ni，Co	30000
C.S. 金属公司	美　国	碱浸/辅助浸出/加热氧化	MoO_3/V_2O_5，Al_2O_3/Ni	
Gul 化学冶金公司	自由港，美国	碱性焙烧/碱浸/NH_3 反应/电弧炉	MoO_3/V_2O_5，Al_2O_3/Ni，Co	23000
奥雷公司	法　国	NaOH 焙烧/火冶/离子交换/NH_3 反应	钼酸铵，硫酸氧钒，Ni/Co	3000(法国) 2000(沙特)
Metrex	海尔伦，荷兰	焙烧/$Mg(OH)_2$ 反应/H_2SO_4 反应/溶剂萃取	MoO_3/Al_2O_3/Ni-Co	
Fullyied 公司	Hsinchu，中国台湾	碱性氧化浸出/浸出/溶解/结晶/熔炼	MoO_3/V_2O_5	8000
住友公司	Niihama，日本	焙烧/H_2SO_4 浸出/NH_3 反应/溶剂萃取	铝钒，MoO_3/V_2O_5	25000
Taiyo	Taiyo，日本	碱性焙烧/$Mg(OH)_2$ 浸出/NH_3 浸出/熔炼/酸反应/离子交换	MoO_3/V_2O_5，$MgSO_4$	16000
Treibacher	Treibacher	转窑/碱浸/NH_3 反应	Ni/Ni-Fe/V_2O_5/Fe-V	
矿物加工与环境工程	西班牙	Cl 芳基反应/空气反应或 CO 转窑/浸出	Mo，V，Ni，Co，氯氧化物	半工业厂

(3) 贵金属。贵金属催化剂主要是应用于石油精炼、化学合成以及汽车尾气排放控制和发电厂废气排放控制,其中大量应用的领域还是石油精炼和汽车尾气排放控制。

对于贵金属催化剂而言,其金属回收方案的多样性要远优于氢化/加氢脱硫催化剂。表 8-45 所示的分离工艺中有低温湿法分离工艺和火法与湿法联合工艺。进行贵金属回收的企业有金属精炼厂、化学公司、汽车制造厂、催化剂厂、石油精炼厂以及金属循环利用公司。

表 8-45 从废贵金属催化剂中回收金属的工艺

公 司	回 收 工 艺	产 品
Sumitomo Metal Min. Co., 日本	还原-焙烧/熔炼/HCl 浸出	Pt, Pd, Rh
Rhone Poulenc, 法国	电化学分离	Pt, Pd, Rh
South Dakota Sch. Mines & Tech., 美国	H_2SO_4 氧化浸出	Pt, Re
Nissan, 日本	氯化浸出+离子交换分离	Pt, Pd, Rh
中国昆明贵金属研究所	在 Zn 存在下用 NaOCl 或 Cl_2 浸出	Au, Pd
EAR Europ. Autocat. Recycle, 德国	机械粉碎/磁性分离	Pt, Pd
Dowa Mining Co., 日本	与 Cu 或 Pb 进行合金熔炼+电解	Pt, Pd, Rh
Tanahakikin Kogyo/Dowa Min., 日本	与 Cu 进行两步还原熔炼	Pt, Pd, Rh
Metallgesell Schaft A. G., 德国	在 Cl 存在下两步还原熔炼	Pt, Pd, Rh
Cataler Ind. Co., 日本	氧化焙烧/HCl-H_2O_2 浸出	Pt, Pd
Halcon SD Group Inc., 美国	羰基化渣+油水溶剂萃取	Rh
Nippon Magnetic Dressing Co., 日本	在 Fe 存在下 HCl/HNO_3 浸出+磁分离	Pt, Pd
Agency Ind. Sci. & Tech., 日本	有机溶剂+离子交换	Pt
Brit. Pet. Co., 英国	CCl_4 氧化+HCl 浸出	Pt
Engelhard, 美国	与 Fe 合金化	Pt, Pd, Rh
Kennecott, 美国	电炉熔炼	Pt, Pd, Rh
Johnson, Matthey, 英国	氢还原+NaOH 浸出/HCl-Br 或 HCl-Cl 浸出	Pt, Pd, Rh

这些贵金属催化剂大都是以陶瓷氧化物为载体,如氧化铝、二氧化硅、铝硅酸盐、泡沸石或混合氧化物。这些陶瓷氧化物形态为球状或片状。现有的回收工艺大都具有高的金属回收率(大于 90%)。采用火法工艺处理所得产品为金属或合金,采用湿法工艺处理回收的是在各种水溶液中的产品。有时,陶瓷载体材料也可以回收,可认为是一种副产品而并非废物。

贵金属催化剂一般是在催化剂的使用者与生产者之间进行闭路循环。

(4) 氨催化剂。氨合成是一种重要的化工过程，全世界氨合成的生产能力约为 1.1 亿 t/a，其中北美约为 2290 万 t/a。一座典型的生产能力为 1000 t/d 的工厂在八个工艺步骤中需要使用 300 ～500 t 催化剂。而新催化剂的费用将达到 350 万美元。表 8-46 列出了氨合成催化工序中各步的催化剂费用的统计数据。初始催化剂的费用可能在 4000～21000 美元/标 t 范围内波动，此时年总更换费用在 644000～890000 美元/短 t 范围内波动。催化剂的废弃和回收利用对氨合成的总经济效果将产生显著的影响。

表 8-46　1000 t/d 工厂氨合成催化剂的使用情况

催化阶段	主要金属(氧化物)	总量/标 t	费用/美元·标 t^{-1}	初始费用/美元	有效寿命/a	更换费用/$\$\cdot a^{-1}$
氢化脱硫	CoO/MoO_3 或 NiO/MoO	3～8	11000～16000	33000～128000	3～20	6400～11000
脱　硫	ZnO 或 Al_2O_3/SiO_2 NiO,MgO	30～50	7000～8000	210000～400000	2～5	80000～105000
初级甲烷蒸气重组	Fe_2O_3　Al_2O_3　或 SiO_2	20～35	14000～21000	280000～735000	3～5	93330～147000
二次甲烷蒸气重组	NiO,CaO 或 Al_2O_3	20～40	13000～20000	260000～800000	5～8	52000～100000
高温 CO 转化	CuO,Cr_2O_3 Fe_2O_3 或 Al_2O_3	50～80	7000～8000	350000～640000	3～5	128000～166670
低温 CO 转化	CuO,Cr_2O_3,ZnO	50～90	10000～14000	500000～1260000	3～7	166670～180000
甲烷化	Fe_2O_3, CeO, SiO_2/Al_2O_3	15～30	13000～20000	195000～600000	8～12	24375～50000
氨合成	FeO_x,CaO 或 Al_2O_3	150～200	4000～12000	600000～2400000	8～12	75000～200000
合　计						644045～891400

(5) 石油精炼。催化剂的另一主要用途为石油精炼，有关该领域的催化剂经济效果情况见表 8-47 ～表 8-49。表 8-47 列出了 1996 年和 2000 年世界不同地区催化剂需求量及废催化剂的可能产生量的统计数据，这些地区包括了美国、欧洲、中亚、非洲和东北亚地区。在不到 5 年的时间里，上述三个地区的需求量数据都有明显增大。2000 年废催化剂可能产生量超过了新催化剂的需求量，对于上述三个地区而言，超过的比例分别为 70%、74% 和 79%。

表 8-47 世界部分地区新催化剂的需求量及废催化剂的可能回收量(kt/a)

项 目	1996 年		2000 年		石油精炼催化剂	废催化剂超额/%
	新催化剂	废催化剂	新催化剂	废催化剂		
美 国	38	60.6	46	78	加氢脱硫	70
欧洲/中亚/非洲	15	26.5	24	41.7	加氢脱硫	74
东北亚	24	41	36	64.4		79
新催化剂需求量	77		106			
废催化剂可获得量		128.1		184		

表 8-48 列出了当前上述三个地区的工厂处理废催化剂的能力。从表中数据可看出,2000 年全世界的废催化剂处理总量为 189000 t/a,与可获得的废催化剂总量 184000 t/a 相近。美国是处理能力最大的国家,从 1996～2000 年的 4 年间处理能力保持相对稳定,而欧洲/中亚/非洲和东北亚两个地区的工厂处理能力则翻了一番还多。

表 8-48 世界部分地区石油精炼废催化剂处理能力(kt/a)

地 区	工 厂	1996 年	2000 年
美 国	CRI-Met	30	30
	GCNC	25	25
	Dakota	20	20
	Falconbridge	3	4
	其他	5	9
小 计		83	88
欧洲/中亚/非洲	Eurecat(法国)	2.8	3.6
	Eurecat(Saudi Arabia)	2	5
	Sadaci	0	20
	Metrex	10	20
	Treibacher	3	4
小 计		17.8	52.6
东北亚	Taiyo Koko	16	16
	Full Yield	8	8
	Sumitomo	0	25
小 计		24	49
合 计		124.8	189.6

(6) 催化剂生产者。有 29 家催化剂生产者可以提供 900 多种指定类型的催化剂,可应用 10 种不同的石油精炼反应,如表 8-49 所示。

表 8-49　石油精炼用催化剂的生产者

催化剂生产商	地　点	石脑油重组	二聚作用	同分异构	流体裂变	氢化裂变	氢化处理	氢化精炼	聚合	脱硫	烃蒸气重组
ABB Lummus Crest	Bloomfield, NJ					×					
Acreon Catalysts	Houston, TX	×		×		×	×	×			
Akzo Nobel	Amersfoort,荷兰			×	×	×	×	×		×	
Alcoa	San Ramon,加拿大									×	
Ari Technologies	Schaumberg, IL									×	
Basf	Mannheim,德国						×	×			×
Bayer AG	Levekhusen,德国										
Cat. & Chem. Ind.	日本东京				×	×		×		×	
Chevron	San Francisco,加拿大					×		×			
Criterion Cat.	Houston, TX	×				×		×		×	
Crosfield Cat.	Warrington,英国					×	×				
Dycat Inc.	Stannington,英国										×
Englehard	Iselin, NJ				×					×	
Exxon	Fordham Park, NJ	×					×	×			
Grace Davison	Baltimore, MD				×	×		×		×	
Halder Topsoe	Lynsky,丹麦					×	×	×		×	×
Huls AG	Mari,德国						×			×	
Ici Katalco	Billingham,英国						×				×
Indian Petro. Chem.	Gujarat,印度	×		×							
Inst of Catalysis	Novosibirsk, 俄罗斯							×			
Instituto Mexicano	墨西哥市,墨西哥	×			×		×	×	×	×	
Intercat	Sea Girt, NJ				×					×	
Kataleuna	Leuna,德国	×		×		×	×	×			
La Roche Ind	Atlanta, GA									×	
Orient	日本东京					×		×			
Procatalyse	Ruell-Malmaison,法国		×						×	×	×
United Catalysts	Louisville, KY			×		×	×	×	×	×	×
UOP	Desplaines, IL			×		×	×		×	×	
Zeolyst Int.	Houston, TX			×		×	×				

这些催化剂生产者一方面向石油精炼厂提供新催化剂,另一方面从石油精炼厂回收废催化剂,并力图在石油精炼厂之间形成催化剂的闭路循环。

另一类废催化剂回收企业是金属精炼厂,其接收的废催化剂构成了原料物流的一部分。而催化剂生产商与石油精炼厂或化工厂之间形成的催化剂闭路循环将给该类企业带来严重的危害,这些危害主要有:废催化剂的来源变少,所接收的废催化剂数量不合理,金属精炼厂难以实现盈利。另外,还有来自于原料本身的危害,即废催化剂中可能含有金属精炼厂无法处理的有毒成分。

(7) 地区性金属回收工厂。近年来,地区性处理厂能处理不同形式的金属废弃物,但主要还是处理金属加工行业的废料。部分工厂也可以处理废催化剂回收金属,这些金属有铜、铬、钴、镍、钼、锰、锡、钒和锌。

位于密苏里的一座地区性工厂采用湿法冶金工艺,可从混合废物中回收铜、铬、镍和硫酸锌,当年生产能力为17000 t金属时,产品价格为现行价格的80%,经济上是可行的。该工艺是基于蒙大拿矿业科学技术大学的中试结果确定的。

该厂年操作成本费用估计为2715000美元,若以现行市场价格出售所回收的金属(硫酸盐形式),则利润为870000美元,而净操作成本为1845000美元。

8.5.2 古尔夫化学冶金公司废催化剂的处理技术

8.5.2.1 概述

古尔夫化学冶金公司(Gulf Chemical and Metallurgical Corporation,GCMC)进入废催化剂处理领域已有40年的历史。该公司在俄亥俄州有一个处理厂,一直运营到1984年。由于废催化剂原料供应量的增大,GCMC公司于1973年将业务扩展至得克萨斯州的自由港。GCMC在当地拥有一家工厂,最初用于蒸发海水提取的氢氧化镁,拥有三个多室焙烧炉、一个回转窑以及处理氢氧化镁和氧化镁的相关设备。为满足废石油精炼催化剂(即氢化处理催化剂)处理的需要,GCMC对工厂进行了重新装备,于是从1974年起处理废催化剂。随着废催化剂原料量的增大以及对产品质量要求的不断提高,GCMC进行了一系列的技术改造。1999年,位于比利时根特市的一家废催化剂预处理厂试车,标志着废催化剂回收业达到了一个新的水平,当时该预处理厂由Sadaci公司运营。

GCMC是目前世界上最大的废石油精炼催化剂处理厂之一。而且,GCMC也是五氧化二钒、三氧化钼、液态钼酸铵、熔融氧化铝以及镍钴合金等产品的重要生产者[138]。GCMC与位于宾夕法尼亚州巴特勒市的BEAR冶炼厂合作,所提供的铁钒合金产品占了全美消费总量的70%左右。

8.5.2.2 废催化剂市场

GCMC致力于从废氢化处理催化剂中回收有价金属。氢化处理通常是指三种石油精炼过程,即加氢处理(HT)、氢化精炼(HR)和加氢裂解(HC)。在氢化处理过程中，催化剂吸附了硫、钒和焦炭，而镍、钴和钼则转化成相应的硫化物。催化剂的孔隙率降低，其活性也随之降低，并最终需要更换。废催化剂对环境是否具有危害性，这取决于石油的来源和催化处理的类型。

1998年全球催化剂市场估计为21亿美元，其中占近九成的是流体裂解催化剂(FCC)和氢化处理催化剂。由于催化剂消耗的是战略金属，其对原油精炼又必不可缺，因此，催化剂市场显得非常重要。制造FCC催化剂需要铂、稀土和钒等金属，而钼、镍、钴、钯以及钨等金属则是氢化处理催化剂的活性组元。

从废氢化处理催化剂中回收金属越来越盛行。至1999年，已有5家公司活跃于废氢化处理催化剂回收的领域，它们分别是：得克萨斯州的GCMC，路易斯安那州的Crimet(该公司于1999年底停产)，日本的Taiyo Koko和住友公司以及中国台湾的Full Yield公司。自1999年起又建有两家工厂，一个由路易斯安那州的C.S.Metals公司营建，另一个是建在中国福建泉州的敬泰公司。C.S.Metals公司通过设备更新或新建项目等方式提高了现有的回收能力。

表8-50　废催化剂处理量

年　份	处理量/t
1997	153000
1998	157000
1999	162000
2000	166000
2005	178000

目前尚难统计废氢化处理催化剂回收利用的数量，但是按已经公布的氢化处理催化剂的消费量及其增长数据可以估计出全球的废催化剂处理量(见表8-50)。

对废催化剂处理的关注程度的提高，也可反映出全球对氢化处理催化剂需求量的增长。在未来4年间，估计氢化处理催化剂年需求量将以3%～4%的百分比递增，其原因有以下几个方面：

(1) 石油需求量增长。

(2) 原油(尤其是产自美国的原油)中硫含量增大。从表8-51可看出，1986年原油中硫含量平均值为1.01%，而1998年则升至1.32%。GCMC注意到废催化剂中硫含量从1974年的4%升高至2000年的近11%的变化(见图8-47)。

表8-51　美国原油中硫含量

年　份	硫含量/%
1986	1.01
1988	1.09
1992	1.21
1994	1.20
1996	1.25
1998	1.32

(3) 政府对汽油和柴油中硫含量的重新规定。美国最新的《汽油管理条例》要求精炼厂将汽油中的硫含量从$300\times10^{-4}\%$降至$150\times10^{-4}\%$，该《条例》自2000年1月起实行。从表8-52可看出，2003年硫含量进一步降至$30\times10^{-4}\%$。一些石油精炼厂，如Phillips公司，已设定了更低的硫含量标准($25\times10^{-4}\%$)，而汽车工业的目标则是$(2\sim5)\times10^{-4}\%$。在欧洲，汽油中硫含量的水平也由$500\times10^{-4}\%$降至2001年的$150\times10^{-4}\%$，并于2004年降至$50\times10^{-4}\%$。

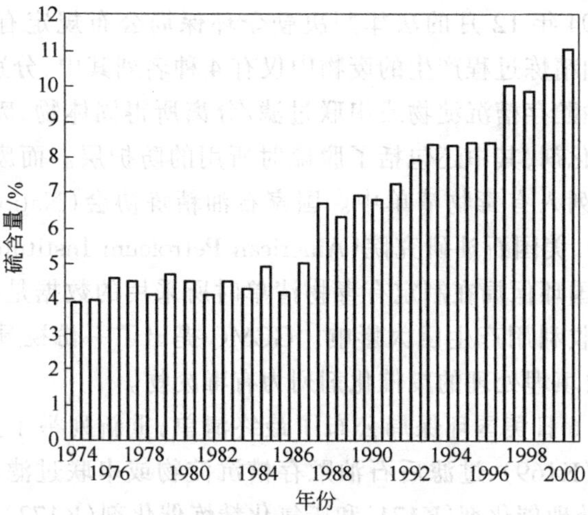

图 8-47 废催化剂硫含量的变化

表 8-52 美国与欧洲汽油中硫含量的标准(%)

年 份	美 国	欧 洲
1999	300×10^{-4}	500×10^{-4}
2000	150×10^{-4}	350×10^{-4}
2003	30×10^{-4}	
2005	30×10^{-4}	50×10^{-4}

目前现有的废催化剂处理工厂的年总处理能力为 140000～145000 t,但是并非所有工厂都在满负荷工作,有相当数量的废催化剂是以填埋方式处理的。而且由于美国最新颁布的法规在该问题上模棱两可,对于废催化剂处理而言,填埋成为一种低成本的处理方式。

8.5.2.3 关于废催化剂的法规

在美国《资源保护与回收法》(Resource Conservation and Recovery Act,RCRA)制定之后,对于来自石油精炼过程的废催化剂的管理与处置最初是遵循有害废弃物管理规定。如果废催化剂表现出可燃性、腐蚀性、反应性或毒性等其中之一,就可认定为废催化剂有害物。1984 年美国国会通过了《固体及有毒废物修正案》(Solid and Hazardous Waste Amendments),并对美国环保局(Enviromental Protection Agency)制定有毒废物清单并规定石油精炼过程产生的废物是否有毒设定了法律时限。石油精炼过程中产出的废物就包括了废催化剂,这些催化剂来源于氢化处理、烃重组、催化裂变和氢化精炼等产业。

1989 年环境保护基金会起诉了美国环保局,理由是环保局未能如期制定出有毒废物清单。1994 年 12 月的法律判决勒令环保局公布规定有毒废物的最后清单。在 14 种石油精炼过程产生的废物中仅有 4 种名列其中,分别是原油贮存槽沉淀物、过滤后石油贮存槽沉淀物或串联过滤/分离所得固体物、废加氢处理催化剂和废氢化精炼催化剂,其中还包括了脱硫时所用的防护层。而废裂解催化剂及其他废弃物则没有列入有毒物清单中。国家石油精炼协会(National Petroleum Refiners Assocation)、美国石油研究院(American Petroleum Institute)、GCMC 以及其他组织则认为美国环保局在制定有毒物清单时所采用的数据是不充分的,而且将对废催化剂的回收利用产生巨大影响。GCMC 提出了一份视具体情况而定的清单,其中仅把需要填埋处理的废催化剂列为有毒废物。

1998 年 8 月 6 日美国环保局公布了最终清单,重新列举了上述 4 种废物,即原油贮存沉淀物(K169)、过滤后石油贮存槽沉淀物或串联过滤/分离所得固体物(K170)、废加氢处理催化剂(K171)和废氢化精炼催化剂(K172)。新清单还对钒、镍、砷、活性硫化物、苯及其他有机物填埋处理时的标准做了规定。在所产出的废催化剂中,废氢化裂解催化剂占了很大的比例,尽管废氢化裂解催化剂与加氢处理催化剂及氢化精炼催化剂的性质相近,但是废氢化裂解催化剂未被列入新清单中。该份清单所引发的最直接的后果就是废氢化裂解催化剂以及在反应器中起氢化裂解、氢化精炼双重作用的废催化剂的填埋量增大。显然,这与环保局防止废催化剂填埋、支持回收利用的初衷是相违背的。

环保局将加氢处理催化剂分成三类,即氢化处理、加氢精炼和加氢裂解。而 GCMC 却认为环保局在规定废催化剂时不够充分、全面。环保局将前两种废催化剂视为有毒废物,但未考虑到氢化裂解催化剂。因此,石油精炼厂所产出的废催化剂既可列入有毒废物,也可不列入,这取决于怎样来分类。GCMC 认为环保局在制定标准时并未给对此感兴趣的当事人提供参与讨论的机会,这导致其所做的决定含糊其辞而且难以运作。此外,环保局尚未对双效加氢处理器中的催化剂加以界定,这类加氢处理器既有加氢处理又有加氢精炼或加氢裂解的功能。

1999 年 11 月 29 日,环保局公布了针对双效加氢处理器中的废催化剂的解释备忘录。在该备忘录中,环保局清楚、明确地将起到加氢处理或加氢精炼、加氢裂解作用的催化剂列为有毒废物。该备忘录还讨论了填埋处理限制(LDR)的标准对所列有毒废催化剂的适用性。该备忘录还指出,为达到 LDR 标准,废催化剂应进行一系列的处理,如热处理、钒回收及稳定化处理。然而,从实际情况来看,所推荐的 LDR 标准并未坚持执行,废催化剂填埋处理量不仅显著增长,而且远大于回收再生的量。

8.5.2.4　得克萨斯州自由港废催化剂处理情况

GCMC 在得克萨斯自由港有一个废催化剂处理工厂,产品有三氧化钼、液态钼酸铵、五氧化二钒、偏钒酸铵、熔融氧化铝以及镍钴合金等。

在俄亥俄州的工厂主要是从废加氢重组催化剂中回收钼。废催化剂在氢氧化钠含量足够高的溶液中浸渍,钼转化成钼酸钠。混合物在1000℃温度下煅烧1 h并用水浸出,钼酸钙从浸出液中沉淀下来。浸出渣主要含氧化铝,适合于生产金属铝。GCMC及其在俄亥俄州工厂的前身就采用了上述流程,以回收废催化剂中的钨。20世纪60年代后期和70年代初期,废催化剂供给量增大,而俄亥俄州工厂处理能力有限,这促使GCMC于1973年将其业务扩大到得克萨斯州的自由港。在当地原有一家焙烧氢氧化镁的工厂,GCMC对该厂重新装备后,用于处理废催化剂并生产三氧化钼和五氧化二钒,物料在多室焙烧炉中经苏打粉焙烧后,经渗透沥滤浸出并洗涤得到含Mo、V的溶液,而渣含氧化铝、钴和镍。

GCMC的回收工艺历经多次改造,并最终在1997年形成了一个完整的专利。1983年,GCMC在其附属工厂中增加了生产纯钼酸铵溶液的项目,产品可用于生产新鲜催化剂。1987年,一台新的多室焙烧炉取代了一台已老化的炉子,处理能力得以提高。1996年,启用了一台快速干燥机和电弧炉,用于生产熔融氧化铝和镍基合金。电弧炉在处理类似废催化剂物料时比较灵活。2000年 V_2O_5 和 MoO_3 的产量是1975年产量的10倍。

8.5.2.5 钼和钒的回收

基于苏打粉焙烧的工艺用于回收钼、钒和氧化铝,工艺流程见图8-48。对入

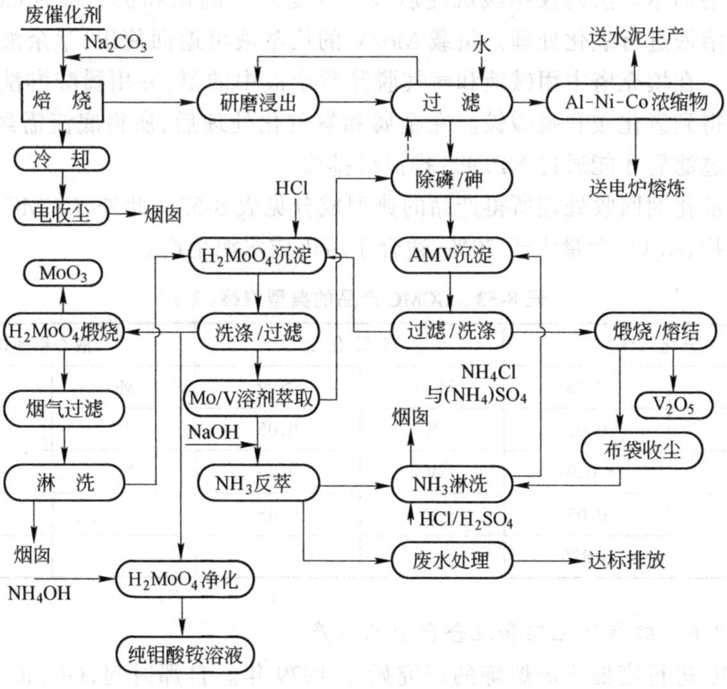

图8-48 GCMC回收Mo/V的工艺

炉物料的催化剂的种类并未加以区分。废催化剂与苏打粉混合后,在700～850℃温度条件下,在多室焙烧炉中焙烧。焙烧炉的烟气被送至后续的燃烧室中,在900℃温度下残余的烃被烧尽,并对出口的烟气进行静电收尘,以脱除其中的固体颗粒。在焙烧过程中,钼、钒、磷和硫等与苏打粉反应生成相应的钠盐,而氧化铝和其他金属氧化物则不反应。焙烧所得焙砂在冷却后送球磨机,球磨所得矿浆经逆流倾析、过滤、洗涤处理,滤饼约含30%的水分,70%为氧化铝及残余的Mo、V、Ni、Co及Si的氧化物。滤饼可以出售给水泥制造商、镍精炼厂或经GCMC的新型电弧炉处理,这主要取决于滤饼中金属的含量。

含Mo、V的浸出液首先进行脱磷、砷处理,净化后的溶液再与硫酸铵、氯化铵混合,以沉淀偏钒酸铵(AMV)。在400℃温度条件下对AMV煅烧脱氨得到五氧化二钒。颗粒状V_2O_5经熔融并在旋转圆盘上骤冷得到片状V_2O_5(纯度大于98%)。在串联的洗涤器中用稀盐酸和硫酸淋洗回收氨并返回至AMV沉淀工序循环使用。

AMV沉淀工序所得滤液中钒含量小于1g/L,大部分的钼则经还原、加热、酸化后生成钼酸沉淀,将钼酸沉淀过滤洗涤后送煅烧工序生产三氧化钼,其纯度大于98%。在另一种操作中,钼酸经氨和硝酸处理转化成纯钼酸铵溶液,产品可出售给催化剂制造商。

采用溶剂萃取法回收钼酸沉淀后残余在滤液中的钼和钒。在Aliquat 336萃取前先对溶液进行氧化处理。负载Mo/V的反萃液可返回使用,萃余液则送至氨回收工序。在填充塔中用碱液和蒸气脱除萃余液中的氨,并用稀酸淋洗以回收氨蒸气再生得到氯化铵和硫酸铵。在金属和氨贫化处理后,所得底流需经pH值调整、冷却、过滤后才能通过NPDES排泄口排放。

由废催化剂回收处理所得产品的典型成分见表8-53。此外,GCMC还生产氧化铝富集物,Al_2O_3含量大于70%,适合于熔炼或水泥生产。

表8-53　GCMC产品的典型规格(%)

五氧化二钒		三氧化钼		液态钼酸铵	
V_2O_5	>98	MoO_3	>99	Mo	16
Mo	0.02	S	0.05	V	<0.05
S	<0.01	V	0.20	Na	<0.05
P	0.05	P	0.05		
Na	0.025				

8.5.2.6　熔结氧化铝和混合合金的生产

GCMC进行废催化剂熔炼的研究始于1979年。自那时起,GCMC试验了多种炉型用于熔炼产自得克萨斯州自由港工厂的废催化剂中的氧化铝富集物。在

1979年和1992年间，Sadaci工厂采用14 MW电弧炉处理了几千吨的Ni/Mo、Co/Mo和Ni/Co/Mo/V废催化剂及残渣。GCMC于1990年在明尼苏达州大学以及于1989~1995年在南非研究了等离子炉的应用情况，基于上述研究结果，GCMC在1996年设计并建立了一座10 MW电弧炉，用于生产熔结氧化铝和合金。该炉在1997年1月至1998年12月间运行，但由于冷却系统的渗漏引发了爆炸事故并摧毁了炉子，之后经深入研究，GCMC决定由Hatch工程公司重建电弧炉，并提高了安全系数，于1999年底恢复了熔炼作业。

在熔烧和废催化剂浸出之后所得的氧化铝富集物与还原剂混合，并在电弧炉中熔炼生产熔结氧化铝，所得产品适用于陶瓷和耐火材料。另一种产品是合金，该合金含Ni、Co、Mo、V，可出售给现有的精炼厂，以回收镍和钴。熔炼作业的副产品是液态氢氧化钠。熔炼产品的成分见表8-54。

表8-54 GCMC冶炼产品的成分(%)

元 素	熔结氧化铝	混合合金
Al	47~51	0.1~0.3
Ni	0.1~0.3	37~43
Co	<0.02	12~17
Mo	0.1~0.3	3~17
V	0.1~0.3	4~14
Si	0.1~0.5	1.11
Fe	0.5~1.2	6~13
Na	0.2~1.5	

8.5.2.7 比利时萨达茨(Sadaci)厂的废催化剂煅烧操作

比利时N. V. Sadaci公司成立于1925年，是欧洲最早生产电石的公司。该公司于1952年开始生产铁锰合金，并在1955年建立了一个新的工厂，以满足铁合金不断增长的需求。Sadaci一直是欧洲铁合金工业的龙头企业，这种地位一直没有改变。在1969~1970年间，Sadaci开始焙烧辉钼矿精矿生产三氧化钼，并成为欧洲主要的生产商。与此同时，Sadaci还开始采用硅热炉生产铁钼合金。1972年建了多座炉子，以生产铁钒、铁钨和铁铌合金。在20世纪70年代后期，Sadaci并入Sadacem，该公司目前属于Comilog公司。

Sadaci和GCMC于1979年在根特市合作处理废催化剂，流程中包括了电炉熔炼生产Ni/Mo、Co/Mo合金，并得到Ca基渣。Sadacem集团于1984年兼并了GCMC，自那时起，Sadaci与GCMC开始一起处理废催化剂，来自欧洲的废催化剂装船运送至GCMC在得克萨斯自由港的回收工厂处理。由于欧洲废催化剂供货量的增大,Sadaci 与 GCMC 决定在根特建立一座预处理厂兼作欧洲废催化剂的回收中心,该厂于1999年初建成。废催化剂的预处理包括了回转窑煅烧、烟气净化及辅助的制硫酸设备。废催化剂经煅烧脱烃、硫后再装船运送至 GCMC 进行金属回收。

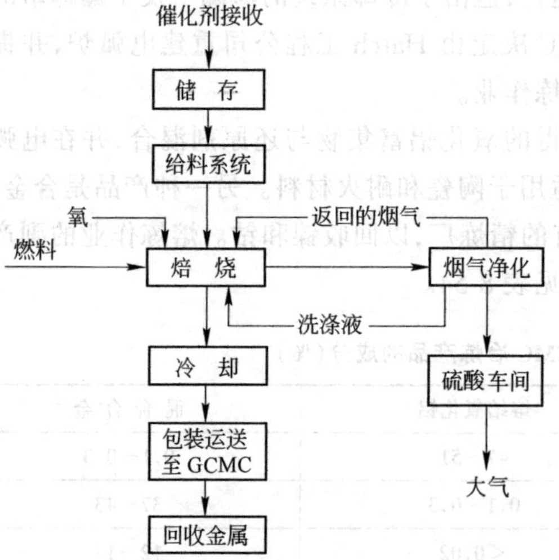

图 8-49　Sadaci 废催化剂的焙烧

Sadaci 工艺流程如图 8-49 所示。废催化剂以散装或集装箱形式进厂,工厂里有料仓给回转窑供料,回转窑的年处理能力达到了15000 t。煅烧作业温度为850～1100℃。由于废催化剂烃含量高,煅烧时所需燃料极少,主要通过加氧量来控制温度。煅烧中将硫以二氧化硫形式脱除,并将金属硫化物转化成相应的氧化物。之后产品经冷却、打包后装船运送至 GCMC。回转窑产生的烟气经洗涤器处理后送湿法静电收尘,然后再送硫酸工厂。

8.5.2.8　宾夕法尼亚州比尔冶金公司(Bear Metallurgical Company,BMC)的铁合金生产

位于宾夕法尼亚州巴特勒市的比尔冶金公司成立于1990年,并接管了最初由 Affiliate Metals and Minerals 公司运营的工厂。BMC 采用铝热、硅热还原工艺生产纯度为42%～80%铁钒和铁钼合金,利用该工艺可使 GCMC 应用金属氧化物在铁存在条件下还原得到铁基合金。BMC 还对多种合金进行了破碎、筛分、混合、打包和制粒的操作。

BMC 生产铁钒、铁钼合金的工艺如图 8-50 所示。BMC 的产品的规范详见表 8-55。

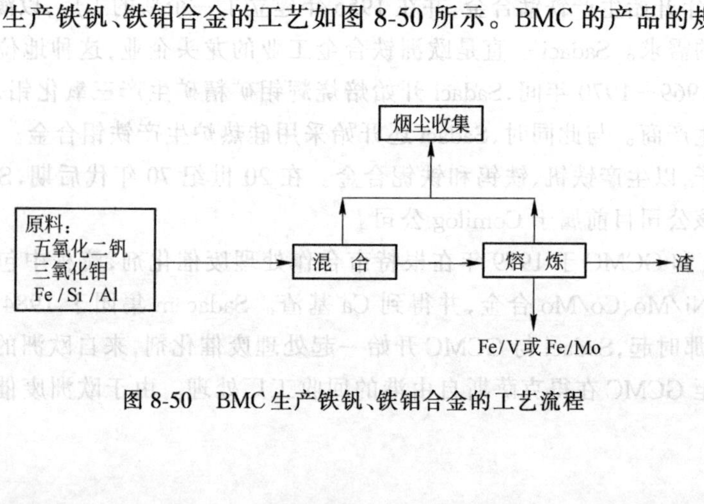

图 8-50　BMC 生产铁钒、铁钼合金的工艺流程

表 8-55　BMC 的产品的规范

80% 铁钒合金		铁钼合金		三氧化钼煤砖	
V	75%～80%	Mo	60.00%(min)	Mo	57.00%(min)
Al	2.00%(max)	Cu	1.00%(max)	C	0.10%(max)
C	0.75%(max)	C	0.10%(max)	P	0.05%(max)
P	0.08%(max)	P	0.05%(max)	S	0.10%(max)
S	0.08%(max)	S	0.15%(max)	Cu	1.50%(max)
Si	1.50%(max)	Si	1.00%(max)		

8.5.3　从废催化剂中回收钒、钼、镍和钴

随着中国石油和石化工业的迅速发展，废催化剂的产生量也在迅速增长。同时由于工业的发展，其他含钒、钼、镍和钴的工业垃圾(渣、泥等)都在大量产生，对这些废料如不进行适当处理，将会对环境造成严重威害。对中国上述含镍废料量的估计[139]如表 8-56 所示。

表 8-56　估计的含镍废料量

废　料	所含金属	估计数量/$t \cdot a^{-1}$	来　源
废催化剂	Mo,V,Co,Ni,Al	40000	石化、化工、树脂、精炼等工业
电镀工业	Ni	10000	电镀，半导体，表面涂敷
其他废料	Mo,W,Ni	1000	车灯，家电，金属抛光
Ni-Cd 电池	Ni,Cd,Co	5000	通讯，可充电电池
		合计　56000	

中国的石油精炼厂和石化厂主要集中在东北和东南沿海地区，它们约占全国生产能力的三分之二。表 8-57 中列出了一些重要的石油精炼厂和石化厂。

表 8-57　一些重要的石油精炼厂和石化厂

序号	工　厂	地址	处理能力/桶·d^{-1}			
			原　油	渣油焦化	催化裂解	催化重整
1	抚顺石油公司	抚顺	184800	35000	66000	23000
2	中石化齐鲁公司	齐鲁	160700	16000	46000	3000
3	中石化燕山公司	燕山	190800		48000	3000
4	中石化茂名公司	茂名	170700	12000	32000	3000
5	中石化金陵公司	南京	140600	12000	44000	3000
6	大连中国石油天然气公司	大连	142600		70000	3000
7	中石化镇海公司	镇海	160700	8000	28000	9000

续表 8-57

序号	工 厂	地址	处理能力/桶·d^{-1}			
			原 油	渣油焦化	催化裂解	催化重整
8	中石化高桥公司	上海	150600	10000	38000	4000
9	中石油大连公司	大连	100000		37000	14000
10	中石化扬子公司	扬子	120500	20000		21000
11	其 他		5364323	270825	899115	421316
12	总 计		6886232	383825	1308115	507316

中国约有 90 家以上石油精炼厂,但可用于资源回收的废催化剂量到底有多少,目前难以获得准确数字。各厂的产量和产生的废料量几乎是保密的,很少有报道。因此,也很难得到较准确的估计数。根据工厂的标称产能,估计目前中国内地 HT 和 HDS 催化剂的需求量为 4000～5000 t。新催化剂主要是由内地的一些生产厂(如抚顺、长岭、齐鲁、兰州、上海等地的工厂)生产的,其余从美国和欧洲进口。

催化剂是石化、塑料、重油裂化、喷气发动机燃料、柴油、汽油等工业生产所不可缺少的物质。碳氢化合物(HT 和 HDS)以及残留物的氢化脱硫(RDS)是将粗油转换成石油产品的主要加工过程。在加工过程中催化剂逐渐被杂质所污染,直到最终失效。此时,它们通常被看成是废料而从过程中取出。污染催化剂的杂质有石油焦、硫、钒和镍等,一般杂质的含量已不可能使其再生,若将这些废催化剂填埋,又是环境保护所不能容许的。

重油的残留物氢化脱硫(RDS)产生的废催化剂含有钼、钒、硫和钴,它们的含量足以经济地回收这些金属。这种废催化剂成分较复杂,需采用较先进的火法－湿法联合工艺来处理。目前,只有少数公司能处理这种废催化剂。

8.5.3.1 中国台湾富尔雅德工业公司

中国台湾富尔雅德(Full Yield)工业公司 1982 年在中国台湾南部建立了一家处理废催化剂的工厂。主要原料包括石油精炼、石化废催化剂,燃油发电厂的锅炉渣和灰等,该厂还用金属镍和钴产出一些精细化工产品。工厂处理的主要原料和主要产品分别见表 8-58 和表 8-59。

表 8-58 富尔雅德公司的主要原料

原 料	数量/t·a^{-1}	所含金属	来 源
加氢脱硫催化剂	7000	Mo,V,Co,Ni	中国台湾,东南亚,日本
PTA 烟灰	500	Co,Mn	中国台湾
燃油电厂锅炉渣	300	V,Ni	中国台湾
镍 粉	330	Ni(99.5%)	加拿大
钴 粉	10	Co(99.5%)	加拿大

表 8-59 富尔雅德公司的主要产品

产 品	数量/$t \cdot a^{-1}$	品位/%	销 售 地 区
钒 铁	400	V 80	中国台湾,东南亚,日本
氧化钼	360	V 55	中国台湾,日本
硫酸镍	1500	Ni 22	中国台湾,中国内地
醋酸钴	1200	Co 22,Mn 22	中国台湾
钒酸铵	120	NH_4VO_3 99.5	中国台湾,欧洲
五氧化二钒	120	V_2O_5 99.5	中国台湾,日本

中国台湾的这家企业获取了中国台湾环保部门颁发的“A”级废料许可证,并通过了ISO9002认证。

由于中国台湾既没有加入巴塞尔公约,又不是经济合作和发展组织成员,所以,中国台湾不能公开进口废催化剂以及其他废料用于资源回收,目前处理的物料是有限的,仅有当地产的约7000 t/a原料。加之劳动力、土地和原材料的成本都较高,使企业的进一步发展受到了限制,经过企业决策层的审慎考虑,选择了中国内地沿海的福建省泉州市作为新厂的厂址,投资约1000万美元,在泉州市泉港区南埔镇岭口工业区购买了10万m^2的土地,建立了一个新的废催化剂处理厂[140]。

8.5.3.2 泉州敬泰实业公司催化剂处理厂

A 原料组成

在泉州的新厂,设计为处理RDS(氢化裂解)废催化剂、HT(氢化处理和氢化精炼)催化剂、硫酸生产的钒催化剂,还可以处理钼精矿。

在泉州的新厂设计废催化剂的处理能力为15000 t/a,原料一半靠进口,一半由内地供应。设计的原料成分见表8-60,可以看出,设计的原料平均金属含量:Mo为5.4%、V为4.0%和Ni为2.4%。

表 8-60 设计的原料成分

原 料	数量/$t \cdot a^{-1}$	金属品位及数量					
		Mo/%	数量/t	V/%	数量/t	Ni/%	数量/t
RDS 60%	9000	4	360	6.5	585	2.5	225
HT37.5%	5626	8	450	0	0	2.5	140
$V_2O_5$2.5%	375	0	0	7.5	7.5	0	
总 计	15000		810		592.5		365

B 流程简介

流程的开始是简单的焙烧,然后磨矿。磨好的焙砂用10%～20%(体积分数)

过氧化氢浸出，Mo、V 和 Ni 或 Co 的浸出率都在 95% 以上。不溶的残渣主要含 Al_2O_3 和 SiO_2，脱水后可作为生产建筑用砖的材料。然后，将富液的 pH 值用碱调整至 0.5～2.5，加稀硫酸使 Mo 和 V 共沉，金属的回收率达 99% 以上。再后，添加苛性碱将 Ni 和 Co 的溶液 pH 值调整至 8.5～9.5，使 Ni 和 Co 沉淀回收。最后，对余留的残液进行离子交换处理，以彻底回收和除去溶液中的金属，离子交换后的溶液再经过一个简单的水处理系统的处理，最终的排放液完全可满足环保要求。工艺过程较简单，经济较合理，对环境影响小，可达到资源全部回收利用的目的。

a　物料准备

从各地来的废催化剂的成分变化很大，取决于催化剂的应用领域、精炼厂的操作条件以及催化剂自身的结构。通常，钒和镍的含量变化很大，因此，对不同的批料必须先干燥，再仔细混合后才能进行破碎和磨矿，以使成分比较稳定。物料的混合采用简单的螺旋混料机即可。首先根据分析的金属含量调整给料比例，使原料中的 Mo、V、Ni 大致保持在 Mo 5%、V 5% 和 Ni 2% 的比例。混合后的原料还可能含有若干碳氢化合物和水分，这会影响金属回收率，所以还必须经过去挥发物处理过程。该过程在一个回转窑中进行，操作温度为 300～350℃，物料停留时间约 3 h 就可完成去挥发物处理。窑中排出的物料约有 90% 的粒度在 0.1～3 mm 之间，再用球磨机磨至 0.294 mm（50 目）以下送下阶段处理。

b　浸出

有 12 个低碳钢制的密封浸出槽，每个槽的容积为 60 m^3，可处理约 1 t 的物料。批料的反应时间为 3～4 h，处理量相当于 50 t/d 或 15000 t/a。浸出剂为过氧化氢和苏打混合液，浓度保持在 H_2O_2 5% 和 Na_2CO_3 5～7 g/L。采用三阶段浸出，以提高浸出液中 Mo、V、Ni 的浓度。这些金属的浸出率直接关系到生产成本。试验结果见图 8-51。

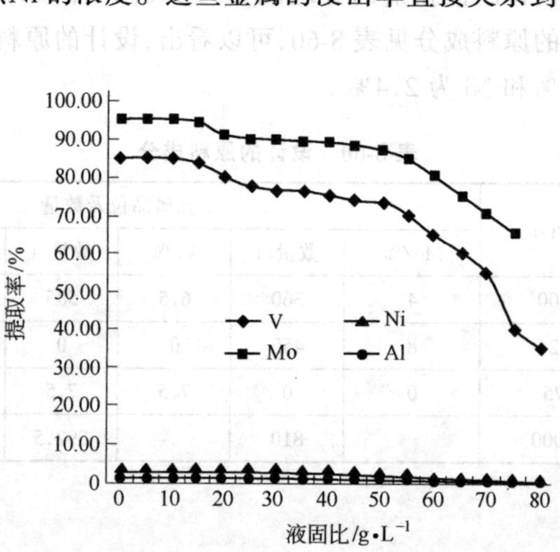

图 8-51　金属浸出试验结果

从图 8-51 可看出，Mo 的提取率约比 V 高 10%。当液固比为 5 g/L 时，V 的提取率约为 85%，当液固比为 45 g/L 时，V 的提取率下降到 75%，当液固比为 60 g/L 以上时，提取率下降很快。Mo 的提取率与 V 类似，当液固比为 20 g/L 时，浸出率达到了 92%，当液固比为 60 g/L 时，仍能达到 80% 的浸出率。Ni 和 Al 的浸出率都很低，当液固比为 5～20 g/L 时，它们的浸出率仅为 1.25%～2%。因此，浸出的液固比应保持在 20 g/L 左右。工艺中还采用了其他的一些添加物或反应剂，以提高 Mo 和 V 的浸出率。

c 钼和钒共沉

钼和钒的共沉技术比较复杂，为了获得较好的金属回收率，采用共沉法必须尽量提高浸出液中金属的浓度。研究了一些影响共沉金属回收率的因素，硫酸根离子即使浓度仅为 2～5 g/L，也会严重影响到 Mo 沉淀的金属回收率。因此，沉淀时必须周密考虑溶液的 pH 值调整和酸的选择。目前的工艺认为 HCl 是较好的浸出介质。此外，温度、pH 值以及混合方式等都将影响最终的金属回收率。最佳条件认为是：

pH 值	1.5～2.0
温度	80～90℃
搅拌速度	60～80 r/min
搅拌器叶片与浸出槽的直径比	1/3
可以达到的金属回收率	＞98%

d Ni 的回收和 Al_2O_3 的利用

钼和钒浸出后的渣主要含 Ni、Al_2O_3、SiO_2 以及其他物质，渣的成分如表 8-61 所示。

表 8-61 H_2O_2/Na_2CO_3 浸出后的渣成分

物　质	成分/%	备　注
Na_2MoO_4	0.2	干　基
$NaVO_3$	0.8	
NiO	1.0	
SiO_2	5～10	
Al_2O_3	85～75	

由于去挥发物处理温度控制在 300～350℃，镍的再结晶将导致较低的镍回收率，这是所不希望的，因此采用硫酸浸出来回收镍。镍浸出后用碳酸钠将溶液的 pH 值调整至 8.5～9.5，使镍以碳酸镍沉淀。碳酸镍干燥后以初级产品外销。留在滤液中残余的镍可用适当的树脂进行离子交换回收。往净化的硫酸铝溶液中加

硫酸铵,使硫酸铝生成明矾,经净化、干燥后外销。最终的固体残渣主要含 SiO_2,可用做建筑砖材料。

e 钼、钒分离

沉淀过程产生的共沉物主要是钒氧化物和钼盐,它们易溶于碱性溶液、苛性苏打和氨溶液。目前的工艺是采用氨溶液,这样可以节省钒盐所需的氯化铵,并尽量减少钼、钒产品中的钠离子量,否则还需单独净化。

在氨溶液中溶解完毕之后,往溶液中通氯气使 pH 值调整至 9.0～9.5,加 NH_4Cl 以生产 NH_4VO_3 沉淀。溶液主要含钼酸铵,先进行除磷处理,溶液加热到 65～70℃,加 $MgCl_2$ 以回收钼酸铵。溶液中痕量的钒可用离子交换法除去,除去率大于 99%。脱磷过程的滤渣含有 N、P 和 Mg 三种肥料成分,可作为肥料的生产原料。分离工艺主要反应过程如下:

$$4MoO_3 + 2NH_4OH \longrightarrow (NH_4)_2Mo_4O_{13} + H_2O \tag{8-12}$$

$$V_2O_5 + 2NH_4OH \rightarrow 2NH_4VO_3 + H_2O \tag{8-13}$$

$$R_3N + H_2O \rightleftharpoons (R_3NH)OH \tag{8-14}$$

$$(R_3NH)OH + (NH_4)_2SO_4 \rightleftharpoons (R_3NH)_2SO_4 + 2NH_4Cl \tag{8-15}$$

$$(R_3NH)Cl + NH_4VO_3 \rightleftharpoons (R_3NH)VO_3 + NH_4Cl \tag{8-16}$$

$$2(R_3NH)OH + H_2SO_4 \rightleftharpoons (R_3NH)_2SO_4 + 2H_2O \tag{8-17}$$

净化后的钼酸铵加盐酸沉淀,铝矾用稀硝酸洗涤,再进行 500～600℃ 的焙烧,最终产出高质量的氧化钼化工产品。

f 产品特性和销售

图 8-52 所示为敬泰实业有限公司泉州厂设计流程,工艺过程产出的各种产品列于表 8-62。所有产品都出口到环太平洋地区的一些国家以及欧洲。钼和钒的产品销售给催化剂生产厂,从而实现资源的循环利用。

表 8-62 敬泰实业有限公司泉州厂产品

产 品	分 子 式	数量/$t \cdot a^{-1}$	品 级	备 注
亚钒酸铵	NH_4VO_2	240	NH_4VO_2 含量大于 99.3%	产自废催化剂
五氧化二钒	V_2O_5	900	V_2O_5 含量大于 99.5%	产自废催化剂
钒 铁	TeV_x	1800	V 含量大于 80%	购进 V_2O_5 粉
钼酸铵	$(NH_4)Mo_2O_7 \cdot 2H_2O$	2400	Mo 含量大于 56%,低 Na,K	购进钼精矿
钼酸钠	$Na_2MoO_4 \cdot 2H_2O$	480	Mo 含量大于 39.5%	购进钼精矿
氧化钼	MoO_3	1125	Mo 含量大于 66%	产自废催化剂
钼 铁	$FeMo_x$	1800	Mo 含量大于 65%	购进钼精矿
硫酸镍	$NiSO_4 \cdot 6H_2O$	1600	Ni 含量大于 22%	产自废催化剂
铝 矾	$AlNH_4(SO_4)_2 \cdot 12H_2O$	30000	$AlNH_4(SO_4)_2$ 含量大于 99%	产自废催化剂

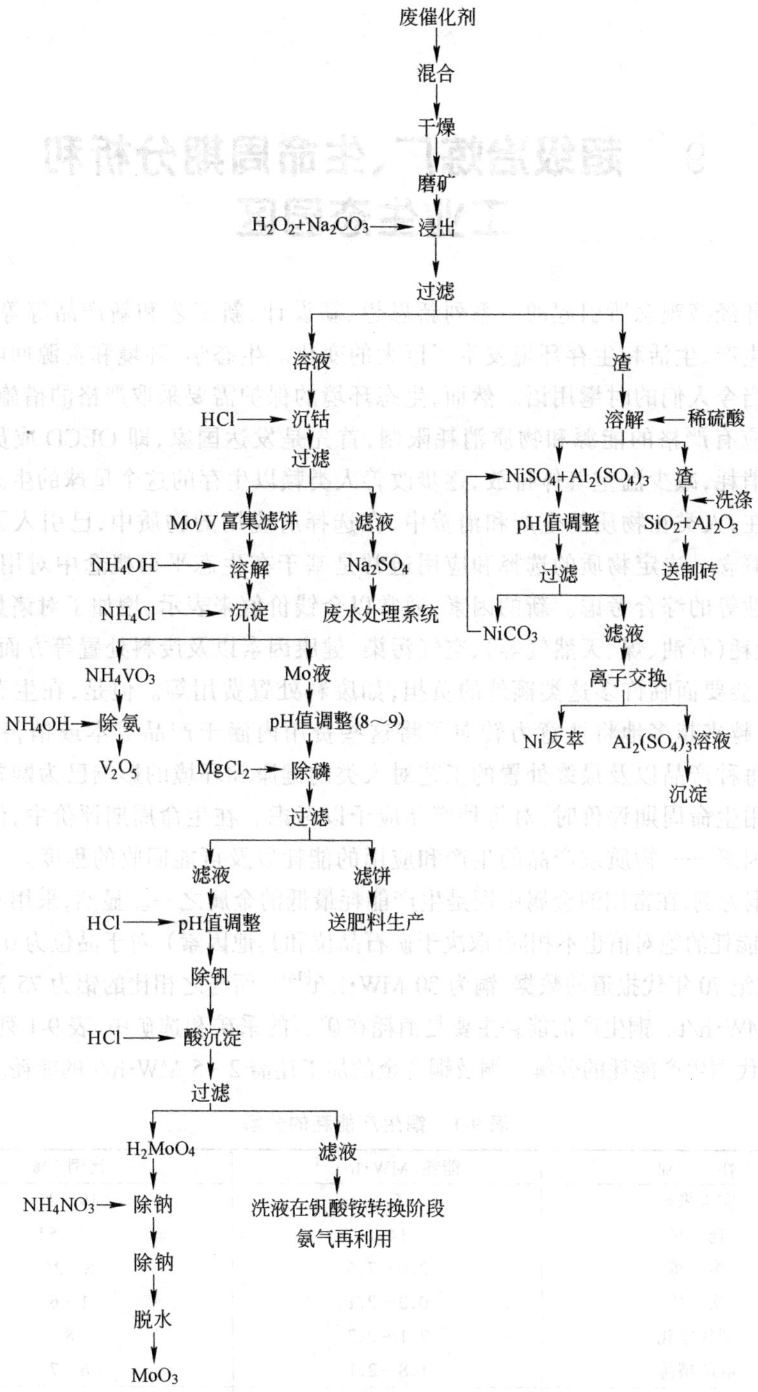

图 8-52 敬泰实业有限公司泉州厂设计流程

9 超级冶炼厂、生命周期分析和工业生态园区

循环经济观念所引起的一系列新思想、新设计、新工艺和新产品等等，使人类社会的生产、生活和生存环境发生了巨大的变化。生态学、环境和资源回收（循环）已成为当今人们的时髦用语。然而，生态环境的保护需要采取严格的措施，在世界范围内应有严格的能源和物质消耗限制，首先是发达国家，即 OECD 成员国应大力降低消耗，减少温室气体排放，逐步改善人类赖以生存的这个星球的生态环境。

现在，人类在物质的生产和消费中，在选择所应用的物质中，已引入了生态平衡这个概念。决定物质的选择和应用通常是基于在生态平衡概念中对用途、价格和耐用性等的综合考虑。新的因素，通常以金钱价值来表示，增加了对诸如土地的利用、能耗（石油、煤、天然气等）、空气污染、健康因素以及废料处置等方面的考虑。现在，社会要面临许多这类额外的负担，如废料处置费用等。但是，在生态平衡概念中，已越来越多地将注意力转向了将这些费用内涵于产品成本或销售价格中。制造的每种产品以及最终处置的工艺对人类的健康和环境的影响已为购置者所关注。采用生命周期评价时，对每种产品应予以考虑。在生命周期评价中，仅考虑两个衡量因素——物质或产品的生产和应用的能耗以及可能回收的程度。

以铜为例，在常用的金属中铜是生产能耗最低的金属之一。显然，采用不同的工艺，生产能耗的绝对值也不相同（取决于矿石品位和其他因素），对于品位为 0.5% 的矿石，20 世纪 70 年代报道的数据，铜为 30 MW·h/t[141]，而与之相比的铝为 75 MW·h/t，钢为 8 MW·h/t。铜生产的能耗主要是消耗在矿石的采矿和选矿中，表 9-1 列出 20 世纪 80 年代铜生产能耗的分解。铜及铜合金的加工还需 2～5 MW·h/t 的能耗。

表 9-1 铜生产能耗的分解

作　业	能耗/$MW \cdot h \cdot t^{-1}$	比例/%
露天采矿	6.6	19～25
选　矿	14.1	40～52
熔　炼	2.0～7.5	8～21
吹　炼	0.3～2.1	1～6
烟气净化	2.1～2.7	8
电解精炼	1.8～2.1	6～7
总　计	27～35	100

据20世纪90年代报道,火法炼铜的粗铜生产的平均能耗为22～27 MW·h/t。再生铜的能耗取决于废杂铜的纯度。清洁的废铜,仅需熔化,能耗大约为1 MW·h/t;需电解精炼的再生铜,生产能耗大约为6 MW·h/t,而需再冶炼的再生铜(复杂的火法和电解过程)能耗约为14 MW·h/t。

对于许多应用领域,铜特别是铜合金,利用废铜要比原生精铜更有利,此时铜的生产能耗强度为所采用的废铜的比例的函数。例如,在铜或黄铜汽车散热器的生产中,采用40%的废铜生产的铜材,能耗强度为20 MW·h/t,而原生精铜为30 MW·h/t。

9.1 超级冶炼观念

关于金属应用的可回收程度,文献[142]提出了一种观念,即金属的生产过程同时也是一种"人造资源"(包括金属及副产品)的过程。按照这一观念,设计了一种"超级冶炼方法"(Super Smelting Method, SSM)其观念模式如图9-1所示。

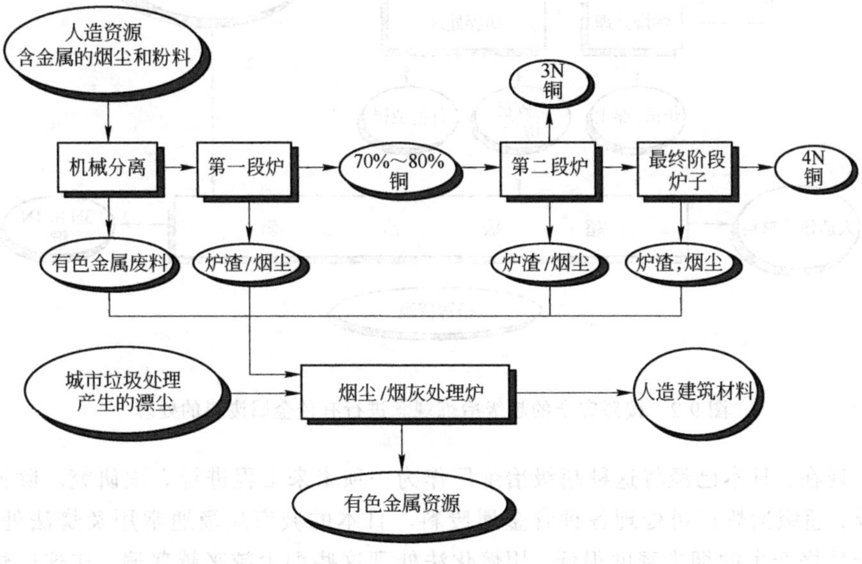

图9-1 超级冶炼观念模式

对铝来说,似乎是很好回收的候选对象,因为原生铝的生产能耗很高。如果再生铝能达到原生铝的纯度,与原生铝的生产相比,将节能90%以上。然而,要开发一种铝料生产纯铝的工艺很难。从热力学上来说,从铝中要除去亲硫(如铜)和亲铁(如铁)的元素是很难的。因此,大多数再生铝的纯度都不高,主要用做铸造器件和钢的脱氧剂。

鉴于这些问题,金属生产的方式应有所变化。人们需要更新观念,以回收金属及原生金属生产中产出的中间产品,在超级冶炼观念的基础上,提出了超级冶炼厂的模式(图 9-2)。超级冶炼厂(super smelter)的基本概念是开发一种新工艺,以用来接收“人造资源”进行物质生产。以铜为例,生产工艺由两部分组成:铜的回收系统和烟尘处理系统。如果已制定的条例鼓励回收和分离金属废料,再生铜的产量将进一步上升。当然,通常再生金属质量要差一些。超级冶炼厂应离废金属原料地近些,以尽量降低收集和运输成本。再生铜的质量目标为纯度 99.99% 铜,可用于生产管、杆和线材。

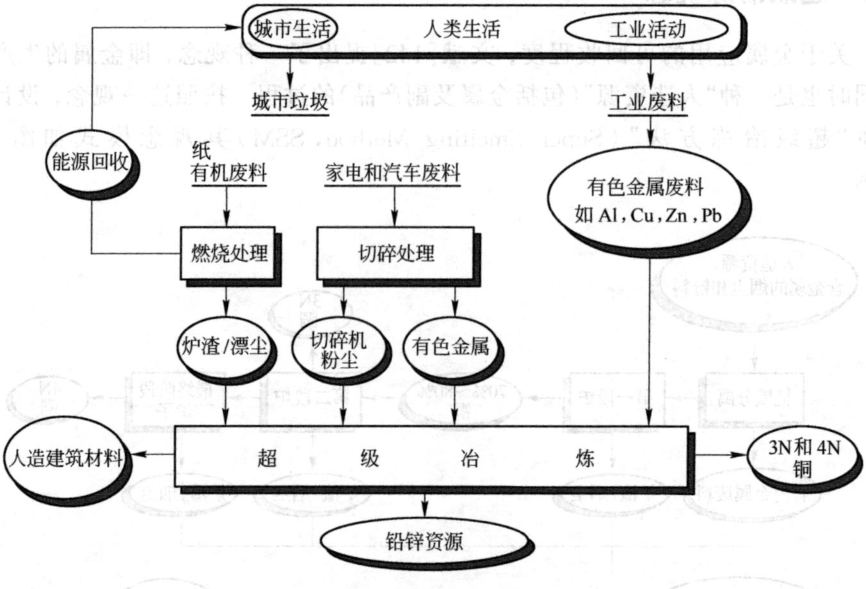

图 9-2　按照完全的超级冶炼观念进行有色金属废料的处理

现在，日本已经将这种超级冶炼厂作为一项未来工程进行立项研究。除回收铜外，超级冶炼厂可处理各种含金属废料。日本的城市垃圾通常用焚烧法处理，由于焚烧产生的烟尘密度很低，用熔化法处理这些烟尘越来越普遍，在这些烟尘处理过程中，最关键的是锌和铅的氯化物，因为它们很易挥发，趋向于再度变成飞灰。在焚烧过程中废气可能产生的二恶英也是一种有害化合物，这些二恶英也进入烟尘中，严重污染大气。因此，目前这项工程也包括了对二恶英生成的分析。

表 9-2 列出了超级冶炼工程近期的各项研究课题。一期工程在 1998 年完成，二期工程将建成工业试验厂。该项工程的财政费用由政府和工业界负担。

表 9-2 超级冶炼工程各项研究课题

铜	1. 铜废料处理的火法冶金物理化学(研究); 2. 低品位资源中铜的富集; 3. 铜废料的高效冶炼技术; 4. 从 3N 到 4N 铜的火法提取法研究
锌、铅	1. 从低品位原料中回收有色金属的热力学研究; 2. 从低品位锌废料中回收锌; 3. 从烟尘中回收金属和烟尘无害化处理
稀有金属	1. 从低品位混合稀有金属废料中回收金属; 2. Ni-Cd 和 Ni-H 电池回收技术; 3. 从 Ga-As 半导体废料中回收技术
能　源	1. 用液化天然气法(LNG)从有机废料中回收能源; 2. 开发切碎机碎屑(shredder duster)热能的回收和二恶英的分解技术

9.2 环境效益评估

与生命周期评价的概念接近,Tomohiko Sakao 等人[143]提出了一个评价某项生产技术或工艺的新概念,即所谓的"环境效益评估"(environmental effect estimation),其核心是引入了"总物资消耗"(total material requirement, *TMR*)的评估。*TMR* 由以下方程式决定:

$$TMR = S(DMI) + S(IMI) + S(HMF) \tag{9-1}$$

式中 *DMI*——进入工业经济的直接物质收入(direct material input);

IMI——间接物质收入(indirect material input),*DMI* 与 *IMI* 的和是所谓的"物品物质流"(commodity material flow);

HMF——隐性物质流(hidden material flow),对于 *TMR* 是一种不可缺少的概念,是推动或扰乱经济活力的物质量,它不包括在物品物质流中。例如,在采矿中它不包括剥离的岩石和损坏的植物。

TMR 评估不能取代生命周期评价,但它是生命周期评价中最主要的部分。

图 9-3 为 *TMR* 应用的解说图,图中 TMR_{lc}、TMR_{mt}、TMR_{mf}、TMR_{us}、TMR_{dp}、TMR_{rc}分别表示材料产生、加工制造、应用、废物处理和循环阶段所需的物质和能量的总物资消耗(*TMR*)。*R* 也表示循环率,对于一个生命周期 TMR_{lc} 可由方程式 9-2 得出:

$$TMR_{lc} = TMR_{m} + TMR_{mf} + TMR_{us} + TMR_{dp} + TMR_{rc} \tag{9-2}$$

例如,某项新技术的效益是由方程式 9-3 来决定的。式中,TMR_{lc}(tr)和 TMR_{lc}(nw)分别表示采用的或未被采用的技术的 TMR_{lc}。

$$新技术的效益 = TMR_{lc}(tr) - TMR_{lc}(nw) \tag{9-3}$$

图 9-3 为一种产品的生命周期中的总物资消耗关联示意图。

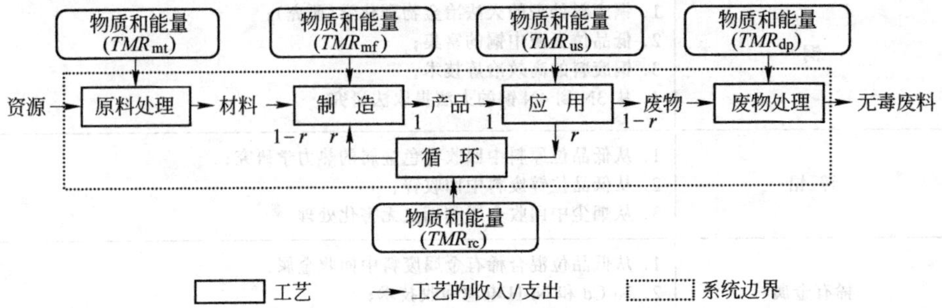

图 9-3 对于一种产品的生命周期中的 *TMR*

表 9-3 仅列出了一些物质采掘过程的总物资消耗值的估算实例，从表中可以看出铜的采矿总物资消耗值最大。

表 9-3 估算的 *TMR* 值

项　目	*TMR* 值	单　位
铁　矿	5.1	t/t
铜　矿	300.0	t/t
木　材	5.0	t/t
煤	12.4	t/t
石　油	9.3	t/t
电(日本)	0.49	kg/MJ
混合废料	15.0	t/t

9.3 金属及材料生态学概念中的冶金和回收[144]

9.3.1 金属及材料生态学概念

关于现代消费中废品、建筑废物以及其他制造业商品废物等的回收，如果将整个回收系统看做是一个闭环，就可以使回收达到最佳化。作为一种控制理论的经典示例，它的方法论关系到经济、法规、自然、产品 建筑设计、物理和化学分离手段等等，这就是一种典型的工业生态学、可持续性科学的演示。

如图 9-4 所示[144]，由工业生态学的象征说明连接起来的三个相互关联的环是：

(1) 金属、材料和产品系统的生命环；

(2) 技术和产品设计环；

(3) 资源环。

图 9-4 简明地演示了现在人们所普遍认识到的工业生态学。图 9-4 中各环的交叉点(小球)是未来要研究的激活领域,这种研究必须从系统工程的前景来分析,要从社会的支柱行业,如金属和材料领域着手。这需要将机械回收和冶金过程、生产系统与产品/建筑设计,以及经济、环境影响、金属和材料流向自然和地下水的物流,乃至法规等多方面知识结合起来。研究的目的是为社会可持续发展提供技术解决办法,以及为可持续发展提供应建立的科学和工程基础的方向。

工业生态学的基本原则是物资的循环利用——自然生态系统的本质。对于金属或别的材料,研究或制作在某一领域或全球应用的循环回路(环)及其效应,这就是生态学,对金属而言,就是金属生态学。环的机构包含复杂的技术关系、产品变革、产量、回收技术的开发、废料处理、相关的政策和法规、向环境的排放等因素。

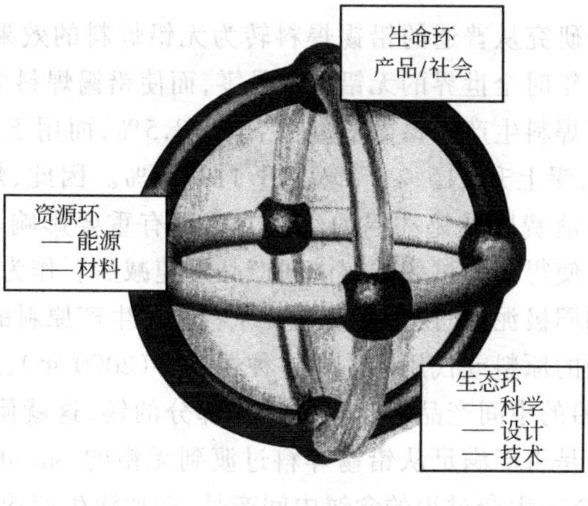

图 9-4 矿物和金属工业生态学示意图

9.3.2 动态回收系统模拟

迄今为止,关于废旧物资回收系统的基础理论研究还很少,M.A.Reuter 教授等人[144]对废旧汽车的回收系统做了研究工作,制作了一个动态回收系统模型,计算了回收率。由于汽车机构成分随时间的变化及成分的多样和复杂性,也带来了回收的复杂性。这包括许多工艺的集成和能量、材料的物流状况,而且还应当遵循欧洲委员会法规所制定的回收目标,以提高汽车材料环使用效率,这当中经济是驱动力,要求对影响材料闭环的所有因素(动态、技术、产品设计、经济、法规等等)以及它们的相互关系都要有透彻的了解。这些与时间有关的汽车的设计和回收的复杂关系,最好是通过动态模拟来分析,并使之最佳化。

9.3.3 金属动态系统模拟

为了研究电子产品所用的材料的影响，研究了一个复杂的 Matlab ® SimulinkTM 模型。例如研究无铅焊料应用的作用，则需要大量的电子公司的情况，这就需要建立一个相互关联的动态系统模型。它包括：

(1) 所涉及到的主要金属的生产系统；

(2) 建立静态和动态的模型，通过相关的动态模型的数据为生命周期分析提供环境评价结果；

(3) 相关金属工业的废料基本结构和生命终结产品的处理工艺；

(4) 法规在模型中产生的现在和将来的阻力和机遇；

(5) 从法规角度提出生命周期分析方法，以保证法规不会妨碍甚至损害工业生态体系的建立。

该模型可用于研究从普通的铅锡焊料转为无铅焊料的效果。假设以 2000 年为基础年，在 2000 年时全世界的无铅焊料是零，而使铅锡焊料全部变为锡锌铋(无铅)焊料，则每年用焊料生产的铅需求量将下降 98.5%，而用于焊料生产的锌需求量将上升 100.1%，锡上升 115.2%，铋上升 1190.6%。因此，焊料成分的改变对中间产品的供应和消费以及铋和锡的生产方法都有重要影响。由于铅的消费下降，铋的生产上升，使得目前过剩的铋中间产品迅速减少。作为铅生产的中间产品(克劳尔顿浮渣)和阳极泥，是铋生产的主要原料。铋生产原料的减少，使得铋的生产者不得不寻求新的原料或代用品。在这种情况下(2000 年)，从其他中间产品中获得的铋原料，与铅的中间产品相比仅占很少部分的铋，这就使人们产生疑虑，这些含铋的中间产品是否能满足从铅锡焊料过渡到无铅的 SnZnBi 焊料的需要。因此，必须寻求其他金属生产过程的含铋中间产品，例如锡生产的中间产品。这个例子就说明一个关联问题：要在焊料中用铋取代铅，而铅生产的中间产品却是铋生产的主要原料。在模型中，解决这个难题的方法是假定已找到了新的铋资源，使模型不会受铋资源缺乏的影响。

9.4 生命周期分析

9.4.1 概述

当前，人们常说的金属的循环(如铝、镁、铅、锌、镍和铜等)对“可持续发展”起正面作用的“三极”是指环境保护、经济发展和改善社会效益。

再生金属生产可明显降低能耗，例如再生铝较之矿原提取可节能 95%，镁和铅为 80%，锌为 75%，铜为 70%。

怎样评估环境的“可持续性”或循环的价值？一个办法是研究对自然环境的影

响。例如,循环过程对地域植被、湿地和野生生物的影响。然而,这种研究相当费时而困难。因此,研究重点应放在与循环有关的活动能提供多大的可持续发展的前景。当然,要弄清循环活动对局部环境影响作用的大小(如酸雨和烟雾生成的作用)是困难的。同样,要弄清对全球环境参数的影响,如对臭氧消耗和气候变化的影响,也是现今的科技水平所难以做到的。

为了评估环境的可持续性,一个边缘的方法是所谓"生命周期调查分析评估法"(life cycle inventory assessment)。这些分析包括有关的全部资源的消耗和对自然环境排放物量化,金属产品的生产或回收,以及有关的金属产品的应用,如金属容器、用于航空和交通车辆中的金属部件等。生命周期调查(LCI)将对能源、水和资源消耗提供数量综合指标,也就是对某种产品从其"Cradle"(摇篮、产生或起源地)到处理、回收乃至再循环有关的主要废料、水耗和空气污染等全部指标的量化。

应当指出,废料的收集和再熔炼(对金属回收而言)对任何生命周期评估都是最基本的部分。在进行生命周期分析调查时,对每种重要的资源消耗和对环境的排放都要收集起来并量化。表 9-4 列出对 1000 个铝饮料罐的生产、消费和回收的典型综合分析结果[145]。

表 9-4 1000 个铝饮料罐的生命周期分析结果

能耗/MJ	工艺能耗	3227
	运输能耗	410
	原料能耗	414
空气污染物/kg	颗粒	0.45
	SO_x	1.4
	NO_x	1.0
	CO	1.1
	CO_2	24.5
	有机物	0.64
	氟化物	0.01
	氯化物	0.02
水污染物/kg	总固体	14.5
	油/油脂	0.0091
	氟化物	0.0001
	总铝	0.0014
	其他金属	0.015
	有机物	0.013
	BOD	0.22
固体废物/kg	与工艺有关的	36.8

生命周期分析越来越多地被金属和其他的物质产品的消费者、管理人员和政府部门用来全面评价综合环境效应。例如，最近美国环保局评价综合城市固体废料管理办法中的相关费用和环境负荷时，采用了“原铝和再生铝、玻璃、纸张、塑料和铜铁产品的生产数据系统”。

9.4.2　金属循环的生命周期分析

当有了一些能耗、废料生成、水和空气污染等的有关数据时，如何评估环境保护、环境可持续性和自然环境呢？

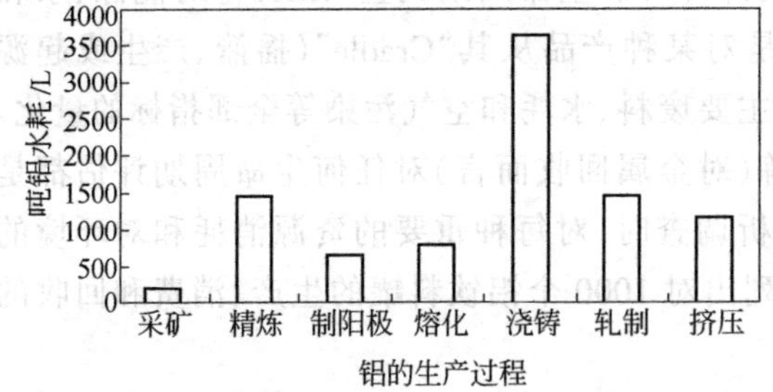

图 9-5　铝生产中的水耗

首先，要尽量寻求在其生命周期内产生的污染轻而自然资源消耗少的产品。不同产品所造成的各种环境负荷有高有低，即便对“纸或塑料”来说，解答这个问题也是很复杂的。较为有用的办法是列出生命周期清单，通过技术进步使污染和资源消耗得到最大减量化。图 9-5 表明，在铝的生产中耗水最多的是铸锭阶段。在铸锭阶段降低水的消耗对生命周期中水的消耗部分影响最大，这对缺水地区特别重要。

最近北美汽车生产者的一项研究表明，车辆的运行超过 20 万 km 以后，使用小汽车或轻型卡车产生的温室气体排放总量将大大超过原材料生产、组装、维修乃至报废时的总和(图 9-6)。因此，降低汽车运行的燃料消耗具有重要的意义。

研究表明，再生金属的生产要比原生金属的生产大幅度节能。镁压铸件生产中循环镁的应用比例(%)节能情况如图 9-7 所示。

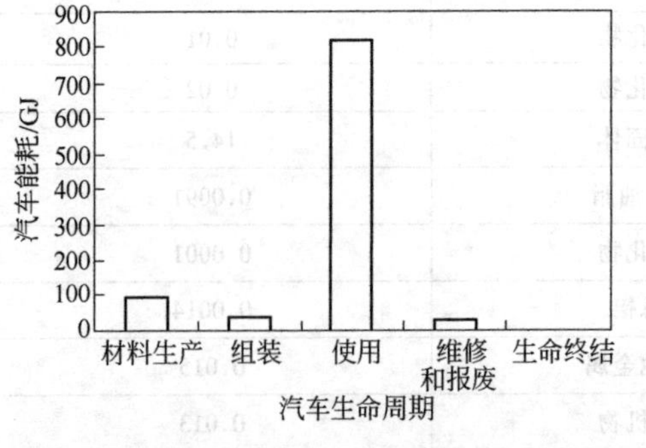

图 9-6　汽车生命周期中的能耗

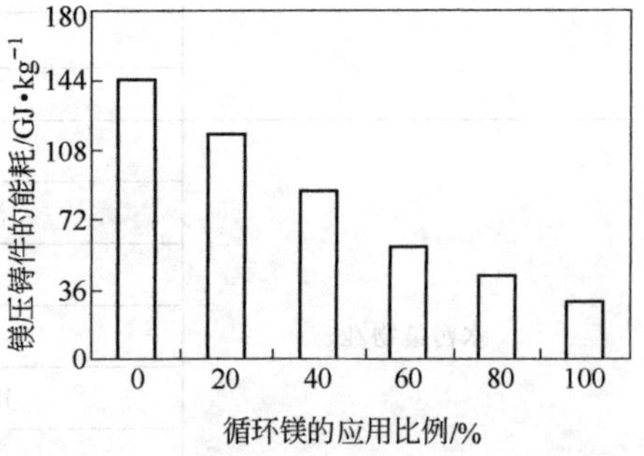

图 9-7　镁压铸件生产中循环镁的节能情况

回收对镁的压铸部件生产、应用和回收有关的整个生命周期温室气体排放会带来好处，图 9-8 表明从原镁部件"一次生命周期"和从原部件回收的金属部件的后续生命周期中的等值 CO_2 生命周期的排放量比较。

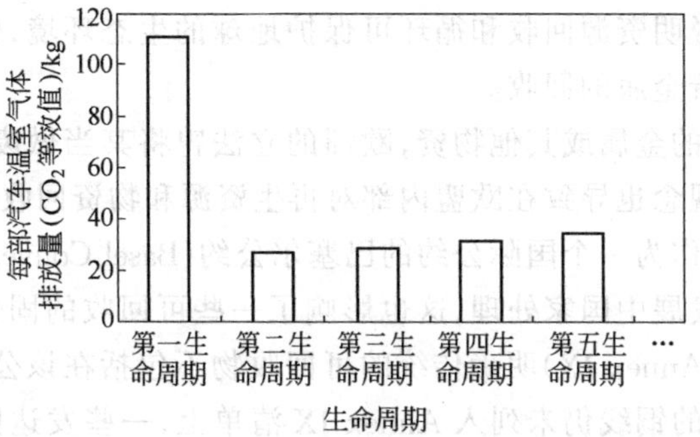

图 9-8 温室气体排放关系

9.4.3 金属循环的价值

如上所述，除环境保护外，可持续发展还应考虑经济发展及社会影响和效果。金属产品具有耐久性、使用寿命长、经济和社会效果好的特点。例如，铝的回收金属具有较高的价值，有助于汽车经济的发展。城市回收物的市场价格见图 9-9。

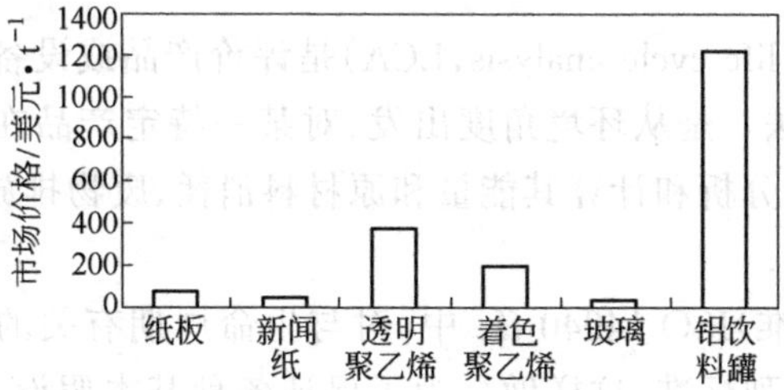

图 9-9 城市收集废料的市场价格

废料市场价格波动，金属的回收会对物资回收部门的主要收入来源产生影响。如上所述，还需要看支撑可持续发展的社会效果。例如，由于生活水平提高，使用制冷设施可为人们提供存放食物和适宜的温度条件，从而对人们的健康有好处。

同样，收集和回收还有其他许多好处，如减少了垃圾的填埋量和废料的堆积量，改善了空气质量，也可提供一定的劳动就业机会。

此外，回收还可以减少甚至消除在产品寿命终结时可能出现的任何危险。这一点对金属的回收特别重要，这不但是因为其回收价值高，而且因为金属具有耐久性，若长期在自然环境中堆存，由于其难以降解，因此就可能污染地下水。由此可见，回收才是保证未来金属资源的可持续性的关键。

9.4.4　管理和趋势

许多论据已说明资源回收和循环可保护地球的生态环境，但一些不适当的法规和条例却妨碍着金属的回收。

例如，被回收的金属或其他物资，欧洲的立法曾将其当做废料，是可丢弃的物质。这种错误的观念也导致在欧盟内部对再生资源和物资回收工作的限制。另一个类似的情况是，作为一个国际公约的巴塞尔公约(Basel Convention)，竟然禁止将有害物质转运到发展中国家处理，这也影响了一些可回收的固体废料的回收。幸亏所制定的附件(Annex IX)明确传统的可回收物不包括在该公约内。尽管如此，某些物资，如绝缘的铜线仍未列入 Annex IX 清单上，一些发达国家仍限制其销售给发展中国家。

美国各州及有关部门鼓励金属回收，包括各种电子废料、包装材料、车辆部件、建筑物以及其他产品中的废金属。例如，某金属产品年市场增长率为 5%，理论上对于耐用产品来说，用过的废品率不可能超过 0.50(50%)。的确，应掌握金属产品的不同特点和市场动态。回收金属废料不仅在经济、环保和社会效益方面具有重要的意义，而且能增强金属资源的“可持续性”。

9.4.5　有关生命周期分析的几个名词的定义

生命周期分析(life cycle analysis, LCA)是评价产品或设备“从摇篮到坟墓”的环境特性的一种方法。是从环境角度出发，对某一特定产品在其全部生命期内的各种产物进行测定、分析和计算其能量和原材料消耗、废物排放以及其他一些重要的影响因素。

在 EN(欧洲标准)ISO 14040 ff. 中，对与生命周期有关的所有活量都进行了标定，并制定了一系列标准，这样做是为了保证各种基本假设、特别是在与其他研究和材料对比时的公正合理性。

LCA 的第一步是生命周期清单 (life cycle inventory, LCI) 分析[146]，确定整个过程的物质和能量的收入和支出。在生命周期分析中，必须将一个工艺体系或生产过程的若干阶段归之为某产品的生命周期范围，加上它们的关联要素，对每一工艺阶段都必须做物质和能量平衡；然后再对环境影响进行环境效果评价(LCIA)，其目的在于了解和评价某一产品系统潜在的环境影响和重要性；最后，LCA 可说明改进的可能性和方向。

LCI 即生命周期清单，是生命周期分析的起点，生命周期清单分析包括对某一给定产品系统整个生命周期中收入和支出的汇集和列数(表)。这种 LCI 主要指对从工业和管理部门获得的相关信息以及近期对现场的调查、各种已报道的可信的资料和数据进行汇集。

LCA即生命周期评价(life cycle assessment,LCA),这是生命周期分析的第二步,定义为对某一给定产品系统整个生命周期中收入和支出的汇集和环境影响的评价。

ISO 14040 ff. 标准中的生命周期分析(或评价)始于20世纪70年代初,最初是用于研究生产过程的能耗,后来又增加了排放物对环境的影响和原材料消耗的内容。生命周期分析被认为是一种对环境影响最全面的分析方法。

欧洲毒物学和化学协会(SETAC)颁布了一个操作标准,已被普遍认可,它包括一系列的指南和准则。现在,EN ISO 14040－14043被视为LCA标准,国际上也认可这些标准可作为生命周期评价准则,1997年制定的标准被视为对环境问题及潜在的影响评估的框架文件。

LCA主要是用于不同系统进行可操作性、可比性的环境影响评价,可包括两种相互竞争的产品或工艺的环境效益比较。

LCA主要由下列四种活量(要素)组成:

(1) 目标定义(EN ISO 14040)。确定评估的基础和范围。

(2) 清单分析,LCI (EN ISO 14041)。建立一个工艺框架,在框架中标出从原料提取到废水处理等各个过程及相互的关联,包括物质和能量平衡(计算所有消耗和排放物)。

(3) 影响评价,LCIA(EN ISO 14042)。说明消耗物和排出物的环境影响,组合和衡量环境效益。

(4) 改进的分析和说明(EN ISO 14043)。确定改进和提高的范围。

9.4.6 影响范畴

生命周期分析常用的六个标准范畴包括:

(1) 应用的能源和资源。一次能源(PE)。

(2) 气候变化。全球变暖趋势(GWP)。

(3) 臭氧层的破坏。臭氧消耗趋势(ODO)。

(4) 光化氧化剂的生成。光化氧化剂的生成趋势(POCP)。

(5) 土地和水资源的酸化。酸化趋势(AP)。

(6) 富营养化。富营养化趋势(EP)。

目前,关于金属的毒性影响的标准范畴还没有制定出来。

9.4.7 生产工艺分析

按照生命周期影响范畴,生产工艺包括金属生产的全过程及其影响范围。下面以铜镍生产作为金属生产生命周期分析实例，背景是澳大利亚[147]。

9.4.7.1　生命周期分析方法学

生命周期分析方法学分为以下四个阶段：

(1) 目标的确定和锁定阶段，说明选定研究的目标和范围，确定有关的应用目的；

(2) 数据收集阶段，计算出进入和离开系统的物质和能源收支量；

(3) 影响分析阶段，对可能影响环境的因素进行分析；

(4) 改善措施评估阶段，确定可能的改善领域。

目标确定和锁定的重要问题之一是决定所需研究的对象(系统)，这对生命周期分析来说是有意义的关键一步。尽量做到制定出能用于拟定边界的"判定准则"，尽管这些准则仍允许很大的随意性。这些准则一般是基于系统中组分对总能耗、总物质消耗和"环境关联"的影响大小(所占比例)。根据物质消耗判定的准则，可能是最常用的，不包含辅助原料，例如在单元作业中分量在5%以下的辅料和整个物质系统中比例小于1%的那些辅助原料。在生命周期分析中，还有一种常用的做法是略去设备制造和工厂建筑所需消耗的那些物质和能源。另一个理由是这些消耗也是难以精确计算的。因此，需要一种逐步逼近法，例如，煤的生产需消耗钢和电力，而电力的生产又需消耗煤和钢。在生命周期分析中，所包含的总消耗只涉及自然存在物质(资源)。

引入生命周期分析中的数据的可获得性是一个重要问题。的确，数据收集阶段是生命周期分析最费时和费钱的阶段。如果是来自真实工厂的测量值(这样的数据通常是保密的，没有公开的资料)，很适合于生命周期分析应用。另一方面，由过程(工艺)模拟得出的物质和能量平衡也可作为生命周期分析的数据来源，这对于新的工艺设计是有特别意义的。

生命周期分析调查阶段最常出现的一个问题是，当有一种以上的有用产品时，收集到的调查数据采用分摊准则。简单的分摊方式可以根据物质(量)、体积、能量或经济数据来进行。最普通的做法是以物质基数为准。一种改进的方法是在共同产品中边界变量为分摊原则，即在共同产品物流中各种变量以过程工艺排放物的影响为准。

对调查结果按环境问题类型分类，要定量地分析出每种影响因素的比例。这里引入一种因素等效值的概念，这些因素表明某一物质与参照物相比对环境的影响到底起多大作用。通常考虑的某些环境影响包括：

(1) 全球变暖。确定 1 kgCO_2 的影响关系。

(2) 酸化。确定 1 kgSO_2 的影响关系。

(3) 光化氧化剂的生成。确定 1 kg 乙烯的影响关系。

(4) 营养作用。确定 1 kg 磷酸盐的影响关系。

(5) 资源消耗。确定对世界资源储量的影响关系。

每一种调查数乘以相应的等效因素和获得的每种影响物的累计得分,这一阶段的结果可看做是该系统的环境概貌。全球变暖和酸化的累计得分可分别看做“全球变暖潜在物”和“酸化潜在物”。每产出 1 kg 金属的 GWP 和 AP 值可用来比较各种工艺情况,这里采用的等效因素是:

全球变暖潜在物:	CO_2	1
	CH_4	21
	N_2O	310
酸化潜在物:	SO_2	1
	NO_x	0.7
	HCl	0.88
	HF	1.6

为了便于数据的储存、检索和与生命周期分析进行相关的处理,(澳)联邦科学与工业研究组织(Cmmonwealth Scientfic and Industrial Research Organizations, CSIRO)矿物所开发了一种软件程序。该程序可使用户迅速地制定出某种工艺的生命周期分析工程清单,对每一工序都有单独的计算表。一个工序的排放物要引入下一工序的计算,直至最后一个工序,最终可计算出工艺的排放物总量。然后计算出该工艺的全球变暖趋势和酸化趋势,并得出各工序在整个工艺中的排放物比例。程序选择还包括燃料类型、发电效率、电力输送方式以及燃料的热值等。

9.4.7.2 研究范围

由于严格的“摇篮到坟墓”生命周期分析法的复杂性和缺乏有效的数据,所介绍的研究系统的边界仅限于“摇篮到出口”,即这些工艺只考虑到可用于二次制造业的精金属。生命周期分析的这种有限形式对生命周期中工艺阶段环境影响的比较是很有效的,假定生命周期中的产品阶段与工艺阶段二者相同。

表 9-5 给出了选定的矿物加工方法,包括两种金属的火法和湿法加工处理。所有方法都包括采矿(除镍红土矿外,均为地下采矿)和选矿阶段,冶炼中还包括制酸。

表 9-5 研究中考虑的加工方法

金属	给料	加工方法
镍	硫化矿(2.3% Ni) 红土矿(1.0%Ni)	闪速熔炼和谢里特高登法加压酸浸和 SX/EW
铜	硫化矿(3.0%Cu) 硫化矿(2.0%Cu)	熔炼-转炉吹炼-电解精炼 酸堆浸和 SX/EW 法

拟定了每种工艺的总流程并用来建立各种生命周期分析对照表模型。通常一种总流程要包括 3~5 个加工阶段,例如采矿、选矿、冶炼和精炼。参照以前选定的

准则消除一些辅助原材料的消耗，如浮选中的药剂。表9-6列出了有关的数据，为了简便起见，忽略了一些对GWP和AP影响不重要的数据，如水的消耗。

表9-6 应用的物品清单相关数据

工艺	物品清单				来源
	项目	能源	数量	单位	
选矿、闪速熔炼和谢里特－高登法精炼	矿山	柴油	0.002	t/t(矿)	Westcott & Holl(1993)
		电	13	kW·h/t(矿)	Molinia(1993)
	选矿厂	电	35	kW·h/t(矿)	Wright(1993)
	冶炼厂	油	0.60	t/t(精矿)	Ozberk et al(1986)
		煤	0.065	t/t(精矿)	Ozberk et al(1986)
		氧	0.148	t/t(精矿)	Slater(1990)
		电	0①	kW·h/t(精矿)	Slater(1990)
	精炼	氨	0.637	t/t(Ni)	Dasher(1976), Hoppe(1977)
		氢	0.070	t/t(Ni)	Dasher(1976)
		天然气	0.370②	t/t(Ni)	Dasher(1976)
		电	2900	kW·h/t(Ni)	Dasher(1976), George(1985)
加压酸浸和溶剂萃取、电积	矿山	柴油	0.001	t/t(矿)	Nilsson(1992)
		电	5	kW·h/t(矿)	Nilsson(1992)
	加压浸出	天然气	1.95③	t/t(Ni)	Blanco & Holliday(1981)
		石灰	3.0	t/t(Ni)	Taylor & Cairns(1997)
		硫	10.35	t/t(Ni)	Taylor & Cairns(1997)
		电	3581	kW·h/t(Ni)	Salinovich & Strachan(1995)
	萃取、电积	电	4070	kW·h/t(Ni)	Salinovich & Strachan(1995)
选矿、熔炼、吹炼和电解精炼	矿山	柴油	0.002	t/t(矿)	Westcott&Holl(1993)
		电	13	kW·h/t(矿)	Molinia(1993)
	选矿厂	电	37	kW·h/t(矿)	Krishnan(1993)
	冶炼厂	油	0.0003	t/t(精矿)	Edwards(1998), Fountain et al(1983)
		天然气	0.057	kW·h/t(Cu)	Krag et al(1993)
		煤	0.025	t/t(精矿)	Edwards(1998), Fountain et al(1983)
		石灰石	0.026	t/t(精矿)	Edwards(1998), Fountain et al(1983)
		氧	0.106	t/t(精矿)	Biswas(1994), Davenport et al(1993)
		电	430	kW·h/t(Cu)	Rich(1993)
	精炼	电	300	kW·h/t(Cu)	Biswas & davenport(1994)
		蒸汽	0.23	t/t(Cu)	Hoey et al(1987)

续表 9-6

工 艺	物品清单				来 源
	项目	能源	数量	单 位	
酸堆浸、溶剂萃取、电积	矿山	柴油	0.002	t/t(矿)	Westcott & Holl(1993)
		电	13	kW·h/t(矿)	Molinia(1993)
	破碎	电	2	kW·h/t(矿)	Krishnan(1993),Wright(1993)
	浸出、萃取、电积	电			
		L&SX	2500	kW·h/t(Cu)	Paschen et al(1991)
		EW	2000	kW·h/t(Cu)	Biswas & Davenport(1994)
		蒸汽	0.23④	t/t(Cu)	Hoey et al(1987)
		硫酸	0⑤	t/t(Cu)	Taylor(1996)

① 假定冶炼厂自供电;② 假定包括蒸汽生产;③ 总能和电能之差;④ 假定与电解精炼相同;⑤ 假定过程产生的酸循环。

这里,应用CSIRO矿物所开发的生命周期分析软件程序可得出各工艺的生命周期三废(气、水和固体)排放量的相应数据,但仅限于对温室和酸雨有影响的那些环境有害物。

9.4.7.3 前提条件

表 9-5 所列的加工工艺所做的生命周期分析是以下列假定为前提的:

(1) 矿山、选厂、冶炼和精炼厂都是近邻,厂部间的运输可忽略不计。

(2) 矿山设备使用柴油,采用火车(内燃机)运输方式,距离为 500 km。

(3) 煤和焦也由铁路运到冶炼厂,距离为 500 km。

(4) 发电以黑(black)煤作为燃料,电厂效率为 35%。

(5) 酸厂 SO_2 回收率达 99%。

(6) 所有辅助原料,或就地生产(如氧),或附近产出(如石灰石和硅石),运输可忽略不计。

(7) 总回收率(矿石到金属),对铜火法和湿法,分别为 91% 和 65%,对镍分别为 78% 和 92%。

(8) 不同工艺产出的金属产品,其纯度等同。

(9) 本研究采用的温室和酸雨气体因素(系数)取自澳大利亚国家温室气体调查委员会和国家温室气体调查指南。

(10) 不同运输方式的燃料消费值取自交通部门公布的标准。

9.4.7.4 结果

按总(或全周期)能耗、全球变暖趋势和酸化趋势值,计算的结果列于表 9-7。这些结果表明,镍生产的能耗高出铜的数倍,湿法工艺(包括溶剂萃取和电积)的能耗和全球变暖趋势值，两种金属都高于火法。图 9-10 和图 9-11 分别表示铜和镍生产中不同阶段在总全球变暖趋势值中的比例。铜的火法和湿法冶炼酸化趋势值基本相近，而镍的湿法冶金酸化趋势值要比火法低 50%，因为镍湿法处理的是氧化矿。

表 9-7 铜和镍生产的总能耗、GWP 与 AP 值

金属	工艺	总能耗 /MJ·kg^{-1}	GWP 值① /kg·kg^{-1}	AP 值① /kg·kg^{-1}
镍	闪速熔炼、谢里特法精炼	114	11.4	0.13
	加压浸出、萃取、电积	194	161	0.07
铜	熔炼、吹炼、电解精炼	33	3.3	0.04
	堆(酸)浸、萃取、电积	64	6.2	0.05

① 温度气体(CO_2)效应等效值，即每生产 1 kg 金属所放出的 CO_2 量(kg)，以下的 GWP 值和 AP 值也均为此含义。

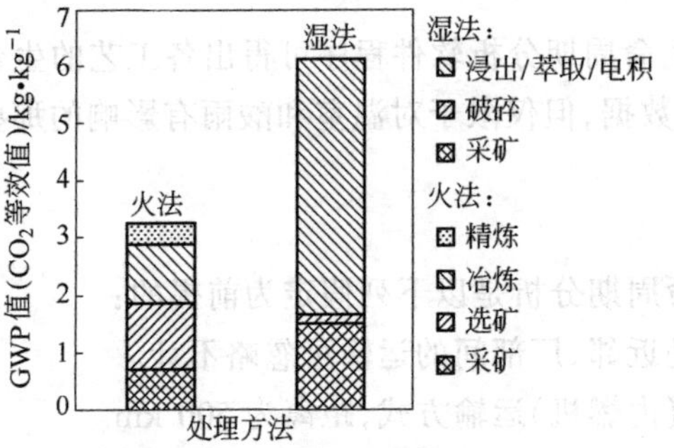

图 9-10 铜生产过程的 GWP 值的分配

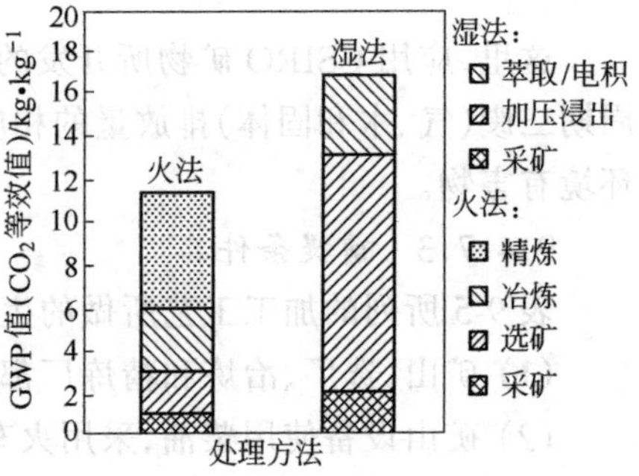

图 9-11 镍生产过程的 GWP 值的分配

还研究了不同工艺的参数对 LCA 结果的影响。图 9-12 和图 9-13 分别表明用熔炼－电解精炼法生产铜和用火法及谢里特高登法生产镍时矿石品位对总能耗、全球变暖趋势和酸化趋势值的影响。按 Chapman 和 Kellogg(1974)的估算值，在图 9-12 中做了比较。Chapman 和 Roberts(1983)报道的镍熔炼和精炼生产时不同矿石品位和总能耗见表 9-7。显然，矿石品位下降对总能耗有很大影响，当镍和铜的品位在 1% 以下时影响更为明显。

在所考虑的所有 4 种工艺中(见表 9-7)，电力的生产和供应在全球变暖趋势值中占有相当的比例，研究了不同工艺中用于发电的燃料种类和发电的热效率对全球变暖趋势值的影响，结果如图 9-14 和图 9-15 所示。从图 9-14 可看出，将发电燃料从煤变为天然气，对铜的湿法冶金，全球变暖趋势值从 6.2 下降到 4.2，对火法冶金，则相应从 3.3 下降到 2.4。从图 9-15 可看出，对镍，湿法冶金，相应的数值，从 16.1 下降到 13.3，对镍火法冶金，则从 11.4 下降到 9.5。正如所预料的，在两

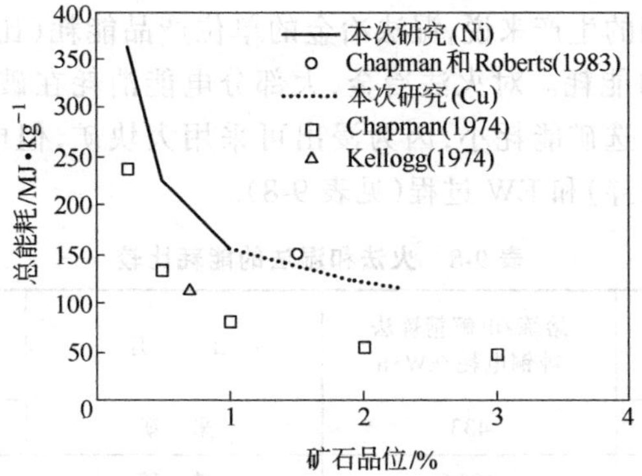

图 9-12 矿石品位和总能耗

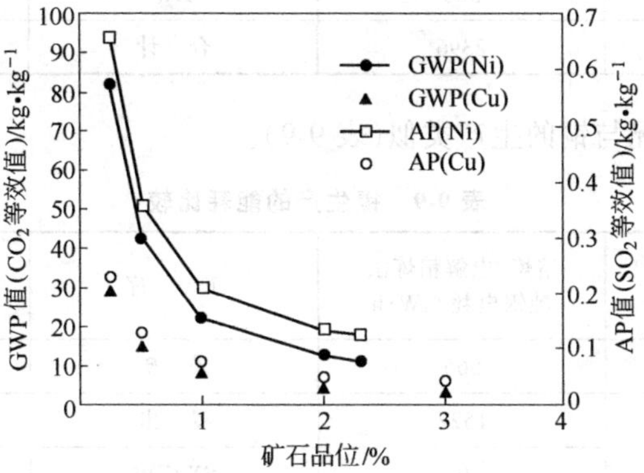

图 9-13 矿石品位和 GWP 值的关系与 AP 值的关系(熔炼与精炼)

种金属的生产中,提高发电的(燃烧)效率,对铜来说,湿法冶金的全球变暖趋势值下降更为明显,因为工艺中能耗比例大些。

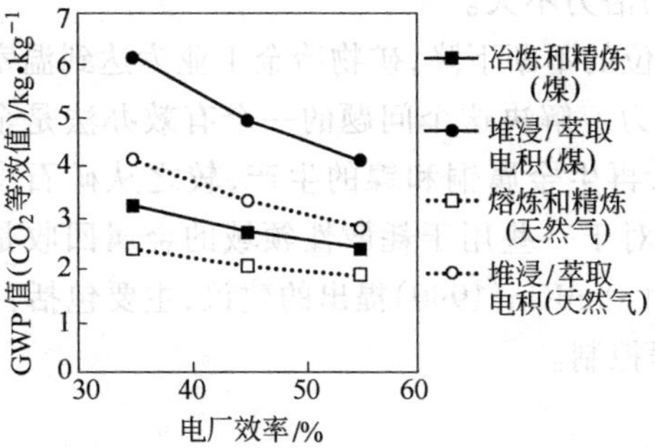

图 9-14 燃料种类和发电效率对铜的 GWP 值影响

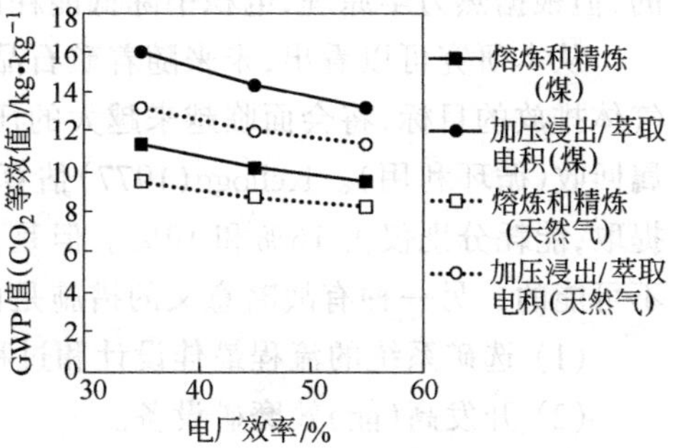

图 9-15 燃料种类和发电效率对镍的 GWP 值影响

9.4.7.5　讨论

可以看出，对铜的生产来说，湿法冶金的单位产品能耗（比火法冶金）要高，表9-6列出每吨精铜的能耗。对火法冶金，大部分电能消耗在破碎、磨矿和浮选中；对浸出/SX/EW法，选矿能耗小，因为浸出可采用大块矿，但电能主要消耗在SX（混合澄清器机械搅拌）和EW过程（见表9-8）。

表9-8　火法和湿法的能耗比较

工　序	熔炼/电解精炼法 吨铜电耗/kW·h	工　序	浸出/SX/EW法 吨铜电耗/kW·h
采　矿	433	采　矿	650
磨　矿	1233	破　碎	100
熔　炼	430	浸出/SX	2500
精　炼	300	EW	2000
合　计	2396	合　计	5250

对镍而言，情况与铜的生产类似（表9-9）。

表9-9　镍生产的能耗比较

工　序	熔炼/电解精炼法 吨镍电耗/kW·h	工　序	浸出/SX/EW法 吨镍电耗/kW·h
采　矿	565	采　矿	500
磨　矿	1522	浸　出	3581
熔　炼	0	SX/EW	4070
精　炼	2900		
合　计	4987	合　计	8151

在上述工艺中，通过技术进步，降低破碎和溶剂萃取过程的能耗还是有潜力的，但根据热力学原理，电积中降低能耗的潜力不大。

从本研究可以看出，未来随着矿石品位的不断下降，矿物冶金工业为达到温室气体排放的目标，将会面临越来越大的压力。解决这个问题的一个有效办法是金属回收（循环利用）。Kellogg（1977）估算，再生金属铜和镍的生产，较之从矿石中提取，能耗分别仅占16%和10%。但是，对于一些用于耗散性领域的金属回收是不可能的。另一种有战略意义的措施是由RanKin（1990）提出的建议，主要包括：

（1）选矿系统的流程最佳设计和过程控制。

（2）开发高（能）效磨矿设备。

（3）尽量减少磨矿。

（4）提高传统反应器的效率。

(5) 开发低能耗的新工艺。

(6) 采用新化学工艺。

(7) 从烟气中除去 CO_2。

(8) 大力采用非矿物燃料产生的电力,如水电。

降低冶金工业的温室气体的间接排放量也是一种途径,主要是提高矿物燃料发电的燃烧效率,如联合发电(co-generation)和提高电网效率,以及利用生产过程中的余热发电等。

9.4.7.6 结论

研究表明,如能在评估中包含工艺整个过程的全部收入和支出,就可估算出工艺对环境的总的影响。对于铜和镍生产的各工艺阶段,就其生命周期(全过程)而言,可以认为:

(1) 镍和铜生产的火法冶金工艺,总能耗和温室气体排放要比湿法冶金工艺(含 SX 和 EW)低。

(2) 无论是湿法还是火法冶金,酸(雨)性气体的排放量在采用硫化矿时都较小,因为矿石中的硫主要进入液相或被硫酸厂捕集。

(3) 镍的生产能耗比铜高数倍。

(4) 矿石品位下降,特别是在矿石品位低于1%时,为达到温室气体的排放目标,对环境的影响骤增。

(5) 用天然气代替煤发电,温室气体排放量大大下降,因为天然气能效高。

9.5 生态工业园(区)

9.5.1 概述

实现循环经济,走可持续发展的道路,关键问题是如何调整工业发展与自然环境的关系,并由此引申出工业生态学概念,其目的是重视人与自然协调共存。20世纪90年代初,在一些国际学术论文和会议报告中开始出现了生态工业园这一概念。生态工业园是工业生态学的产物,为实现可持续发展提供了新思路。

9.5.2 工业生态学与生态工业园

9.5.2.1 工业生态学概念

工业生态学的定义有几种,概括来说,可分为以下三种类型[148]:

(1)《工业生态学》杂志认为,工业生态学是从局部地区、区域和地球三个层次上系统研究产品、工艺、产业部门和经济部门中的物质与能量的使用和流动,集中研究工业产品生命周期的环境压力方面的潜在作用。

(2) 美国跨部门工作组的报告认为,工业生态学这一术语把工业和生态学两个词结合成一个新的概念，它研究在工业、服务及使用部门中原料与能源流动对环境的影响，并说明了工业过程如何与生态系统中天然过程发生的相互作用。自然生态系统发生的物质和能量使用及其循环的重建指出了可持续工业生态学的道路。工业生态学提供了一个研究技术、效率、资源供应、环境质量、有毒废弃物以及重复利用诸多方面相互关联的框架。

(3) 工业生态学国际学会认为，工业生态学提供了一个强有力的多视角工具，通过它可审视工业和技术的影响及其在社会和经济中的相关变化。工业生态学是一个新兴学科，它研究产品生产过程、工业部门和经济活动中的原料与能源在局部地区、区域和全球范围的使用与流动。它关注工业通过产品生命周期及与之相关的要素在减轻环境负荷方面的潜在作用。

9.5.2.2　生态工业园

20 世纪 70 年代以来，丹麦卡伦堡工业共生体的出现及其所取得的进展，使工业生态学的提倡者和政府部门管理者看到了通过工业生态学实现可持续发展的希望。对生态工业园的定义，目前尚不统一，主要有以下两种观念：

(1) 生态工业园是一个市场共同体，园区内的企业相互合作，并有效地分享资源（信息、原料、水、能源、基础设施和自然环境等），从而导致经济的增长和环境质量的改善，使市场和区域共同体发展所需资源得以合理配置。

(2) 生态工业园是一个计划好的原材料和能源交换的工业体系，它寻求能源、原材料使用以及废物的最小化，并建立可持续发展的经济、生态和社会的关系。

生态工业园的设立和示范目前尚处于初级阶段，但与传统工业园相比，生态工业园最根本的特征在于园区内企业间的相互作用以及企业与自然环境间的作用，生态工业园的主要描述包括系统内的合作、相互作用、效率、资源和环境。它的吸引力是在为企业带来巨大经济效益的同时，也为自身和周边社区带来巨大的环境效益；从经济效益看，通过提高原材料和能源的使用效率、废物的再生利用而节约成本，并降低了园区内企业的总成本，提高了企业绩效和竞争能力；从环境效益看，生态工业园不仅大量削减污染和废物源，而且减少了对自然资源的需求。园区成员将通过污染防治、“能源层叠”、“水层叠”、资源再生利用等创新性的清洁生产技术，减轻工业生产所造成的环境负担。

9.5.3　中国建设生态工业园区初探

自从中国将建设循环经济定为三大基本国策之一，许多省（自治区）、市、地区的政府部门或负责人对建设“生态工业园区”的热情很高，声言正在着手制定建设生态工业园区规划或实施计划的不下几十处。说明中国在建设生态工业园区方面已进入初探阶段。这里以河南郑州上街区和陕西韩城龙门建设生态工业园规划作为例子[149]。

上街区位于河南郑州市西部，是我国20世纪60年代初建成的最大铝产业基地。但作为以氧化铝生产为核心的资源开发型行业，长期以来大多生产初级加工产品，产品附加值低，对矿产资源形成较大压力，环境污染比较严重；龙门历来是韩城市的工业区，是以焦炭、钢铁为主的大型工业基地，由于生产工艺技术水平较低，每年有大量可以利用的资源白白浪费，还污染了环境。这种状况导致两个工业区的发展难以为继。

在两地政府和相关部门、单位的支持下，制定了以循环经济为目标的建设生态工业园区的发展规划。虽然两个工业区各有特点，但园区建设的指导思想和总体目标是一致的：依据循环经济的理念，在现有园区的企业中积极推进清洁生产，并通过园区产业的集约化发展，使当地的资源优势、行业优势和区位优势得到充分发挥，通过园区内各单元的副产品和废物交换、能量和废水的梯级利用以及基础设施的共享，最终使工业发展下的资源利用与地区资源的蕴藏与开发能力相匹配，污染物排放与环境承载能力协调，实现资源利用的最大化和污染物排放的最小化。

上街区建设的目标是：以区域经济结构调整为切入点，经过十余年建设和资源配置的优化，围绕以氧化铝生产为核心，铝产品深加工等为主线，初步形成一批实力雄厚、优势突出的产业群和产品群，建成中原地区生态工业和循环经济示范城区。

建设龙门生态工业园区的思路是：根据工业链的需要，积极吸收一批符合生态工业园发展模式的企业在园区落户，延伸现有的循环产业链条。经过十年的建设将龙门生态工业园建设成为以焦化、钢铁、电力和建材工业为主的工业生态示范园区。

目前，两个生态工业园区的建设规划已得到国家环保总局和有关专家的认可。

9.5.4 国外情况[150]

9.5.4.1 丹麦 卡隆堡(Kalundborg)工业共生体

卡隆堡是一个居民仅有2万人的小城市，位于哥本哈根以东约100 km，工业共生体从20世纪70年代初在此逐步形成。当初，该市的几个重要企业试图在减少费用、废料管理和更有效地使用淡水等方面寻求变革，它们之间建立了紧密的协作关系。80年代以来，当地主管工业发展的部门意识到这些企业自发地创造了一种新的体系，于是给予了积极的支持，将其称为“工业共生体”(industrialsym biosis)。

卡隆堡工业共生体的主体由以下5家企业和市政当局构成：

(1) Asnaes发电厂，为燃煤电厂，1959年投入使用，发电能力为1500 MW。

(2) Statoil炼油厂，为丹麦最大的炼油厂，年产量为300～400万t。

(3) Gyproc石膏材料公司，生产石膏板材。

(4) Novo Nordisk 公司，是世界上最大的胰岛素和某些工业酶生产厂家之一。

(5) 地方农场，在本地有几百个农场，生产各种作物。

(6) Kalundborg 市政当局，为居民提供供暖服务。

在卡隆堡工业系统中，不同的企业按照互惠互利的原则，以贸易方式通过利用对方生产过程产生的废物或副产品而紧密地联系在一起，构成了工业共生体，图 9-16 为卡隆堡工业共生体的简图。

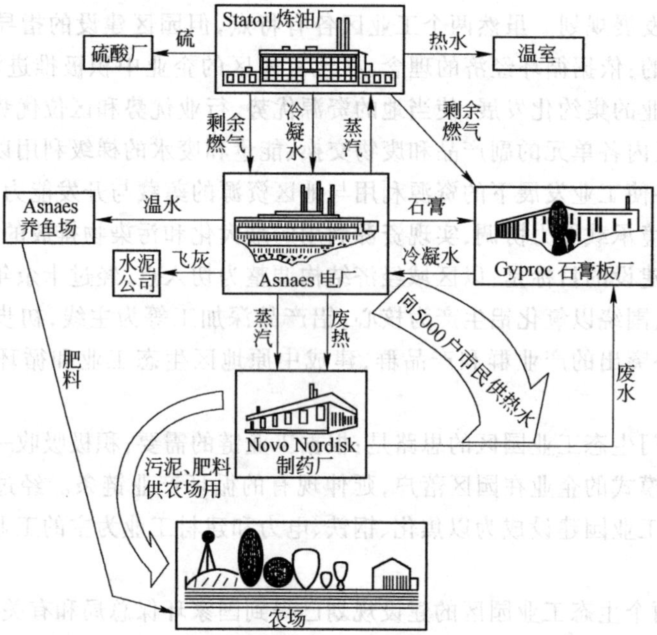

图 9-16　卡隆堡工业生态园

Asnaes 燃煤火电厂是工业生态系统的中心，对热能进行了多级利用，它为制药厂提供所需的全部蒸汽，为炼油厂提供所需蒸汽的 40%；其生产的余热提供给养鱼场，养鱼场的淤泥作为肥料出售。1993 年电厂投资 115 万美元，安装了除尘脱硫设备，除尘的副产品是工业石膏，年产 8 万 t，全部出售给石膏厂，替代了该厂从西班牙石膏矿进口原料的 50%；粉煤灰供筑路和生产水泥用。S taoil 炼油厂向硫酸厂供应其副产品硫，并向本地温室供热水，炼油厂向石膏厂提供热气，用于石膏板生产中的干燥，减少常见的热气的排空。1992 年建了一车间进行酸气脱硫生产稀硫酸，供给 50 km 外的一家硫酸厂。炼油厂的脱硫气提供给电厂。来自 A snaes发电站的废热和蒸汽供 NovoNordisk 药厂利用，该厂将制药废渣经热处理杀死微生物后销售给附近 1000 多家农户，用做肥料。

卡隆堡工业共生体的环境效益和经济效益突出，见表 9-10。其环境效益为：

减少了资源消耗,减少了温室气体的排放和污染,废料得以重新利用,其经济效益同样十分显著,20 年间总投资额估计为 6000 万美元,而由此产生的效益估计每年为 1000 万美元。投资平均折旧时间短于 5 年。

表 9-10 卡隆堡每年的环境和经济效益

减少的资源消耗量	减少的气体排放量/t	废弃产品的重新利用量/t
油 19000 t	CO_2 120000	飞灰 135
煤 30000 t	SO_2 3700	硫 2800
水 600000 m^3		石膏 80000
		污泥中的氮 800000

9.5.4.2 其他国家生态工业园区规划

20 世纪 90 年代中期,生态工业园的研究与实践在北美、欧洲一些发达国家非常活跃,尤其是美国,指定了四个示范区进行试验。1996 年,美国的生态工业园发展到十几个。

美国 15 个生态工业园所在的位置及特征见表 9-11。

表 9-11 美国的生态工业园

生态工业园	位 置	特 征
Fairfield Ecological Industrial Park	Fairfield Baltimore, Maryland	现有工业领域的转化,协作生产,肥料的再利用,环境技术
Brownsville Eco-Industrial Park	Brownsville, Texas	区域或虚拟的废料有偿交换和利用
Riverside Eco-Park	Burlington, Vemont	城郊农业工业园,利用生物能,废物处理
Port of Cape Charles Sustainable	Port of Cape Charles, Virginia Technologies Industral Park	可持续技术,天然海岸特色
Civano Environmental Technologies Park	Civano, Tucson, Arizona	自然状态特色
Chattanooga	Chattanooga, Tennessee	以绿色环保为主
East Shore Eco-Industrial Park	Green Institute, Minnespolis, Minnesota	基于资源回收的工业园、生态园
Plattsburgh Eco-Industrial Park Raymond Green EnvironMental Industral Park	Plattsburgh, New York Raymond, Washington	一个军事基地的重建,绿色环境
Shady Side Eco-Business Park Industriai Park	Shadk Side, Maryland	技术合作,共建环境

续表 9-11

生态工业园	位 置	特 征
Trenton Eco-Industrial Complex	Trenton, New Jersey	清洁生产工艺
Frank Iin Environmental Industrial Park	Youngsville, North Carolina	医药、能源和环境联合体

1995年以来，加拿大多伦多的Potrland工业区一直在进行建设生态工业园的试验，目前在加拿大约有40个生态工业园开展了这项工作，表9-12列出了其中一些有代表性的园区。

表 9-12 加拿大的生态工业园

园区所在地	骨干产业
Vancouver, British Columbia	火力发电、纸浆、包装工业等工业园
Fort Saska Tchew An, Sask	化学品、动力生产、苯乙烯、PVC、生物燃料
Sau It ste. Marie, Ontario	动力生产、钢铁、纸浆、胶合板工业园
Nanticoke, Ontario	供热站、炼油厂、钢铁厂工业园
Cornwall, Ontario	能源、纸浆厂、化学品、食品、电子设备、塑料、混凝土构件
Becancour, Quebec	化学品(H_2O_2, HCl, Cl_2, NaOH, 烷基苯)、镁、铝
Montreal East, Quebec	化学产品、空压机、石膏板、金属精炼、沥青
Saint John, New Brunswick	发电、纸浆，炼油，啤酒，制糖等工业园
Point Tupper, Nova Scotia	发电、纸浆、构件厂，炼油厂

参考文献

第1章

1 中国科学院可持续发展研究组.2000中国可持续发展战略报告. 北京:科学出版社,2000.21
2 钱正英,张光斗.中国可持续发展水资源战略研究报告第一卷.中国可持续发展水资源战略研究综合报告及各专题报告. 北京:中国水利水电出版社,2001.41
3 第五届全国矿产资源综合利用学术会议.见:第五届全国矿产资源综合利用学术会议论文集.北京:冶金工业出版社,1996.1
4 中国科学院可持续发展研究组.2000中国可持续发展战略报告. 北京:科学出版社,2000.177
5 邱定蕃.重金属与环保.见:宋健.中国科学技术前沿(第4卷). 北京:高等教育出版社,2001.213～218
6 费子文.有色金属进展(第二卷). 北京:中南工业大学出版社,1995.15
7 于光远.经济大辞典工业经济卷.上海:上海辞书出版社,1983.551
8 邱定蕃.资源循环.中国工程科学,2002, 4(10):31～35
9 张文彦,续军,张续光.自然科学大事典. 北京:科学出版社,1992
10 Jong Kee Oh. Proposal for the Promotion of Materials Recycling. In: Proceedings of the 6th international Symposium on East Asian Resource Recycling Technology, Gyeongiu,Korea, 2001.24
11 Kohmei Halada. How Does Japan Go To Recycling-based Dematerialized Society? In:First international Workshop on Recycling Program & Proceedings. Tsukuba,Japan, 2003.99
12 诸大建.从可持续发展到循环型经济.世界环境(J),2000(33): 6～12
13 余德辉,王金南. 循环经济21世纪的战略选择.再生资源研究(J), 2001(5):1～5
14 郭薇. 循环经济是解决污染的根本之路.再生资源研究(J),2001(1):2～3
15 Kohmei Halada. How Does Japan Go To Recycling-based Dematerialized Society? In:First international Workshop on Recycling Program & Proceedings. Tsukuba,Japan, 2003.99
16 蕾切尔·卡逊.寂静的春天.吕瑞兰, 李长生译.长春:吉林人民出版社,1997.1～3

第2章

17 汪旭光, 潘家柱. 21世纪中国有色金属工业可持续发展战略.北京:冶金工业出版社,2001.19～23
18 周宏春.中国矿产资源形势与对策研究.北京:科学出版社,2005.60～61
19 王安建,王高尚.矿产资源与国家经济发展. 北京:地震出版社,2002.31～44, 281～286
20 中国有色金属工业协会. 中国有色金属工业年鉴(2005)
21 国家环境保护局 .有色冶金工业废气治理. 北京:中国环境科学出版社, 1993.2

第3章

22 Tomohiko Sakao,et al. Environmental Effect Estimation of a New Technology Using Total Ma-

terial Requirement. In: Proceedings of the Symposia of IUMRS-ICAM. 2003, 29 (5): 1795～1798

23 Light Metals'1998. Welch B ed. TMS(The Minerals, Metals & Minerals Society), 1998. 1207～1214

24 Kenneth H Han. Opportunities and Challenges in Metals Recovery from Secondary Sources——US Perspecctive. In: The 6th International Symposium on East Asian Resouces Recycling Technology(文集). Gyeongju(庆州),Korea ,2001.3～8

25 中国有色金属工业协会.中国有色金属工业年鉴(2004).2004.472～484

26 兰兴华. 世界再生锌工业的现状与展望.世界有色金属(J),2002(2): 39～41

27 中国有色金属工业协会.中国有色金属工业年鉴(2005). 2005.21～32,44～80,541～553

28 中国有色金属工业协会.中国有色金属工业年鉴(2005).2004.5～31,56～81

29 叶冬松等.主要金属矿产资源开发利用——中国资源开发利用战略.北京:中国农业出版社,2002

30 John C Bittence. Recycling and Life-Cycle Analysis. Metals Handbook[M].2nd ed. DESK Ed., ASM International, 1998

31 马永刚.加大力度发展再生有色金属刻不容缓.中国资源综合利用(J), 2002(8): 12～15

32 Huang H H. The Recycling Industry in Taiwan. In: Qiu Dingfan, et al ed. Proceedings of the 8th International Symposium on East Asian Resources Recycling Technolody . Beijing, China, 2005. 9～14

33 Mikio Kobayashi. Present Status and Prospects of Non-ferrous Metal Recycling in Japan. In: Proceedings of the Fist International Workshop on Recycling. Tsukuba, Ibaraki, Japan, 2002. 67～78

34 Jaehyun Oh. Current Status and Future Prospects for Resources Recycling in Korea. In: Proceedings of the Fist International Workshop on Recycling. Tsukuba, Ibaraki, Japan, 2002.1～12

第 4 章

35 白木等.有色金属再生利用情况和技术进展.再生资源研究(J),2002(5):12～14

36 Cünte Joseph. Copper. USA,1999. 389～392

37 屠海令. 有色金属冶金、材料、再生与环保.北京:化学工业出版社,2003.643～698

38 朱祖泽.现代铜冶金学.北京:科学出版社,2003.591～604

39 姜松.中国再生有色金属资源的开发利用.中国资源综合利用(J),2000(1):18～21

40 江铜.再生铜占铜消费半壁江山.中国有色金属参考(J),2003(1):16

41 天津大通铜业公司.中国废杂铜资源现状和竞争态势.中国资源综合利用(J),2000(3):19～23

42 张希忠.中国再生铜工业现状及发展前景.有色金属再生与利用(J),2003(2):11～13

43 韦江宏.中国铜冶炼企业的竞争趋势及对策建议.世界有色金属(J),2003(4):10～14

44 Davenport W G, et al. Extractive Metallurgy of Copper. 4th ed. 2002. 341～399

45 Edelstein D. (1999) Copper, InRecycling-Metals, U. S. Geol. Survey, Washington, DC; http://

minerals. usgs. gov/minerals/pubs/commodity/recycle/870499. pdf.
46 Sasaki A A, et al. Circulation of Non-Ferrous Metals in Japan. In REWAS'99, Vol., Ⅱ Gaballah I, Hanger J, Solobazal R ed. TMS: 1117～1126
47 汪群慧. 固体废物处理及资源化. 北京:化学工业出版社,2004. 85～344
48 Qiu Dingfan. Recovery of Metals from Secondary Materials by Slurry Electrolysis. In: Proceedings of 4th International Symposium on East Asian Resources Recycling Technology. Kuuming China, 1997. 93～106
49 金田铜业有限公司.立足再生资源、打造绿色金田.有色金属再生与利用(J),2005(10):36
50 洪丕基.国外废杂铜回收利用的某些工艺介绍.中国资源综合利用(J),2002 (7) :30～33
51 Lehner T, Wiklund J. Sustainable Production : The Business of Non-Ferrous Smelting in Sweden, MINPREX2000, Melboume, Vic., 2000. 127～131
52 N N, 1999, Outokumpu News, 2/99. 4～8
53 Hoffmann J E. Recollections at a Secondary Copper Smelter and Refinery: The U. S. Metals Refining Company. Carteret N J. In: Stewart D L ed. Fourth Internatinal Symposium on Recycling of Metals and Engineered Materials. 2000. 51～564
54 Bernhard Hanusch. Increasing Performence at HK's Anode Furnace. In: Proceedings of Uropean Metallurgical Conference. Dresden, Germany, 2005(1):63～73
55 Bauer Ino. Velten Hans-Joachim. Reduction of fugitive emissions in secondary smelter of Norddeutsche Affinerie A G . In: Proceedings of Uropean Metallurgical Conference. Dresden, Germany, 2005(3):1255～1266

第5章

56 中国有色金属工业协会.中国有色金属工业年鉴(2005)
57 赵青.对再生铝行业的认识.世界有色金属(J),2004(4):21～22
58 兰兴华.从再生资源中回收有色金属的进展.世界有色金属(J),2003(9):61～65;2003 (10):53～58;2003 (11):64～68
59 我国再生铝前景广阔.中国有色金属报,2004年1月22日,第7版
60 王祝堂.世界最大的再生铝企业——美国伊姆科再生金属公司. 中国资源综合利用(J), 2000(2):17～18
61 Paul R Bruggink, Kenneth J Martchek. Worldwide Recycled Aluminium Supply and Environmental Impact Model. Light Metals 2004. Alton T ed. Tabereaus TMS (The Minerals, Metals&Materials Society), 2004. 907～911
62 Georg Rombach. Future Availability of Aluminum Scrap. Light Metals 2002. Worfgang Schneider ed. Warrendale, PA: The Minerals, Metals & Materials Society, 2002. 1011～1018
63 Günter Kirchner. Substitution of Primary Aluminum by Recycled Aluminum - Wishful Thinking or Reality? In: 6th International Secondary Aluminum Congress, Cannes, 2001
64 Elvind Hagen. The Aluminum Market at the Beginning of a New Century. In: 6th International Secondary Aluminum Congress, Cannes, 2001

65 Georg Rombach. Future Availability of Aluminum Scrap. Light Metals 2002. Wolfgang Schneider ed. TMS(The Minerals, Metals & Material Society), 2002.1011～1018
66 南波正敏.日本再生铝产业的发展现状与展望.有色金属再生与利用(J),2004(11):3～4
67 Light Metals'1999. EcKert E ed. TMS,1999.1083～1086
68 Peterson Ray D. The Secondary Metal Supplier and Metal Quality. Light Metals. Paul N ed.. Crepeau TMS(The Minerals,Metals & Materials Society),2003.1075～1081
69 王祝堂.中国的再生铝工业.中国资源再利用(J),2002(9):30～39
70 Namba Masatoshi. Current Developments and Propects of Japan's Aluminum Recycling Industry. In: Proceedings of the Fourth Secondary Metals Internatinal Forum. Suzhou,China, 2004. 197～211
71 Groot Jan D de.宏泰铝工业设备公司的再生铝技术和设备.有色金属再生与利用(J),2004(8):13～14
72 Groot Jan D de, Migchielsen Jan.宏泰铝工业设备公司用于铝屑回收的多室熔炼炉.有色金属再生与利用(J),2004(10):18～20
73 Zhou Bo, Yang Yongxiang, Reuter Markus A. Process Modeling of Aluminum Scraps Melting in Molten Salt and Metal Bath in a Rotary Furnace. Light Metals 2004. Alton T Tabereaux ed. TMS(The Minerals Metals & Materials Society),2004.919～924
74 Wu Y et al. Modeling the Cylindrical Scrap Aluminum Remelter. Light Metals, 1994.855～862
75 ANSYS-CFX5 Manuals and Documents, ANSYS Inc.
76 王祝堂. EMP系统——高效的废铝熔炼装置. 中国资源综合利用(J),2000(12) :32
77 Tilak Ravi. Effcient Recycling of Aluminum Scrap for Manufacturing of Extrusion Billet. In: Proceedings of 2004'Chinese Secondary Aluminum Industry's Development Forum. Beijing, China, 2004.52～60
78 Tilak Ravi. LARS : Improved Aluminum Refining System with In-situ Gas Preheating and SCADA Capabilities. Light Metal Age, 1999,57(5/6):14～23

第6章

79 徐传华.中国再生有色金属生产现状及前景.世界有色金属(J),2004(4):9～15
80 左淮书.我国再生铅产业应走与原生铅产业相结合之路. 见:第四届再生金属国际论坛(会议文集).苏州,2004.220～228
81 杨春明,马永刚.中国再生铅产业可持续发展的必然选择. 有色金属再生与利用(J),2005(3):10～12
82 李富元,李世双,王进. 国内外再生铅生产现状及发展趋势. 世界有色金属(J),1999(5): 26～30
83 何蔼平,郭森魁,郭迅.再生铅生产.上海有色金属(J),2003, 24(1):39～42
84 兰兴华.从再生资源中回收有色金属的进展.世界有色金属(J),2003 (9):61～65;2003(10):53～58
85 李富元.中国废杂铅回收利用现状.有色金属再生与利用(J),2002(1):27～32

86 屠海令.有色金属冶金、材料、再生与环保. 北京:化学工业出版社,2003.643~698

87 Tsuyoshi Masuda, Takahiko Okura, Takashi Nakamura. Material Flow of Lead and Used Lead-acid Battery Recycling System in Japan. In: Proceedings of the Symposia of IUMRS-ICAM. 2003, 29 (5):1905~1908

88 Moeenster J A , Sankovitch M J. Operations at the DOE RUN Company's Buick Resource Recycling Division. In: Stewart D L, Dalcy J C ed. Fourth International Symposium on Recycling of Metals and Engineered Material. TMS(The Minerals Metals & Materials Society), 2000. 63 ~72

89 Vondersaar M, Blunes B. Operation of a High-output, One-pass Smelting System for Recycling Lead-acid Batteries. In: Stewart D L , Stephens R, Dalcy J C ed. Fourth International Symposium on Recycling of Metals and Engineered Material. TMS (The Minerals Metals & Materials Society), 2000. 63~78

90 Gerhard Martin, et al. Recovery of Polypropylene from Lead-acid Battery Scrap. In: Stewart D L, Stephens R, Dalcy J C ed. Fourth International Symposium on Recycling of Metals and Engineered Material. TMS (The Minerals Metals & Materials Society), 2000.93~101

91 Gizicki S, et al. Modernisation of the Lead Acid Battery Scrap Smelting Technology at 'Orzel Bialy' S.A. In: Stewart D L , Stephens R, Dalcy J C ed. Fourth International Symposium on Recycling of Metals and Engineered Material. TMS(The Minerals Metals & Materials Society), 2000.123~131

92 Behrendt H P. Technology for Lead-Acid Batteries at Muldenhütten Recycling und Umwelttechnik GMBH. In: Stewart D L , Stephens R, Dalcy J C ed. Fourth International Symposium on Recycling of Metals and Engineered Material. TMS(The Minerals Metals & Materials Society), 2000.79~92

93 Dr.-Ing. HeloiSa Vasconcellos de Medina, Clean Technogies for Automotive Batteries Recycling :A Case Study in Brazil. In: Proceedings of Uropean Metallurgical Conference. Dresden, Germany, 2005. 537~552

94 Wernick I, Themelis N J. Recycling Metals for the Environment. Annual Review Energy and Environment, 1998(23): 465~497, Copyright by Annual Reviews

95 Olper I M, Asano B. Improved Technology in Secondary Lead Processing ——ENGITEC Lead Acid Battery Recycling System. In: Jaeck M L ed. Proceedings of the International Symposium on Primary and Secondary Lead Processing. Halifax, Nova Scotia, August 20-24, 1989, (Primary and Secoddary Lead Processing), CIM, Toronto. 110~132

96 Olper M, Maccagni M. The Green Factory in Secondary Lead Production. In: Proceedings of Uropean Metallurgical Conference. Dresden, Germany, 2005.523~535

97 Gustavo Díaz, et al. Placid——A Clean Process for Recycling Lead from Batteries, JOM(J), 1996(1):29~31

98 Díaz G, Martín D, et al. Emerging Applications of ZINCEX and PLASID Technologies, JOM (J), 2001(2):30~31

第7章

99 肖松文等.二次锌资源回收利用现状及发展对策.中国资源综合利用(J),2004(2):19～23

100 邱定蕃等.中国再生有色金属工业的现状与展望.有色金属(J),2002(2):35～38

101 兰兴华.锌的生产和应用.世界有色金属(J),2005(4):60～61

102 Bing Peng, et al. Evolution of Electric Arc Furnace Stainless Steelmaking Dust Recycling TechnologiesIn: Proceedings of The 7th International Symposium on East Asian Resources Recycling Technology, Tainan,Taiwan, 2003. 181～186

103 Zunkel A D. Recovering Zinc and Lead from Electric ARC Furnace Dust: A Technology Status Report. In: Stewart D L ed. Proceedings of Fourth Internatinal Symposium on Recycling of Metals and Engineered Materials. TMS(The Minerals Metals & Materials Society), 2000. 227～234

104 Marc Liebman. The Current Status of Electric ARC Furnace Dust Recycling in North America. In: Stewart D L ed. Proceedings of Fourth Internatinal Symposium on Recycling of Metals and Engineered Materials. TMS(The Minerals Metals & Materials Society), 2000. 237～250

105 Sloop J D. EAF Dust Recycling at Ameristeel. In: Stewart D L ed. Proceedings of Fourth Internatinal Symposium on Recycling of Metals and Engineered Materials. TMS(The Minerals Metals & Materials Society), 2000. 421～426

106 Mager K, Meurer U. Recovery of Zink Oxide from Secondary Raw Materials: New Developments of the WAELZ Process. In: Stewart D L ed. Proceedings of Fourth Internatinal Symposium on Recycling of Metals and Engineered Materials. TMS(The Minerals Metals & Materials Society), 2000. 329～340

107 B.U.S Metall GmbH, Duisburg , New Devlopments and Investments the Waelz Process. In: Stewart D L ed. Proceedings of Fourth Internatinal Symposium on Recycling of Metals and Engineered Materials. TMS(The Minerals Metals & Materials Society), 2000. 341～344

108 博颜筱本等. EAF Dust Recycling Technology in Japan. In: Proceedings of the 6th International Symposium on East Asian Resouces Recycling Technology(M). Gyeongju(庆州),Korea, 2001. 9～17

109 Hyoung-Ky Shin, et al. Recovery of Metals from EAFD with RAPID System. In:, Proceedings of the 6th International Symposium on East Asian Recycling Technology(M). Gyeongju(庆州),Korea, 2001. 381～386

110 Díaz G., Martín D, et al. Emerging Applications of ZINCEX and PLASID Technologies. JOM (J), 2001(12):30～31

111 Olper M, Maccagni M. Zn Production from Zinc Bearing Secondary Materals: The Combined Indutec® /Ezinex® Process. In: Proceedings of Uropean Metallurgical Conference(M). 18-21 September 2005 Dresden, Germany, 491～499

112 Groult D, et al. Dezincing of Zinc Coated Steel Scrap: Current Situation at Saint-saulve Dezincing Plant of Compagnie Europeenne de Dezingage(C.E.D). In: Stewart D L ed. Proceedings of

Fourth Internatinal Symposium on Recycling of Metals and Engineered Materials(M). TMS (The Minerals Metals & Materials Society), 2000.201～208

第 8 章

113 张少宗.报废汽车中有色金属的回收.中国资源综合利用(J),2000(2):12～16

114 Petra Zapp, et al, The Future of Automotive Aluminium. Light Metals 2002, Schneider W ed. TMS, 2002.1003～1018

115 张友良,田晖.废旧家用电器的回收利用.见:再生有色金属经济技术国际研讨会论文集.中国有色金属工业协会再生金属分会,2002(5):149～153

116 Ma H K, Li K C, Wu N M, Chang W C. The System of Waste Home Appliances Recycling in Taiwan. In: Proceedings of the 6th International Symposium on East Asian Recycling Technology(M). October 23-25, 2001, Gyeongju(庆州), Korea, 43～47

117 Chen-Ming Kuo, Esher Hsu. Recycling of Waste Home Appliances in Some European and Asian Countries. In: Proceedings of the 7th International Symposium on East Asian Resources Recycling Technology. November 10-14, 2003 Tainan Taiwan: 69～74

118 Rie MURAKAMI. The Camparison of Waste Home Appliances Recycling System in Japan, Korea, and Taiwan — From an Extended Producer Responsibility(EPR) Perspective. In: Proceedings of The 6th International Symposium on East Asian Recycling Technology(M). October 23-25, 2001, Gyeongju(庆州), Korea, 48～58

119 吴宏富.电子废弃物变成再生资源.有色金属再生原利用(J),2005(1):37

120 吴衍秋.海尔开始挖掘电子废弃物金矿.有色金属再生与利用(J),2004(10):31

121 Matusewicz R W, Baldock B R. Ausmelt Technology of Compuer Boards and Other High Value Materials. In: Proceedings of Fourth Internatinal Symposium on Recycling of Metals and Engineered Materials. Stewart D L ed., TMS(The Minerals Metals & Materials Society), 2000. 701～710

122 Charistian Hagelüken. Recycling of Electronic Scrap at Umicore's Integrated Metals Smelter and Refinery. In: Proceedings of Uropean Metallurgical Conference. 18-21 September 2005 Dresden, Germany, 307～323

123 彭德富(国家环境保护总局).调整产品结构是解决我国干电池污染的主要途径.环境保护(J),2001(5):33～35

124 王韶林.干电池的危害与利用.中国资源综合利用(J),2000(9):20～21

125 吴雷等.废旧电池资源化、无害化.城市环境与城市生态(J),2001(1)1,2001:(5):36～38

126 刘宇明.废旧手机电池的回收与利用.环境保护(J),2001(2):47～48

127 彭德富.调整产品结构是解决我国干电池污染的主要途径.环境保护(J),2001(5):33～35

128 Macedo M I F, et al. Dissolution of Heavy Metals From Spent Batteries under Waste Landfill Conditions. In: Biohydrometallurgy: Fundamentals, Technology and Sustainable Development. Part B. Ciminelli V S T, et al ed. 2001, Elsevier Science B.V. 13～19

129 Hiroshi Okmoto, Song-Hoon Lee. The Current Situation for Recycling of Lithium Ion Batter-

ies. In: The 6th International Symposium on East Asian Recycling Technology(M). October 23-25, 2001, Gyeongju(庆州), Korea, 252～256
130 Jeong-Soo Sohn. The Status of Battery Recycling Korea. In: Proceedings of the Second International Workshop on Recycling. Tsukuba Ibaraki, Japan, December, 2-5, 2002. 67～80
131 Matsunuma A. (1987) Reduction of Mercury Content in Alkaline Dry Batteics. In: Progress in Batteics & Solar-cell. (6): 12～14
132 Panero S, Romoli M, et al. Impact of Household Batteics in Landfills. Journal of Power Sources, (57): 9～12
133 Sohn J S, et al. Recovery of Valuable Resources from Spent Batteries. In: Proceedings of the Waste Treatment & Recycling Workshop 2001. KIGAM, Daejon, 76～91
134 Sofra J, Fogarty J. Recycling of Mobile Phone Batteries Using the Ausmelt Catalytic Waste Converter. In: Stewart D L ed. Proceedings of Fourth Internatinal Symposium on Recycling of Metals and Engineered Materials. 2000. 597～612
135 Achaya P, DeCicce S G, Novak R G. Factors that Can Influence and Control the Emissions of Dioxins and Furans From Hazardous Waste in Cinerators. In: 84th Annual Meeting of the Air and Waste Management Association. Vancouver Canada, 1991
136 Raghunathan K, Gulleett B K. Role of Suphur in Reducing PCDD and PCDF Formation. Environmental Science and Technology, 1996, 30(6)
137 Clyde S Brooks. Recovery of Non-ferrous Metals from Spent Catalysts. In: Stewart D L ed. Proceedings of Fourth International Symposium on Recycling of Metals and Engineered Materials. TMS(The Minerals Metals & Materials Society), 741～758
138 Llanos Z R, Deering W G. Evolution of GCMC's Spent Catalyst Operations, In: Stewart D L ed. Proceedings of Fourth Internatinal Symposium on Recycling of Metals and Engineered Materials. TMS(The Minerals Metals & Materials Society), 2000. 759～770
139 State Economic and Trade Commission PROC Comprehensive Utilization of Resources in China. Survey of Comprehensive Utilization, 1997. 11～12
140 Wang M V. Recovery of Vanadium, Molybdenum, Nickel and Cobalt from Spent Catalysts: A new Processing Plant in China. In: Stewart D L ed. Proceedings of Fourth Internatinal Symposium on Recycling of Metals and Engineered Materials. TMS(The Minerals Metals & Materials Society), 2000. 781～792

第9章

141 Cünte Joseph. Copper. USA, 1999. : 389～392
142 Light Metals' 1998, Welch B ed. TMS(The Minerals, Metals & Minerals Society), 1998. 1207～121
143 Tomohiko Sakao, Satoshi Toyoda, Hiroshi Mizutani, et al. Environmental Effect Estimation of a New Technology Using Total Material Requirement. In: Proceedings of the Symposia of I-UMRS-ICAM, Oct. 8-13, 2003(29)(5): 1795～1798

144 Reuter M A, et al. Teaching Metallurgy and Recycling in an International MSc Program in the Context of Metal and Material Ecology. In: Proceedings of Uropean Metallurgical Conference. 18～21 September 2005 Dresden, Germany, (1):351～367

145 Martchek K J. The Importance of Recycling to the Environmental Profile of Metal Products. In: Stewart D L ed. Proceedings of Fourth Internatinal Symposium on Recycling of Metals and Engineered Materials. TMS(The Minerals Metals & Materials Society), 2000. 19～28

146 Anton Klassert, et al. Contributions of Life Cycle Analysis to Sustainable Development in Copper Industry. In: Proceedings of Uropean Metallurgical Conference. 18-21 September 2005 Dresden, Germany: 1145～1153

147 Norgate T E, Rankin W J. Life Cycle Assessment of Copper and Nickel Production. WINPREX 2000, Melboume, Vic, 11-13 September 2000. 133～138

148 杨敬辉等. 试用外部性理论分析生态工业园的经济学机制. 中国资源综合利用(J), 2004 (4):30～33

149 刘晓军. 以循环经济理念建设生态工业园——河南郑州上街区和陕西韩城龙门建设生态工业园规划获认可. 科技日报, 2005年4月15日第11版

150 邓南圣等. 国外生态工业园研究概况. 安全与环境学报(J), 2001(8):24～27

彩图1　城市将是最大的矿山

铜米机

电缆剥线机

双道剥线机

彩图 2　国产电缆剥线机

彩图 3　澳大利亚艾萨(ISA)熔炼炉与转炉

彩图 4　波兰 Baterpol 废蓄电池及其废酸处理工厂

彩图5　中国台湾 E&E Recycling Inc 处理家电车间

彩图6　日本京滨制铁所内的 NKKTA 家电回收厂